수학

수학(하)

구성과 특징

연마 고등 수학의 특징

01 스스로 원리를 터득하는 개념 완성 시스템

- 풀이 과정을 채워 가면서 스스로 수학의 원리를 이해할 수 있습니다.
- 주제별, 유형별로 묻는 문제를 반복하여 풀면서 자연스럽게 개념을 완성할 수 있습니다.

02 계산 및 적용 능력을 키우는 기본기 확립 시스템

- 탄탄한 기본 연산력이 수학 실력 향상의 밑거름이 될 수 있습니다.
- 주제별, 유형별로 쉽고 재미있는 문제들을 통해 다양한 문제 접근 방법을 습득, 문제에 대한 적용 능력을 키웁니다.
- 기본기가 탄탄하게 강화되어 자신감을 가지게 됩니다.

03 문제 해결 능력을 높이는 체계적 실력 향상 시스템

- 단원별, 유형별 다양한 문제 접근 방법으로 문제 해결 능력을 향상시킵니다.
- 주제별, 유형별 다양한 집중 문제 풀이를 통해 체계적으로 실력이 업그레이드 됩니다.

연마

고등 수학의 구성

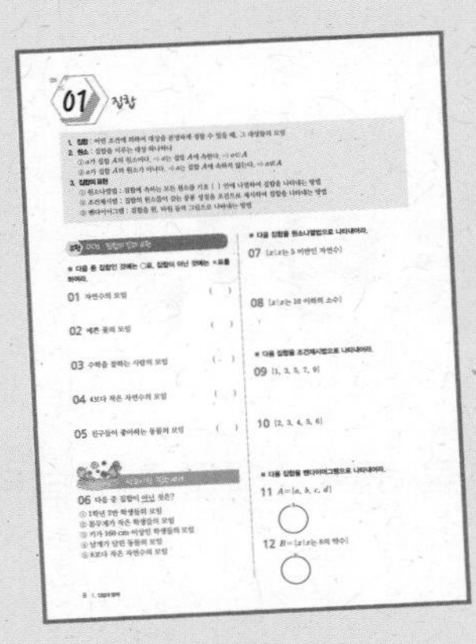

개념정리

핵심 내용정리는 단원에서 꼭 알아야 하는 기본적인 개념과 원리를 창(Window) 형태로 이미지화하여 제시함으로 이해하기 쉽고, 기억이 잘됩니다.

개념 적용/연산 반복 훈련

기본 원리를 적용하여 같은 유형의 문제를 반복적으로, 스몰스텝으로 단계화하여 풀게함으로써 실력을 키울 수 있습니다. 직접 풀이 과정을 쓰면서 개념을 익힐 수 있도록 하세요. 쉽고 재미있는 문제들을 통하여 수학에 대한 자신감을 가질 수 있습니다.

TIP / 문제 풀이에 필요한 도움말을 해당하는 문항의 하단에 제시하여 첨삭지도합니다.

학교시험 필수예제

연산 반복 훈련을 통해 터득한 개념과 원리를 확인합니다. 각 유형별로 배운 내용을 정리하고 스스로 문제를 해결함으로써 학교 시험에 대비할 수 있습니다.

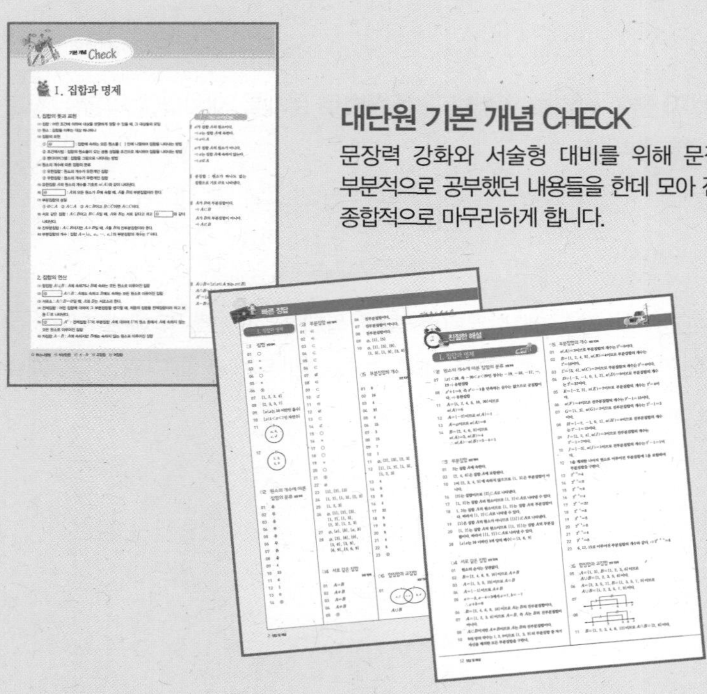

대단원 기본 개념 CHECK

문장력 강화와 서술형 대비를 위해 문장 속 네모박스 채우기로 개념을 정리하며, 부분적으로 공부했던 내용들을 한데 모아 전체적으로 조감할 수 있게 하여 단원을 체계적, 종합적으로 마무리하게 합니다.

빠른정답 & 친절한 해설

가독성을 고려하여 빠른 정답을 새로 배치하여 빠르게 정답을 체크할 수 있도록 구성하였습니다.
또한 기본 문항들 중에서 자세한 해설이 필요한 문항들은 학생들 스스로 해설을 보고 문제를 해결할 수 있도록 친절하게 풀이하였습니다.

학습 방법

이 책은 수학의 가장 기본이 되는 연산 능력뿐 아니라 확실하게 개념을 잡을 수 있도록 하여 수학의 기본 실력이 향상되도록 하였습니다.
다음과 같이 본 책을 학습하면 효과를 극대화 할 수 있습니다.

01. 개념, 연산 원리 이해

글과 수식으로 표현된 개념을 창(Window)을 통해 시각적으로 표현하여 직관적으로 개념을 익히고, 구체적인 예시와 함께 연산 원리를 이해합니다.

02. 연산 반복 훈련

동일한 주제의 문제를 반복하여 손으로 풀어 봄으로써 풀이 방법을 익힙니다. 유형별로 문제를 제시하여 약한 유형이 무엇인지 파악할 수 있어 약한 부분에 대한 집중 학습을 합니다.

03. 학교시험 대비

연산 반복 훈련을 통해 개념과 원리를 터득하고, 학교시험 필수 예제 문항을 통해 실제 학교 시험 문제에 적용하여 풀어봅니다. 또한 교과서 수준의 개념을 한눈에 확인할 수 있도록 빈칸 채우기 형식의 문제로 대단원 기본 개념 CHECK를 통해 전체적인 개념과 흐름을 확인합니다.

차례

오케스트라
악기는 현악기, 관악기, 타악기, 금관악기 등으로 분류된다.

동물
척추동물은 포유류, 파충류, 어류 등으로 분류된다.

법원
그 내용이 참인지 거짓인지 판별한다.

왜?
집합을 배우는 것일까?

그 답은 바로

사물의 특징이나 속성을 파악하여 기준에 따라 분류하면 일반적인 특징을 추측할 수 있기 때문!

과학은 사물이나 현상을 서로 구분하고 성질을 이해하는 것으로부터 시작되었다고 할 수 있다. 예를 들어 생물학은 비슷한 생물끼리 같은 종으로 묶어 분류한 것에서 시작되었다. 생물은 동물과 식물, 미생물로 나눌 수 있고, 동물은 다시 척추동물과 무척추동물로 나눌 수 있다.

이와 같은 분류는 일정한 기준에 따라 특성을 가진 것끼리 한데 모은 것이다.

수학에서는 이런 모임을 집합으로 다룬다.

이와 같은 공통된 조건에 따라 대상을 선별함을 집합의 연산에 비유할 수 있다.

수학에서도 가장 근본이 되는 과정은 다루려는 대상을 분류하고 분류된 대상들이 공통으로 가지는 성질을 찾아 가는 것이다. 이와 같은 과정에서 공부할 집합을 이용하면 편리하다.

집합은 수학의 여러 가지 내용을 정확히 나타내고 다룰 수 있게 해 주는 수학의 언어로서 수학을 연구하는 데 꼭 필요한 도구이고 어떤 사물이나 현상을 명확한 기준이나 조건을 가지고 분류하면 그 개념이나 원리를 쉽게 파악할 수 있다.

또한, 수많은 정보를 통해 어떤 결론을 얻기 위해서는 논리적으로 생각하고 분석하며 판단하는 능력이 필요하다. 이와 같은 두뇌의 사고 과정에서 명제는 참, 거짓을 판단하고 다양한 활동에 대한 논리적 표현을 하는 데 많은 도움을 준다

I 집합과 명제

학습목표

01 집합의 개념을 이해하고, 집합을 표현할 수 있다.
02 두 집합 사이의 포함 관계를 이해하고 집합의 연산을 할 수 있다.
03 명제와 조건의 뜻을 알고, '모든', '어떤'을 포함한 명제를 이해한다.
04 명제의 역과 대우를 이해한다.
05 충분조건과 필요조건을 이해하고 구별할 수 있다.
06 대우를 이용한 증명법과 귀류법을 이해한다.
07 절대부등식의 의미를 이해하고, 간단한 절대부등식을 증명할 수 있다.

집합

1. **집합** : 어떤 조건에 의하여 대상을 분명하게 정할 수 있을 때, 그 대상들의 모임
2. **원소** : 집합을 이루는 대상 하나하나
   ① a가 집합 A의 원소이다. ⇨ a는 집합 A에 속한다. ⇨ $a\in A$
   ② a가 집합 A의 원소가 아니다. ⇨ a는 집합 A에 속하지 않는다. ⇨ $a\notin A$
3. **집합의 표현**
   ① 원소나열법 : 집합에 속하는 모든 원소를 기호 { } 안에 나열하여 집합을 나타내는 방법
   ② 조건제시법 : 집합의 원소들이 갖는 공통 성질을 조건으로 제시하여 집합을 나타내는 방법
   ③ 벤다이어그램 : 집합을 원, 타원 등의 그림으로 나타내는 방법

유형 001 집합의 뜻과 표현

※ 다음 중 집합인 것에는 ○표, 집합이 아닌 것에는 ×표를 하여라.

01 자연수의 모임 ( )

02 예쁜 꽃의 모임 ( )

03 수학을 잘하는 사람의 모임 ( )

04 4보다 작은 자연수의 모임 ( )

05 친구들이 좋아하는 동물의 모임 ( )

학교시험 필수예제

06 다음 중 집합이 아닌 것은?
① 1학년 2반 학생들의 모임
② 몸무게가 작은 학생들의 모임
③ 키가 160 cm 이상인 학생들의 모임
④ 날개가 달린 동물의 모임
⑤ 8보다 작은 자연수의 모임

※ 다음 집합을 원소나열법으로 나타내어라.

07 $\{x|x$는 5 미만인 자연수$\}$

08 $\{x|x$는 10 이하의 소수$\}$

※ 다음 집합을 조건제시법으로 나타내어라.

09 $\{1,\ 3,\ 5,\ 7,\ 9\}$

10 $\{2,\ 3,\ 4,\ 5,\ 6\}$

※ 다음 집합을 벤다이어그램으로 나타내어라.

11 $A=\{a,\ b,\ c,\ d\}$

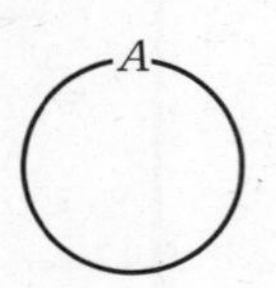

12 $B=\{x|x$는 8의 약수$\}$

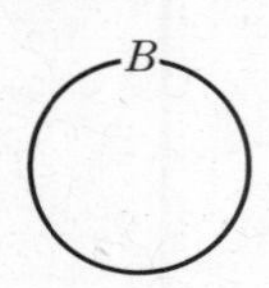

원소의 개수에 따른 집합의 분류

빠른정답 02쪽 / 친절한 해설 12쪽

1. 원소의 개수에 따른 집합의 분류

① 유한집합 : 원소의 개수가 유한개인 집합

② 무한집합 : 원소의 개수가 무수히 많은 집합

③ 공집합 : 원소가 하나도 없는 집합($\varnothing$로 나타냄)

|참고| 공집합은 유한집합이다.

2. 유한집합의 원소의 개수

유한집합 A의 원소의 개수를 기호로 $n(A)$와 같이 나타낸다.

|참고| $n(\varnothing)=0$, $n(\{7\})=1$

〈원소의 개수〉

• 세 집합 A, B, C가

$A=\{1, 2, 3, 4\}$,

$B=\{x|x$는 5의 양의 약수$\}$,

$C=\varnothing$

일 때,

$n(A)=4$, $n(B)=2$, $n(C)=0$

유형 002 유한집합과 무한집합

※ 다음 집합이 유한집합이면 '유', 무한집합이면 '무'를 ( ) 안에 써넣어라.

01 $\{1, 2, 3, 5\}$ ( )

02 $\{2, 4, 6, 8, \cdots\}$ ( )

03 $\varnothing$ ( )

04 $\{x|x$는 정수$\}$ ( )

05 $\{x|x$는 100 이하의 자연수$\}$ ( )

06 $\{x|2<x<10$인 유리수$\}$ ( )

07 $\{x||x|<20$인 정수$\}$ ( )

08 $\{x|x^2+1=0$인 실수$\}$ ( )

유형 003 유한집합의 원소의 개수

※ 다음 집합 A에 대하여 $n(A)$를 구하여라.

09 $A=\{-2, -1, 1, 2\}$

10 $A=\{3, 6, 9, \cdots, 99\}$

11 $A=\{x|x$는 20의 양의 약수$\}$

12 $A=\{x|x+4=2\}$

13 $A=\{x||x|<1$인 자연수$\}$

학교시험 필수예제

14 두 집합 $A=\{1, 3, 5, 7, 9\}$, $B=\{x|x$는 10보다 작은 짝수$\}$에 대하여 $n(A)-n(B)$의 값은?

① 0 ② 1 ③ 3 ④ 4 ⑤ 5

03 부분집합

1. **부분집합** : 두 집합 A, B에 대하여 A의 모든 원소가 B에 속할 때, A를 B의 부분집합이라 한다.
   ① A가 B의 부분집합이다. ⇨ $A \subset B$
   ② A가 B의 부분집합이 아니다. ⇨ $A \not\subset B$
2. **부분집합의 성질**
   세 집합 A, B, C에 대하여
   ① 공집합은 모든 집합의 부분집합이다. ⇨ $\varnothing \subset A$
   ② 모든 집합은 자기 자신의 부분집합이다. ⇨ $A \subset A$
   ③ $A \subset B$이고 $B \subset C$이면 $A \subset C$이다.

⟨$A \subset B$⟩
① 집합 A가 집합 B의 부분집합이다.
② 집합 A가 집합 B에 포함된다.
③ 집합 B가 집합 A를 포함한다.
⟨$A \subset B \subset C$⟩

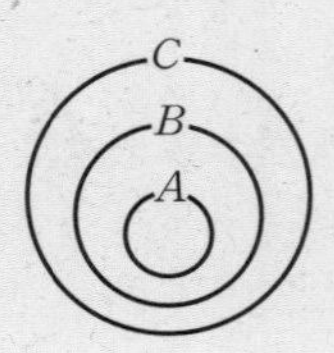

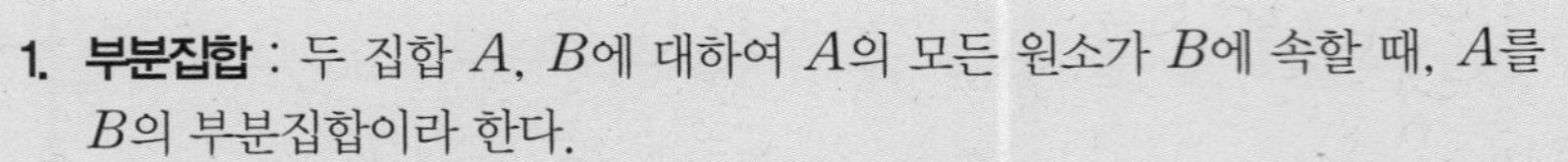

유형 004 기호 $\in$, $\notin$, $\subset$, $\not\subset$

① 원소 $\in$ 집합
② 집합 $\subset$ 집합
③ $\in$ 속한다. $\notin$ 속하지 않는다.
④ $\subset$ 포함된다. $\not\subset$포함되지 않는다.

※ 집합 $A=\{1, 2, 3, 4, 5, 6, 7, 8\}$에 대하여 다음 □ 안에 기호 $\in$, $\subset$ 중 알맞은 것을 써넣어라.

01 2 □ A

02 7 □ A

03 $\{2, 4, 6\}$ □ A

04 $\{1, 3, 5, 7\}$ □ A

05 $\{8\}$ □ A

06 $\varnothing$ □ A

※ 다음 □ 안에 기호 $\in$, $\notin$, $\subset$, $\not\subset$ 중 알맞은 것을 써넣어라.

07 1 □ $\{2, 4, 6, 8\}$

08 3 □ $\{2, 3, 5, 7\}$

09 $\{5, 9\}$ □ $\{5, 6, 7, 8, 9\}$

10 $\{1, 3\}$ □ $\{2, 3, 4, 5\}$

11 7 □ $\{x | x$는 10 이하의 홀수$\}$

12 9 □ $\{x | x$는 10 이하의 소수$\}$

13 $\{2, 7\}$ □ $\{x | 2 \le x \le 7$인 정수$\}$

14 $\{2, 4, 6, 8\}$ □ $\{x | x$는 8의 양의 약수$\}$

※ 집합 $A=\{1, 2, \{1, 2\}\}$에 대하여 다음 중 옳은 것에는 ○표, 옳지 않은 것에는 ×표를 하여라.

15 $1\in A$ ( )

16 $\{2\}\in A$ ( )

17 $\{1, 2\}\in A$ ( )

18 $\{1, 2\}\subset A$ ( )

19 $\{\{1\}\}\subset A$ ( )

20 $\{\{1, 2\}\}\subset A$ ( )

학교시험 필수예제

21 집합 $A=\{\varnothing, 2, 3, \{2\}\}$에 대하여 다음 중 옳지 않은 것은?

① $\{2\}\in A$ ② $\{3\}\in A$ ③ $\{2\}\subset A$
④ $\{2, 3\}\subset A$ ⑤ $\varnothing\in A$

유형 005 부분집합

$\{\varnothing\}$의 부분집합은 $\varnothing$, $\{\varnothing\}$이다.

※ 집합 $\{1, 2, 3\}$에 대하여 다음을 구하여라.

22 원소의 개수가 0개인 부분집합

23 원소의 개수가 1개인 부분집합

24 원소의 개수가 2개인 부분집합

25 원소의 개수가 3개인 부분집합

26 $\{1, 2, 3\}$의 모든 부분집합

※ 다음 집합의 부분집합을 모두 구하여라.

27 $\{a, b\}$

28 $\{x|x$는 10 이하인 3의 양의 배수$\}$

04 서로 같은 집합

1. **서로 같은 집합** : 두 집합 A, B에 대하여 $A \subset B$이고 $B \subset A$일 때, A와 B는 서로 같다고 하고 $A=B$와 같이 나타낸다. 또, 두 집합 A, B가 서로 같지 않을 때, $A \neq B$와 같이 나타낸다.
2. **진부분집합** : 두 집합 A, B에 대하여 $A \subset B$이지만 $A \neq B$일 때, A를 B의 진부분집합이라 한다.

⟨$A \subset B$이고 $B \subset A$⟩

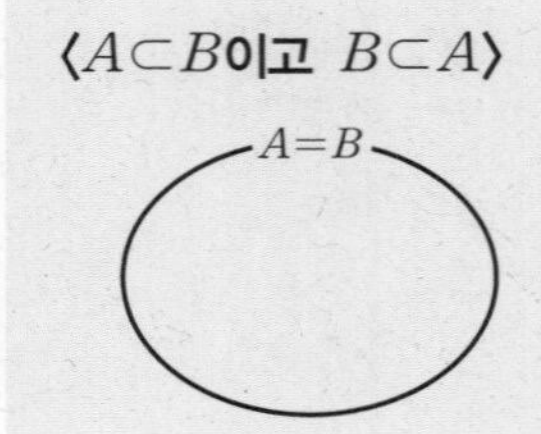

유형 006 서로 같은 집합

※ 다음 두 집합 A, B 사이의 관계를 $=$ 또는 $\neq$로 나타내어라.

01 $A=\{1,\ 3,\ 4\}$, $B=\{3,\ 4,\ 1\}$

02 $A=\{2,\ 4,\ 6,\ 8\}$, $B=\{x \mid x$는 10 이하의 짝수$\}$

03 $A=\{x \mid x$는 15의 양의 약수$\}$,
$B=\{1,\ 3,\ 5,\ 15\}$

04 $A=\{x \mid x+1=0\}$, $B=\{-1,\ 1\}$

학교시험 필수예제

05 두 집합 $A=\{3,\ a,\ 9\}$, $B=\{-b,\ a-4,\ 9\}$에 대하여 $A=B$일 때, 상수 a, b의 합 $a+b$는?

① -1　② 0　③ 1
④ 2　⑤ 3

유형 007 진부분집합

① 어떤 집합에 대하여 자기 자신이 아닌 부분집합
② $A \subset B$이고 $A \neq B$
③

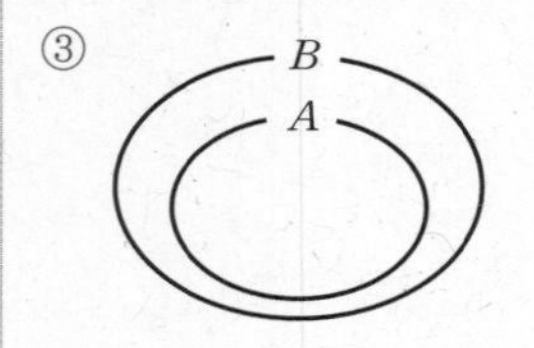

※ 다음 두 집합 A, B에 대하여 집합 A가 집합 B의 진부분집합인지 아닌지 말하여라.

06 $A=\{2,\ 4,\ 6\}$,
$B=\{x \mid x$는 10 이하의 2의 양의 배수$\}$

07 $A=\{x \mid x$는 6의 양의 약수$\}$, $B=\{1,\ 2,\ 3,\ 6\}$

08 $A=\{x \mid x$는 정수$\}$, $B=\{x \mid x$는 유리수$\}$

※ 다음 집합의 진부분집합을 모두 구하여라.

09 $\{1,\ 5\}$

10 $\{x \mid x$는 9의 양의 약수$\}$

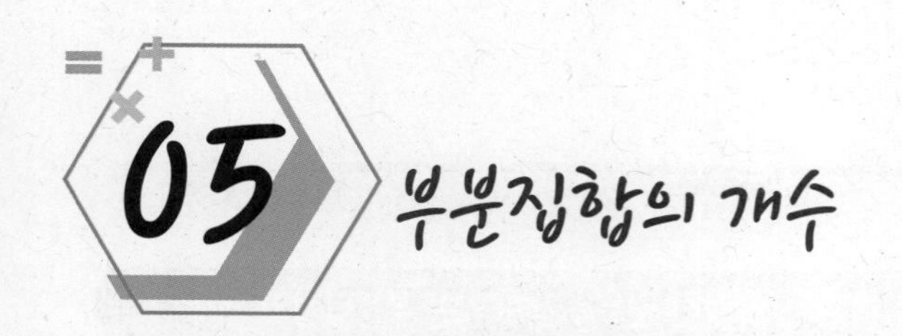

05 부분집합의 개수

빠른정답 02쪽 / 친절한 해설 12쪽

집합 $A=\{a_1, a_2, \cdots, a_n\}$에 대하여
① 집합 A의 부분집합의 개수 : 2^n개
② 집합 A의 진부분집합의 개수 : 2^n-1개
③ 집합 A의 특정한 원소 k $(k \le n)$개를 반드시 원소로 갖는 부분집합의 개수 : 2^{n-k}개
④ 집합 A의 특정한 원소 l $(l \le n)$개를 원소로 갖지 않는 부분집합의 개수 : 2^{n-l}개
⑤ 집합 A의 특정한 원소 k개는 반드시 포함하고, l개는 원소로 갖지 않는 부분집합의 개수 : 2^{n-k-l}개 (단, $k+l \le n$)

특정 원소를 갖거나 갖지 않는 부분집합이 개수

유형 008 부분집합의 개수

※ 다음 집합의 부분집합의 개수를 구하여라.

01 $A=\{4, 6, 9\}$

02 $B=\{x|x$는 8의 양의 약수$\}$

03 $C=\{x|2<x\le 4$인 정수$\}$

04 $D=\{x||x|<3$인 정수$\}$

05 $E=\{x|x^2-1=3\}$

※ 다음 집합의 진부분집합의 개수를 구하여라.

06 $F=\{a, b, c, d\}$

07 $G=\{x|x$는 5 미만의 홀수$\}$

08 $H=\{x|-2\le x\le 1$인 정수$\}$

09 $I=\{x|x$는 4의 양의 약수$\}$

10 $J=\{x|x+4=1\}$

유형 009 특정한 원소를 반드시 갖는 부분집합의 개수

집합 A의 특정한 원소 $k(k \le n)$개를 반드시 포함하는 부분집합의 개수
$\rightarrow 2^{n-k}$(개)

※ 집합 $A=\{1, 2, 3\}$의 부분집합 중 1을 반드시 원소로 갖는 집합을 구하려고 한다. 다음 물음에 답하여라.

11 집합 $\{2, 3\}$의 부분집합을 모두 구하여라.

12 집합 A의 부분집합 중 1을 반드시 포함하는 부분집합을 모두 구하여라.

※ 다음 집합 A에 대하여 [ ] 안의 원소를 반드시 갖는 집합 A의 부분집합의 개수를 구하여라.

13 $A=\{1, 2, 3, 4\}$ [3, 4]

14 $A=\{1, 4, 6, 7\}$ [4]

15 $A=\{2, 4, 6, 8, 10\}$ [2, 4]

16 $A=\{1, 3, 5, 7, 9\}$ [1, 5, 9]

17 $A=\{1, 2, 3, 4, 6, 12\}$ [1]

유형 010 특정한 원소를 갖지 않는 부분집합의 개수

집합 A의 특정한 원소 $k(k \le n)$개를 포함하지 않는 부분집합의 개수
$\rightarrow 2^{n-k}$(개)

※ 다음 집합 B에 대하여 [ ] 안의 원소를 갖지 않는 집합 B의 부분집합의 개수를 구하여라.

18 $B=\{1, 2, 3, 4\}$ [4]

19 $B=\{1, 2, 3, 4, 5, 6\}$ [2, 4, 6]

20 $B=\{1, 3, 5, 15\}$ [15]

21 $B=\{2, 5, 8, 10, 11\}$ [5, 8, 10]

22 $B=\{4, 8, 12, 16, 20\}$ [4, 8]

학교시험 필수예제

23 집합 $A=\{3, 6, 9, 12, 15, 18\}$의 부분집합 중 3, 18은 반드시 원소로 갖고 9는 원소로 갖지 않는 집합의 개수는?

① 4　② 8　③ 16
④ 32　⑤ 64

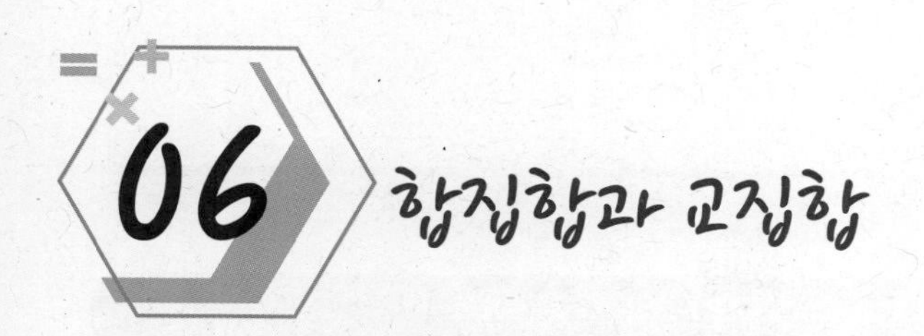

06 합집합과 교집합

빠른정답 02쪽 / 친절한 해설 12쪽

1. **합집합** : 두 집합 A, B에 대하여 A에 속하거나 B에 속하는 모든 원소로 이루어진 집합을 A와 B의 합집합이라 하고 기호 $A\cup B$로 나타낸다.
   ⇨ $A\cup B=\{x|x\in A$ 또는 $x\in B\}$
2. **교집합** : 두 집합 A, B에 대하여 A에도 속하고 B에도 속하는 모든 원소로 이루어진 집합을 A와 B의 교집합이라 하고 기호 $A\cap B$로 나타낸다.
   ⇨ $A\cap B=\{x|x\in A$ 그리고 $x\in B\}$
3. **서로소** : 두 집합 A, B에 대하여 공통인 원소가 하나도 없을 때, 즉 $A\cap B=\varnothing$일 때, A와 B는 서로소라 한다.

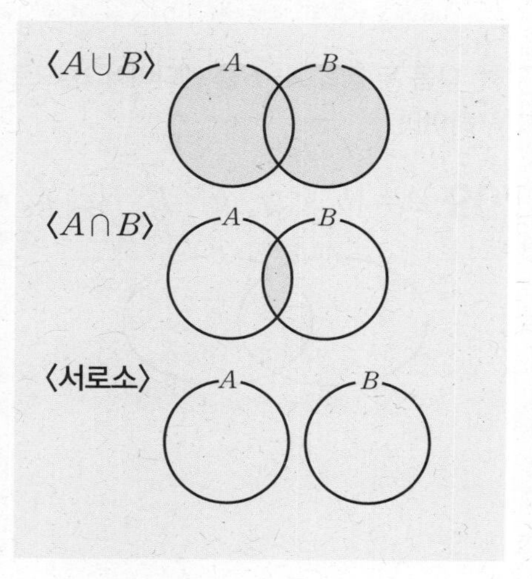

유형 011 합집합: $A\cup B$

※ 다음 두 집합 A, B를 벤다이어그램으로 나타내고 $A\cup B$를 구하여라.

01 $A=\{a,\ c,\ e,\ f\}$, $B=\{b,\ c,\ d,\ e\}$

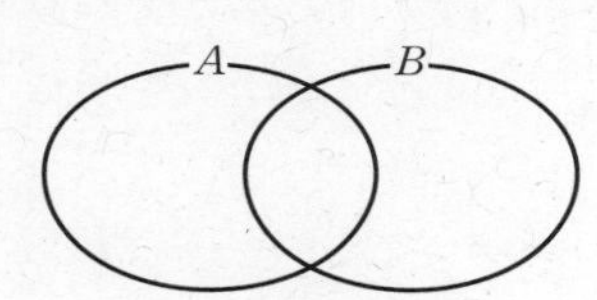

02 $A=\{1,\ 2,\ 4,\ 8\}$, $B=\{2,\ 4,\ 6,\ 8\}$

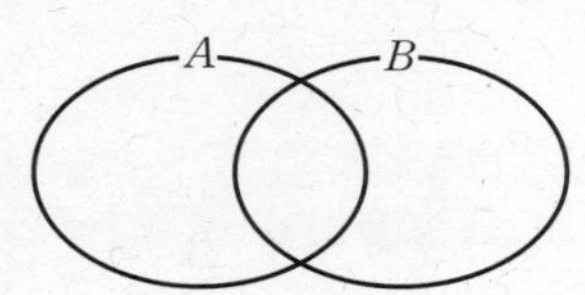

03 $A=\{2,\ 5,\ 8\}$, $B=\{6,\ 7,\ 8,\ 9\}$

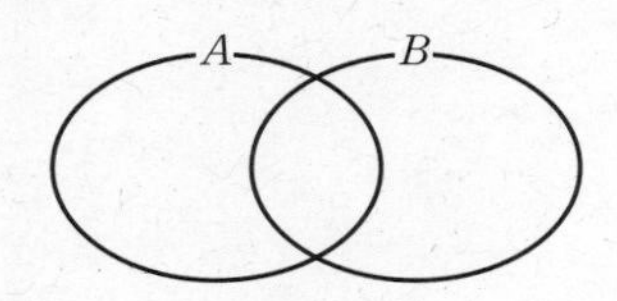

※ 다음 두 집합 A, B에 대하여 $A\cup B$를 구하여라.

04 $A=\{2,\ 5,\ 8\}$, $B=\{1,\ 3,\ 8\}$

05 $A=\{x|x$는 5의 양의 약수$\}$,
$B=\{x|x$는 6의 양의 약수$\}$

06 $A=\{x|x$는 10보다 작은 소수$\}$,
$B=\{x|x$는 10 이하의 홀수$\}$

07 $A=\{x|3<x\le 6\}$, $B=\{x|4\le x\le 7\}$

08 $A=\{x|2\le x<8\}$, $B=\{x|5\le x<9\}$

집합이 구간으로 나타나는 경우에는 수직선을 이용한다.

유형 012 교집합: $A\cap B$

※ 다음 두 집합 A, B를 벤다이어그램으로 나타내고 $A\cap B$를 구하여라.

09 $A=\{b,\ c,\ f,\ h\}$, $B=\{c,\ g,\ h\}$

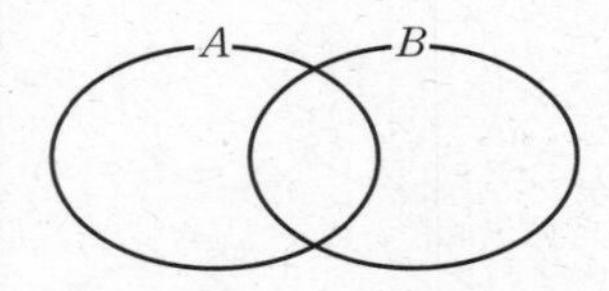

10 $A=\{1,\ 3,\ 6,\ 9\}$, $B=\{3,\ 5,\ 7,\ 8\}$

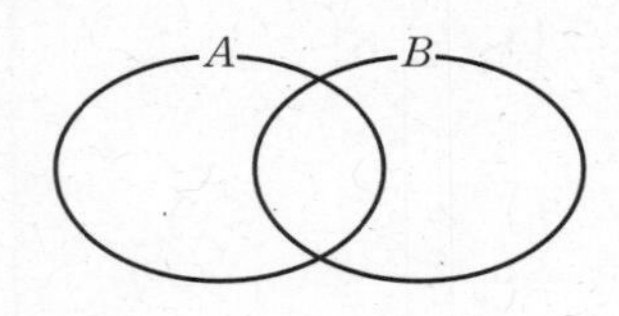

※ 다음 두 집합 A, B에 대하여 $A\cap B$를 구하여라.

11 $A=\{2,\ 6,\ 8\}$, $B=\{x\,|\,x$는 12의 양의 약수$\}$

12 $A=\{x\,|\,x$는 20 이하의 3의 양의 배수$\}$,
$B=\{x\,|\,x$는 20 이하의 5의 양의 배수$\}$

13 $A=\{x\,|\,5\le x\le 10\}$, $B=\{x\,|\,1<x<6\}$

14 $A=\{x\,|\,3<x<5\}$, $B=\{x\,|\,3\le x<8\}$

유형 013 서로소: $A\cap B=\varnothing$

※ 다음 두 집합 A, B가 서로소인 것에는 ○표, 서로소가 아닌 것에는 ×표를 하여라.

15 $A=\{c,\ e\}$, $B=\{a,\ b,\ d\}$ ( )

16 $A=\{1,\ 5,\ 8\}$, $B=\{4,\ 7,\ 8\}$ ( )

17 $A=\{3\}$, $B=\{1,\ 2,\ 3\}$ ( )

18 $A=\{x\,|\,x$는 짝수$\}$, $B=\{x\,|\,x$는 소수$\}$ ( )

19 $A=\{-1,\ 0,\ 1\}$, $B=\varnothing$ ( )

학교시험 필수예제

20 다음 보기에서 서로소인 집합을 찾아라.

보기
ㄱ. $\{1,\ 5\}$
ㄴ. $\{x\,|\,x$는 소수$\}$
ㄷ. $\{x\,|\,x$는 2의 배수$\}$
ㄹ. $\{x\,|\,1<x\le 5\}$

$A\cap\varnothing=\varnothing$이므로, 공집합은 모든 집합과 서로소이다.

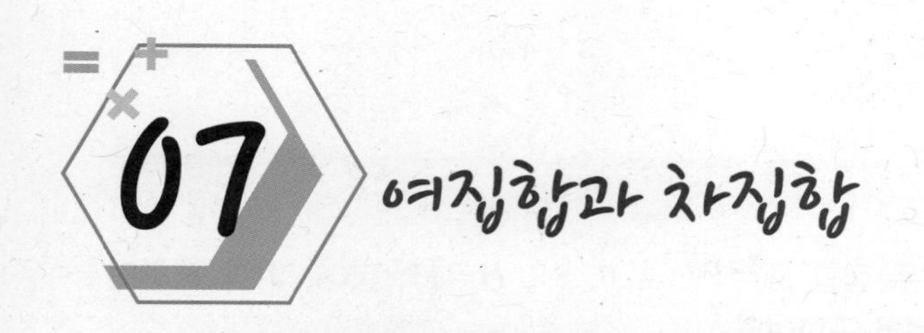

빠른정답 02쪽 / 친절한 해설 12쪽

1. **전체집합** : 어떤 집합에 대하여 그 부분집합을 생각할 때, 처음의 집합을 전체집합이라 하고 보통 U로 나타낸다.
2. **여집합** : 전체집합 U의 부분집합 A에 대하여 U의 원소 중에서 A에 속하지 않는 모든 원소로 이루어진 집합을 U에 대한 A의 여집합이라 하고 기호 A^C로 나타낸다. ⇨ $A^C = \{x \mid x \in U$ 그리고 $x \notin A\}$
3. **차집합** : 두 집합 A, B에 대하여 A에 속하지만 B에는 속하지 않는 원소로 이루어진 집합을 A에 대한 B의 차집합이라 하고 기호 $A-B$로 나타낸다.
⇨ $A-B=\{x \mid x \in A$ 그리고 $x \notin B\}=A \cap B^C$

| 참고 | A^C은 전체집합 U에 대한 A의 차집합으로 생각할 수 있다. 즉, $A^C=U-A$

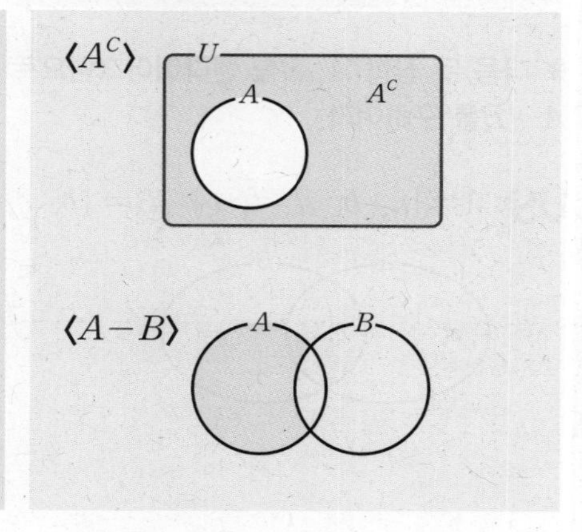

유형 014 여집합: A^C

※ 전체집합 $U=\{x \mid x$는 10 미만의 자연수$\}$의 부분집합 A가 다음과 같을 때, 집합 A를 벤다이어그램으로 나타내고 A의 여집합을 구하여라.

01 $A=\{3, 5, 9\}$

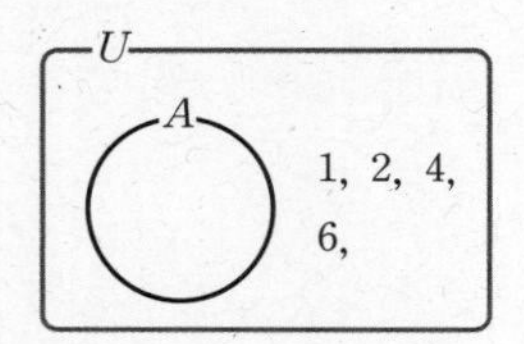

02 $A=\{x \mid x$는 짝수$\}$

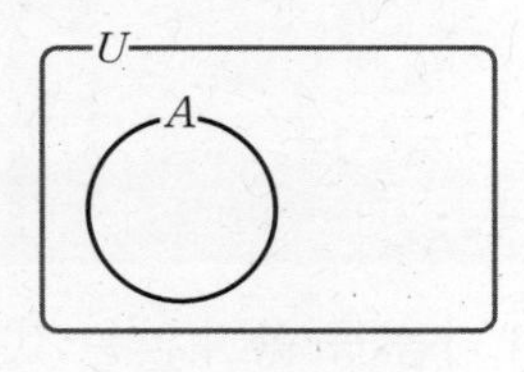

03 $A=\{x \mid x$는 4의 배수$\}$

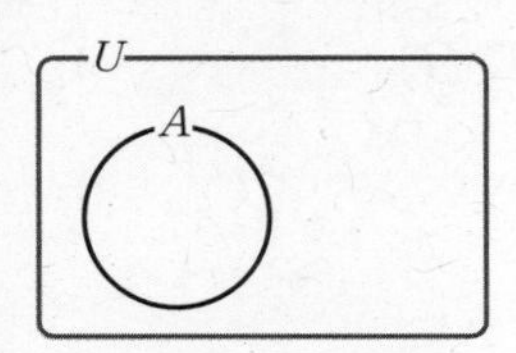

※ 전체집합 $U=\{x \mid x$는 10 이하의 자연수$\}$의 부분집합이 다음과 같을 때, 주어진 집합의 여집합을 구하여라.

04 $A=\{1, 6, 8, 10\}$

05 $B=\{2, 3, 5, 8, 9, 10\}$

06 $C=\{x \mid x$는 홀수$\}$

07 $D=\{x \mid x$는 3의 배수$\}$

08 $E=\{x \mid x$는 소수$\}$

유형 015 차집합: $A-B=A\cap B^C$

※ 다음 두 집합 A, B를 벤다이어그램으로 나타내고 $A-B$를 구하여라.

09 $A=\{a,\ b,\ d,\ f,\ g\}$, $B=\{b,\ c,\ d,\ e\}$

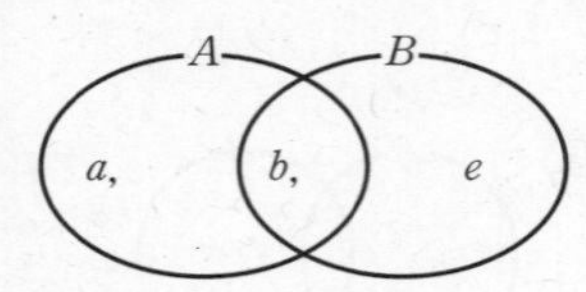

10 $A=\{2,\ 3,\ 6,\ 9\}$, $B=\{3,\ 9,\ 10\}$

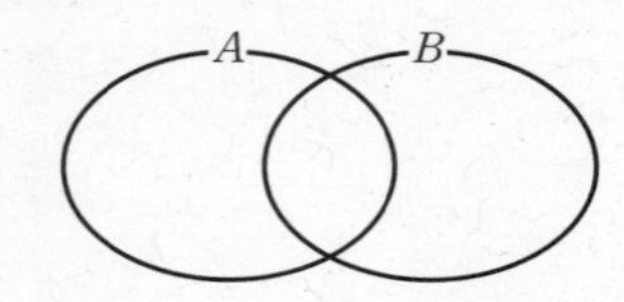

11 $A=\{x\,|\,x$는 18의 양의 약수$\}$,
$B=\{3,\ 6,\ 9,\ 12,\ 15\}$

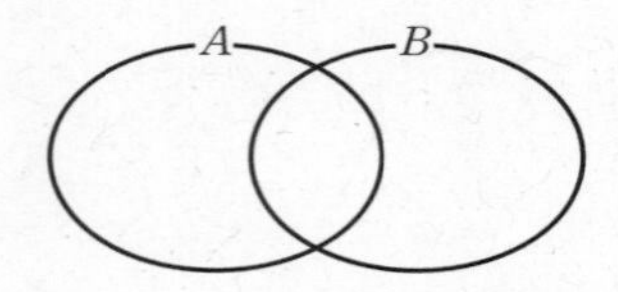

※ 다음 두 집합 A, B에 대하여 $A-B$를 구하여라.

12 $A=\{2,\ 5,\ 7,\ 10\}$, $B=\{1,\ 3,\ 5,\ 9\}$

13 $A=\{b,\ c,\ g\}$, $B=\{a,\ d,\ e,\ f\}$

14 $A=\{2,\ 4,\ 6,\ 8,\ 10\}$, $B=\{x\,|\,x$는 2의 배수$\}$

※ 두 집합 $A=\{1,\ 4,\ 6,\ 8\}$, $B=\{1,\ 5,\ 6,\ 9\}$에 대하여 다음을 구하여라.

15 $A-B$

16 $B-A$

17 $(A\cup B)-A$

18 $A-(A\cap B)$

19 $(A\cup B)-(A\cap B)$

학교시험 필수예제

20 두 집합 A, B에 대하여 다음 중 옳지 않은 것은?

① $A-\varnothing=A$
② $A-A=\varnothing$
③ $A-B=A-(A\cap B)$
④ $A-B=(A\cup B)-B$
⑤ $(A\cup B)-B=B-(A\cap B)$

Tip
일반적으로 두 집합 A, B에 대하여 $A-B\neq B-A$이다.

08 집합의 연산법칙

세 집합 A, B, C에 대하여 다음이 성립한다.
① 교환법칙 : $A\cup B=B\cup A$, $A\cap B=B\cap A$
② 결합법칙 : $(A\cup B)\cup C=A\cup (B\cup C)$, $(A\cap B)\cap C=A\cap (B\cap C)$
③ 분배법칙 : $A\cup (B\cap C)=(A\cup B)\cap (A\cup C)$, $A\cap (B\cup C)=(A\cap B)\cup (A\cap C)$

유형 016 집합의 연산법칙

※ 다음 집합을 벤다이어그램으로 나타내고 그 결과를 비교하여라.

01

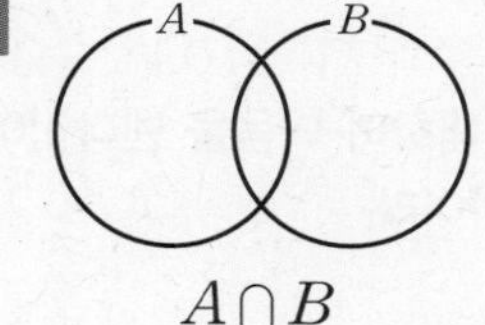

$A\cap B$

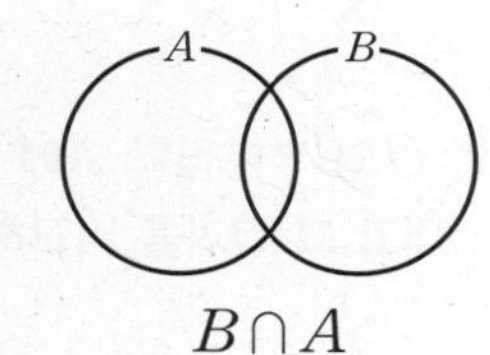

$B\cap A$

⇨ $A\cap B$ ☐ $B\cap A$

02

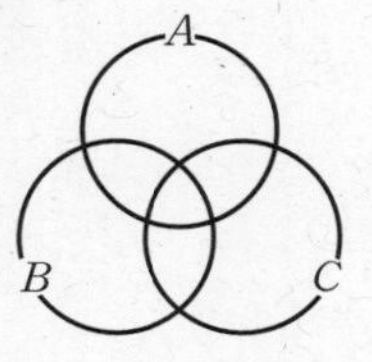

$(A\cap B)\cap C$

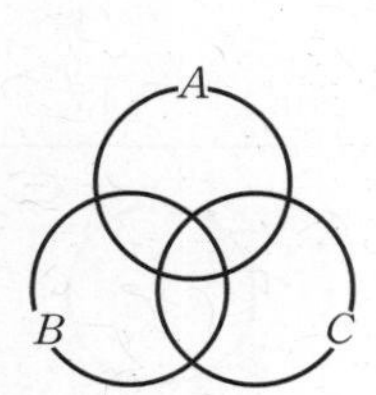

$A\cap (B\cap C)$

⇨ $(A\cap B)\cap C$ ☐ $A\cap (B\cap C)$

03

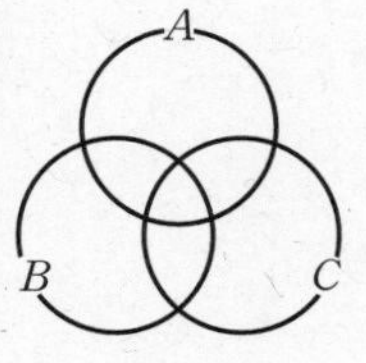

$A\cup (B\cap C)$

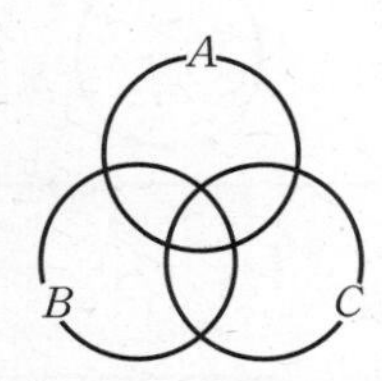

$(A\cup B)\cap (A\cup C)$

⇨ $A\cup (B\cap C)$ ☐ $(A\cup B)\cap (A\cup C)$

※ 세 집합 $A=\{1, 3, 6, 8, 9\}$, $B=\{3, 6, 7, 9\}$, $C=\{1, 2, 3, 5, 9\}$에 대하여 다음을 구하고 그 결과를 비교하여라.

04 (1) $A\cap B$

(2) $B\cap A$

(3) (1), (2)의 결과를 비교하면
$A\cap B$ ☐ $B\cap A$

05 (1) $(A\cup B)\cup C$

(2) $A\cup (B\cup C)$

(3) (1), (2)의 결과를 비교하면
$(A\cup B)\cup C$ ☐ $A\cup (B\cup C)$

06 (1) $A\cap (B\cup C)$

(2) $(A\cap B)\cup (A\cap C)$

(3) (1), (2)의 결과를 비교하면
$A\cap (B\cup C)$ ☐ $(A\cap B)\cup (A\cap C)$

09 집합의 연산의 성질

전체집합 U의 두 부분집합 A, B에 대하여 다음이 성립한다.

① $A\cup A=A$, $A\cap A=A$
② $A\cup\varnothing=A$, $A\cap\varnothing=\varnothing$
③ $A\cup U=U$, $A\cap U=A$
④ $A\cup A^C=U$, $A\cap A^C=\varnothing$
⑤ $U^C=\varnothing$, $\varnothing^C=U$
⑥ $(A^C)^C=A$
⑦ $A-B=A\cap B^C$

〈두 집합 A, B에 대하여 $A\subset B$일 때〉
$A\cap B=A$, $A\cup B=B$

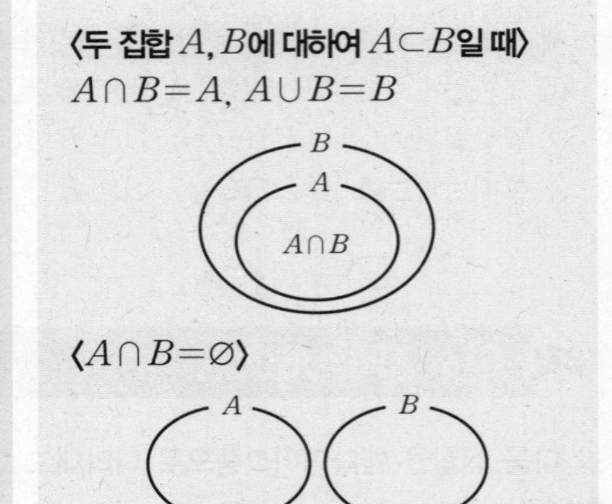

〈$A\cap B=\varnothing$〉

유형 O17 집합의 연산의 성질

※ 전체집합 U의 부분집합 A에 대하여 다음을 간단히 하여라.

01 $A\cap\varnothing=\square$

02 $A\cup\varnothing=\square$

03 $A\cap A=\square$

04 $A\cup A=\square$

05 $A\cap U=\square$

06 $A\cup U=\square$

※ 전체집합 U의 부분집합 A에 대하여 다음을 벤다이어그램으로 나타내고 그 결과를 비교하여라.

07 (1) $A\cup A^C$

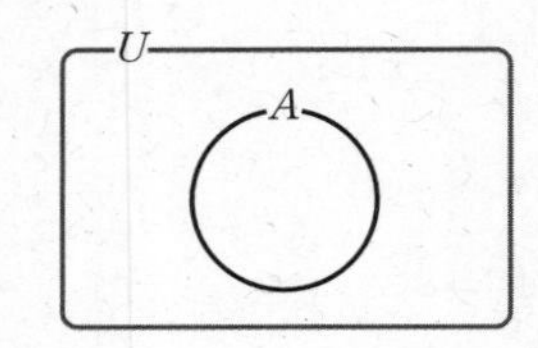

(2) U

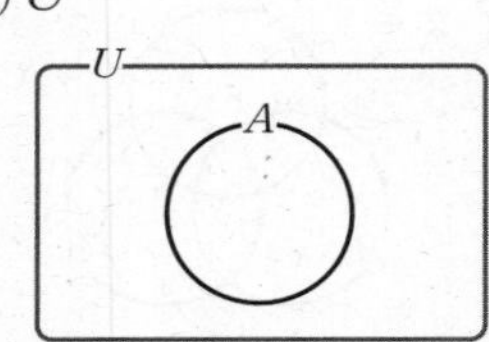

(3) (1), (2)의 결과를 비교하면
$A\cup A^C\ \square\ U$

08 (1) $(A^C)^C$

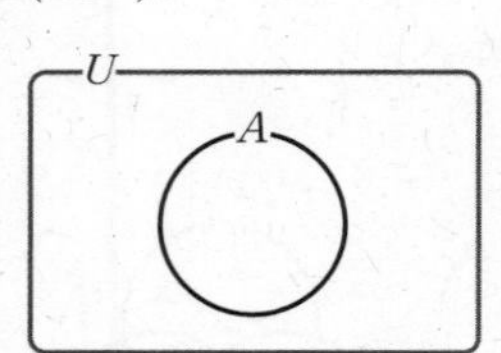

(2) A

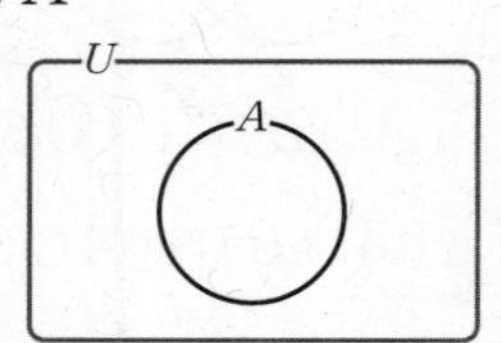

(3) (1), (2)의 결과를 비교하면
$(A^C)^C\ \square\ A$

※ **전체집합 $U=\{1,\ 2,\ 3,\ 4,\ 5,\ 6\}$의 부분집합 $A=\{1,\ 2,\ 3,\ 6\}$에 대하여 다음을 구하여라.**

09 $A\cup A^C$

10 $A\cap A^C$

11 U^C

12 $\varnothing^C$

13 $(A^C)^C$

14 전체집합 U의 두 부분집합 A, B에 대하여 다음을 벤다이어그램으로 나타내고 그 결과를 비교하여라.

(1) $A-B$

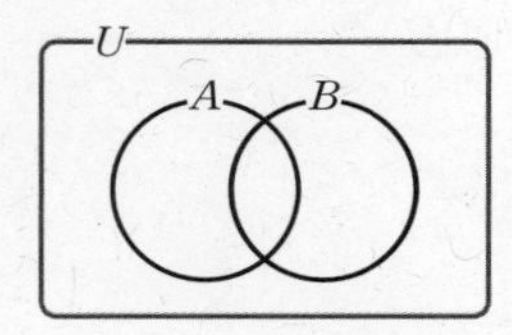

(2) $A\cap B^C$

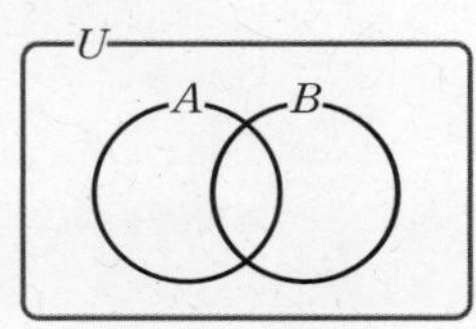

(3) (1), (2)의 결과를 비교하면

$A-B$ □ $A\cap B^C$

※ **전체집합 $U=\{1,\ 2,\ 3,\ 4,\ 5,\ 6,\ 7,\ 8\}$의 두 부분집합 $A=\{2,\ 4,\ 6,\ 7,\ 8\}$, $B=\{1,\ 4,\ 5,\ 6\}$에 대하여 다음을 구하여라.**

15 $A-B$

16 $A\cap B^C$

17 $B-A$

18 $B\cap A^C$

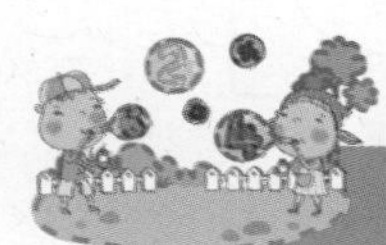

학교시험 필수예제

19 전체집합 U의 두 부분집합 A, B에 대하여 $(A\cap B^C)\cup(A-B^C)$을 간단히 하면?

① $\varnothing$ ② A ③ B
④ $A\cap B$ ⑤ $A\cup B$

- $A\cap B^C=A-B$
- $A-B^C=A\cap(B^C)^C=A\cap B$
- $(B^C)^C=B$

10 드모르간의 법칙

드모르간 법칙 전체집합 U의 두 부분집합 A, B에 대하여 다음이 성립한다.

① $(A\cup B)^C = A^C \cap B^C$

② $(A\cap B)^C = A^C \cup B^C$

유형 O18 드모르간의 법칙

※ 다음 집합을 벤다이어그램으로 나타내고 그 결과를 비교하여라.

01

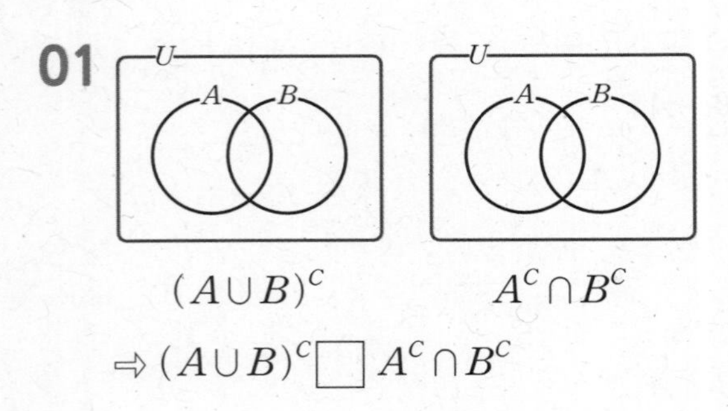

$(A\cup B)^C$ $A^C\cap B^C$

⇨ $(A\cup B)^C$ $\square$ $A^C\cap B^C$

02

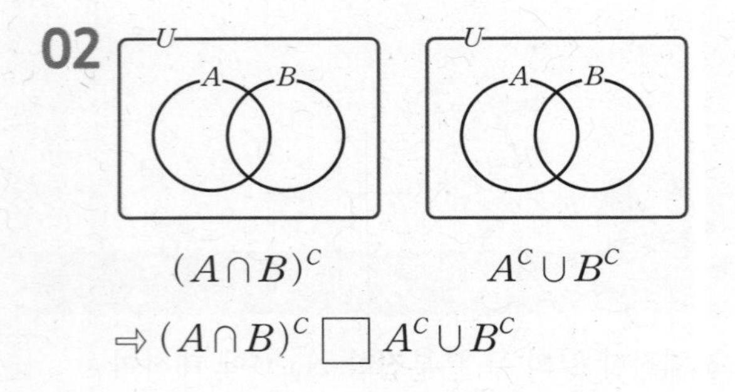

$(A\cap B)^C$ $A^C\cup B^C$

⇨ $(A\cap B)^C$ $\square$ $A^C\cup B^C$

※ 다음 등식이 성립하도록 $\square$ 안에 알맞은 집합을 써넣어라.

03 $(A\cup B^C)^C = A^C\cap\square$

04 $(A^C\cup B)^C = A\cap\square$

05 $(A^C\cap B^C)^C = \square\cup B$

06 $(A\cap B^C)^C = \square\cup B$

※ 다음은 전체집합 U의 두 부분집합 A, B에 대하여 주어진 식을 간단히 하는 과정이다. (가), (나)에 사용한 연산법칙을 보기에서 골라라.

보기	
ㄱ. 교환법칙	ㄴ. 결합법칙
ㄷ. 분배법칙	ㄹ. 드모르간의 법칙

07 $(B-A)\cap B^C$

$=(B\cap A^C)\cap B^C$) (가)

$=(A^C\cap B)\cap B^C$) (나)

$=A^C\cap(B\cap B^C)$

$=A^C\cap\varnothing$

$=\varnothing$

08 $A\cup(A\cup B^C)^C$) (가)

$=A\cup(A^C\cap B)$) (나)

$=(A\cup A^C)\cap(A\cup B)$

$=U\cap(A\cup B)$

$=A\cup B$

학교시험 필수예제

09 전체집합 U의 두 부분집합 A, B에 대하여 $A\subset B$일 때, $A-(A-B)$를 간단히 하여라.

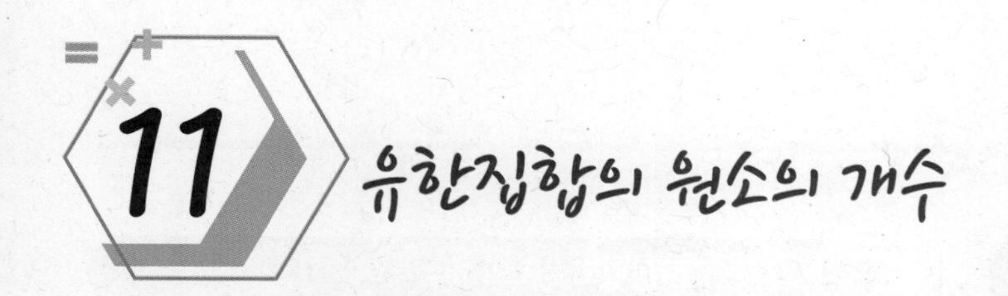

빠른정답 03쪽 / 친절한 해설 13쪽

전체집합 U의 세 부분집합 A, B, C가 유한집합일 때, 다음이 성립한다.

① $n(A\cup B)=n(A)+n(B)-n(A\cap B)$

② $n(A^C)=n(U)-n(A)$

③ $n(A-B)=n(A)-n(A\cap B)=n(A\cup B)-n(B)$

④ $n(A\cup B\cup C)=n(A)+n(B)+n(C)-n(A\cap B)-n(B\cap C)$
$-n(C\cap A)+n(A\cap B\cap C)$

〈두 집합 A, B가 서로소일 때〉

$n(A\cup B)=n(A)+n(B)$

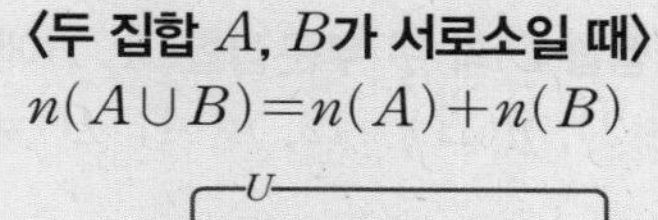

유형 019 $A\cup B$, $A\cap B$의 원소의 개수

① $n(A\cup B)=n(A)+n(B)-n(A\cap B)$

② $n(A\cap B)=n(A)+n(B)-n(A\cup B)$

※ 전체집합 U의 두 부분집합 A, B가 다음을 만족할 때, $n(A\cup B)$를 구하여라.

01 $n(A)=8$, $n(B)=4$, $n(A\cap B)=2$

해설 | $n(A\cup B)=n(A)+n(B)-\square$
$=8+4-\square=\square$

02 $n(A)=3$, $n(B)=7$, $n(A\cap B)=1$

03 $n(A)=9$, $n(B)=5$, $n(A\cap B)=5$

04 $n(A)=12$, $n(B)=8$, $n(A\cap B)=3$

05 $n(A)=4$, $n(B)=10$, $A\cap B=\varnothing$

※ 전체집합 U의 두 부분집합 A, B가 다음을 만족할 때, $n(A\cap B)$를 구하여라.

06 $n(A)=5$, $n(B)=4$, $n(A\cup B)=7$

해설 | $n(A\cap B)=n(A)+n(B)-\square$
$=5+4-\square=\square$

07 $n(A)=6$, $n(B)=3$, $n(A\cup B)=8$

08 $n(A)=11$, $n(B)=9$, $n(A\cup B)=15$

09 $n(A)=7$, $n(B)=4$, $n(A\cup B)=7$

10 $n(A)=8$, $n(B)=3$, $n(A\cup B)=11$

유형 020 여집합의 원소의 개수

※ 전체집합 U의 두 부분집합 A, B에 대하여 $n(U)=30$, $n(A)=24$, $n(B)=12$, $n(A\cap B)=10$일 때, 다음을 구하여라.

11 $n(A^C)$

12 $n(B^C)$

13 $n((A\cap B)^C)$

14 $n((A\cup B)^C)$

※ 전체집합 U의 두 부분집합 A, B에 대하여 $n(U)=40$, $n(A)=30$, $n(B)=26$, $n(A\cup B)=32$일 때, 다음을 구하여라.

15 $n(A^C)$

16 $n(B^C)$

17 $n((A\cup B)^C)$

18 $n((A\cap B)^C)$

유형 021 차집합의 원소의 개수

① $n(A-B)=n(A)-n(A\cap B)$
② $n(A-B)=n(A\cup B)-n(B)$

※ 전체집합 U의 두 부분집합 A, B가 다음을 만족할 때, $n(A-B)$를 구하여라.

19 $n(A)=23$, $n(B)=30$, $n(A\cap B)=12$

20 $n(A)=16$, $n(B)=20$, $n(A\cap B)=9$

21 $n(A)=18$, $n(B)=25$, $n(A\cup B)=32$

22 $n(A)=29$, $n(B)=16$, $n(A\cup B)=40$

학교시험 필수예제

23 전체집합 U의 두 부분집합 A, B에 대하여 $n(A)=22$, $n(B)=36$, $n(A\cup B)=53$일 때, $n(A-B)+n(B-A)$의 값은?

① 45 ② 46 ③ 47
④ 48 ⑤ 49

유형 022 $A\cup B\cup C$의 원소의 개수

• $n(A\cup B\cup C)$
$=n(A)+n(B)+n(C)-n(A\cap B)-n(B\cap C)$
$-n(C\cap A)+n(A\cap B\cap C)$

※ 전체집합 U의 세 부분집합 A, B, C가 다음을 만족할 때, $n(A\cup B\cup C)$를 구하여라.

24 $n(A)=5$, $n(B)=7$, $n(C)=6$,
$n(A\cap B)=3$, $n(B\cap C)=3$, $n(C\cap A)=2$,
$n(A\cap B\cap C)=1$

25 $n(A)=12$, $n(B)=8$, $n(C)=9$,
$n(A\cap B)=5$, $n(B\cap C)=4$, $n(C\cap A)=3$,
$n(A\cap B\cap C)=2$

26 $n(A)=16$, $n(B)=12$, $n(C)=15$,
$n(A\cap B)=8$, $n(B\cap C)=5$, $n(C\cap A)=7$,
$n(A\cap B\cap C)=3$

27 $n(A)=13$, $n(B)=15$, $n(C)=10$,
$n(A\cap B)=5$, $n(B\cap C)=6$, $n(C\cap A)=7$,
$n(A\cap B\cap C)=4$

28 $n(A)=11$, $n(B)=8$, $n(C)=10$,
$n(A\cap B)=3$, $n(B\cap C)=6$, $n(C\cap A)=4$,
$n(A\cap B\cap C)=3$

유형 023 $A\cap B\cap C$의 원소의 개수

• $n(A\cap B\cap C)$
$=n(A\cup B\cup C)-n(A)-n(B)-n(C)$
$+n(A\cap B)+n(B\cap C)+n(C\cap A)$

※ 전체집합 U의 세 부분집합 A, B, C가 다음을 만족할 때, $n(A\cap B\cap C)$를 구하여라.

29 $n(A)=9$, $n(B)=6$, $n(C)=7$,
$n(A\cap B)=2$, $n(B\cap C)=2$, $n(C\cap A)=1$,
$n(A\cup B\cup C)=18$

30 $n(A)=11$, $n(B)=7$, $n(C)=13$,
$n(A\cap B)=4$, $n(B\cap C)=5$, $n(C\cap A)=7$,
$n(A\cup B\cup C)=18$

31 $n(A)=14$, $n(B)=10$, $n(C)=13$,
$n(A\cap B)=6$, $n(B\cap C)=3$, $n(C\cap A)=5$,
$n(A\cup B\cup C)=25$

32 $n(A)=15$, $n(B)=20$, $n(C)=16$,
$n(A\cap B)=7$, $n(B\cap C)=9$, $n(C\cap A)=6$,
$n(A\cup B\cup C)=32$

33 $n(A)=17$, $n(B)=17$, $n(C)=16$,
$n(A\cap B)=7$, $n(B\cap C)=9$, $n(C\cap A)=8$,
$n(A\cup B\cup C)=31$

12 명제 / 명제의 부정

1. **명제** : 참, 거짓을 분명하게 판별할 수 있는 문장이나 식
2. **명제의 부정** : 명제 p에 대하여 'p가 아니다'를 명제의 부정이라 하고, 이것을 기호로 $\sim p$와 같이 나타낸다.

① 거짓인 명제도 명제임에 주의한다.
예 8은 홀수이다.
② 명제 $\sim p$의 부정은 p이다.

유형 024 명제 / 명제의 부정

※ 다음 중 명제인 것에는 ○표, 명제가 아닌 것에는 ×표를 하여라.

01 수학은 쉽다. ( )

02 나는 잘생겼다. ( )

03 4는 짝수이다. ( )

04 x는 자연수이다. ( )

05 삼각형은 평면도형이다. ( )

06 독도는 대한민국의 영토이다. ( )

07 $3>4$ ( )

08 5는 소수이다. ( )

※ 다음 명제의 부정을 말하여라.

09 -3은 정수이다.

10 10은 3의 배수이다.

11 4는 9의 약수가 아니다.

12 $7-4=3$

13 $\sqrt{5}$는 유리수이다.

14 직사각형은 평행사변형이 아니다.

15 8은 소수이다.

16 3은 집합 $\{1, 3, 5\}$의 원소이다.

유형 025 명제의 부정 / 명제의 참, 거짓

• 명제 p와 그 부정 $\sim p$의 참과 거짓의 관계
① p가 참이면 $\sim p$는 거짓
② p가 거짓이면 $\sim p$는 참

※ 다음 명제에 관하여 물음에 답하여라.

17

0은 자연수이다.

(1) 명제의 참, 거짓을 판별하여라.
(2) 명제의 부정을 말하여라.
(3) 명제의 부정의 참, 거짓을 판별하여라.

18

8은 짝수이다.

(1) 명제의 참, 거짓을 판별하여라.
(2) 명제의 부정을 말하여라.
(3) 명제의 부정의 참, 거짓을 판별하여라.

19

6은 집합 $\{2, 4, 6, 8\}$의 원소이다.

(1) 명제의 참, 거짓을 판별하여라.
(2) 명제의 부정을 말하여라.
(3) 명제의 부정의 참, 거짓을 판별하여라.

20

$\sqrt{6}$은 유리수가 아니다.

(1) 명제의 참, 거짓을 판별하여라.
(2) 명제의 부정을 말하여라.
(3) 명제의 부정의 참, 거짓을 판별하여라.

21

15는 3의 배수이다.

(1) 명제의 참, 거짓을 판별하여라.
(2) 명제의 부정을 말하여라.
(3) 명제의 부정의 참, 거짓을 판별하여라.

22

4와 6은 서로소이다.

(1) 명제의 참, 거짓을 판별하여라.
(2) 명제의 부정을 말하여라.
(3) 명제의 부정의 참, 거짓을 판별하여라.

23

7은 소수이다.

(1) 명제의 참, 거짓을 판별하여라.
(2) 명제의 부정을 말하여라.
(3) 명제의 부정의 참, 거짓을 판별하여라.

학교시험 필수예제

24 다음 명제 중 그 부정이 참인 것은?

① 정사각형은 평행사변형이다.
② 1은 소수가 아니다.
③ 4는 100의 약수이다.
④ $\sqrt{9}$는 유리수가 아니다.
⑤ $5+6\geq11$

13 정의, 증명, 정리

1. **정의** : 용어의 뜻을 명확하게 정한 것
2. **증명** : 정의, 명제의 가정 또는 이미 옳다고 밝혀진 정의나 성질을 이용하여 어떤 명제가 참임을 설명하는 것
3. **정리** : 참임이 증명된 명제 중에서 기본이 되는 것, 다른 명제를 증명할 때 이용할 수 있는 것

유형 026 정의

※ 다음 용어의 정의를 말하여라.

01 선분

02 원

03 사다리꼴

04 직사각형

05 마름모

06 정다각형

07 이등변삼각형

유형 027 정의와 정리의 구분

※ 다음 명제를 정의와 정리로 구분하여라.

08 두 대각선이 서로 수직이등분하는 사각형은 마름모이다.

09 세 변의 길이가 같은 삼각형은 정삼각형이다.

10 삼각형의 세 변으로부터 같은 거리에 있는 점은 내심이다.

11 삼각형의 세 변의 수직이등분선이 만나는 점은 외심이다.

학교시험 필수예제

12 다음 중 정리인 것을 모두 고르면?

① 네 각의 크기가 같은 사각형은 직사각형이다.
② 실수 a에 대하여 $a^2 \geq 0$이다.
③ 약수가 1과 자기 자신뿐인 수는 소수이다.
④ 이등변삼각형은 두 각의 크기가 같은 삼각형이다.
⑤ 참, 거짓을 판별할 수 있는 문장이나 식은 명제이다.

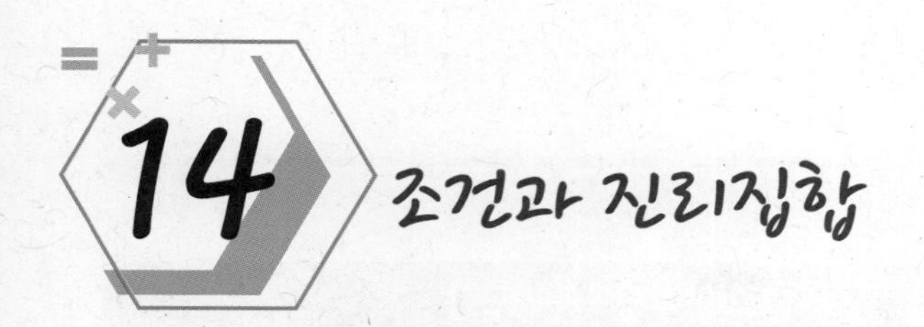

14 조건과 진리집합

빠른정답 04쪽 / 친절한 해설 14쪽

1. **조건** : 문자 x를 포함하는 문장이나 식 중에서 x의 값에 따라 참, 거짓을 판별할 수 있는 것
2. **조건의 부정** : 조건 p에 대하여 'p가 아니다.'를 조건 p의 부정이라 하고 이것을 기호로 $\sim p$와 같이 나타낸다.
3. **진리집합** : 전체집합 U의 원소 중에서 조건 p가 참이 되게 하는 모든 원소의 집합을 조건 p의 진리집합이라 한다.

| 참고 | 조건 p의 진리집합을 P라 할 때, $\sim p$의 진리집합은 P^C이다.

① 문자 x를 포함하는 조건은 $p(x)$, $q(x)$, $r(x)$, …로 나타내는 데, 경우에 따라서는 p, q, r, …로 나타내기도 한다.

② 특별한 언급이 없으면 전체집합은 실수 전체의 집합이다.

유형 028 명제와 조건의 구분

※ 다음 문장이나 식이 명제인지 조건인지 구분하여라.

01 $x+3=7$

02 $4=2+2$

03 $x-3>5$

04 -4는 정수이다.

학교시험 필수예제

05 다음 보기에서 조건인 것을 모두 고른 것은?

보기
ㄱ. $x+3<-2$　　ㄴ. $3\times4=12$
ㄷ. $2x-4=2(x-2)$　　ㄹ. $3x+2=8$

① ㄱ　② ㄴ　③ ㄱ, ㄹ
④ ㄴ, ㄷ　⑤ ㄱ, ㄷ, ㄹ

유형 029 조건의 부정

※ 다음 조건의 부정을 말하여라.

06 x는 12의 약수이다.

07 x는 자연수이다.

08 $x-5=7$

09 $x+4<5$

10 $x-3\neq0$

11 $A\subset B$

유형 030 조건의 진리집합

※ 전체집합 $U=\{1, 2, 3, 4, 5, 6, 7, 8\}$에 대하여 다음 조건의 진리집합을 구하여라.

12 $x\geq 5$

13 $x-4=2$

14 $x^2-4=0$

15 $x^2-4x+3=0$

16 $|x|<4$

17 x는 8의 약수이다.

18 x는 정수이다.

19 x는 10의 배수이다.

유형 031 조건의 부정의 진리집합

조건의 진리집합을 P라고 하면
조건의 부정의 진리집합은 P^C

※ 전체집합 $U=\{x|x$는 한 자리의 자연수$\}$에 대하여 다음 조건의 부정의 진리집합을 구하여라.

20 $x>3$

해설| 주어진 조건의 진리집합을 P라 하면
$P=\{$ $\}$
따라서 조건의 부정의 진리집합은
$P^C=\{$ $\}$

21 $3<x\leq 7$

22 $x^2-16=0$

23 $x^2-6\geq 0$

24 x는 소수이다.

25 x는 18의 약수이다.

15 조건 'p 또는 q'와 'p 그리고 q'

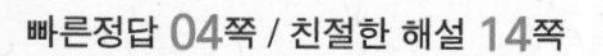
빠른정답 04쪽 / 친절한 해설 14쪽

전체집합 U에서 두 조건 p, q의 진리집합을 각각 P, Q라 할 때

조건	조건의 진리집합	조건의 부정	조건의 부정의 진리집합
p 또는 q	$P\cup Q$	$\sim p$ 그리고 $\sim q$	$P^C\cap Q^C$
p 그리고 q	$P\cap Q$	$\sim p$ 또는 $\sim q$	$P^C\cup Q^C$

유형 032 'p 또는 q'의 부정 : $\sim p$ 그리고 $\sim q$

※ 다음 조건의 부정을 말하여라.

01 $x=3$ 또는 $x=-6$

02 $x+4=0$ 또는 $x+9=0$

03 $x>-5$ 또는 $x\le 7$

04 $x-5\ge 0$ 또는 $x-8\le 0$

05 $a\in A$ 또는 $b\notin B$

06 $A\not\subset B$ 또는 $A=B$

유형 033 'p 그리고 q'의 부정 : $\sim p$ 또는 $\sim q$

※ 다음 조건의 부정을 말하여라.

07 $x=0$ 그리고 $y=4$

08 $x=5$ 그리고 $y\neq 6$

09 $6\le x<10$

10 $x\in A$ 그리고 $x\in B$

학교시험 필수예제

11 a, b가 실수일 때, $(a-1)^2+(b-1)^2=0$의 부정과 서로 같은 것은?

① $a=b=1$
② $(a-1)(b-1)=0$
③ $a\neq 1$ 그리고 $b\neq 1$
④ $a\neq 1$ 또는 $b\neq 1$
⑤ a, b 둘 중 하나는 1이다.

유형 034 조건 p 또는 q의 진리집합

두 조건 p, q의 진리집합을 각각 P, Q라 하면
조건 'p 또는 q'의 진리집합 → $P \cup Q$

※ **전체집합 $U=\{x|x$는 10 미만의 자연수$\}$에서 두 조건 p, q의 진리집합을 각각 P, Q라 할 때, 다음을 구하여라.**

12 $p : x+1=3$, $q : x-1=0$

(1) 진리집합 P

(2) 진리집합 Q

(3) p 또는 q의 진리집합

13 $p : x<4$, $q : x \geq 8$

(1) 진리집합 P

(2) 진리집합 Q

(3) p 또는 q의 진리집합

14 $p : x$는 10의 약수이다.
$q : x$는 4의 배수이다.

(1) 진리집합 P

(2) 진리집합 Q

(3) p 또는 q의 진리집합

유형 034 조건 p 그리고 q의 진리집합

두 조건 p, q의 진리집합을 각각 P, Q라 하면
조건 'p 그리고 q'의 진리집합 → $P \cap Q$

※ **전체집합 $U=\{x|x$는 10 이하의 자연수$\}$에서 두 조건 p, q의 진리집합을 각각 P, Q라 할 때, 다음을 구하여라.**

15 $p : 3 \leq x < 9$, $q : x \geq 5$

(1) 진리집합 P

(2) 진리집합 Q

(3) p 그리고 q의 진리집합

16 $p : x$는 2의 배수이다.
$q : x$는 3의 배수이다.

(1) 진리집합 P

(2) 진리집합 Q

(3) p 그리고 q의 진리집합

학교시험 필수예제

17 전체집합 U에서 두 조건 p, q가 $p : x<2$, $q : x<5$일 때, 다음 중 조건 $\sim p$ 그리고 q의 진리집합은?

① $\{x|x<5\}$ ② $\{x|x<2\}$ ③ $\{x|2 \leq x<5\}$
④ $\{x|2<x \leq 5\}$ ⑤ $\{x|x \leq 2$ 또는 $x>5\}$

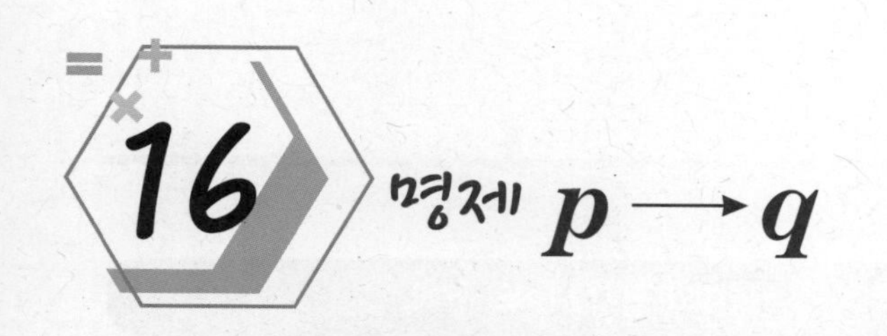

16 명제 $p \longrightarrow q$

빠른정답 04쪽 / 친절한 해설 14쪽

1. 명제 $p \to q$

두 조건 p, q에 대하여 명제 'p이면 q이다.'를 기호로 $p \longrightarrow q$와 같이 나타낸다. 이때 p를 가정, q를 결론이라 한다.

2. 명제 $p \longrightarrow q$의 참, 거짓

명제 $p \longrightarrow q$에 대하여 두 조건 p, q의 진리집합을 각각 P, Q라 할 때,

① $P \subset Q$이면 명제 $p \longrightarrow q$는 참이다.

② $P \not\subset Q$이면 명제 $p \longrightarrow q$는 거짓이다.

3. 반례

명제 $p \longrightarrow q$가 거짓임을 보이려면 조건 p는 만족시키지만 조건 q는 만족시키지 않는 예를 찾는다. 이와 같은 예를 반례라 한다.

① $\underset{\text{가정}}{p} \longrightarrow \underset{\text{결론}}{q}$

② $\langle p \Longrightarrow q \rangle$
명제 $p \longrightarrow q$가 참이다.

③ $\langle p \not\Longrightarrow q \rangle$
명제 $p \longrightarrow q$가 거짓이다.

유형 036 가정과 결론

명제 $p \to q$에서 p를 가정, q를 결론이라 한다.

※ 다음 명제에서 가정과 결론을 말하여라.

01 $x=3$이면 $x^2=9$이다.

02 x가 15의 배수이면 x는 5의 배수이다.

03 실수 a에 대하여 $a^2=0$이면 $a=0$이다.

04 자연수 a, b에 대하여 ab가 짝수이면 a, b는 모두 짝수이다.

05 a, b가 유리수이면 $a+b$는 유리수이다.

06 x가 12의 약수이면 x는 6의 약수이다.

유형 037 명제 $p \longrightarrow q$의 참, 거짓

※ 두 조건 p, q의 진리집합 P, Q가 다음과 같을 때, 명제 $p \longrightarrow q$의 참, 거짓을 판별하여라.

07 $P=\{3, 5\}$, $Q=\{1, 3, 5, 7, 9\}$

08 $P=\{x \mid x>3\}$, $Q=\{x \mid x \le 3\}$

09 $P=\{1, 2, 4, 8\}$, $Q=\{x \mid x\text{는 8의 약수}\}$

10 $P=\{x \mid x^2-5x-6=0\}$, $Q=\{6\}$

※ 다음 명제가 거짓임을 보이는 a, b의 예를 각각 구하여라.

11 $a>b$이면 $\dfrac{1}{a}>\dfrac{1}{b}$이다.

12 $a>b$이면 $a^2>b^2$이다.

※ 두 조건 p, q가 다음과 같을 때, 명제 $p \rightarrow q$의 참, 거짓을 판별하여라.

13 $p : x=1$, $q : x^2=1$

해설 | 두 조건 p, q의 진리집합을 각각 P, Q라 하면

$P=\{\square\}$, $Q=\{\square, \square\}$

따라서 $P \square Q$이므로 명제 $p \rightarrow q$는 참이다.

14 $p : x=4$, $q : x^2-2x-8=0$

15 $p : ab=ac$, $q : b=c$

16 $p : x>0$, $q : x \le x^2$

17 $p : |x|<4$, $q : x<4$

18 p : x는 소수이다., q : x는 홀수이다.

유형 038 명제와 집합 사이의 관계

※ 전체집합 U에서 두 조건 p, q의 진리집합을 각각 P, Q라 하자. 명제 $p \rightarrow \sim q$가 참일 때, 다음 중 옳은 것에는 ○표, 옳지 않은 것에는 ×표를 하여라.

19 $P \cap Q = P$ (　　)

20 $P \cup Q = U$ (　　)

21 $P \cap Q^C = P$ (　　)

22 $P \cup Q^C = Q^C$ (　　)

23 $P^C \cup Q^C = \varnothing$ (　　)

학교시험 필수예제

24 전체집합 U에서 두 조건 p, q의 진리집합을 각각 P, Q라 하자. $P \cap Q = \varnothing$일 때, 다음 중 참인 명제는?

① $p \rightarrow q$　　② $q \rightarrow p$　　③ $q \rightarrow \sim p$
④ $\sim p \rightarrow \sim q$　　⑤ $\sim q \rightarrow \sim p$

빠른정답 04쪽 / 친절한 해설 14쪽

17 '모든'이나 '어떤'이 들어 있는 명제

전체집합 U에 대하여 조건 p의 진리집합을 P라 할 때,
① 모든 x에 대하여 p이다. ⇨ $P=U$이면 참, $P\neq U$이면 거짓
조건 p를 만족시키지 않는 x가 하나라도 존재하면 거짓
|참고| 진리집합이 전체집합과 같은지를 확인한다.
② 어떤 x에 대하여 p이다. ⇨ $P\neq\varnothing$이면 참, $P=\varnothing$이면 거짓
조건 p를 만족시키는 x가 하나라도 존재하면 참
|참고| 진리집합이 공집합과 같은지를 확인한다.

〈모든 학생은 공부를 한다의 부정〉
→ 어떤 학생은 공부를 하지 않는다.
→ 적어도 한 학생은 공부를 하지 않는다.
→ 공부를 하지 않는 학생도 있다.

유형 039 '모든'이 있는 명제의 참, 거짓

※ 전체집합 $U=\{1, 2, 3, 4\}$에 대하여 다음 조건의 참, 거짓을 표를 완성하여 구하여라.

01 모든 x에 대하여 $x\leq 4$이다.

x	1	2	3	4
$x\leq 4$	참			

02 모든 x에 대하여 x는 홀수이다.

x	1	2	3	4
x는 홀수이다.				

03 모든 x에 대하여 x는 4의 약수이다.

x	1	2	3	4
x는 4의 약수이다.				

04 모든 x에 대하여 $x^2<20$이다.

x	1	2	3	4
$x^2<20$이다.				

※ 다음 조건의 참, 거짓을 판별하여라.

05 모든 정삼각형은 이등변삼각형이다.

06 모든 실수 x에 대하여 $x^2>0$이다.

07 모든 자연수 x에 대하여 $2x-1>0$이다.

08 모든 8의 약수는 24의 약수이다.

09 모든 실수 x에 대하여 $x^2=3$이다.

10 모든 정수 x에 대하여 $\frac{1}{x}$은 정수이다.

유형 040 '어떤'이 있는 명제의 참, 거짓

※ 전체집합 $U=\{1, 2, 3, 4\}$에 대하여 다음 조건의 참, 거짓을 표를 완성하여 구하여라.

11 어떤 x에 대하여 $x+2=0$이다.

x	1	2	3	4
$x+2=0$이다.	거짓			

12 어떤 x에 대하여 $x^2=1$이다.

x	1	2	3	4
$x^2=1$이다.				

13 어떤 x에 대하여 x는 5의 배수이다.

x	1	2	3	4
x는 5의 배수이다.				

14 어떤 x에 대하여 $|x|>1$이다.

x	1	2	3	4
$\|x\|>1$이다.				

15 어떤 x에 대하여 $x^2+4x-12=0$이다.

x	1	2	3	4
$x^2+4x-12=0$이다.				

※ 다음 조건의 참, 거짓을 판별하여라.

16 어떤 정수 x에 대하여 $x<1$이다.

17 어떤 6의 배수는 7의 배수이다.

18 어떤 실수 x에 대하여 $x^2+1=0$이다.

19 어떤 실수 x에 대하여 $x^2-2x+2<0$이다.

학교시험 필수예제

20 전체집합 $U=\{-1, 0, 1\}$에 대하여 다음 보기의 명제 중 참인 것을 모두 고른 것은?

보기
ㄱ. 모든 x에 대하여 $x=-x$이다.
ㄴ. 모든 x에 대하여 $x^2=1$이다.
ㄷ. 어떤 x에 대하여 $x^2+3x-10=0$이다.
ㄹ. 어떤 x에 대하여 $x^2=x$이다.

① ㄱ ② ㄹ ③ ㄴ, ㄷ
④ ㄴ, ㄹ ⑤ ㄱ, ㄷ, ㄹ

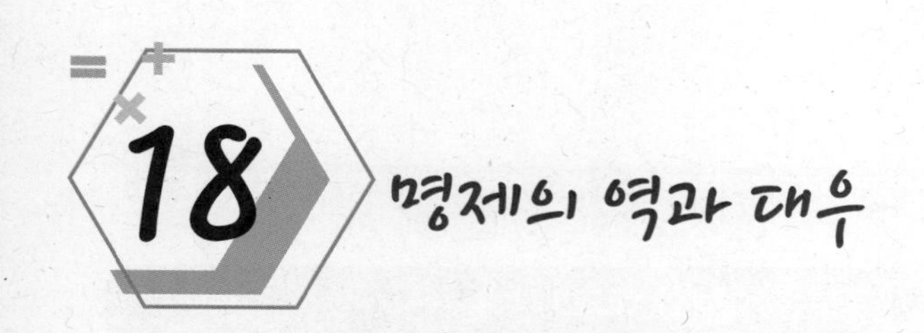

명제의 역과 대우

1. 명제의 역과 대우

① 역 : 명제 $p \to q$에서 가정과 결론, 즉 p와 q를 서로 바꾸어 놓은 명제 $q \to p$를 역이라 한다.

② 대우 : 명제 $p \to q$에서 가정과 결론을 각각 부정하여 서로 바꾸어 놓은 명제 $\sim q \to \sim p$를 대우라 한다.

2. 명제와 그 대우의 참 거짓

① 명제 $p \to q$가 참이면 그 대우 $\sim q \to \sim p$도 참이다.

② 명제 $p \to q$가 거짓이면 그 대우 $\sim q \to \sim p$도 거짓이다.

〈명제의 역, 대우 사이의 관계〉

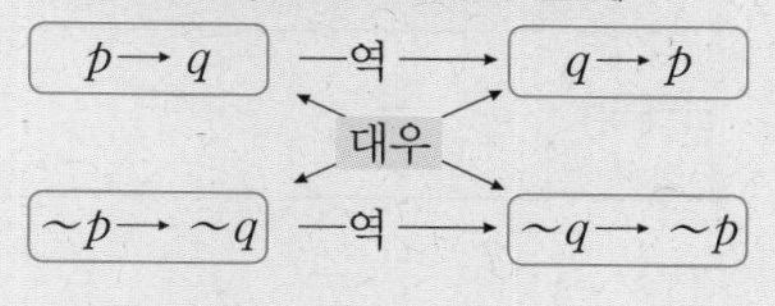

① 명제 $p \to q$가 참이더라도 역 $q \to p$는 참이 아닐 수도 있다.

② 명제와 그 대우의 참, 거짓은 일치한다.

유형 041 명제의 역과 대우

명제 $p \to q$에 대하여
① 역: $q \to p$
② 대우: $\sim q \to \sim p$

※ 다음 □ 안에 역과 대우 중 알맞은 것을 써넣어라.

01 명제 $\sim q \to p$는 명제 $\sim p \to q$의 □이다.

02 명제 $p \to \sim q$는 명제 $\sim q \to p$의 □이다.

03 명제 $\sim q \to \sim p$는 명제 $p \to q$의 □이다.

04 명제 $\sim p \to q$는 명제 $q \to \sim p$의 □이다.

05 명제 $q \to p$는 명제 $p \to q$의 □이다.

06 명제 $q \to \sim p$는 명제 $p \to \sim q$의 □이다.

유형 042 명제의 역과 대우의 참, 거짓

※ 다음 명제의 역과 대우를 말하고 참, 거짓을 판별하여라.

07

명제	$a=b$이면 $a+c=b+c$이다.	참
역		
대우		

08

명제	$x^2=1$이면 $x=1$이다.	
역		
대우		

09

명제	직사각형은 정사각형이다.	
역		
대우		

10

명제	x가 10의 배수이면 x는 5의 배수이다.	
역		
대우		

11

명제	$x>3$이면 $x\geq 4$이다.	
역		
대우		

12

명제	x가 4의 약수이면 x는 20의 약수이다.	
역		
대우		

13

명+제	$a>0$ 또는 $b>0$이면 $a+b>0$이다.	
역		
대우		

유형 043 명제와 대우의 관계

① 명제 $p \rightarrow q$가 참이면 $\sim q \rightarrow \sim p$도 참이다.
② 명제 $\sim q \rightarrow \sim p$가 참이면 $p \rightarrow q$도 참이다.

※ 두 조건 p, q에 관하여 주어진 명제가 참일 때, 반드시 참인 명제를 보기에서 골라라.

보기
ㄱ. $q \rightarrow p$　　ㄴ. $q \rightarrow \sim p$
ㄷ. $\sim q \rightarrow p$　　ㄹ. $\sim q \rightarrow \sim p$

14 명제 $p \rightarrow \sim q$

15 명제 $\sim p \rightarrow \sim q$

16 명제 $\sim p \rightarrow q$

17 명제 $p \rightarrow q$

학교시험 필수예제

18 명제 $p \rightarrow \sim q$와 명제 $\sim q \rightarrow r$가 참일 때, 다음 중 반드시 참이라고 할 수 없는 것은?

① $q \rightarrow \sim p$　② $\sim r \rightarrow q$　③ $p \rightarrow r$
④ $\sim q \rightarrow p$　⑤ $\sim r \rightarrow \sim p$

$p \rightarrow q$가 참이고 $q \rightarrow r$가 참이면 $p \rightarrow r$도 참이다.

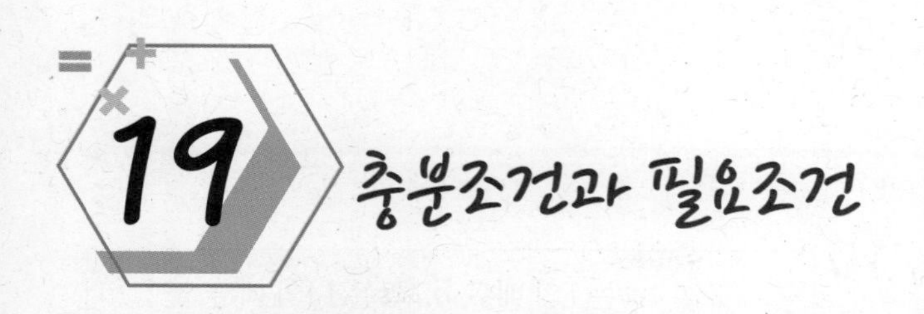

빠른정답 05쪽 / 친절한 해설 15쪽

19 충분조건과 필요조건

1. 명제 $p \longrightarrow q$가 참일 때, 기호로 $p \Rightarrow q$와 같이 나타내고
   'p는 q이기 위한 충분조건',
   'q는 p이기 위한 필요조건'이라 한다.
2. 두 조건 p, q의 진리집합을 각각 P, Q라 할 때, $P \subset Q$이면
   p는 q이기 위한 충분조건,
   q는 p이기 위한 필요조건이다.

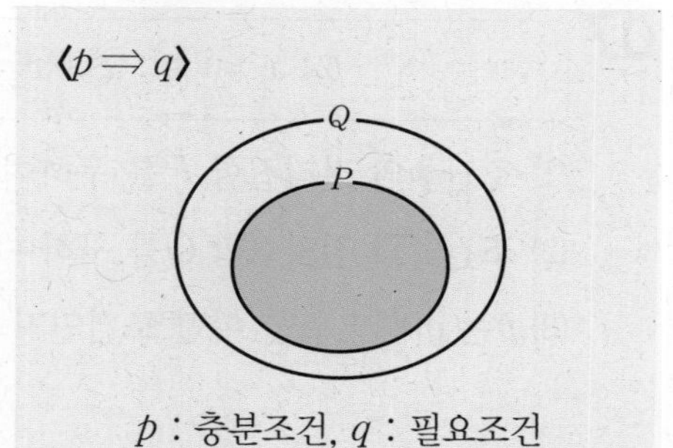

유형 044 충분조건과 필요조건

$P \subset Q$일 때 ┌ p는 q이기 위한 충분조건
└ q는 p이기 위한 필요조건

※ **두 조건 p, q가 다음과 같을 때, 물음에 답하여라.**

01 $p : x=2$, $q : |x|=2$

(1) 명제 $p \longrightarrow q$의 참, 거짓을 판별하여라.
(2) 명제 $q \longrightarrow p$의 참, 거짓을 판별하여라.
(3) p는 q이기 위한 어떤 조건인지 말하여라.

02 $p : x=1$, $q : x^2=1$

(1) 명제 $p \longrightarrow q$의 참, 거짓을 판별하여라.
(2) 명제 $q \longrightarrow p$의 참, 거짓을 판별하여라.
(3) p는 q이기 위한 어떤 조건인지 말하여라.

03 $p : ab=0$, $q : a=b=0$

(1) 명제 $p \longrightarrow q$의 참, 거짓을 판별하여라.
(2) 명제 $q \longrightarrow p$의 참, 거짓을 판별하여라.
(3) p는 q이기 위한 어떤 조건인지 말하여라.

04 $p : x \geq -1$, $q : x > -1$

(1) 명제 $p \longrightarrow q$의 참, 거짓을 판별하여라.
(2) 명제 $q \longrightarrow p$의 참, 거짓을 판별하여라.
(3) p는 q이기 위한 어떤 조건인지 말하여라.

05 $p : -2 < x \leq 4$, $q : x \leq 4$

(1) 명제 $p \longrightarrow q$의 참, 거짓을 판별하여라.
(2) 명제 $q \longrightarrow p$의 참, 거짓을 판별하여라.
(3) p는 q이기 위한 어떤 조건인지 말하여라.

학교시험 필수예제

06 세 실수 a, b, c에 대하여 $a>b>c$는 $(a-b)(b-c)(a-c)>0$이기 위한 어떤 조건인지 구하여라.

※ 두 조건 p, q가 다음과 같을 때, 물음에 답하여라.

07

p : $x=0$, q : $x^2+x=0$

(1) 조건 p의 진리집합 P를 구하여라.

(2) 조건 q의 진리집합 Q를 구하여라.

(3) p는 q이기 위한 어떤 조건인지 말하여라.

08

p : $x^2-x-2=0$, q : $x+1=0$

(1) 조건 p의 진리집합 P를 구하여라.

(2) 조건 q의 진리집합 Q를 구하여라.

(3) p는 q이기 위한 어떤 조건인지 말하여라.

09

p : $x<6$, q : $-5<x\le 2$

(1) 조건 p의 진리집합 P를 구하여라.

(2) 조건 q의 진리집합 Q를 구하여라.

(3) p는 q이기 위한 어떤 조건인지 말하여라.

10

p : x는 7의 배수, q : x는 14의 배수

(1) 조건 p의 진리집합 P를 구하여라.

(2) 조건 q의 진리집합 Q를 구하여라.

(3) p는 q이기 위한 어떤 조건인지 말하여라.

11

p : x는 9의 약수, q : x는 36의 약수

(1) 조건 p의 진리집합 P를 구하여라.

(2) 조건 q의 진리집합 Q를 구하여라.

(3) p는 q이기 위한 어떤 조건인지 말하여라.

12

p : x는 10 이하의 소수
q : x는 한 자리의 자연수

(1) 조건 p의 진리집합 P를 구하여라.

(2) 조건 q의 진리집합 Q를 구하여라.

(3) p는 q이기 위한 어떤 조건인지 말하여라.

20 필요충분조건

빠른정답 05쪽 / 친절한 해설 15쪽

1. $p \Longleftrightarrow q$

$p \Longrightarrow q$이고 $q \Longrightarrow p$일 때, 기호로 $p \Longleftrightarrow q$와 같이 나타내고 'p는 q이기 위한 필요충분조건'이라 한다.
(이때 q도 p이기 위한 필요충분조건이다.)

2. 두 조건 p, q의 진리집합을 각각 P, Q라 하면
$P=Q$일 때 p와 q는 서로 필요충분조건

3. $p \Longleftrightarrow q$임을 증명하려면
$p \Longrightarrow q$, $q \Longrightarrow p$를 모두 증명해야 한다.

〈필요충분조건의 예〉

p: $A \cup B = B$,
q: $A \subset B$

유형 045 필요충분조건

※ 두 조건 p, q가 다음과 같을 때, 물음에 답하여라.

01

$p : x=5$, $q : 2x-10=0$

(1) 명제 $p \longrightarrow q$의 참, 거짓을 판별하여라.
(2) 명제 $q \longrightarrow p$의 참, 거짓을 판별하여라.
(3) p는 q이기 위한 어떤 조건인지 말하여라.

02

$p : x^2=16$, $q : |x|=4$

(1) 명제 $p \longrightarrow q$의 참, 거짓을 판별하여라.
(2) 명제 $q \longrightarrow p$의 참, 거짓을 판별하여라.
(3) p는 q이기 위한 어떤 조건인지 말하여라.

03

$p : x=-4$ 또는 $x=1$
$q : x^2+3x-4=0$

(1) 명제 $p \longrightarrow q$의 참, 거짓을 판별하여라.
(2) 명제 $q \longrightarrow p$의 참, 거짓을 판별하여라.
(3) p는 q이기 위한 어떤 조건인지 말하여라.

04

$p : x \geq 4$, $q : 3x \geq 12$

(1) 명제 $p \longrightarrow q$의 참, 거짓을 판별하여라.
(2) 명제 $q \longrightarrow p$의 참, 거짓을 판별하여라.
(3) p는 q이기 위한 어떤 조건인지 말하여라.

05

$p : x-1 \leq 0$, $q : 3x \leq 3$

(1) 명제 $p \longrightarrow q$의 참, 거짓을 판별하여라.
(2) 명제 $q \longrightarrow p$의 참, 거짓을 판별하여라.
(3) p는 q이기 위한 어떤 조건인지 말하여라.

06

$p : -2<x<2$, $q : |x|<2$

(1) 명제 $p \longrightarrow q$의 참, 거짓을 판별하여라.
(2) 명제 $q \longrightarrow p$의 참, 거짓을 판별하여라.
(3) p는 q이기 위한 어떤 조건인지 말하여라.

유형 046 필요조건, 충분조건, 필요충분조건

① $p \Rightarrow q$일 때,
p는 q이기 위한 충분조건
q는 p이기 위한 필요조건
② $p \Rightarrow q$이고 $q \Rightarrow p$일 때, $p \Longleftrightarrow q$(필요충분조건)

※ 두 조건 p, q가 다음과 같을 때, p는 q이기 위한 어떤 조건인지 말하여라.

07 p : $x=1$, q : $x^2+x-2=0$

08 p : x는 4의 배수이다.
q : x는 8의 배수이다.

09 p : $x>-3$, q : $2x+8>0$

10 p : $x^2=x$, q : $x=0$ 또는 $x=1$

11 p : x는 6의 약수, q : x는 12의 약수

12 p : □ABCD는 평행사변형이다.
q : □ABCD는 직사각형이다.

13 p : $x-4=0$, q : $2x+5=x+9$

14 p : $x<3$, q : $|x|<2$

15 p : $x^2+y^2=0$, q : $x=y=0$ (단, x, y는 실수)

16 p : $x^2=9$, q : $x=3$

17 p : $xy=0$, q : $x=0$ 또는 $y=0$

18 p : x는 유리수, q : x는 실수

19 p : $x\geq 1$, q : $3x-3>0$

학교시험 필수예제

20 다음 중 p가 q이기 위한 충분조건이지만 필요조건은 아닌 것은? (단, x, y는 실수)

① p : $x^2=25$ q : $x=5$
② p : x는 30의 약수 q : x는 6의 약수
③ p : $x<3$ q : $x<2$
④ p : $|x|+|y|=0$ q : $x^2+y^2=0$
⑤ p : $x=y$ q : $x^2=y^2$

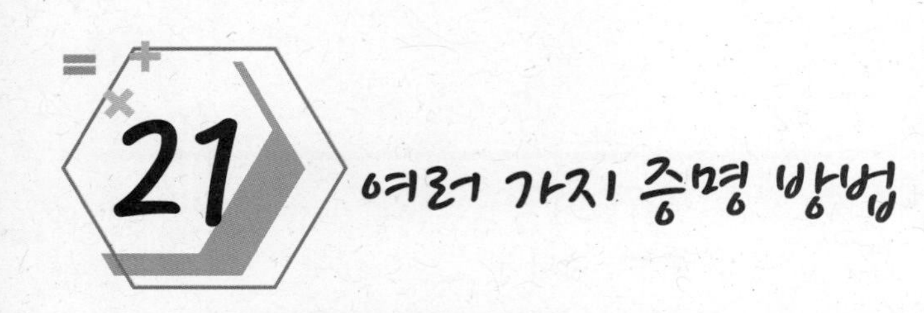

21 여러 가지 증명 방법

빠른정답 05쪽 / 친절한 해설 15쪽

1. **대우를 이용한 증명법** : 명제 $p \longrightarrow q$가 참임을 증명하기 어려울 때, 그 대우인 $\sim q \longrightarrow \sim p$를 이용하여 대우가 참이면 원래 명제가 참임을 증명하는 방법
2. **귀류법** : 명제가 참임을 직접 증명하기 어려울 때, 그 명제의 결론을 부정하여 가정이나 이미 참이라고 알려진 사실에 모순됨을 보여줌으로써 주어진 명제가 참인지 유도하는 방법

① 대우가 참이면 그 명제도 참이다.
② 결론을 부정하여 주어진 명제의 가정에 모순이 있음을 보여, 본래의 명제가 참임을 증명하는 것을 귀류법이라 한다.

유형 047 대우를 이용한 명제의 증명

$p \rightarrow q$가 참이면 $\sim q \rightarrow \sim p$도 참이다.

※ 다음은 주어진 명제가 참임을 증명하는 과정이다. □ 안에 알맞은 것을 써넣어라.

01 n이 자연수일 때, n^2이 홀수이면 n도 홀수이다.

주어진 명제의 대우는
n이 짝수이면 n^2도 □이다.
이므로 이 명제가 참임을 보이면 된다.
n이 짝수이므로 $n=2k$ (k는 자연수)로 놓으면
$n^2=(2k)^2=4k^2=2\cdot$□
이때, $2k^2$이 자연수이므로 n^2은 □이다.
따라서 주어진 명제의 대우가 참이므로 주어진 명제는 참이다.

02 두 자연수 a, b에 대하여 ab가 짝수이면 a 또는 b가 짝수이다.

주어진 명제의 대우는
a, b가 모두 홀수이면 ab는 □이다.
이므로 이 명제가 참임을 보이면 된다.
a, b가 모두 홀수이므로
$a=2m-1$, $b=2n-1$ (m, n은 자연수)로 놓으면
$ab=(2m-1)(2n-1)=4mn-2m-2n+1$
$=2($□$)+1$
이때, □이 자연수이므로 ab는 □이다.
따라서 주어진 명제의 대우가 참이므로 주어진 명제는 참이다.

03 두 실수 a, b에 대하여 $a^2+b^2=0$이면 $a=b=0$이다.

주어진 명제의 대우는
□ 또는 $b\neq0$이면 □이다.
이므로 이 명제가 참임을 보이면 된다.
(i) $a\neq0$일 때,
$a^2>0$, $b^2\geq0$이므로 $a^2+b^2>0$
(ii) $b\neq0$일 때,
$a^2\geq0$, $b^2>0$이므로 a^2+b^2□0
(i), (ii)에서 $a^2+b^2\neq0$이다.
따라서 주어진 명제의 대우가 참이므로 주어진 명제는 참이다.

04 세 자연수 a, b, c가 자연수일 때, $a^2+b^2=c^2$이면 a, b, c 중 적어도 하나는 짝수이다.

주어진 명제의 대우는
a, b, c가 모두 □이면 $a^2+b^2\neq c^2$이다.
이므로 이 명제가 참임을 보이면 된다.
a, b, c가 모두 홀수이면 a^2, b^2, c^2은 모두
□이므로 a^2+b^2은 □가 된다.
$\therefore a^2+b^2\neq c^2$
따라서 주어진 명제의 대우가 참이므로 주어진 명제는 참이다.

유형 048 귀류법을 이용한 명제의 증명

※ 다음은 주어진 명제가 참임을 증명하는 과정이다. □ 안에 알맞은 것을 써넣어라.

05 두 실수 x, y에 대하여 $x+y>0$이면 $x>0$ 또는 $y>0$이다.

> $x\le 0$ 그리고 $y\le 0$이라 가정하면
> $x+y$ □ 0이다.
> 이것은 가정 $x+y>0$에 모순이다.
> 따라서 $x+y>0$이면 $x>0$ 또는 y □ 0이다.

06 자연수 n에 대하여 n^2이 3의 배수이면 n도 3의 배수이다.

> n이 3의 배수가 아니라고 가정하면
> n은 $3k+1$ 또는 □ $(k=0,\ 1,\ 2,\ \cdots)$ 중의 하나이다.
> (i) $n=3k+1$일 때,
> $n^2=(3k+1)^2=3(3k^2+2k)+1$
> (ii) $n=3k+2$일 때,
> $n^2=($□$)^2=3(3k^2+4k+1)+1$
> (i), (ii)에서 n^2은 □가 아니다.
> 이것은 n^2이 3의 배수라는 가정에 모순이다.
> 따라서 n^2이 3의 배수이면 n도 3의 배수이다.

07 $\sqrt{3}$은 유리수가 아니다.

> $\sqrt{3}$이 유리수라고 가정하면
> $\sqrt{3}=\frac{n}{m}$ (m, n은 서로소인 자연수)로 나타낼 수 있다.
> 이 식의 양변을 제곱하여 정리하면
> $3m^2=n^2$ ……㉠
> 이때 n^2이 □의 배수이므로 n도 3의 배수이다.
> $n=$□ (k는 자연수)로 놓고 ㉠에 대입하여 정리하면
> $m^2=$□
> 즉, m^2이 3의 배수이므로 m도 3의 배수이다.
> 이것은 m, n이 □인 자연수라는 가정에 모순이다.
> 따라서 $\sqrt{3}$은 유리수가 아니다.

학교시험 필수예제

08 다음은 $\sqrt{3}$이 무리수임을 이용하여 $1+\sqrt{3}$이 무리수임을 증명하는 과정이다.

> $1+\sqrt{3}$이 (가) 라 가정하면
> $1+\sqrt{3}=a$ (a는 유리수)로 놓을 수 있다.
> $\sqrt{3}=a-1$이고 유리수끼리의 뺄셈은 (나) 이므로
> $a-1$은 (다) 이다.
> 이것은 $\sqrt{3}$이 (라) 라는 가정에 모순이므로 $1+\sqrt{3}$은 무리수이다.

위의 과정에서 (가)~(라)에 알맞은 것을 써넣어라.

22 절대부등식

빠른정답 05쪽 / 친절한 해설 16쪽

1. **절대부등식** : 부등식이 참이 되게 하는 진리집합이 전체집합인 부등식, 즉 문자를 포함한 부등식에서 그 문자에 어떤 실수를 대입하여도 항상 성립하는 부등식

2. **부등식의 증명에 이용되는 실수의 성질**
실수 a, b에 대하여
① $a>b \Longleftrightarrow a-b>0$　② $a^2\geq 0$, $a^2+b^2\geq 0$
③ $a^2+b^2=0 \Longleftrightarrow a=b=0$　④ $|a|^2=a^2$, $|ab|=|a||b|$, $|a|\geq a$
⑤ $a>0$, $b>0$일 때, $a>b \Longleftrightarrow a^2>b^2$

〈절대부등식의 예〉
- 실수 a, b에 대하여
① $a-b>0 \Longleftrightarrow a>b$
② $a-b<0 \Longleftrightarrow a<b$
③ $a^2\pm ab+b^2\geq 0$(단, $a=0$, $b=0$일 때 등호가 성립)
④ $a^2\pm 2ab+b^2\geq 0$(단, $a=\mp b$일 때 등호가 성립

유형 049 절대부등식

① 항등식: 항상 성립하는 등식
② 절대부등식: 항상 성립하는 부등식

※ 실수 x에 대하여 다음 중 절대부등식인 것에는 ○표, 절대부등식이 아닌 것에는 ×표를 하여라.

01 $3x+5<2$　(　　)

02 $|x|+3>0$　(　　)

03 $x^2+1>2x$　(　　)

04 $(x-3)^2+2\geq 0$　(　　)

05 $x^2+4<x^2$　(　　)

06 $4x+2>-x^2$　(　　)

※ 다음은 a, b, x, y가 실수일 때, 주어진 부등식을 증명하는 과정이다. □ 안에 알맞은 것을 써넣어라.

07 $a^2+2ab+4b^2\geq 0$

$a^2+2ab+4b^2$
$=(a^2+2ab+b^2)+$□
$=(a+b)^2+$□
그런데 $(a+b)^2\geq 0$, $3b^2\geq 0$이므로
$(a+b)^2+3b^2$□0
$\therefore a^2+2ab+4b^2\geq 0$
이때 등호는 $a+b=0$, $b=0$
즉, $a=b=0$일 때 성립한다.

08 $a^2+6ab+10b^2\geq 0$

$a^2+6ab+10b^2$
$=(a^2+6ab+$□$)+$□
$=(a+3b)^2+$□
그런데 $(a+3b)^2\geq 0$, $b^2\geq 0$이므로
$(a+3b)^2+$□≥ 0
$\therefore a^2+6ab+10b^2\geq 0$
이때 등호는 $a+3b=0$, $b=0$
즉, $a=b=0$일 때 성립한다.

09 $(a^2+b^2)(x^2+y^2) \ge (ax+by)^2$

$(a^2+b^2)(x^2+y^2)-(ax+by)^2$
$=a^2x^2+a^2y^2+b^2x^2+b^2y^2-(a^2x^2+2abxy+b^2y^2)$
$=\square-2abxy$
$=(\square)^2 \ge 0$
$\therefore (a^2+b^2)(x^2+y^2) \ge (ax+by)^2$
이때 등호는 $ay\square bx$일 때 성립한다.

※ 다음은 a, b가 실수일 때, 주어진 부등식을 증명하는 과정이다. □ 안에 알맞은 것을 써넣어라.

10 $a>0$, $b>0$일 때, $\dfrac{a+b}{2} \ge \sqrt{ab}$

$\dfrac{a+b}{2} \ge \sqrt{ab}$에서 $\dfrac{a+b}{2}>0$, $\sqrt{ab}>0$이므로
$\left(\dfrac{a+b}{2}\right)^2 \ge (\sqrt{ab})^2$을 보이면 된다.
$\left(\dfrac{a+b}{2}\right)^2-(\sqrt{ab})^2$
$=\dfrac{a^2+2ab+b^2}{4}-ab$
$=\dfrac{a^2-\square+b^2}{4}$
$=\left(\square\right)^2 \ge 0$
$\therefore \dfrac{a+b}{2} \ge \sqrt{ab}$
이때 등호는 $a\square b$일 때 성립한다.

11 $|a|+|b| \ge |a+b|$

$|a|+|b| \ge |a+b|$에서
$|a|+|b| \ge 0$, $|a+b| \ge 0$이므로
$(|a|+|b|)^2 \ge |a+b|^2$을 보이면 된다.
$(|a|+|b|)^2-|a+b|^2$
$=a^2+2|a||b|+b^2-(a^2+2ab+b^2)$
$=2|ab|-\square$
그런데 $|ab| \ge ab$이므로
$2|ab|-2ab\square 0$
$\therefore |a|+|b| \ge |a+b|$
이때 등호는 $ab\square 0$일 때 성립한다.

학교시험 필수예제

12 다음은 $a>0$, $b>0$일 때, 부등식

$$\sqrt{2(a+b)} \ge \sqrt{a}+\sqrt{b}$$

를 증명하는 과정이다. (가), (나)에 알맞은 것을 차례로 적은 것은?

$(\sqrt{2(a+b)})^2-(\sqrt{a}+\sqrt{b})^2$
$=2(a+b)-(a+2\sqrt{ab}+b)$
$=a-2\sqrt{ab}+b$
$=$ (가) ≥ 0
$\therefore \sqrt{2(a+b)} \ge \sqrt{a}+\sqrt{b}$
이때 등호는 (나) 일 때 성립한다.

① $(\sqrt{a}-\sqrt{b})^2$, $a=b$
② $(\sqrt{a}-\sqrt{b})^2$, $a=-b$
③ $(\sqrt{a}-\sqrt{b})^2$, $a^2=b^2$
④ $(a-b)^2$, $a=b$
⑤ $(a-b)^2$, $a^2=b^2$

23 산술평균과 기하평균의 관계

빠른정답 05쪽 / 친절한 해설 16쪽

① $a>0$, $b>0$일 때(a, b가 양수일 때), $\frac{a+b}{2}$를 산술평균, $\sqrt{ab}$를 기하평균이라 한다.

② $\frac{a+b}{2} \geq \sqrt{ab}$ (단, $a>0$, $b>0$, 등호는 $a=b$일 때 성립)

③ a, b가 양수가 아니면 산술평균과 기하평균의 관계를 이용할 수 없다.

〈산술평균과 기하평균의 관계〉
$a>0$, $b>0$일 때,
$\frac{a+b}{2} \geq \sqrt{ab}$ (산술평균≥기하평균)
(단, 등호는 $a=b$일 때 성립)

유형 050 합의 최솟값

※ 다음을 구하여라.

01 $a>0$일 때, $a+\frac{4}{a}$의 최솟값

해설 | $a>0$, $\frac{4}{a}>0$이므로
산술평균과 기하평균의 관계에 의하여
$a+\frac{4}{a} \geq 2\sqrt{a\cdot\frac{4}{a}}=2\sqrt{\square}=\square$
따라서 $a+\frac{4}{a}$의 최솟값은 $\square$이다.

02 $a>0$일 때, $a+\frac{1}{a}$의 최솟값

03 $a>0$일 때, $2a+\frac{1}{2a}$의 최솟값

04 $a>3$일 때, $a-3+\frac{9}{a-3}$의 최솟값

05 $a>2$일 때, $2(a-2)+\frac{8}{a-2}$의 최솟값

유형 051 곱의 최댓값

※ 두 양수 a, b에 대하여 다음을 구하여라.

06 $a+b=4$일 때, ab의 최댓값

해설 | $a>0$, $b>0$이므로
산술평균과 기하평균의 관계에 의하여
$\sqrt{ab} \leq \frac{a+b}{2}=\frac{\square}{2}=\square$
따라서 ab의 최댓값은 $\square^2=4$이다.

07 $a+b=10$일 때, ab의 최댓값

08 $a^2+b^2=12$일 때, ab의 최댓값

학교시험 필수예제

09 두 양수 a, b에 대하여 $a+b=8$일 때, $\frac{1}{a}+\frac{1}{b}$의 최솟값은?

① $\frac{1}{8}$　② $\frac{1}{4}$　③ $\frac{1}{2}$
④ 1　⑤ 2

코시-슈바르츠의 부등식

① 실수 a, b, x, y에 대하여

$(a^2+b^2)(x^2+y^2) \geq (ax+by)^2$ $\left(\text{단, 등호는 } \dfrac{x}{a}=\dfrac{y}{b}\text{일 때 성립}\right)$

② 실수 a, b, c, x, y, z에 대하여

$(a^2+b^2+c^2)(x^2+y^2+z^2) \geq (ax+by+cz)^2$

$\left(\text{단, 등호는 } \dfrac{x}{a}=\dfrac{y}{b}=\dfrac{z}{c}\text{일 때 성립}\right)$

〈코시-슈바르츠의 부등식의 이용〉

최대값 또는 최솟값을 구하는 문제에서 x^2+y^2의 값이나 $ax+by$의 값이 일정하면 코시-슈바르츠의 부등식을 이용한다. (단, x, y는 실수)

유형 052 $ax+by$의 최댓값과 최솟값

※ 두 실수 x, y에 대하여 $x^2+y^2=4$일 때, 다음 식의 최댓값과 최솟값을 각각 구하여라.

01 $x+y$

해설 | $(1^2+1^2)(x^2+y^2) \geq (x+y)^2$에서

$(x+y)^2 \leq$ □ $\therefore$ □ $\leq x+y \leq$ □

따라서 최댓값은 □, 최솟값은 □이다.

02 $x+2y$

03 $3x+y$

04 $3x+4y$

학교시험 필수예제

05 $x^2+y^2=a$를 만족하는 실수 x, y에 대하여 $2x+3y$의 최댓값과 최솟값의 차가 26일 때, 양수 a의 값을 구하여라.

유형 053 x^2+y^2의 최솟값

※ 두 실수 x, y가 다음을 만족시킬 때, x^2+y^2의 최솟값을 구하여라.

06 $x+y=6$

07 $3x+y=5$

08 $x+2y=10$

09 $2x+4y=5$

10 $4x+3y=10$

I. 집합과 명제

1. 집합의 뜻과 표현

(1) 집합 : 어떤 조건에 의하여 대상을 분명하게 정할 수 있을 때, 그 대상들의 모임
(2) 원소 : 집합을 이루는 대상 하나하나
(3) 집합의 표현
① ❶ : 집합에 속하는 모든 원소를 { } 안에 나열하여 집합을 나타내는 방법
② 조건제시법 : 집합의 원소들이 갖는 공통 성질을 조건으로 제시하여 집합을 나타내는 방법
③ 벤다이어그램 : 집합을 그림으로 나타내는 방법
(4) 원소의 개수에 따른 집합의 분류
① 유한집합 : 원소의 개수가 유한개인 집합
② 무한집합 : 원소의 개수가 무한개인 집합
(5) 유한집합 A의 원소의 개수를 기호로 $n(A)$와 같이 나타낸다.
(6) ❷ : A의 모든 원소가 B에 속할 때, A를 B의 부분집합이라 한다.
(7) 부분집합의 성질
① $\varnothing \subset A$ ② $A \subset A$ ③ $A \subset B$이고 $B \subset C$이면 $A \subset C$이다.
(8) 서로 같은 집합 : $A \subset B$이고 $B \subset A$일 때, A와 B는 서로 같다고 하고 ❸ 와 같이 나타낸다.
(9) 진부분집합 : $A \subset B$이지만 $A \neq B$일 때, A를 B의 진부분집합이라 한다.
(10) 부분집합의 개수 : 집합 $A=\{a_1, a_2, \cdots, a_n\}$의 부분집합의 개수는 2^n이다.

개념 window

a가 집합 A의 원소이다.
⇨ a는 집합 A에 속한다.
⇨ $a \in A$

a가 집합 A의 원소가 아니다.
⇨ a는 집합 A에 속하지 않는다.
⇨ $a \notin A$

공집합 : 원소가 하나도 없는 집합으로 기호 $\varnothing$로 나타낸다.

A가 B의 부분집합이다.
⇨ $A \subset B$

A가 B의 부분집합이 아니다.
⇨ $A \not\subset B$

2. 집합의 연산

(1) 합집합 $A \cup B$: A에 속하거나 B에 속하는 모든 원소로 이루어진 집합
(2) ❹ $A \cap B$: A에도 속하고 B에도 속하는 모든 원소로 이루어진 집합
(3) 서로소 : $A \cap B = \varnothing$일 때, A와 B는 서로소라 한다.
(4) 전체집합 : 어떤 집합에 대하여 그 부분집합을 생각할 때, 처음의 집합을 전체집합이라 하고 보통 U로 나타낸다.
(5) ❺ A^C : 전체집합 U의 부분집합 A에 대하여 U의 원소 중에서 A에 속하지 않는 모든 원소로 이루어진 집합
(6) 차집합 $A-B$: A에 속하지만 B에는 속하지 않는 원소로 이루어진 집합

$A \cup B = \{x \mid x \in A \text{ 또는 } x \in B\}$
$A \cap B = \{x \mid x \in A \text{ 그리고 } x \in B\}$
$A^C = \{x \mid x \in U \text{ 그리고 } x \notin A\}$
$A - B = \{x \mid x \in A \text{ 그리고 } x \notin B\}$

❶ 원소나열법 ❷ 부분집합 ❸ $A=B$ ❹ 교집합 ❺ 여집합

(7) 집합의 연산법칙

① 교환법칙 : $A\cup B=B\cup A$, $A\cap B=B\cap A$

② 결합법칙 : $(A\cup B)\cup C=A\cup(B\cup C)$, $(A\cap B)\cap C=A\cap(B\cap C)$

③ 분배법칙 : $A\cup(B\cap C)=(A\cup B)\cap(A\cup C)$,
$A\cap(B\cup C)=(A\cap B)\cup(A\cap C)$

(8) 집합의 연산의 성질

① $A\cup A=A$, $A\cap A=A$
② $A\cup\varnothing=A$, $A\cap\varnothing=\varnothing$
③ $A\cup U=U$, $A\cap U=A$
④ $A\cup A^C=U$, $A\cap A^C=\varnothing$
⑤ $U^C=\varnothing$, $\varnothing^C=U$
⑥ $(A^C)^C=A$
⑦ $A-B=$ [❻]

(9) 드모르간의 법칙

$(A\cup B)^C=A^C\cap B^C$, $(A\cap B)^C=A^C\cup B^C$

(10) 유한집합의 원소의 개수

$n(A\cup B)=n(A)+n(B)-$ [❼]

개념 window

▌두 집합 A, B가 서로소일 때,
$n(A\cup B)=n(A)+n(B)$

3. 명제

(1) 명제와 조건

① [❽] : 참, 거짓을 분명하게 구별할 수 있는 문장이나 식

② 조건 : 문자 x를 포함하는 문장이나 식 중에서 x의 값에 따라 참, 거짓을 판별할 수 있는 것

③ 명제 또는 조건의 부정 : 명제 또는 조건 p에 대하여 'p가 아니다.'를 명제 또는 조건 p의 부정이라 하고 이것을 기호로 $\sim p$와 같이 나타낸다.

④ 진리집합 : 전체집합 U의 원소 중에서 조건 p가 참이 되게 하는 모든 원소의 집합을 조건 p의 진리집합이라 한다.

(2) 조건 'p 또는 q', 'p 그리고 q' : 전체집합 U에서 두 조건 p, q의 진리집합을 각각 P, Q라 할 때

조건	조건의 진리집합	조건의 부정
p 또는 q	$P\cup Q$	$\sim p$ 그리고 $\sim q$
p 그리고 q	$P\cap Q$	$\sim p$ 또는 $\sim q$

(3) 명제의 가정과 결론 : 두 조건 p, q로 이루어진 명제 'p이면 q이다.'를 기호로 $p\longrightarrow q$와 같이 나타낸다. 이때 p를 가정, q를 결론이라 한다.

(4) 명제 $p\longrightarrow q$의 참, 거짓 : 두 조건 p, q의 진리집합을 각각 P, Q라 할 때,

① $P\subset Q$이면 명제 $p\longrightarrow q$는 참이다.

② $P\not\subset Q$이면 명제 $p\longrightarrow q$는 [❾]이다.

▌정의, 증명, 정리
① 정의 : 용어의 뜻을 명확하게 정한 것
② 증명 : 정의, 명제의 가정 또는 이미 옳다고 밝혀진 성질을 이용하여 어떤 명제가 참임을 설명하는 것
③ 정리 : 참임이 증명된 명제 중에서 기본이 되는 것이나 명제를 증명할 때 이용할 수 있는 것

▌$\sim p$ 그리고 $\sim q$의 진리집합은
$P^C\cap Q^C$
$\sim p$ 또는 $\sim q$의 진리집합은
$P^C\cup Q^C$

❻ $A\cap B^C$ ❼ $n(A\cap B)$ ❽ 명제 ❾ 거짓

(5) '모든'이나 '어떤'이 있는 명제의 참, 거짓 : 전체집합 U에 대하여 조건 p의 진리집합을 P라 할 때,

① 모든 x에 대하여 p이다. ⇨ $P=U$이면 참, $P\neq U$이면 거짓

② 어떤 x에 대하여 p이다. ⇨ $P\neq\varnothing$이면 참, $P=\varnothing$이면 거짓

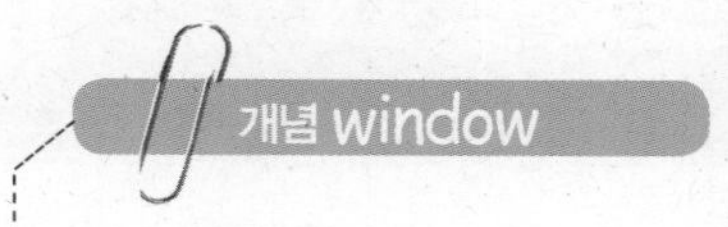

4. 명제 사이의 관계

(1) 명제의 역과 대우

① 역 : 명제 $p \longrightarrow q$에서 가정과 결론, 즉 p와 q를 서로 바꾸어 놓은 명제 $q \longrightarrow p$를 역이라 한다.

② 대우 : 명제 $p \longrightarrow q$에서 가정과 결론을 각각 부정하여 서로 바꾸어 놓은 명제 ⑩ [　　　　]를 대우라 한다.

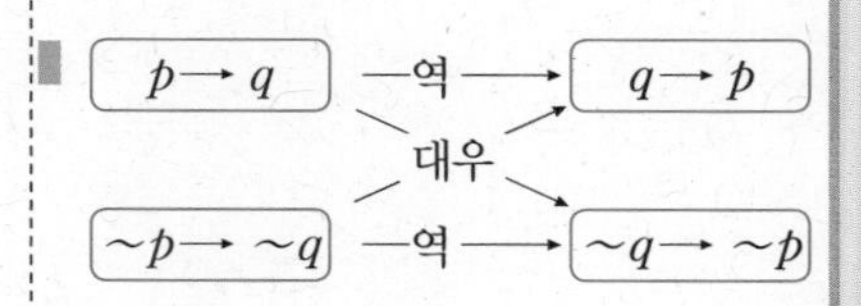

(2) 명제와 그 대우의 참 거짓

① 명제 $p \longrightarrow q$가 참이면 그 대우 $\sim q \longrightarrow \sim p$도 참이다.

② 명제 $p \longrightarrow q$가 거짓이면 그 대우 $\sim q \longrightarrow \sim p$도 거짓이다.

(3) 충분조건과 필요조건

① 명제 $p \longrightarrow q$가 참일 때, 기호로 $p \Longrightarrow q$와 같이 나타내고 'p는 q이기 위한 ⑪ [　　　　]', 'q는 p이기 위한 필요조건'이라 한다.

② 두 조건 p, q의 진리집합을 각각 P, Q라 할 때, $P\subset Q$이면 p는 q이기 위한 충분조건, q는 p이기 위한 필요조건이다.

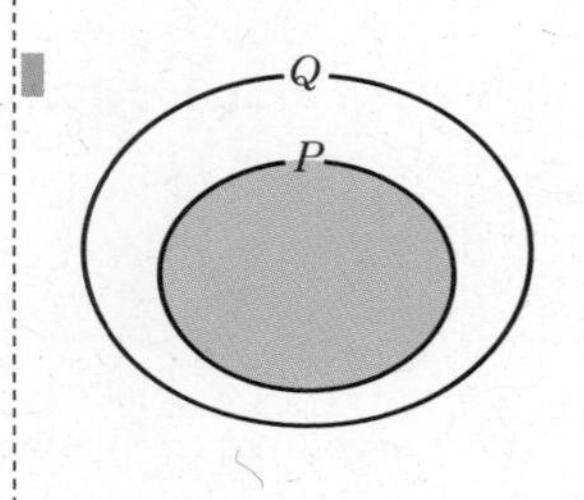

(4) 필요충분조건

$p \Longrightarrow q$이고 $q \Longrightarrow p$일 때, 기호로 $p \Longleftrightarrow q$와 같이 나타내고 'p는 q이기 위한 필요충분조건'이라 한다.

(5) 여러 가지 증명 방법

① 대우를 이용한 증명법 : 명제 $p \longrightarrow q$가 참이면 그 대우인 명제 $\sim q \longrightarrow \sim p$도 참임을 이용하여 대우가 참임을 증명하는 방법

② ⑫ [　　　　] : 결론을 부정하여 가정이나 이미 참이라고 알려진 사실에 모순됨을 유도하는 방법

(6) 절대부등식 : 부등식이 참이 되게 하는 진리집합이 전체집합인 부등식, 즉 문자를 포함한 부등식에서 그 문자에 어떤 실수를 대입하여도 항상 성립하는 부등식

(7) 부등식의 증명에 이용되는 실수의 성질

① $a>b \Longleftrightarrow a-b>0$　　② $a^2\geq 0$, $a^2+b^2\geq 0$

③ $a^2+b^2=0 \Longleftrightarrow a=b=0$　　④ $|a|^2=a^2$, $|ab|=|a||b|$, $|a|\geq a$

⑤ $a>0$, $b>0$일 때, $a>b \Longleftrightarrow a^2>b^2$

⑩ $\sim q \longrightarrow \sim p$　⑪ 충분조건　⑫ 귀류법

자동차
경주에서 속도가 빠르면 시간이 줄어든다.

열기구
고도가 높아질수록 온도는 내려간다.

자판기
버튼을 누르면 그에 해당되는 물건이 나온다.

도대체?
함수는 실생활과 무슨 관계가 있을까?

그 답은 바로

자연 현상과 사회 현상을 수학적으로 해석해 놓은 것이 바로 함수이기 때문

우리 주변에는 어떤 요인이 변화함에 따라 다른 요인이 변화하는 현상이 다양하게 존재한다.

사물의 현상을 수학적으로 표현하는 데 함수가 많이 쓰인다. 특히, 우리 생활 주변에서 함수 또는 대응의 개념을 찾아볼 수 있는 예가 많다.

높은 산을 올라갈 때 고도가 점점 높아짐에 따라 온도가 점점 낮아지고, 하늘로 띄운 풍선의 부피는 점점 늘어나며 고속도로를 달리는 자동차는 주행거리가 길어질수록 연료 소모량이 많아진다.

또한, 대응의 개념은 사람과 주민등록번호, 키보드를 누를 때의 모니터에 글자, 자동판매기 버튼을 누를 때 나오는 음료수 등과 같이 대상들끼리 짝짓는 상황에서도 찾을 수 있으며, 이것은 대상을 파악하는 데 도움이 된다.

이와 같이 함수는 자연 현상이나 사회 현상을 수학적으로 파악하고 이해하는 유용한 수단이다. 또한, 하나의 값이 변함에 따라 그와 관련된 다른 값도 변하는 경우를 흔히 볼 수 있는데 함수는 이러한 관계를 탐구하는 수학적 도구가 된다. 즉, 함수를 이용하여 자연 현상이나 사회 현상을 설명하고 예측할 수 있다. 이러한 함수 개념은 두 집합의 원소 사이에 이루어지는 대응 관계로 정의함으로써 좀 더 엄밀하게 설명할 수 있다.

Ⅱ 함수

학습목표

01 함수의 개념을 이해하고, 그 그래프를 이해한다.

02 함수의 합성을 이해하고, 합성함수를 구할 수 있다.

03 역함수의 의미를 이해하고, 주어진 함수의 역함수를 구할 수 있다.

04 유리함수 $y=\frac{ax+b}{cx+d}$의 그래프를 그릴 수 있고, 그 그래프의 성질을 이해한다.

05 무리함수 $y=\sqrt{ax+b}+c$의 그래프를 그릴 수 있고, 그 그래프의 성질을 이해한다.

01 대응과 함수

1. **대응** : 공집합이 아닌 두 집합 X, Y에 대하여 X의 원소에 Y의 원소를 짝짓는 것을 집합 X에서 집합 Y로의 대응이라 한다.
   이때 X의 원소 x에 Y의 원소 y가 대응하는 것을 기호로 $x \longrightarrow y$와 같이 나타낸다.
2. **함수** : 두 집합 X, Y에 대하여 X의 각 원소에 Y의 원소가 오직 하나씩 대응할 때, 이 대응을 X에서 Y로의 함수라 하고 기호로 $f: X \longrightarrow Y$와 같이 나타낸다.

〈대응과 함수의 관계〉
모든 대응이 함수인 것은 아니다.

유형 054 대응

※ 두 집합 X, Y에 대하여 다음 관계에 의해 집합 X의 원소 x에 집합 Y의 원소 y가 대응할 때, 이 대응을 그림으로 나타내어라.

01 $X=\{1, 2, 3\}$
$Y=\{4, 8, 12\}$
$y=4x$

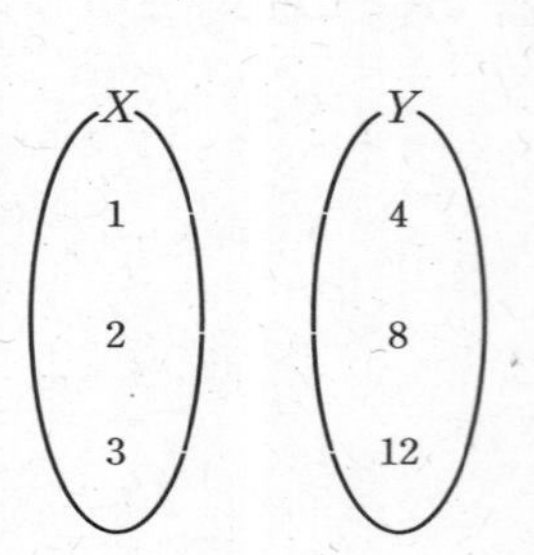

02 $X=\{3, 6, 9\}$
$Y=\{1, 2, 3, 4\}$
$y=(x$의 약수의 개수$)$

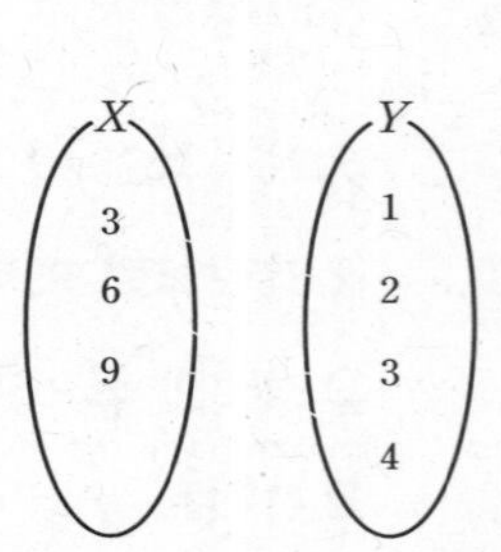

03 $X=\{4, 6, 8, 10\}$
$Y=\{2, 3, 5\}$
$y=(x$의 소인수$)$

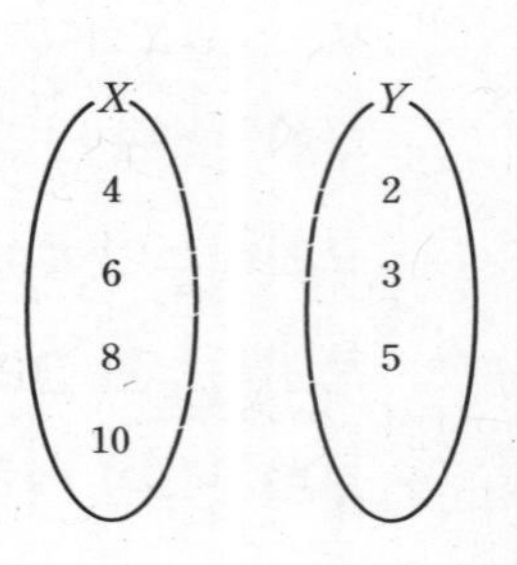

유형 055 함수의 뜻

※ 다음 대응 중 집합 X에서 집합 Y로의 함수인 것에는 ○표, 함수가 아닌 것에는 ×표를 하여라.

04

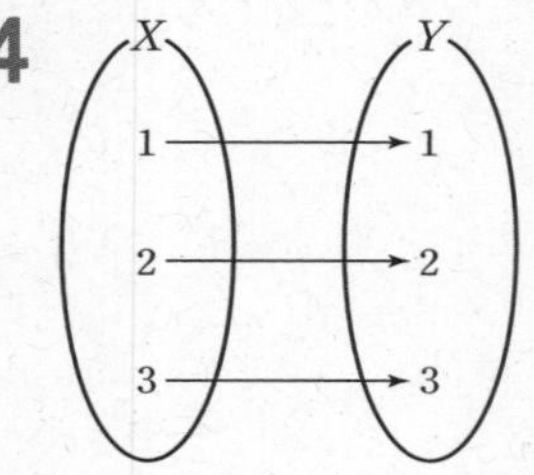

( )

05

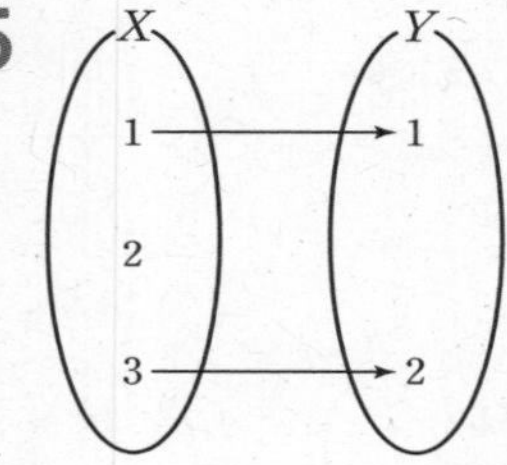

( )

06

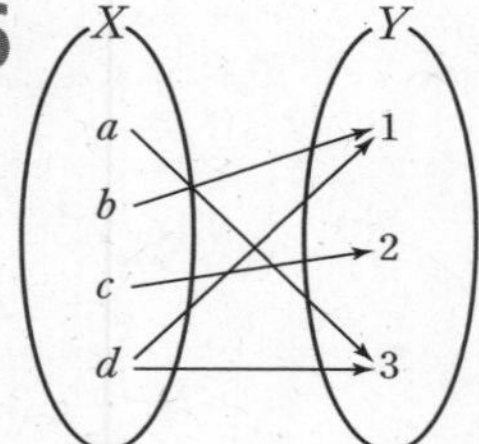

( )

다음 경우에는 함수가 아니다.
① X의 원소 중에서 대응하지 않고 남아 있는 원소가 있을 때
② X의 한 원소에 Y의 원소가 두 개 이상 대응할 때

07

X: a, b, c, d / Y: 1, 2, 3

( )

08

X: a, b, c, d / Y: 1, 2, 3

( )

09

X: a, b, c, d / Y: 1, 2, 3

( )

학교시험 필수예제

10 다음 보기의 대응 중 함수인 것을 모두 고른 것은?

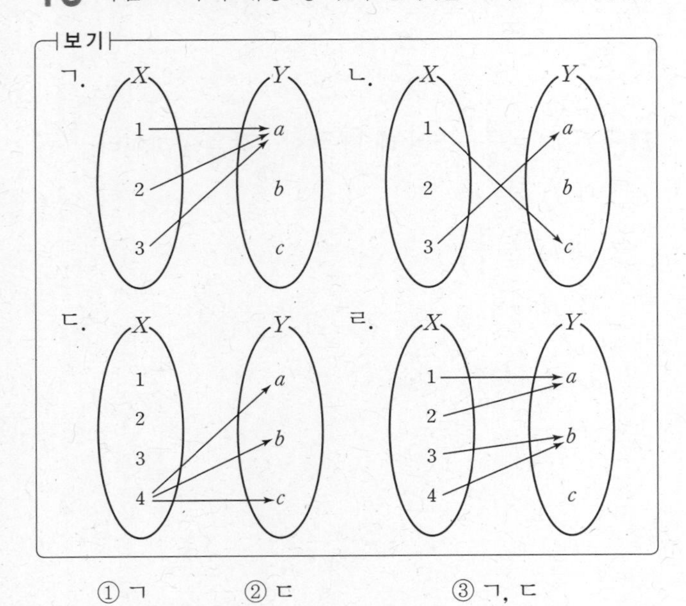

① ㄱ ② ㄷ ③ ㄱ, ㄷ
④ ㄱ, ㄹ ⑤ ㄴ, ㄹ

유형 056 함수의 그래프

※ 다음 그래프 중 함수의 그래프인 것에는 ○표, 함수의 그래프가 아닌 것에는 ×표를 하여라.

11

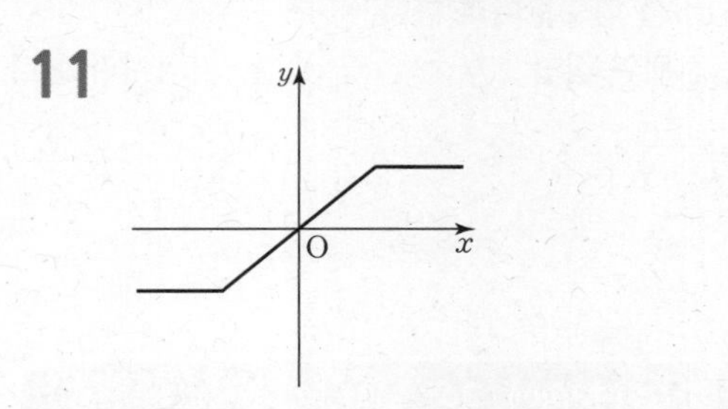

( )

12

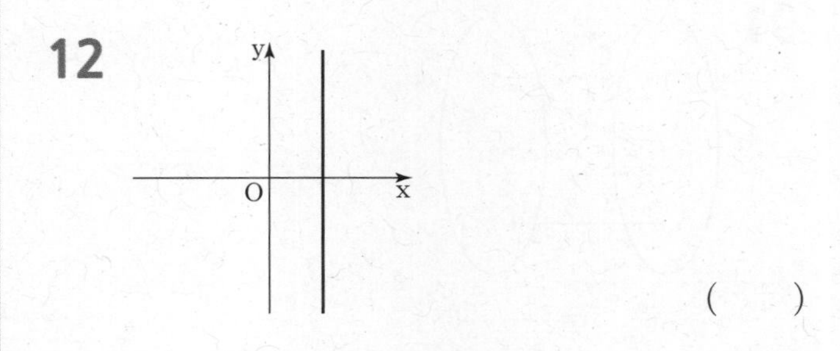

( )

13

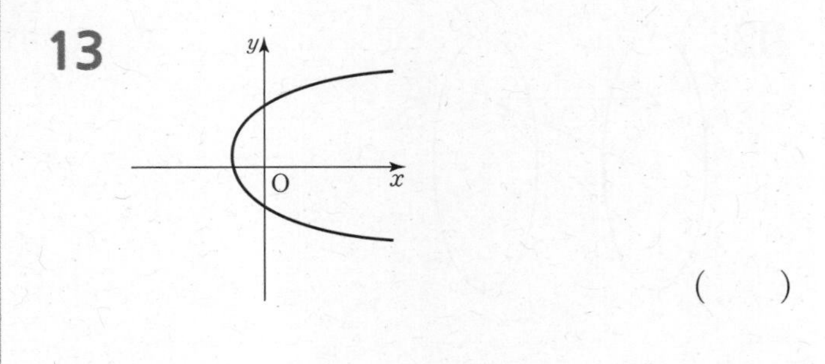

( )

14

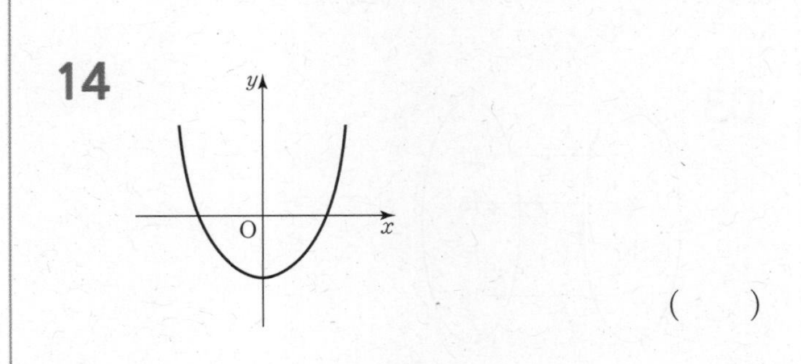

( )

02 함수의 정의역, 공역, 치역

함수 $f : X \longrightarrow Y$에서
집합 X를 정의역, 집합 Y를 공역이라 하고, 집합 X의 원소 x에 대응하는 집합 Y의 원소 $f(x)$를 함숫값이라 한다.
이때 함숫값 전체의 집합 $\{f(x) \mid x \in X\}$를 치역이라 한다. 치역은 공역의 부분집합이다.

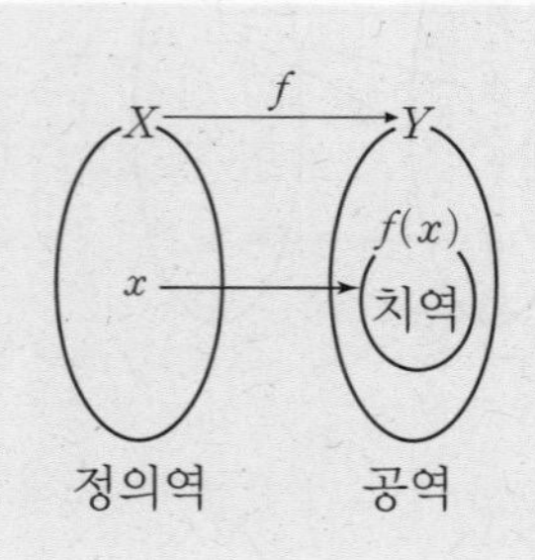

유형 057 함수의 정의역, 공역, 치역

※ 다음 함수에서 정의역, 공역, 치역을 각각 구하여라.

01

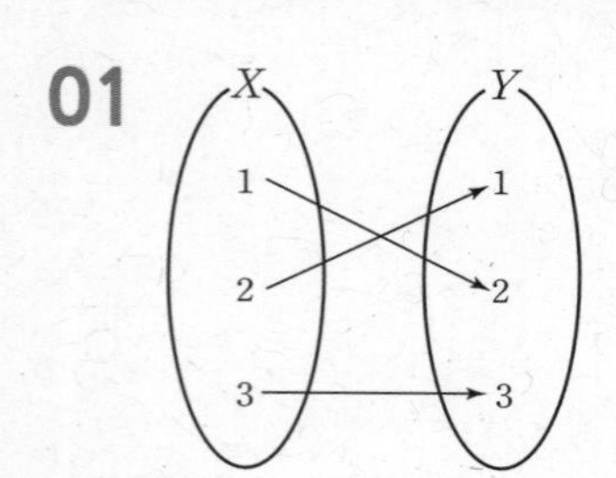

02

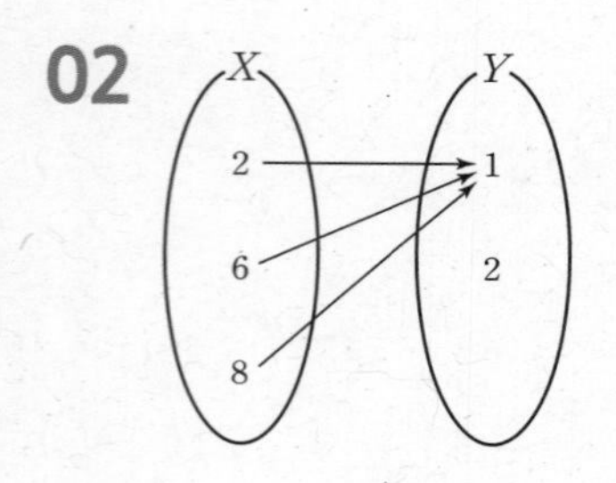

03

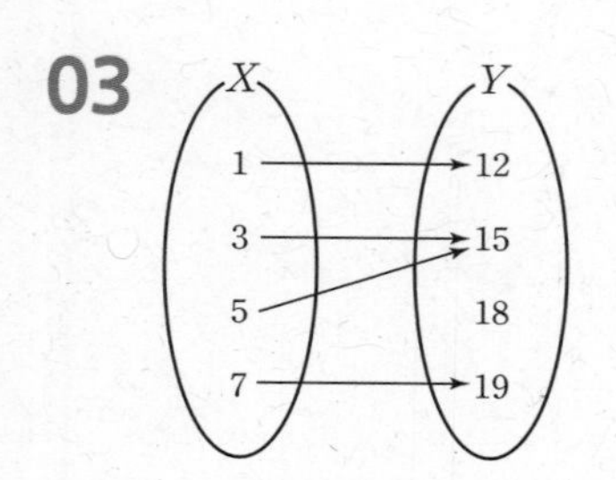

유형 058 함숫값 구하기

04 $f(x)=2x+4$일 때 $f(2)$의 값을 구하여라.

해설ㅣ $f(2)=2\times\square+4=\square$

05 $f(x)=3x^2-1$일 때 다음 함숫값을 구하여라.

(1) $f(5)$

(2) $f(-1)$

(3) $f(0)$

06 $f(x)=\dfrac{4}{x}-5$일 때 다음 함숫값을 구하여라.

(1) $f(2)$

(2) $f\left(-\dfrac{3}{4}\right)$

(3) $f(-2)$

Tip
함수 $f(x)$에서 $f(k)$의 값은 x 대신에 k를 대입하여 구한다.

※ 다음 함수 f에서 $f(4)$의 값을 구하여라.

07 $f(x+3)=3x+1$

해설| $x+3=4$에서 $x=\square$이므로

$f(4)=3\times\square+1=\square$

08 $f(2x-3)=4x+5$

09 $f(3x-5)=\frac{1}{6}x+2$

10 $f\left(\frac{2-3x}{2}\right)=\frac{4}{x}-3$

11 $f\left(\frac{5x+4}{3}\right)=10x-7$

함수 $f(ax+b)$에서 $f(k)$의 값은 $ax+b=k$를 만족하는 x의 값을 구하여 그 값을 x 대신 대입하여 구한다.

유형 059 $f(x)$ 구하기

※ 다음을 만족시키는 함수 f에 대하여 $f(x)$를 구하여라.

12 $f(2x-1)=x+1$

해설| $2x-1=t$로 놓으면 $x=\frac{t+1}{2}$이므로

$f(t)=\frac{\square}{2}+1=\frac{\square}{2}$

t 대신 x를 대입하면

$f(x)=\square$

13 $f(2-x)=2x+4$

14 $f(x+3)=3x+5$

15 $f\left(\frac{3x-2}{2}\right)=2x+3$

함수 $f(ax+b)$에서 $f(x)$ 구하기

① $ax+b=t$로 놓고 $x=$(t에 관한 식)으로 바꾼다.

② $f(ax+b)$에 $x=$(t에 관한 식)을 대입하여 $f(t)$를 구한다.

③ t 대신 x를 대입하여 $f(x)$를 구한다.

※ 함수 f가 $f\left(\frac{2x+7}{3}\right)=-4x+1$을 만족시킬 때,

다음을 구하여라.

16 $f(x-3)$

해설 | $\frac{2x+7}{3}=t$라 하면 $x=\frac{3t-7}{2}$이므로

$f(t)=-4\cdot\frac{3t-7}{2}+1=$ ☐

$\therefore f(x-3)=-6(x-3)+15=$ ☐

17 $f(2x+5)$

18 $f(-4x)$

19 $f\left(\frac{4-3x}{3}\right)$

학교시험 필수예제

20 함수 f가 $f(2x-5)=9-x$를 만족시키고 $f(4-3x)=ax+b$일 때, 상수 a, b의 합 $a+b$의 값은?

① $\frac{9}{2}$ ② 5 ③ $\frac{11}{2}$
④ 6 ⑤ $\frac{13}{2}$

유형 060 치역 구하기

※ 정의역이 $\{-2,\ -1,\ 1\}$일 때, 다음 함수의 치역을 구하여라.

21 $y=x+3$

22 $y=2x^2$

23 $y=\frac{4}{x}$

24 $y=\begin{cases}2 & (x\geq 0)\\ x+2 & (x<0)\end{cases}$

학교시험 필수예제

25 함수 $y=\frac{5-3x}{2}$의 치역이 $\{-2,\ 1,\ 4,\ 7\}$일 때, 다음 중 정의역의 원소가 아닌 것은?

① -5 ② -3 ③ -1
④ 1 ⑤ 3

빠른정답 06쪽 / 친절한 해설 17쪽

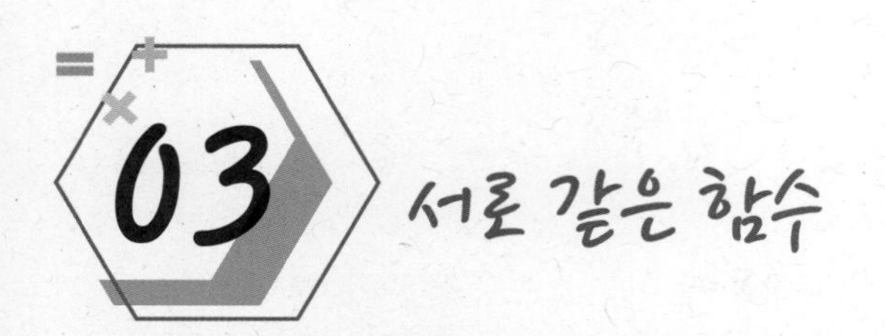

03 서로 같은 함수

1. **$f=g$**: 두 함수 f, g가
   ① 정의역과 공역이 같고,
   ② 정의역의 모든 원소에 대한 함숫값이 서로 같을 때, '두 함수 f, g는 서로 같다.'고 한다.
2. **$f\neq g$**: 두 함수 f와 g가 서로 같지 않다.

〈서로 같은 함수〉
두 함수의 함숫값이 같다는 것이 아니고 정의역의 모든 원소 x에 대하여 두 함수의 함숫값이 같다는 것이다.

유형 061 서로 같은 함수

※ 정의역이 $\{-1, 1\}$일 때, 다음 두 함수 f, g의 관계를 $=$, $\neq$를 사용하여 나타내어라.

01 $f(x)=x^2$, $g(x)=|x|$

02 $f(x)=x+3$, $g(x)=x^2+x+2$

03 $f(x)=2x-1$, $g(x)=x^2+3x-3$

04 $f(x)=x^2+2$, $g(x)=-x+2$

05 $f(x)=|x-3|$, $g(x)=-x+3$

※ 정의역이 X인 두 함수 f, g가 다음과 같을 때, $f=g$가 되도록 하는 상수 a, b의 값을 각각 구하여라.

06 $X=\{0, 1\}$
$f(x)=ax+b$, $g(x)=x^2$

해설 | $f(0)=\square$, $g(0)=0$이므로 $b=\square$
$f(1)=a+b$, $g(1)=1$이므로 $a=\square$

07 $X=\{2, 4\}$
$f(x)=\dfrac{4}{x}+2$, $g(x)=ax+b$

08 $X=\{1, 2\}$
$f(x)=-x^2+2$, $g(x)=ax+b$

학교시험 필수예제

09 집합 X를 정의역으로 하는 두 함수 $f(x)=x^2$, $g(x)=-2x+3$에 대하여 $f=g$가 성립하도록 하는 집합 X를 모두 구하여라.

1. **일대일함수** : 함수 $f : X \longrightarrow Y$에서 정의역 X의 원소 x_1, x_2에 대하여 $x_1 \neq x_2$이면 $f(x_1) \neq f(x_2)$가 성립하는 함수
2. **일대일대응** : 일대일함수이고 치역과 공역이 같은 함수
3. **항등함수** : 함수 $f : X \longrightarrow Y$에서 정의역 X의 각 원소 x에 그 자신인 x가 대응하는 함수 즉, $f(x)=x$인 함수
4. **상수함수** : 함수 $f : X \longrightarrow Y$에서 정의역 X의 모든 원소 x에 공역 Y의 단 하나의 원소 c에 대응하는 함수 즉, $f(x)=c$인 함수

〈일대일대응과 일대일함수〉

① 일대일대응이면 일대일함수이지만 일대일함수라 해서 일대일대응은 아니다.

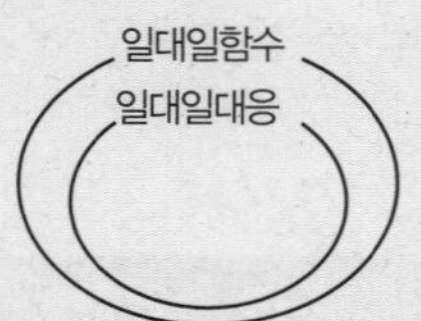

② 항등함수는 일대일대응이다.

유형 062 여러 가지 함수

※ 보기의 X에서 Y로의 함수에 대하여 다음에 해당하는 것을 모두 골라라.

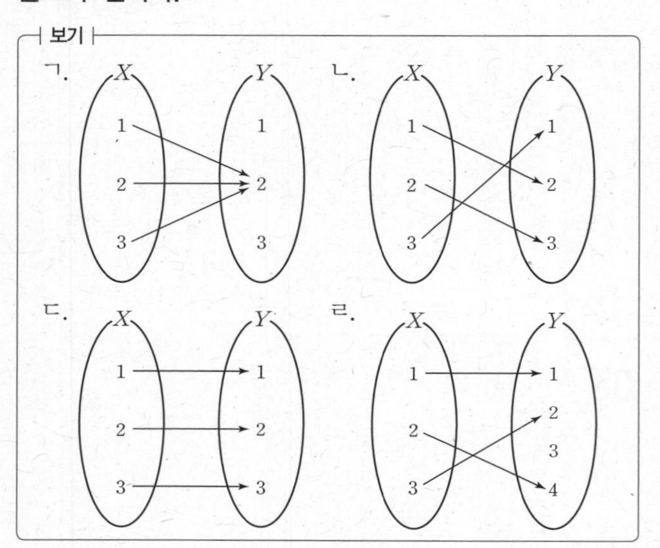

01 일대일함수

02 일대일대응

03 항등함수

04 상수함수

※ 정의역과 공역이 실수 전체의 집합일 때, 보기의 함수에 대하여 다음에 해당하는 것을 모두 골라라.

보기	
ㄱ. $y=2$	ㄴ. $y=4-x^2$
ㄷ. $y=x$	ㄹ. $y=-x$
ㅁ. $y=-3x+2$	ㅂ. $y=0$

05 일대일함수

06 일대일대응

07 항등함수

08 상수함수

유형 063 일대일대응

① 일대일함수
② (치역)=(공역)
①과 ②를 모두 만족할 때 일대일대응이라 한다.

※ 정의역과 공역이 실수 전체의 집합일 때 다음 함수의 그래프가 일대일대응의 그래프인 것에는 ○표, 일대일대응의 그래프가 아닌 것에는 ×표를 하여라.

09

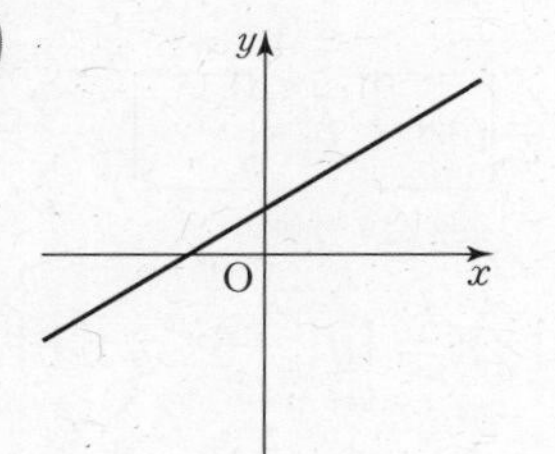

( )

10

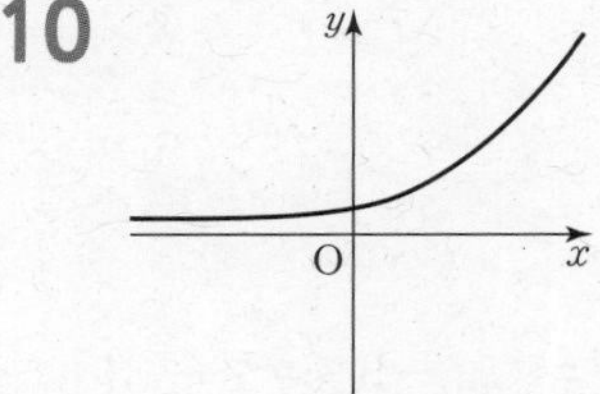

( )

11

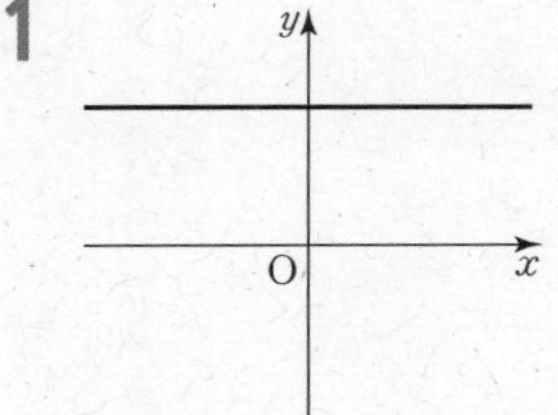

( )

12

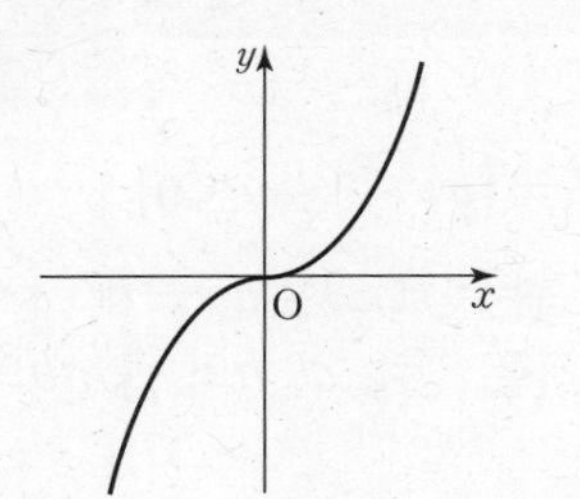

( )

13

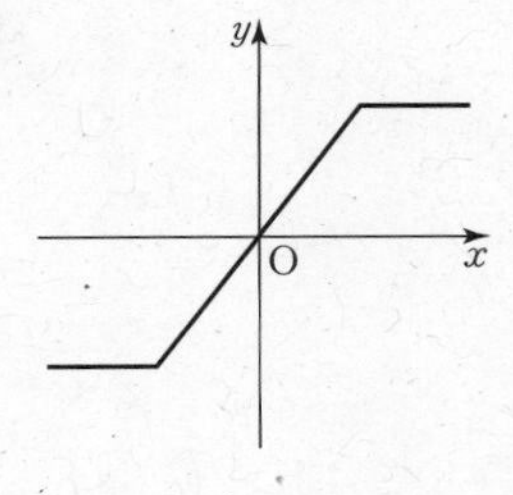

( )

※ 다음 함수가 일대일대응이 아닌 이유를 설명하여라.
(단, 정의역과 공역은 실수 전체의 집합이다.)

14 $f(x)=x^2$

해설 | $x_1=-1$, $x_2=1$일 때, $f(-1)=f(1)=\square$
즉, $x_1 \neq x_2$이지만 $f(x_1)\square f(x_2)$이다.
따라서 함수 $f(x)$는 일대일함수가 아니므로 일대일대응이 아니다.

15 $f(x)=2x^2+4x-5$

16 $f(x)=6$

17 $f(x)=\begin{cases} x & (x \geq 0) \\ x-1 & (x<0) \end{cases}$

유형 064 일대일대응이 되는 조건

일대일함수이며, 치역과 공역이 같아야 한다.

※ 두 집합 X, Y가 다음과 같을 때, X에서 Y로의 함수 $f(x)=ax+b$가 일대일대응이 되도록 하는 상수 a, b의 값을 각각 구하여라. (단, $a>0$)

18 $X=\{x|-2\le x\le 3\}$, $Y=\{y|2\le y\le 22\}$

해설 | $a>0$이므로 함수 f는 증가함수이다.
이 함수가 일대일대응이 되려면
$f(-2)=2$, $f(3)=$ ☐ 이어야 하므로
$f(-2)=-2a+b=2$,
$f(3)=3a+b=$ ☐
두 식을 연립하여 풀면 $a=$ ☐, $b=$ ☐

19 $X=\{x|1\le x\le 4\}$, $Y=\{y|-5\le y\le 1\}$

20 $X=\{x|-3\le x\le 3\}$, $Y=\{y|-6\le y\le 8\}$

21 $X=\{x|2\le x\le 10\}$, $Y=\{y|-2\le y\le 18\}$

Tip

함수 f가 일대일대응이 되려면 함수 f는 증가함수 또는 감소함수가 되어야 한다.

※ 두 집합 X, Y가 다음과 같을 때, X에서 Y로의 함수 $f(x)=ax+b$가 일대일대응이 되도록 하는 상수 a, b의 값을 각각 구하여라. (단, $a<0$)

22 $X=\{x|-1\le x\le 2\}$, $Y=\{y|5\le y\le 12\}$

해설 | $a<0$이므로 함수 f는 감소함수이다.
이 함수가 일대일대응이 되려면
$f(-1)=12$, $f(2)=$ ☐ 이어야 하므로
$f(-1)=-a+b=12$,
$f(2)=2a+b=$ ☐
두 식을 연립하여 풀면 $a=$ ☐, $b=$ ☐

23 $X=\{x|-4\le x\le 2\}$, $Y=\{y|-6\le y\le 6\}$

24 $X=\{x|2\le x\le 4\}$, $Y=\{y|-5\le y\le -3\}$

학교시험 필수예제

25 두 집합
$X=\{x|-5\le x\le 3\}$, $Y=\{y|-3\le y\le 9\}$
에 대하여 X에서 Y로의 함수 $f(x)=ax-b$ $(a<0)$가 일대일대응이 되도록 하는 상수 a, b의 곱 ab의 값은?

① -3　② $-\frac{9}{4}$　③ 0
④ $\frac{9}{4}$　⑤ 3

유형 065 일대일대응이 되도록 하는 상수 k의 최솟값과 치역 구하기

※ 정의역이 $X=\{x \mid x \geq k\}$인 다음 함수가 일대일대응일 때, 상수 k의 최솟값과 그때의 치역을 구하여라.

26 $f(x)=x^2+4x$

해설 | $f(x)=x^2+4x=(x+2)^2-4$이므로
그래프는 오른쪽 그림과 같다.
$x \geq \square$일 때, 함수 $f(x)$가
일대일대응이 되므로 $k \geq -2$
따라서 k의 최솟값은 $\square$이고
그때의 치역은
$\{f(x) \mid f(x) \geq \square\}$

27 $f(x)=2x^2-4x-1$

28 $f(x)=\frac{1}{2}x^2-2x+4$

29 $f(x)=-x^2+8x-15$

해설 | $f(x)=-x^2+8x-15=-(x-4)^2+1$이므로
그래프는 오른쪽 그림과 같다.
$x \geq \square$일 때, 함수 $f(x)$가
일대일대응이 되므로 $k \geq 4$
따라서 k의 최솟값은 $\square$이고
그때의 치역은
$\{f(x) \mid f(x) \leq \square\}$

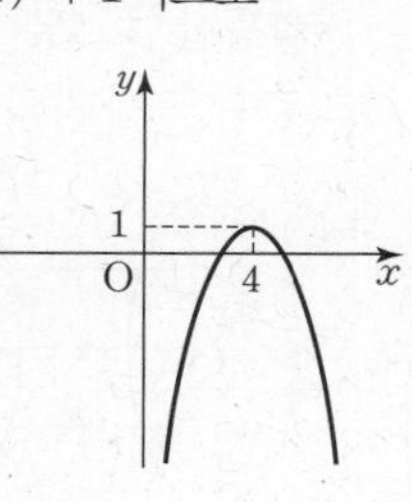

30 $f(x)=-4x^2-12x-12$

31 $f(x)=-\frac{1}{3}x^2+2x-3$

유형 066 항등함수와 상수함수

① 항등함수: 모든 항등함수는 일대일대응이다.
② 상수함수: 치역의 원소가 1개인 집합이다.

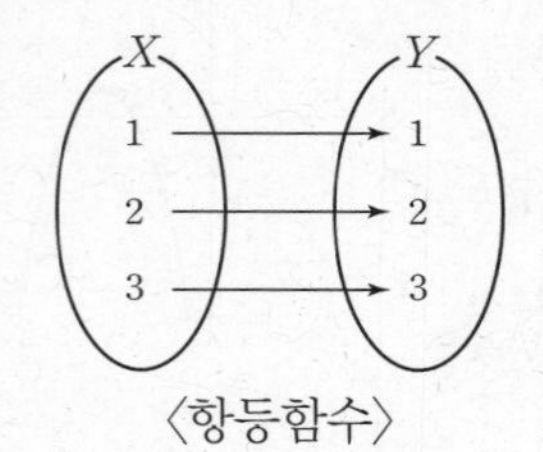

〈항등함수〉

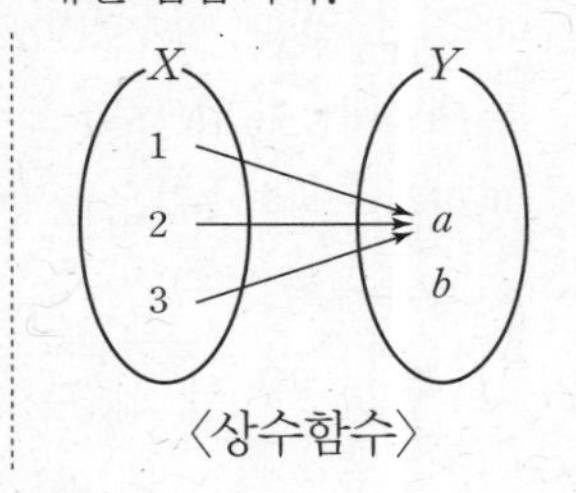

〈상수함수〉

※ 집합 $X=\{-1,\ 0,\ 1\}$에 대하여 다음 중 X에서 X로의 항등함수인 것에는 ○표, 항등함수가 아닌 것에는 ×표를 하여라.

32 $f(x)=|x|$ ( )

33 $f(x)=x^3$ ( )

34 $f(x)=x^2$ ( )

35 $f(x)=-x$ ( )

36 $f(x)=\begin{cases} x & (x\geq 0) \\ -1 & (x<0) \end{cases}$ ( )

37 $f(x)=\begin{cases} \sqrt{x} & (x\geq 0) \\ -\sqrt{-x} & (x<0) \end{cases}$ ( )

38 $f(x)=\begin{cases} 1-x & (x\geq 0) \\ x & (x<0) \end{cases}$ ( )

※ 집합 X를 정의역으로 하는 다음 함수가 항등함수가 되도록 하는 집합 X의 개수를 구하여라.

39 $f(x)=x^2$

해설 | $f(x)$가 항등함수이어야 하므로
$f(x)=x^2=x$에서
$x^2-x=0,\ x(x-1)=0\quad \therefore\ x=0$ 또는 $x=$ □
따라서 구하는 집합 X의 개수는 {□}, $\{1\}$, $\{0,\ 1\}$의 □개이다.

40 $f(x)=-x^2-4x+6$

41 $f(x)=x^3-2x^2+2$

학교시험 필수예제

42 서로 다른 두 실수 a, b에 대하여 집합 $X=\{a,\ b\}$를 정의역으로 하는 함수 $f(x)=2x^2-16x+8$이 항등함수일 때, ab의 값은?

① -8　② -4　③ 4
④ 8　⑤ 16

여러 가지 함수의 개수

빠른정답 06쪽 / 친절한 해설 19쪽

집합 X의 원소의 개수가 m개, 집합 Y의 원소의 개수가 n개일 때,
(1) X에서 Y로의 함수의 개수 : n^m
(2) X에서 Y로의 일대일함수의 개수 : $n(n-1)\cdots(n-m+1)$ (단, $n\geq m$)
(3) X에서 Y로의 일대일대응의 개수 : $n(n-1)\cdots2\cdot1$ (단, $m=n$)
(4) X에서 Y로의 상수함수의 개수 : n

〈함수의 개수〉
정의역의 각 원소에 대응할 수 있는 공역의 원소가 몇 가지인지 구하는 것

유형 067 여러 가지 함수의 개수

공역의 원소의 개수를 a개, 정의역의 원소의 개수를 b개라 할 때 집합 X에서 Y로의
① 함수의 개수: a^b
② 일대일대응의 개수: $a\times(a-1)\times\cdots\times2\times1$
③ 상수함수의 개수: a

※ 두 집합 X, Y에 대하여 X에서 Y로의 함수를 만들 때, 다음을 구하여라.

01 $X=\{a,\ b\}$, $Y=\{1,\ 2,\ 3\}$
(1) 함수의 개수
(2) 상수함수의 개수

02 $X=\{a,\ b,\ c\}$, $Y=\{1,\ 2\}$
(1) 함수의 개수
(2) 상수함수의 개수

03 $X=\{a,\ b,\ c\}$, $Y=\{1,\ 2,\ 3,\ 4\}$
(1) 함수의 개수
(2) 일대일함수의 개수
(3) 상수함수의 개수

04 $X=\{a,\ b,\ c\}$, $Y=\{d,\ e,\ f\}$
(1) 함수의 개수
(2) 일대일함수의 개수
(3) 일대일대응의 개수
(4) 상수함수의 개수

05 $X=\{1,\ 2,\ 3,\ 4\}$, $Y=\{1,\ 2,\ 3,\ 4\}$
(1) 함수의 개수
(2) 일대일함수의 개수
(3) 일대일대응의 개수
(4) 상수함수의 개수

학교시험 필수예제

06 집합 $X=\{-1,\ 1,\ 2\}$에서 집합 $Y=\{xy\,|\,x\in X,\ y\in X\}$로의 함수의 개수는?

① 5개 ② 25개 ③ 75개
④ 125개 ⑤ 225개

합성함수

합성함수

세 집합 X, Y, Z에 대하여
두 함수 f, g가

① $f: X \longrightarrow Z$, $g: Z \longrightarrow Y$일 때, 집합 X의 각 원소 x에 함숫값 $f(x)$를 대응시키고, 다시 집합 Y의 원소 $g(f(x))$를 대응시키는 함수를 f와 g의 합성함수라 하고 기호로 $g\circ f$와 같이 나타낸다. 즉,

$$g\circ f: X \longrightarrow Y,\ (g\circ f)(x)=g(f(x))$$

② 합성함수 $g\circ f$가 정의되려면 (f의 치역)$\subset$(g의 정의역)이어야 한다.

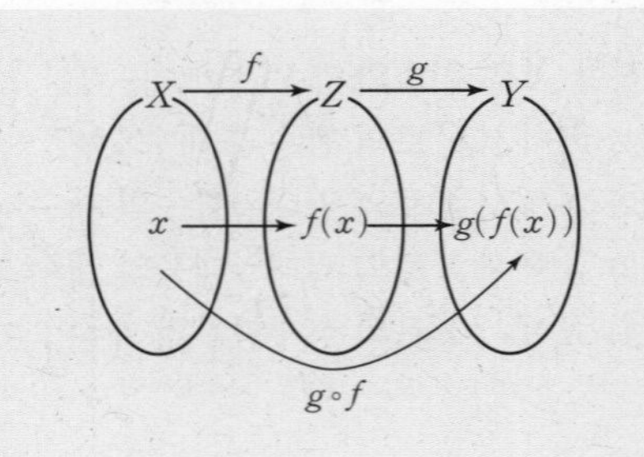

유형 068 합성함수의 함숫값 구하기 (1)

※ 두 집합 X, Y에 대하여 X에서 Y로의 함수를 만들 때, 다음을 구하여라.

01

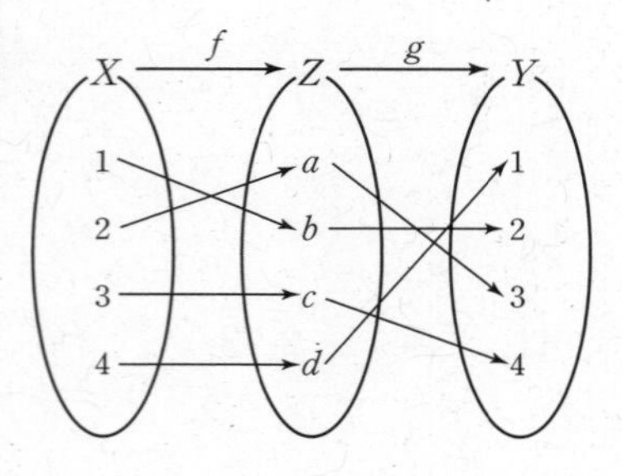

(1) $(g\circ f)(1)=g(f(1))$에서

$f(1)=\square$이고, $g(b)=\square$이므로

$g\circ f(1)=g(f(1))$

$=g(\square)$

$=\square$

(2) $(g\circ f)(2)$

(3) $(g\circ f)(3)$

(4) $(g\circ f)(4)$

02

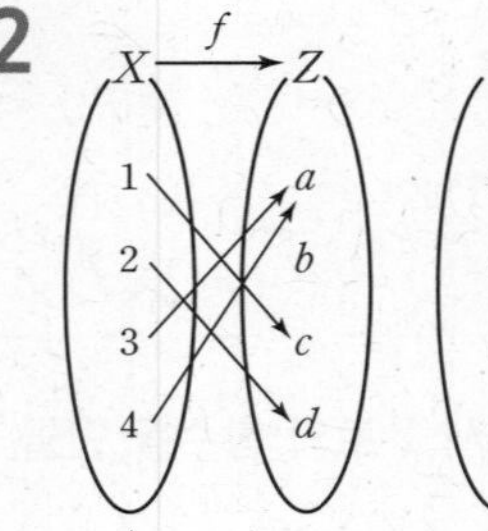

(1) $(g\circ f)(1)$

(2) $(g\circ f)(2)$

(3) $(g\circ f)(3)$

(4) $(g\circ f)(4)$

(5) $(f\circ g)(a)$

(6) $(f\circ g)(b)$

(7) $(f\circ g)(c)$

(8) $(f\circ g)(d)$

※ 두 함수 $f(x)=2x+5$, $g(x)=3x-7$에 대하여 다음을 구하여라.

03 $(g\circ f)(2)$

해설 | $f(2)=2\cdot\square+5=\square$이므로
$(g\circ f)(2)=g(f(2))=g(\square)$
$=3\cdot\square-7=\square$

04 $(g\circ f)(-4)$

05 $(f\circ g)(0)$

06 $(f\circ g)\left(\frac{1}{2}\right)$

07 $(f\circ f)(-3)$

08 $(g\circ g)\left(-\frac{2}{3}\right)$

유형 069 합성함수 구하기

※ 두 함수 $f(x)=x-2$, $g(x)=x^2+1$에 대하여 다음을 구하여라.

09 $(g\circ f)(x)$

해설 | $(g\circ f)(x)=g(f(x))=g(x-2)$
$=(\square)^2+1$
$=\square$

10 $(f\circ g)(x)$

11 $(f\circ f)(x)$

12 $(g\circ g)(x)$

학교시험 필수예제

13 두 함수 $f(x)=4x-3$, $g(x)=ax+2$에 대하여 $(f\circ g)(3)=17$일 때, 상수 a의 값은?

① -3 ② -2 ③ -1
④ 1 ⑤ 2

유형 070 합성함수의 함숫값 구하기 (2)

※ 함수 $f(x)=\begin{cases} 3x-2 & (x\text{는 유리수}) \\ x^2 & (x\text{는 무리수}) \end{cases}$ 에 대하여 다음을 구하여라.

14 $(f\circ f)(\sqrt{2})$

15 $(f\circ f)(-\sqrt{3})$

※ 두 함수 $f(x)=\begin{cases} 9-2x & (x\geq 1) \\ x+5 & (x<1) \end{cases}$, $g(x)=10-x^2$에 대하여 다음을 구하여라.

16 $(f\circ g)(-3)$

17 $(g\circ f)(-3)$

18 $(f\circ g)(-3)+(g\circ f)(-3)$

※ 두 함수 $f(x)=8-3x$, $g(x)=2x+4$에 대하여 다음을 구하여라.

19 $(f\circ g)(1)+(g\circ f)(4)$

20 $(f\circ g)(-2)+(g\circ f)(3)$

21 $(f\circ g)(2)-(g\circ f)(6)$

22 $(f\circ g)(4)-(g\circ f)(-3)$

23 $(f\circ g)(-5)-(g\circ f)(-1)$

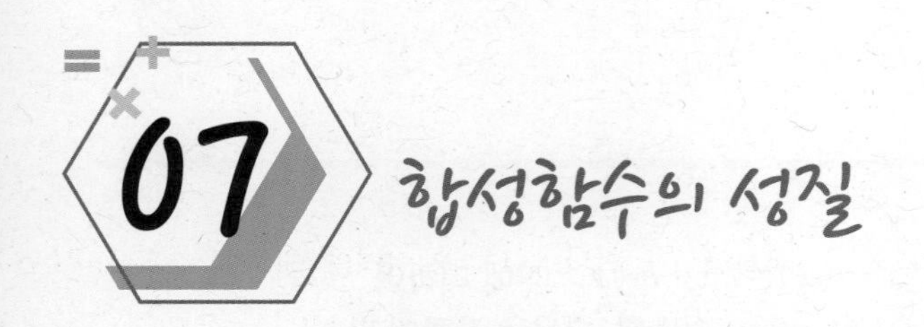

07 합성함수의 성질

빠른정답 07쪽 / 친절한 해설 20쪽

세 함수 f, g, h에 대하여

(1) $g\circ f \neq f\circ g$ → 일반적으로 교환법칙이 성립하지 않는다.

(2) $(f\circ g)\circ h = f\circ(g\circ h)$ → 결합법칙이 성립한다.

합성함수에서는 결합법칙이 성립하므로 괄호를 생략하여 $f\circ g\circ h$로 쓰기도 한다.

(3) $f : X \longrightarrow X$일 때, $f\circ I = I\circ f = f$ (단, I는 X에서의 항등함수)

| 참고 | 함수 f에 대하여 $f^n = f\circ f^{n-1}$일 때, $f^n(a)$의 값을 구하는 방법

① $f^2(x)$, $f^3(x)$, $f^4(x)$, …을 직접 구하여 $f^n(x)$를 추정한 다음 $x=a$를 대입한다.

② $f(a)$, $f^2(a)$, $f^3(a)$, …에서 규칙을 찾아 $f^n(a)$의 값을 구한다.

$f\circ I = I\circ f = f$(단, I는 항등함수)

$I(x)=x$이므로 ($\because$ 항등함수)

$(f\circ I)(x) = f(I(x)) = f(x)$

$(I\circ f)(x) = I(f(x)) = f(x)$

$\therefore f\circ I = I\circ f = f$

유형 071 합성함수의 교환법칙

교환법칙이 성립하지 않는다.

$g\circ f \neq f\circ g$

※ 두 함수 f, g에 대하여 다음을 구하고, □ 안에 $\neq$, $=$를 알맞게 써넣어라.

01 $f(x)=3x-2$, $g(x)=-2x+7$

(1) $(f\circ g)(2)$

(2) $(g\circ f)(2)$

(3) (1), (2)의 결과를 비교하면

$(f\circ g)(2)$ □ $(g\circ f)(2)$이므로 교환법칙이 성립하지 않는다.

02 $f(x)=2x+3$, $g(x)=x^2-6$

(1) $(f\circ g)(-3)$

(2) $(g\circ f)(-3)$

(3) (1), (2)의 결과를 비교하면

$(f\circ g)(-3)$ □ $(g\circ f)(-3)$이므로 교환법칙이 성립하지 않는다.

※ 다음 두 함수 f, g에 대하여 $g\circ f = f\circ g$가 성립할 때, 상수 a의 값을 구하여라.

03 $f(x)=ax+2$, $g(x)=3x-1$

해설 | $(f\circ g)(x) = f(g(x)) = f(3x-1)$

$= a(3x-1)+2$

$= 3ax - \square + 2$

$(g\circ f)(x) = g(f(x)) = g(ax+2)$

$= 3(ax+2)-1$

$= 3ax + \square$

$(g\circ f)(x) = (f\circ g)(x)$이므로

$3ax+5 = 3ax-a+2 \quad \therefore a = \square$

04 $f(x)=ax+3$, $g(x)=2x-1$

05 $f(x)=x+a$, $g(x)=4x+2$

유형 072 합성함수의 결합법칙

① 결합법칙이 성립한다.

$$h\circ(g\circ f)=(h\circ g)\circ f$$

② 괄호를 생략하여 $h\circ g\circ f$로 나타낼 수 있다.

06 세 함수 $f(x)=3x$, $g(x)=-x+2$, $h(x)=4x$에 대하여 다음을 구하고, □ 안에 ≠, =를 알맞게 써넣어라.

(1) $((f\circ g)\circ h)(x)$

해설| $(f\circ g)(x)=f(g(x))=f(-x+2)$

$=3(\square)=\square$

이므로

$((f\circ g)\circ h)(x)=(f\circ g)(h(x))=(f\circ g)(4x)$

$=-3\cdot4x+6=\square$

(2) $(f\circ(g\circ h))(x)$

해설| $(g\circ h)(x)=g(h(x))=g(\square)=\square$

이므로

$(f\circ(g\circ h))(x)=f((g\circ h)(x))=f(-4x+2)$

$=3(-4x+2)=\square$

(3) (1), (2)의 결과를 비교하면

$((f\circ g)\circ h))(x)$ □ $(f\circ(g\circ h))(x)$이므로 결합법칙이 성립한다.

※ 세 함수 f, g, h에 대하여 다음을 구하여라.

07 $(f\circ g)(x)=-2x+7$, $h(x)=3x-3$일 때, $(f\circ(g\circ h))(4)$의 값

08 $f(x)=x^2-13$, $(g\circ h)(x)=5x+10$일 때, $((f\circ g)\circ h)(-3)$의 값

※ 함수 $f(x)=ax+b$ $(a>0)$에 대하여 $(f\circ f)(x)=9x-8$일 때, 다음을 구하여라.

09 $f(x)$

해설| $(f\circ f)(x)=f(f(x))=f(ax+b)$

$=a(ax+b)+b$

$=a^2x+\square$

즉, $a^2x+ab+b=9x-8$이므로

$a^2=9$, $ab+b=-8$

$\therefore a=\square$ $(\because a>0)$, $b=\square$

$\therefore f(x)=\square$

10 $f(2)$

11 $f(-2)$

학교시험 필수예제

12 함수 $f(x)=x^2-3$에 대하여 $(f\circ f)(k)=-2$를 만족시키는 모든 실수 k의 값의 곱은?

① -4　② -2　③ 2
④ 4　⑤ 8

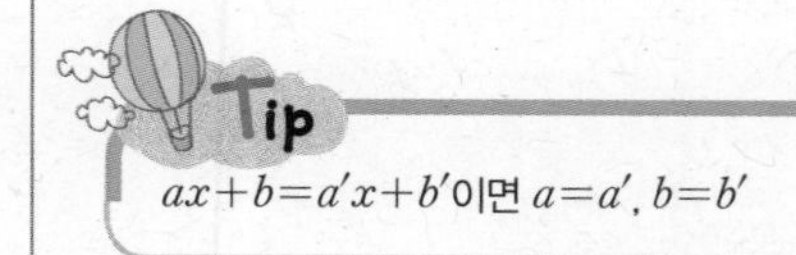

$ax+b=a'x+b'$이면 $a=a'$, $b=b'$

※ 세 함수 f, g, h에 대하여 다음을 만족하는 함수 $h(x)$를 구하여라.

13 $f(x)=x-3$, $g(x)=3x-2$,
$(f\circ h)(x)=g(x)$

해설 | $(f\circ h)(x)=f(h(x))=h(x)-\square$이므로
$h(x)-\square=3x-2$
$\therefore h(x)=\square$

14 $f(x)=3x+4$, $g(x)=x^2-5$,
$(f\circ h)(x)=g(x)$

15 $f(x)=2x-1$, $g(x)=x+4$,
$(h\circ f)(x)=g(x)$

16 $f(x)=x+5$, $g(x)=x^2-15$,
$(h\circ f)(x)=g(x)$

17 $(f\circ g)(x)=4x-2$,
$(f\circ g\circ h)(x)=2x^2+6$

18 $(f\circ g)(x)=2x+5$,
$(f\circ(g\circ h))(x)=6x-3$

19 $(f\circ g)(x)=3x-2$,
$((h\circ f)\circ g)(x)=3x+4$

학교시험 필수예제

20 두 함수 $f(x)=2x-4$, $g(x)=x^2-4x+6$에 대하여 함수 $h(x)$가 $(h\circ f)(x)=g(x)$를 만족시킬 때, $h(0)$의 값은?

① 0 ② 2 ③ 4
④ 6 ⑤ 8

유형 073 합성함수의 추정: f^n 꼴의 합성함수

$f^2(x)$, $f^3(x)$, …를 구해서 규칙을 찾아 $f^n(x)$를 추정해 본다.

※ $f^2(x)=(f\circ f)(x)$, $f^{n+1}(x)=(f\circ f^n)(x)$라 할 때, 주어진 함수 $f(x)$에 대하여 다음을 구하여라.

21 $f(x)=x+1$

(1) $f^2(x)$

(2) $f^3(x)$

(3) $f^4(x)$

(4) $f^n(x)$

(5) $f^{15}(3)$

22 $f(x)=-x+1$

(1) $f^2(x)$

(2) $f^3(x)$

(3) $f^4(x)$

(4) $f^5(x)$

23 $f(x)=\dfrac{x}{x-1}$

(1) $f^2\left(\dfrac{1}{2}\right)$

(2) $f^3\left(\dfrac{1}{2}\right)$

(3) $f^4\left(\dfrac{1}{2}\right)$

(4) $f^{2016}\left(\dfrac{1}{2}\right)$

(5) $f^{2017}\left(\dfrac{1}{2}\right)$

학교시험 필수예제

24 함수 $f(x)=2x$에 대하여 $f^2(x)=(f\circ f)(x)$, $f^{n+1}(x)=(f\circ f^n)(x)$라 할 때, $f^{10}(a)=64$를 만족시키는 상수 a의 값은?

① $\dfrac{1}{16}$ ② $\dfrac{1}{8}$ ③ 8

④ 16 ⑤ 32

역함수

1. 함수 $f: X \longrightarrow Y$가 일대일대응이면, Y의 각 원소 y에 대하여 $y=f(x)$인 X의 원소 x가 한 개 존재한다. 이때 Y의 $f(x)=y$ 함수를 f의 역함수라 하고, 기호로 f^{-1}와 같이 나타낸다. 즉

$$f^{-1}: Y \longrightarrow X,\ x=f^{-1}(y)$$

2. 함수 f의 역함수가 존재한다.
   $\Longleftrightarrow$ 함수 f는 일대일대응이다.
   $\Longleftrightarrow$ 함수 f는 증가함수 또는 감소함수이다.

〈함수와 역함수의 관계〉

① 함수 f: $X \longrightarrow Y$가 일대일대응 일 때 함수 f의 역함수 f^{-1}이 존재

② $y=f(x) \Leftrightarrow x=f^{-1}(y)$

유형 074 역함수

※ 집합 X에서 집합 Y로의 함수 f가 아래 그림과 같을 때, 다음을 구하여라.

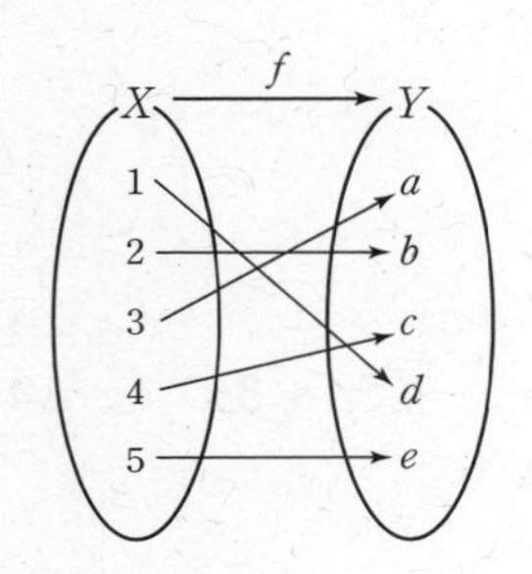

01 $f^{-1}(a)$

02 $f^{-1}(b)$

03 $f^{-1}(c)$

04 $f^{-1}(d)$

05 $f^{-1}(e)$

※ 함수 $f(x)=4x+3$에 대하여 다음 등식을 만족시키는 상수 a의 값을 구하여라.

06 $f^{-1}(a)=6$

07 $f^{-1}(3)=2a+4$

08 $f^{-1}(7)=3a-2$

학교시험 필수예제

09 함수 $f(x)=ax+b$에 대하여 $f^{-1}(-1)=3$, $f^{-1}(14)=-2$일 때, ab의 값은?(단, a, b는 상수)

① -24 ② -12 ③ 6
④ 12 ⑤ 24

유형 075 역함수가 존재하기 위한 조건

※ 다음 집합 X에서 집합 Y로의 함수 중 역함수가 존재하는 것에는 ○표, 존재하지 않는 것에는 ×표를 하여라.

10

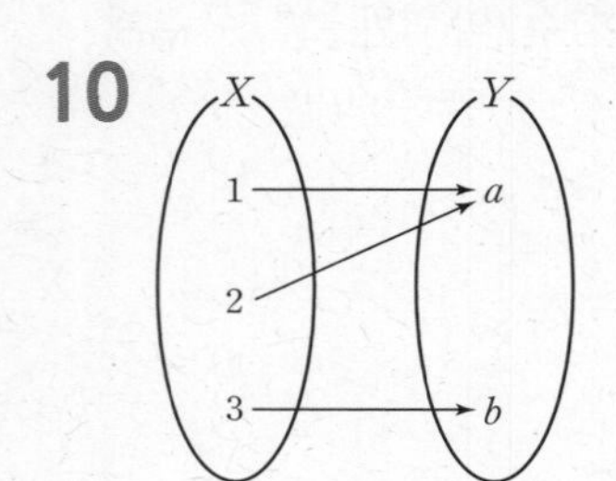

( )

11

( )

12

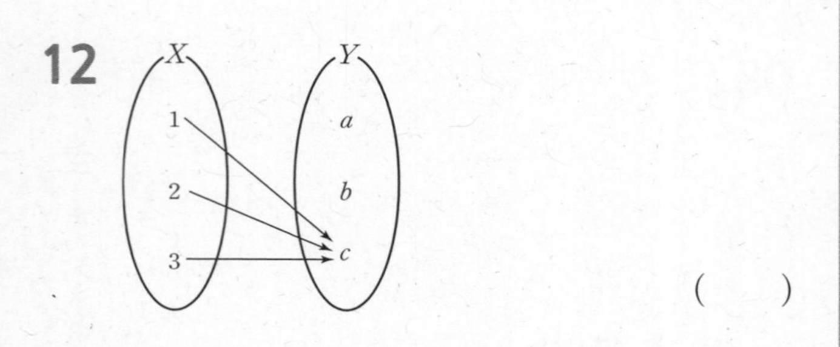

( )

13

( )

※ 다음 함수 $f(x)$의 역함수가 존재하기 위한 상수 a의 값 또는 범위를 구하여라.

14 $f(x)=\begin{cases} 2x+a & (x\geq -1) \\ 5x-3 & (x<-1) \end{cases}$

해설| 역함수가 존재하려면 ☐ 이어야 하므로
$x=-1$에서 함숫값이 같아야 한다.
$2\cdot(-1)+a=5\cdot(-1)-$☐
$\therefore a=$☐

15 $f(x)=\begin{cases} x-a & (x\geq 2) \\ 2x+a & (x<2) \end{cases}$

16 $f(x)=\begin{cases} -3x+a & (x\geq 4) \\ -x-(2a+3) & (x<4) \end{cases}$

17 $f(x)=\begin{cases} ax-3 & (x\geq 0) \\ (3-a)x-3 & (x<0) \end{cases}$

해설| 역함수가 존재하려면 증가함수 또는 ☐ 이어야 하므로 기울기의 곱이 양수이고 $x=0$에서 함숫값이 같아야 한다.
$a(3-a)>0$, $a(a-3)<0$
$\therefore$ ☐ $<a<3$

18 $f(x)=\begin{cases} (a+3)x+2 & (x\geq 0) \\ (5-a)x+2 & (x<0) \end{cases}$

※ 두 집합 $X=\{x|-1\le x\le 2\}$, $Y=\{y|a\le y\le b\}$에 대하여 X에서 Y로의 다음 함수 $f(x)$의 역함수가 존재하도록 하는 a, b의 값을 각각 구하여라.

19 $f(x)=2x-3$

해설 | 역함수가 존재하려면 일대일대응이어야 하므로

$f(-1)=a, f(2)=\square$에서

$a=2\cdot(-1)-3=\square$, $b=2\cdot 2-3=\square$

20 $f(x)=3x+5$

21 $f(x)=-x+6$

학교시험 필수예제

22 두 집합

$X=\{x|-2\le x\le 5\}$, $Y=\{y|a\le y\le 15\}$

에 대하여 X에서 Y로의 함수 $f(x)=-3x+b$의 역함수가 존재할 때, $a+b$의 값은? (단, a, b는 상수)

① 3 ② 6 ③ 9

④ 12 ⑤ 15

Tip

두 집합 $X=\{x|a\le x\le b\}$, $Y=\{y|c\le y\le d\}$에 대하여 X에서 Y로의 함수 $f(x)$가 증가함수이면 $f(a)=c$, $f(b)=d$이고,
함수 $f(x)$가 감소함수이면 $f(a)=d$, $f(b)=c$일 때 일대일대응이 된다.

※ 집합 $X=\{x|x\ge a\}$에서 집합 X로의 다음 함수 $f(x)$의 역함수가 존재할 때, 상수 a의 값을 구하여라.

23 $f(x)=x^2-x-3$

해설 | $f(x)=x^2-x-3=\left(x-\frac{1}{2}\right)^2-\frac{13}{4}$이므로

일대일대응이려면 $a\ge\square$

또, 정의역과 치역이 같으므로 $f(a)=\square$에서

$a^2-a-3=a$, $a^2-2a-3=0$

$(a+1)(a-3)=0$ $\therefore a=\square$ $\left(\because a\ge\frac{1}{2}\right)$

24 $f(x)=x^2+6x-6$

25 $f(x)=x^2-4x-24$

26 $f(x)=x^2-3x-5$

역함수 구하는 방법

① 주어진 함수 $y=f(x)$가 일대일대응인지 확인한다.
② $y=f(x)$에서 x를 y에 대한 식으로 나타낸다. 즉, $x=f^{-1}(y)$ 꼴로 고친다.
③ x와 y를 바꾸어 $y=f^{-1}(x)$로 나타낸다.
주어진 함수의 치역은 역함수의 정의역이 된다.

$y=f(x)$
↓ x에 대하여 푼다.
$x=f^{-1}(y)$
↓ x와 y를 서로 바꾼다.
$y=f^{-1}(x)$

유형 076 역함수 구하기

※ 다음 함수의 역함수를 구하여라.

01 $y=3x-5$

해설 | $y=3x-5$를 x에 관하여 풀면

$3x=y+\square$ $\therefore x=\frac{1}{3}y+\square$

x와 y를 바꾸면

$y=\square$

02 $y=2x+4$

03 $y=\frac{x+3}{2}$

04 $y=\frac{2}{3}x+2$

※ 다음 함수 $f(x)$에 대하여 $f=f^{-1}$일 때, 상수 a의 값을 구하여라.

05 $f(x)=ax-3$

06 $f(x)=2ax+4$

07 $f(x)=-ax+1$

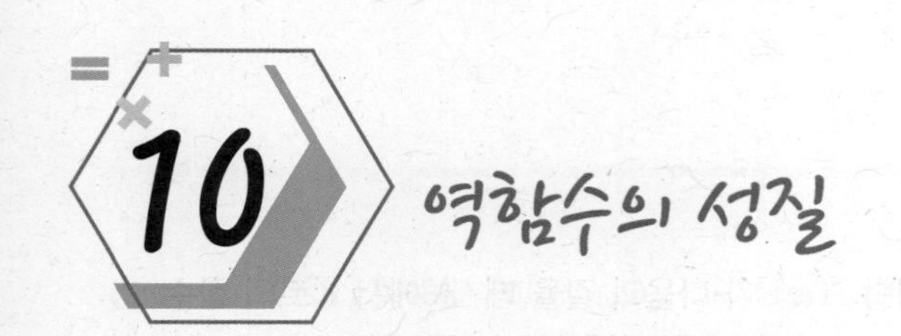

10 역함수의 성질

빠른정답 07쪽 / 친절한 해설 21쪽

두 함수 $f: X \to Y$, $g: Y \to Z$가 일대일대응이고, I는 항등함수일 때
① $f^{-1}\circ f=I$, $f\circ f^{-1}=I$
② $(f^{-1})^{-1}=f$
③ $g\circ f=f\circ g=I$이면 $g=f^{-1}$, $f=g^{-1}$
④ $(g\circ f)^{-1}=f^{-1}\circ g^{-1}$
⑤ $f(a)=b$이면 $f^{-1}(b)=a$

〈세 함수 f, g, h가 일대일대응이고 그 역함수가 각각 f^{-1}, g^{-1}, h^{-1}일 때〉
① $(g\circ f)^{-1}=f^{-1}\circ g^{-1}$
② $(h\circ g\circ f)^{-1}=f^{-1}\circ g^{-1}\circ h^{-1}$

유형 077 역함수의 성질

※ 다음 두 함수 $f(x)$, $g(x)$에 대하여 $(f\circ(f\circ g)^{-1}\circ f)(2)$의 값을 구하여라.

01 $f(x)=4x-1$, $g(x)=2x-6$

해설| $(f\circ(f\circ g)^{-1}\circ f)(2)=(f\circ g^{-1}\circ f^{-1}\circ f)(2)$
$=(f\circ g^{-1})(2)$
$=f(g^{-1}(2))$

이때 $g^{-1}(2)=k$라 하면 $g(k)=\square$이므로
$2k-6=2 \quad \therefore k=\square$
$\therefore$ (구하는 값)$=f(4)=4\cdot4-1=\square$

02 $f(x)=6x+2$, $g(x)=3x-5$

03 $f(x)=2x-6$, $g(x)=x^2-7\,(x\ge0)$

※ 다음 두 함수 $f(x)$, $g(x)$에 대하여 다음을 만족하는 함수 $h(x)$를 구하여라.

04 $f(x)=2x-3$, $g(x)=3x+2$
$(f\circ h^{-1}\circ g^{-1})(x)=x$

해설| $(f\circ h^{-1}\circ g^{-1})(x)=x$에서
$(f\circ(g\circ h)^{-1})(x)=\square$
$(g\circ h)(x)=f(x)$, $g(h(x))=\square$
$3h(x)+2=2x-3$
$\therefore h(x)=\square$

05 $f(x)=3x$, $g(x)=\frac{1}{9}x-4$
$(f^{-1}\circ g^{-1}\circ h)(x)=f(x)$

학교시험 필수예제

06 다음을 만족하는 함수 $h(x)$를 구하여라.
$(f^{-1}\circ g^{-1})(x)=x-5$
$((h\circ g)\circ f)(x)=4x+3$

유형 078 합성함수와 역함수의 성질

※ 두 함수 $f(x)=2x-4$, $g(x)=5-x$에 대하여 다음 식을 만족하는 상수 a의 값을 구하여라.

07 $(f\circ g^{-1})(a)=2$

해설 | $g^{-1}(a)=k$라 하면 $g(k)=a$이므로

$5-k=a \quad \therefore k=\square$

$(f\circ g^{-1})(a)=f(g^{-1}(a))=f(5-a)$

$=2(5-a)-4=\square$

따라서 $-2a+6=2$에서 $a=\square$

08 $(g\circ f^{-1})(a)=6$

09 $(f\circ g^{-1})^{-1}(a)=4$

10 $(g\circ f^{-1})^{-1}(a)=-2$

※ 두 함수 $f(x)=3x-6$, $g(x)$에 대하여 $(g\circ f)(x)=x$를 만족시킬 때, 다음 값을 구하여라.

11 $(f^{-1}\circ g^{-1}\circ f)(2)$

해설 | $(g\circ f)(x)=x$에서 g는 f의 역함수이므로

$(f^{-1}\circ g^{-1}\circ f)(2)=(g\circ g^{-1}\circ f)(2)$

$=f(\square)=3\cdot 2-6=\square$

12 $(f\circ g^{-1}\circ f^{-1})(3)$

13 $(g^{-1}\circ f^{-1}\circ g)(-1)$

14 $(g\circ f^{-1}\circ g^{-1})(9)$

학교시험 필수예제

15 두 함수 $f(x)=ax-5$, $g(x)$에 대하여 $(g\circ f)(x)=x$, $(f\circ g^{-1}\circ f^{-1})(2)=3$일 때, 상수 a의 값은?

① 1 ② 2 ③ 3
④ 4 ⑤ 5

11 역함수의 그래프

함수 $y=f(x)$와 그 역함수 $y=f^{-1}(x)$에 대하여

① 함수 $y=f(x)$의 그래프가 점 $(a,\ b)$를 지나면 그 역함수 $y=f^{-1}(x)$의 그래프는 점 $(b,\ a)$를 지난다.

② 함수 $y=f(x)$의 그래프와 그 역함수 $y=f^{-1}(x)$의 그래프는 직선 $y=x$에 대하여 대칭이다.

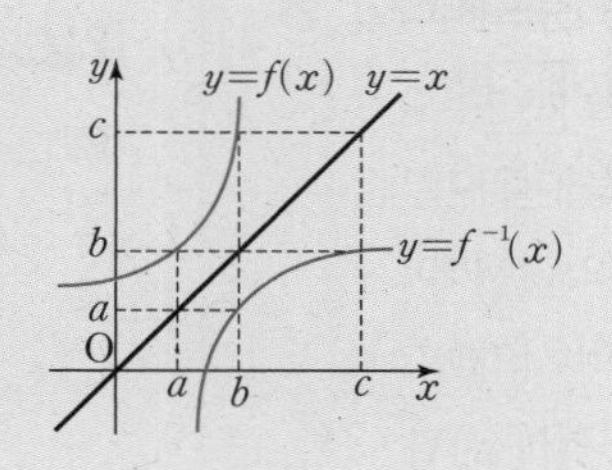

〈역함수와 교점〉

함수 $y=f(x)$의 그래프와 직선 $y=x$의 교점이 존재하면, 그 교점은 두 함수 $y=f(x)$와 $y=f^{-1}(x)$의 그래프의 교점이 된다.

유형 079 역함수의 그래프

※ 함수 $y=f(x)$의 그래프와 직선 $y=x$의 그래프가 아래 그림과 같을 때, 다음을 구하여라.

(단, 모든 점선은 x축 또는 y축에 평행하다.)

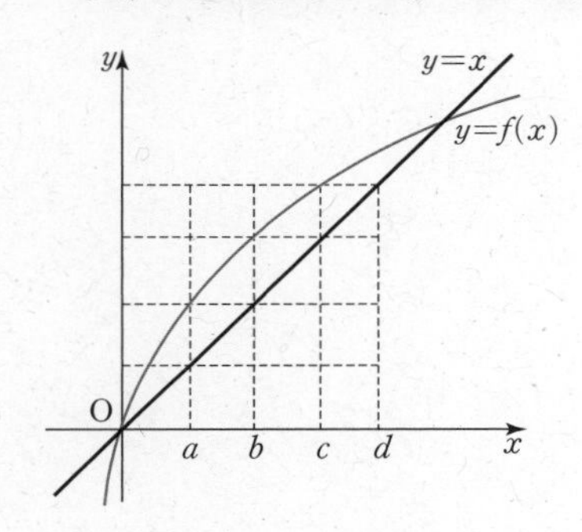

01 $(f^{-1}\circ f^{-1})(d)$

해설 | $(f^{-1}\circ f^{-1})(d)=f^{-1}(f^{-1}(d))$

$=f^{-1}(\square)=\square$

02 $(f^{-1}\circ f^{-1})(c)$

03 $(f^{-1}\circ f^{-1}\circ f^{-1})(d)$

※ 함수 $y=f(x)$의 그래프와 직선 $y=x$의 그래프가 아래 그림과 같을 때, 다음 중 옳은 것에는 ○표, 옳지 않은 것에는 ×표를 하여라. (단, 모든 점선은 x축 또는 y축에 평행하다.)

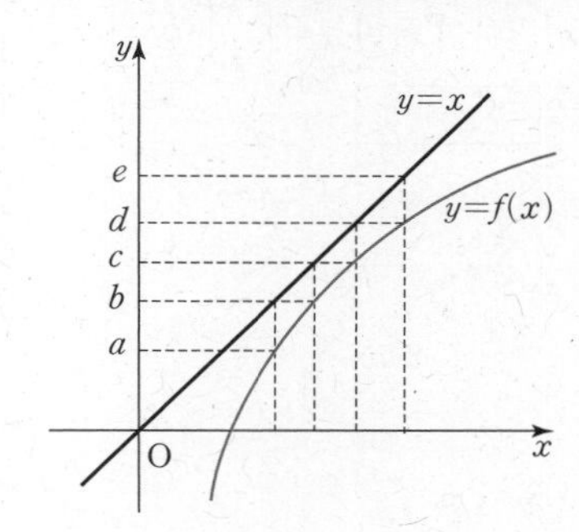

04 $(f\circ f)(e)=c$ ( )

05 $(f\circ f)^{-1}(b)=d$ ( )

06 $(f^{-1}\circ f^{-1}\circ f^{-1})(a)=c$ ( )

07 $(f^{-1}\circ f^{-1})(c)=e$ ( )

유형 080 역함수의 그래프의 성질

※ 함수 $f(x)=ax+b$의 그래프가 다음 점 P를 지나고 함수 $f(x)$의 역함수의 그래프가 점 Q를 지날 때, 함수 $f(x)$를 구하여라.

08 P(2, 5), Q(9, 4)

해설| 함수 $f(x)=ax+b$의 그래프가 점 (2, 5)를 지나므로

$2a+b=\square$ ……㉠

함수 $f(x)=ax+b$의 역함수의 그래프가 점 (9, 4)를 지나므로

함수 $f(x)=ax+b$의 그래프는 점 (4, 9)를 지난다.

$4a+b=\square$ ……㉡

㉠, ㉡을 연립하여 풀면 $a=\square$, $b=\square$

$\therefore f(x)=\square$

09 P(3, 1), Q(6, −2)

10 P(−4, −8), Q(−9, −6)

11 P(2, 0), Q(4, 4)

※ 다음 함수 $y=f(x)$의 그래프와 그 역함수 $y=f^{-1}(x)$의 그래프의 교점의 좌표를 구하여라.

12 $f(x)=2x-6$

해설| 함수 $y=f(x)$의 그래프와 그 역함수 $y=f^{-1}(x)$의 그래프의 교점은 함수 $y=f(x)$의 그래프와 직선 $\square$의 교점과 같으므로

$2x-6=x \quad \therefore x=\square$

따라서 구하는 교점의 좌표는 ($\square$, $\square$)이다.

13 $f(x)=\frac{1}{2}x+2$

14 $f(x)=3x+4$

15 $f(x)=\frac{x}{2}+1$

16 $f(x)=4x-9$

17 $f(x)=-2x-6$

12 유리식

빠른정답 07쪽 / 친절한 해설 22쪽

1. **유리식** : 두 다항식 A, $B(B\neq 0)$에 대하여 $\frac{A}{B}$의 꼴로 나타내어지는 식
2. **유리식의 성질**
   다항식 A, B, C $(B\neq 0, C\neq 0)$에 대하여
   ① $\frac{A}{B}=\frac{A\times C}{B\times C}$　　② $\frac{A}{B}=\frac{A\div C}{B\div C}$

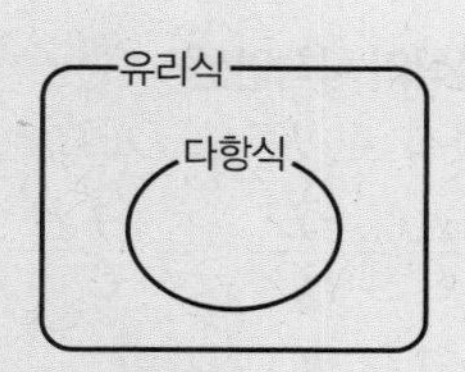

유형 081 유리식의 구분

① $\frac{A}{B}$ 꼴로 나타내어지는가?
② A와 B는 다항식 $(B\neq 0)$
③ 유리식 ┌ 다항식
　　　　 └ 분수식

※ 다음 유리식이 다항식인 것에는 ○표, 다항식이 아닌 것에는 ×표를 하여라.

01 $\frac{1}{x}$ (　　)

02 $3x+4$ (　　)

03 $\frac{1}{2}x+4$ (　　)

04 $\frac{3x+2}{x}$ (　　)

05 $\frac{x^2}{3x-1}$ (　　)

06 $\frac{4x-3}{3}$ (　　)

유형 082 유리식의 통분과 약분

※ 다음 두 유리식을 통분하여라.

07 $\frac{1}{x^2}$, $\frac{3}{xy}$

08 $\frac{1}{2x+1}$, $\frac{x-1}{2x-1}$

09 $\frac{x+2}{(x-1)(x-2)}$, $\frac{x+3}{(x-2)(x-3)}$

※ 다음 유리식을 약분하여라.

10 $\frac{18x^3y^2}{12xy^5}$

11 $\frac{x^2+2x+1}{(x+1)(x+2)}$

12 $\frac{x^2-xy}{x^2-y^2}$

13 유리식의 계산

1. 유리식의 사칙연산

다항식 $A, B, C, D(B\neq0, C\neq0, D\neq0)$에 대하여

(1) $\frac{A}{C}+\frac{B}{C}=\frac{A+B}{C}$　　(2) $\frac{A}{C}-\frac{B}{C}=\frac{A-B}{C}$

(3) $\frac{A}{B}\times\frac{C}{D}=\frac{AC}{BD}$　　(4) $\frac{A}{B}\div\frac{C}{D}=\frac{A}{B}\times\frac{D}{C}=\frac{AD}{BC}$

2. 부분분수로의 변형

$\frac{1}{AB}$과 같이 분모가 두 개 이상인 인수의 곱이면 다음과 같이 부분분수로 변형한다.

$\frac{1}{AB}=\frac{1}{B-A}\left(\frac{1}{A}-\frac{1}{B}\right)$ (단, $A\neq B$)

〈부분분수로의 변형〉

$\frac{1}{B-A}\left(\frac{1}{A}-\frac{1}{B}\right)$

$=\frac{1}{B-A}\left(\frac{B-A}{AB}\right)=\frac{1}{AB}$

$\therefore \frac{1}{AB}=\frac{1}{B-A}\left(\frac{1}{A}-\frac{1}{B}\right)$

유형 083 유리식의 계산

유리식의 덧셈과 뺄셈은 분모를 통분하여 계산한다.

※ 다음 식을 계산하여라.

01 $\frac{1}{x+1}+\frac{1}{x-1}$

02 $\frac{3}{2x-3}-\frac{2}{x+5}$

03 $\frac{x+1}{(2x+1)(2x+3)}+\frac{1}{(2x+3)(2x+5)}$

04 $\frac{2x+1}{x^2+3}-\frac{4}{x-5}$

05 $\frac{x+3}{x^2-4}\times\frac{x-2}{x+3}$

06 $\frac{4}{x-1}\times\frac{x^2-x}{2x-1}$

07 $\frac{x^2+2x}{3x-2}\div\frac{x+2}{x}$

08 $\frac{x-1}{x^2-4}\div\frac{x^2-x}{x-2}$

유형 084 부분분수로의 변형

※ 다음 식을 부분분수로 변형하여라.

09 $\dfrac{2}{(2x+1)(2x+3)}$

해설 | $\dfrac{2}{(2x+1)(2x+3)}$

$=\dfrac{2}{(\square)-(\square)}\left(\dfrac{1}{2x+1}-\dfrac{1}{2x+3}\right)$

$=\dfrac{1}{2x+1}-\square$

10 $\dfrac{1}{(x-1)(x+1)}$

11 $\dfrac{3}{x(x+3)}$

12 $\dfrac{2}{(x+1)(x+2)}$

※ 다음 식을 계산하여라.

13 $\dfrac{1}{x(x+1)}+\dfrac{1}{(x+1)(x+2)}+\dfrac{1}{(x+2)(x+3)}$

14 $\dfrac{2}{(x+2)(x+4)}+\dfrac{4}{(x+4)(x+8)}$

15 $\dfrac{1}{1\cdot2}+\dfrac{1}{2\cdot3}+\dfrac{1}{3\cdot4}+\cdots+\dfrac{1}{19\cdot20}$

학교시험 필수예제

16 $f(x)=\dfrac{2}{(2x-1)(2x+1)}$일 때,

$f(1)+f(2)+\cdots+f(99)$의 값은?

① $\dfrac{96}{97}$ ② $\dfrac{98}{99}$ ③ $\dfrac{196}{197}$

④ $\dfrac{197}{198}$ ⑤ $\dfrac{198}{199}$

14 유리함수

1. **유리함수** : $y=f(x)$에서 $f(x)$가 x에 대한 유리식인 함수
   유리함수에서 정의역이 주어져 있지 않을 때에는 (분모)$\neq 0$인 모든 실수 전체의 집합이다.
2. **다항함수** : $f(x)$가 x에 대한 다항식으로 나타내어진 유리함수

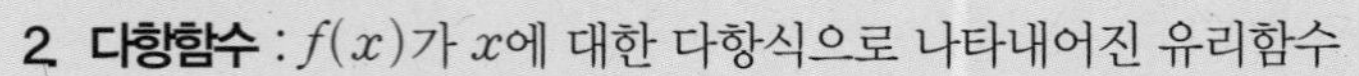

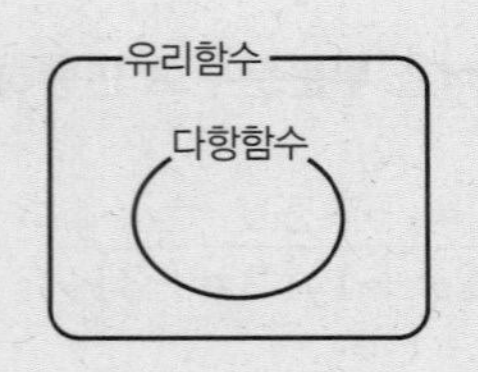

유형 085 유리함수의 구분

유리함수 ┌ 다항함수
　　　　 └ 분수함수

※ 다음 함수가 다항함수인 것에는 ○표, 다항함수가 아닌 것에는 ×표를 하여라.

01 $y=3x^2$ (　　)

02 $y=\dfrac{2}{x}$ (　　)

03 $y=\dfrac{3x}{4}$ (　　)

04 $y=\dfrac{x}{x+1}$ (　　)

05 $y=-5x+\dfrac{1}{2}$ (　　)

06 $y=\dfrac{x^2+3x}{x^2}$ (　　)

07 $y=\dfrac{5x-6}{3}$ (　　)

08 $y=\dfrac{1}{x^2+1}$ (　　)

유형 086 유리함수의 정의역

유리함수의 정의역이 주어져 있지 않은 경우
→ 분모가 0이 되지 않도록 하는 실수 전체의 집합이 유리함수의 정의역!

※ 다음 유리함수의 정의역을 구하여라.

09 $y=\dfrac{1}{x}$

10 $y=\dfrac{1}{x-4}$

11 $y=\dfrac{x+2}{x-2}$

12 $y=\dfrac{x^2-1}{3x+2}$

13 $y=\dfrac{x-1}{x^2-4}$

14 $y=\dfrac{1}{x^2+1}$

15 $y=\dfrac{3x-2}{4x-5}$

유리함수 $y=\frac{k}{x}$의 그래프

빠른정답 08쪽 / 친절한 해설 23쪽

유리함수 $y=\frac{k}{x}(k\neq0)$의 그래프

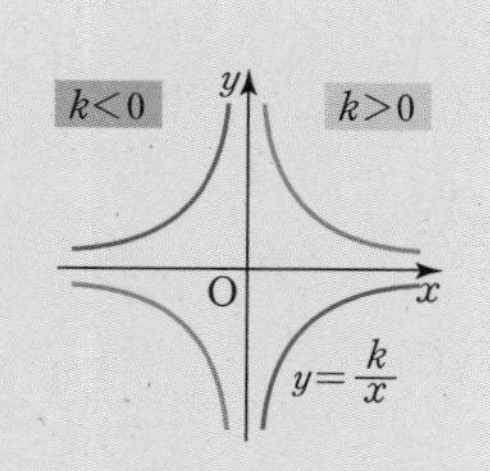

① 정의역과 치역은 모두 0을 제외한 실수 전체의 집합이다.
② $k>0$이면 그래프는 제1, 3사분면에 있고, $k<0$이면 그래프는 제2, 4사분면에 있다.
③ 원점에 대하여 대칭이다.
④ 점근선은 x축과 y축이다.
⑤ 함수 $y=\frac{k}{x}$의 그래프는 $|k|$의 값이 커질수록 원점에서 멀어진다.

〈점근선〉

곡선이 어떤 직선에 한없이 가까워질 때 그 직선을 곡선의 점근선이라고 한다.

유형 087 유리함수 $y=\frac{k}{x}$의 그래프 그리기

※ 다음 유리함수의 그래프를 표를 완성하여 그려라.

01 $y=\frac{4}{x}$

x	…	-4	-2	-1	1	2	4	…
y	…							…

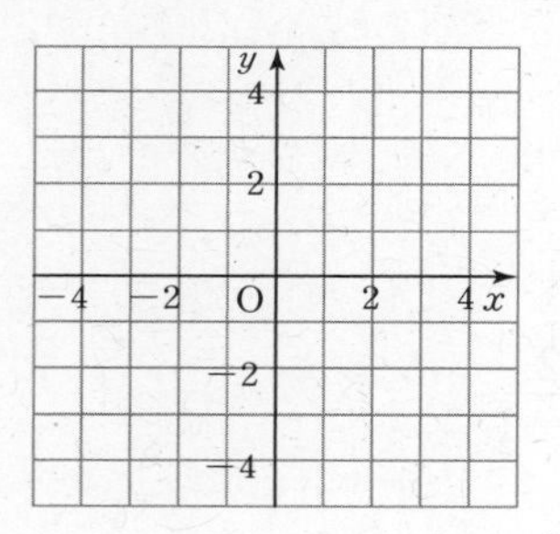

02 $y=\frac{2}{x}$

x	…	-2	-1	1	2	…
y	…					…

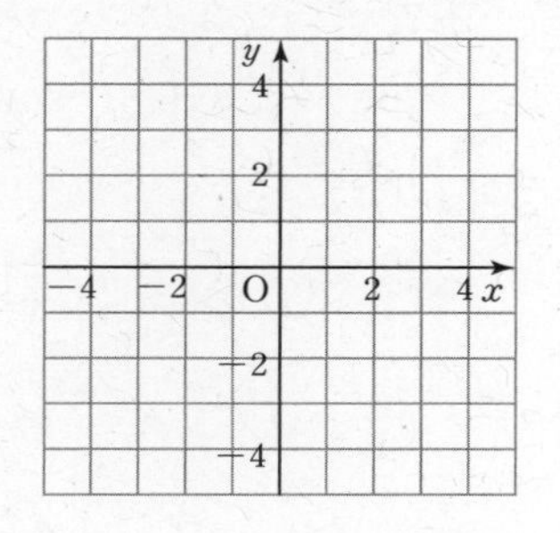

03 $y=-\frac{6}{x}$

x	…	-3	-2	-1	1	2	3	…
y	…							…

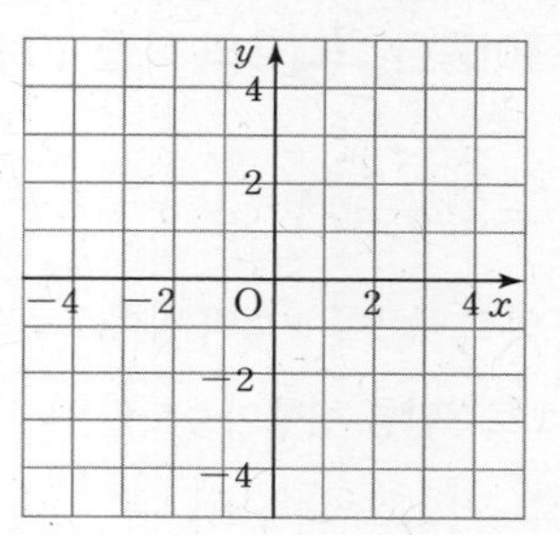

04 $y=-\frac{3}{x}$

x	…	-3	-1	1	3	…
y	…					…

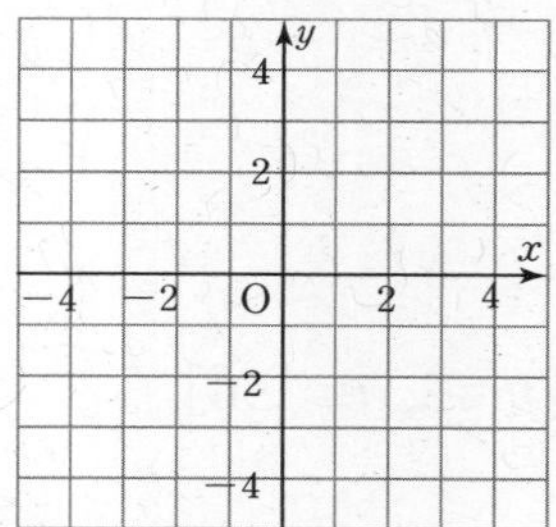

학교시험 필수예제

05 다음 함수의 그래프 중 원점에서 가장 멀리 떨어진 것은?

① $y=\frac{2}{x}$ ② $y=\frac{4}{3x}$ ③ $y=-\frac{5}{2x}$
④ $y=-\frac{1}{3x}$ ⑤ $y=-\frac{1}{5x}$

유리함수 $y=\frac{k}{x-p}+q$의 그래프

유리함수 $y=\frac{k}{x-p}+q\ (k\neq0)$의 그래프

① 함수 $y=\frac{k}{x}$의 그래프를 x축의 방향으로 p만큼, y축으로 q만큼 평행이동한 것이다.
② 정의역은 $\{x|x\neq p$인 실수$\}$, 치역은 $\{y|y\neq q$인 실수$\}$이다.
③ 점 $(p,\ q)$에 대하여 대칭이다.
④ 점근선은 두 직선 $x=p$, $y=q$이다.

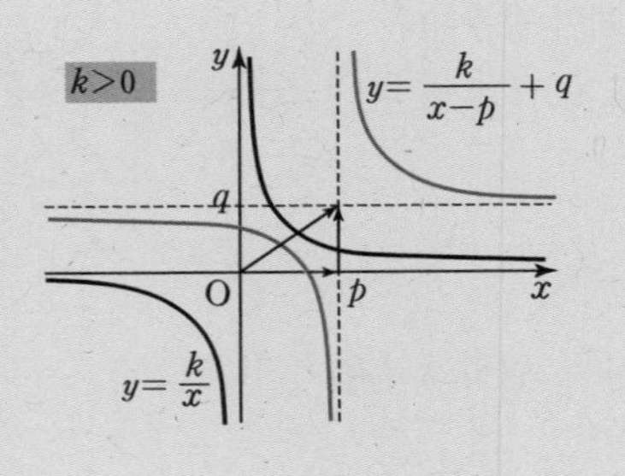

〈유리함수 $y=\frac{k}{x-p}+q\ (k\neq0)$의 그래프의 대칭〉

점 $(p,\ q)$를 지나고 기울기가 ±1인 직선에 대하여 대칭이다.
즉, 두 직선 $y=(x-p)+q$와 $y=-(x-p)+q$에 대하여 대칭이다.

유형 088 유리함수 $y=\frac{k}{x-p}+q(k\neq0)$의 그래프

※ 다음 함수의 그래프를 x축의 방향으로 p만큼, y축의 방향으로 q만큼 평행이동한 그래프의 식을 구하여라.

01 $y=\frac{3}{x}$ $[p=3,\ q=2]$

해설| 함수 $y=\frac{3}{x}$의 그래프를 x축의 방향으로 3만큼, y축의 방향으로 2만큼 평행이동하면

$y-\square=\frac{3}{x-\square}$ $\therefore y=\square$

02 $y=\frac{2}{x}$ $[p=-5,\ q=1]$

03 $y=-\frac{4}{x}$ $[p=2,\ q=-6]$

04 $y=-\frac{5}{x}$ $[p=-4,\ q=-3]$

※ 다음 함수의 그래프의 점근선의 방정식과 정의역, 치역을 각각 구하여라.

05 $y=\frac{1}{x-4}+5$

(1) 점근선의 방정식

(2) 정의역

(3) 치역

06 $y=-\frac{2}{x-1}$

(1) 점근선의 방정식

(2) 정의역

(3) 치역

07 $y=-\frac{3}{x+3}+7$

(1) 점근선의 방정식

(2) 정의역

(3) 치역

유형 089 $y=\frac{k}{x-p}+q(k\neq0)$의 그래프 그리기

① 점근선: $x=p$, $y=q$
② $k>0$: 제1사분면과 제3사분면
③ $k<0$: 제2사분면과 제4사분면

※ 다음 유리함수의 그래프를 그려라.

08 $y=\frac{1}{x-3}$

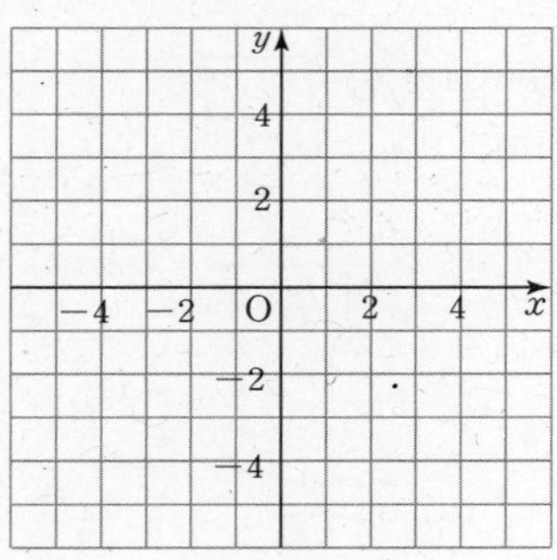

09 $y=\frac{5}{x-1}-1$

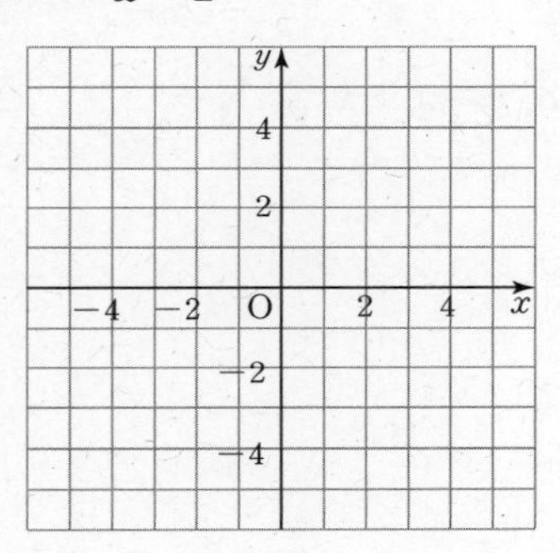

10 $y=\frac{3}{x+2}-2$

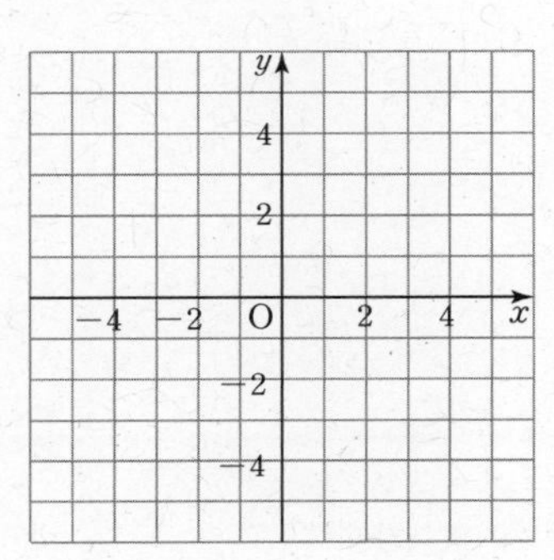

11 $y=-\frac{6}{x}-1$

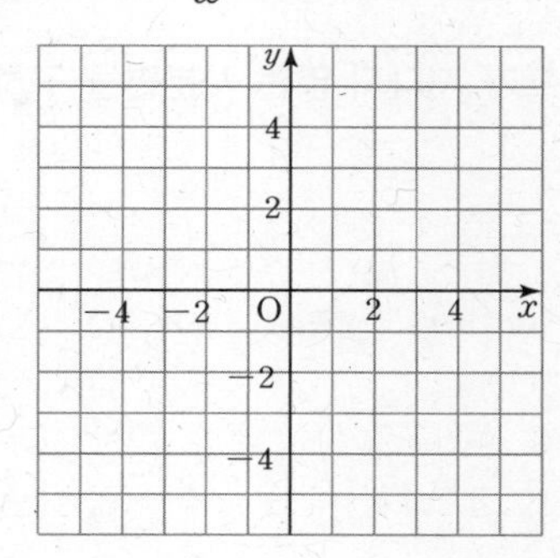

12 $y=-\frac{2}{x-2}+1$

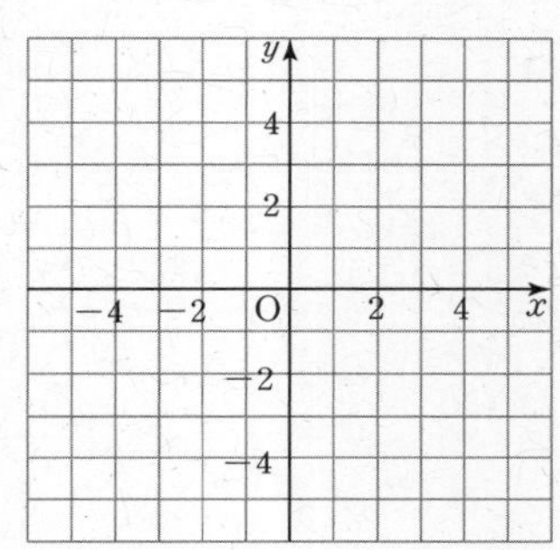

13 $y=-\frac{4}{x+1}+2$

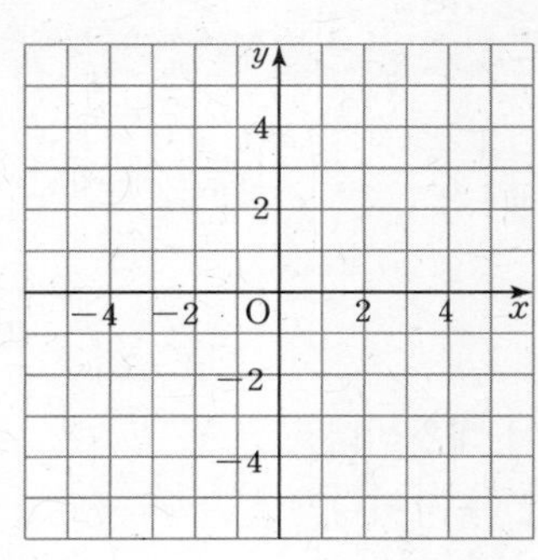

유형 090 유리함수의 그래프가 지나는 사분면

※ 다음 유리함수의 그래프가 지나지 않는 사분면을 구하여라.

14 $y=\frac{3}{x}$

15 $y=\frac{2}{x-4}+3$

16 $y=-\frac{3}{x-1}+2$

17 $y=-\frac{5}{x+3}-2$

학교시험 필수예제

18 다음 중 함수 $y=\frac{3}{x+3}-1$의 그래프에 대한 설명으로 옳은 것은?

① 원점을 지난다.
② 점 $(3,\ -1)$에 대하여 대칭이다.
③ 정의역은 $\{x|x\neq3$인 실수$\}$이다.
④ 치역은 $\{y|y$는 모든 실수$\}$이다.
⑤ 점근선의 방정식은 $x=-3$, $y=1$이다.

유형 091 유리함수의 그래프의 대칭성

※ 다음 유리함수의 그래프가 주어진 직선에 대하여 대칭일 때, k의 값을 구하여라.

19 $y=\frac{3}{x+4}-5$, $y=x+k$

해설 | 함수 $y=\frac{3}{x+4}-5$의 점근선의 방정식이
$x=\square$, $y=\square$이므로 직선 $y=x+k$는
점 $(-4,\ -5)$를 지난다.
즉, $-5=\square+k$이므로 $k=\square$

20 $y=\frac{5}{2x-4}-3$, $y=-x+k$

21 $y=-\frac{8}{x-5}+8$, $y=x+k$

22 $y=-\frac{1}{3x-3}+2$, $y=-x+k$

유리함수 $y=\frac{k}{x-p}+q\ (k\neq0)$의 대칭성

① 점 $(p,\ q)$에 대하여 대칭이다.
② 점 $(p,\ q)$를 지나고 기울기가 ±1인 두 직선에 대하여 대칭이다.

유형 092 유리함수 $y=\frac{ax+b}{cx+d}$ $(c\neq0,\ ad-bc\neq0)$의 그래프

① 유리함수 $y=\frac{ax+b}{cx+d}$는 $y=\frac{k}{x-p}+q$의 꼴로 변형한다.

② 분자를 분모로 나누어 유리식을 '몫$+\frac{\text{나머지}}{\text{분모}}$' 꼴로 만든다.

※ 다음 유리함수의 그래프의 점근선의 방정식과 정의역, 치역을 각각 구하여라.

23 $y=\frac{2x+3}{x-1}$

해설 | $y=\frac{2x+3}{x-1}=\frac{2(x-1)+\square}{x-1}=\frac{\square}{x-1}+2$

이므로 점근선의 방정식은

$x=\square$, $y=\square$

정의역은 $\{x\,|\,x\neq\square$인 실수$\}$

치역은 $\{y\,|\,y\neq\square$인 실수$\}$

24 $y=\frac{4x-2}{x+2}$

(1) 점근선의 방정식

(2) 정의역

(3) 치역

25 $y=\frac{x}{x-3}$

(1) 점근선의 방정식

(2) 정의역

(3) 치역

26 $y=\frac{-2x+5}{x+5}$

(1) 점근선의 방정식

(2) 정의역

(3) 치역

27 $y=\frac{-x-5}{x-6}$

(1) 점근선의 방정식

(2) 정의역

(3) 치역

28 $y=\frac{4x-5}{2x-1}$

(1) 점근선의 방정식

(2) 정의역

(3) 치역

※ 다음 유리함수의 그래프를 그려라.

29 $y=\dfrac{2x-1}{x-2}$

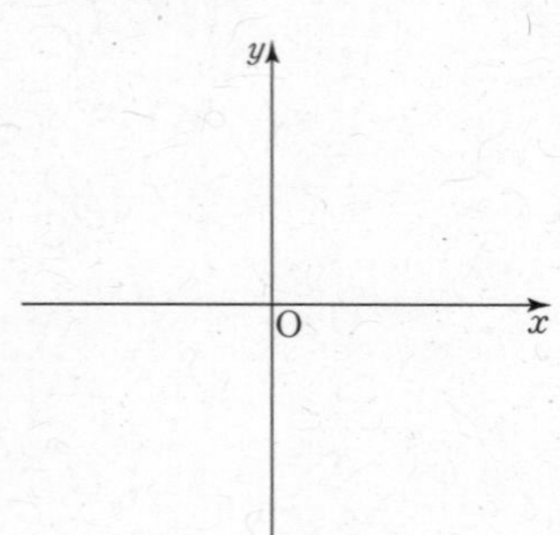

30 $y=\dfrac{3x+15}{x+3}$

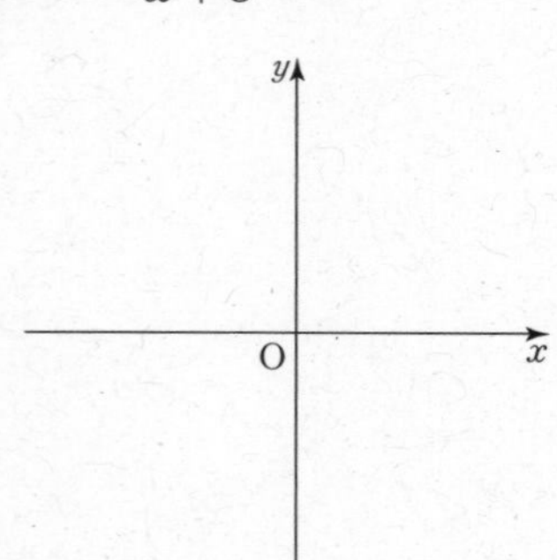

31 $y=\dfrac{3x-5}{x-3}$

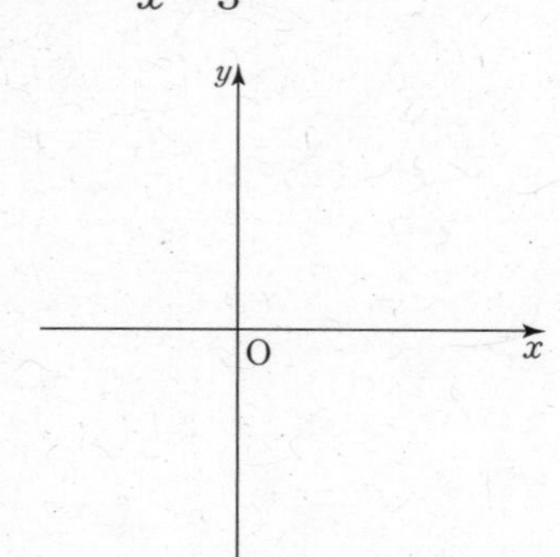

32 $y=\dfrac{-2x-5}{x+1}$

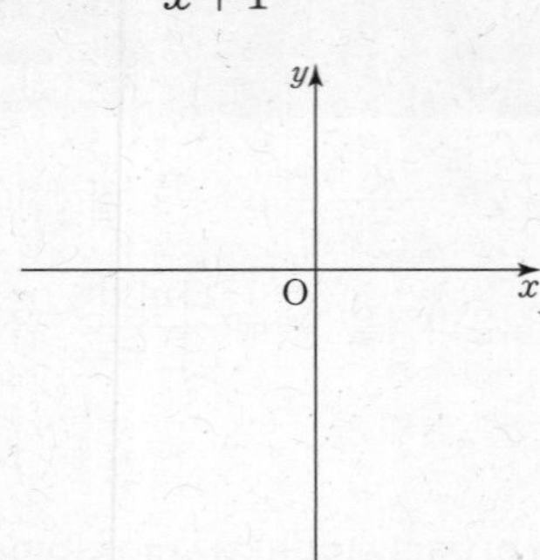

33 $y=\dfrac{-3x+8}{x-3}$

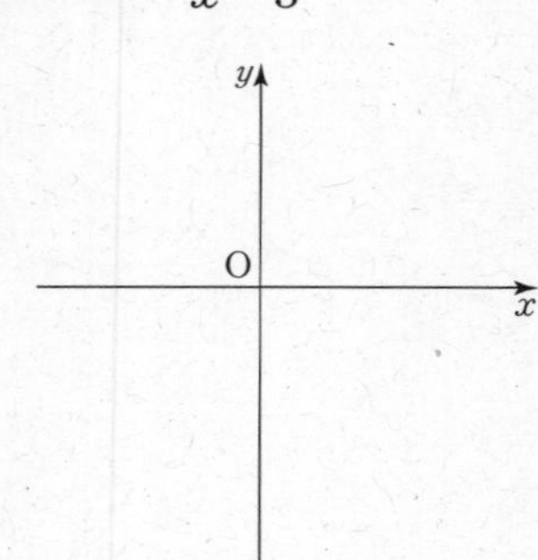

34 $y=\dfrac{2x+3}{x+3}$

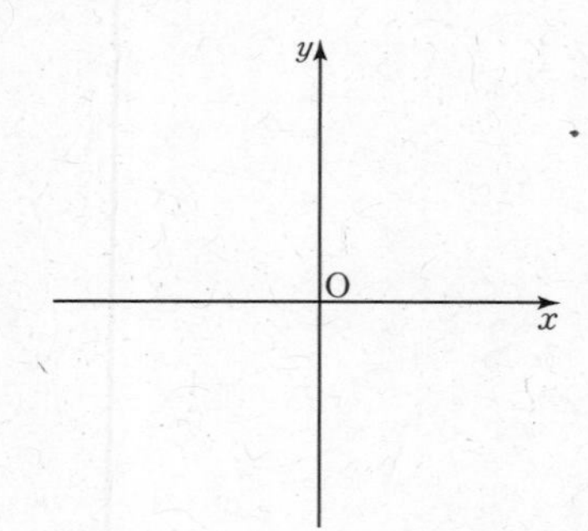

유형 093 유리함수의 그래프의 평행이동

① $y=\frac{k}{x-p}+q$의 꼴로 고친다.
② k의 값이 같은지 확인한다.
→ k의 값이 같으면 평행이동에 의해 그래프가 겹쳐진다.

※ 다음 유리함수의 그래프 중 평행이동하여 $y=\frac{-x-2}{x+1}$의 그래프와 겹칠 수 있는 것에는 ○표, 겹칠 수 없는 것에는 ×표를 하여라.

35 $y=-\frac{1}{x-2}$ ( )

36 $y=\frac{2x-7}{x-4}$ ( )

37 $y=\frac{-5x+4}{x-1}$ ( )

38 $y=\frac{-4x+5}{2x-1}$ ( )

39 $y=\frac{2x+1}{2x+3}$ ( )

Tip
$y=\frac{k}{x-p}+q$의 꼴로 변형하였을 때, k의 값이 서로 같으면 p, q의 값과 관계없이 평행이동에 의해 그래프가 겹쳐진다.

유형 094 유리함수의 그래프의 성질

※ 다음 중 유리함수 $y=\frac{4x-8}{x-3}$의 그래프에 대한 설명으로 옳은 것에는 ○표, 옳지 않은 것에는 ×표를 하여라.

40 점근선의 방정식은 $x=3$, $y=4$이다. ( )

41 정의역은 $\{x|x\neq4$인 실수$\}$이다. ( )

42 제2사분면을 지나지 않는다. ( )

43 함수 $y=\frac{4}{x}$의 그래프를 평행이동한 그래프이다. ( )

학교시험 필수예제

44 다음 보기 중 유리함수 $y=\frac{2x}{3-x}$에 대한 설명으로 옳은 것을 모두 골라라.

보기
ㄱ. $y=-\frac{6}{x}$의 그래프를 평행이동한 그래프이다.
ㄴ. 점 $(3,\ -2)$에 대하여 대칭이다.
ㄷ. 제1, 2, 4사분면을 지난다.
ㄹ. y축과의 교점의 좌표는 $\left(0,\ -\frac{3}{2}\right)$이다.

유리함수의 식 구하기

① 유리함수의 그래프를 이용해 유리함수의 식을 구할 수 있다.
② 점근선의 방정식이 $x=p$, $y=q$이고 점 $(a,\ b)$를 지나는 그래프의 유리함수의 식을 구할 수 있다.
⇨ $y=\frac{k}{x-p}+q$에 $x=a$, $y=b$를 대입하여 k의 값을 구한다.

〈그래프가 주어졌을 때 유리함수의 식 구하기〉
① 점근선을 확인하여 점근선의 방정식을 구한다.
② 그래프가 지나는 점을 찾아 k의 값을 구한다.
③ ①과 ②에서 찾은 p, q, k의 값을 대입하여 식을 정리한다.

유형 095 유리함수의 식 구하기

※ 유리함수 $y=\frac{k}{x-p}+q$의 그래프가 다음 그림과 같을 때, 상수 k, p, q의 값을 각각 구하여라.

01

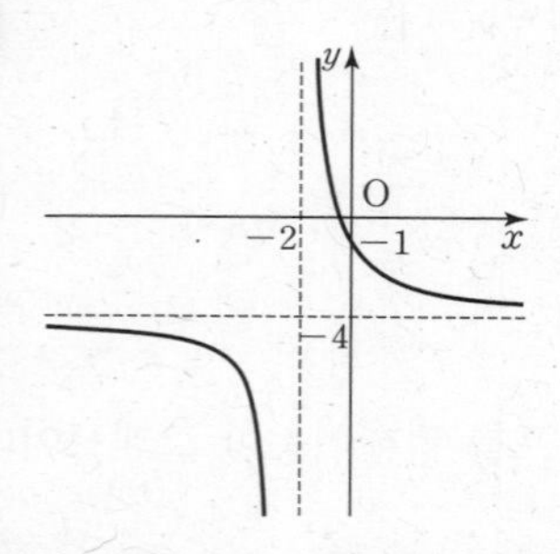

해설| 주어진 그래프의 점근선의 방정식이 $x=-2$, $y=-4$이므로 $y=\frac{k}{x+2}-\square$로 놓으면
이 그래프가 점 $(0,\ -1)$을 지나므로
$-1=\frac{k}{0+2}-4 \quad \therefore k=\square$
따라서 그래프의 식은 $y=\frac{6}{x+2}-4$이므로
$k=\square$, $p=\square$, $q=\square$

02

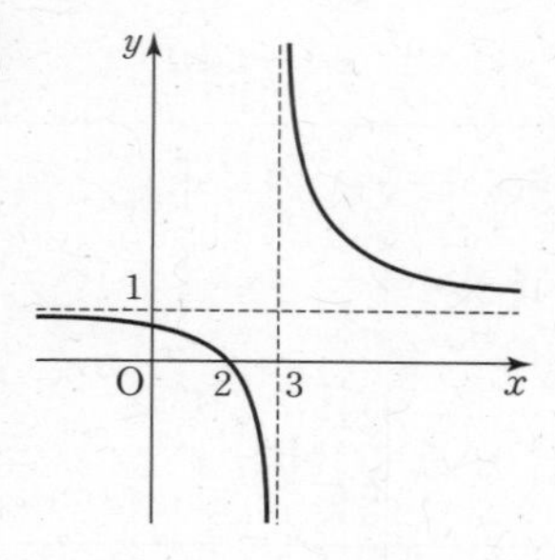

03

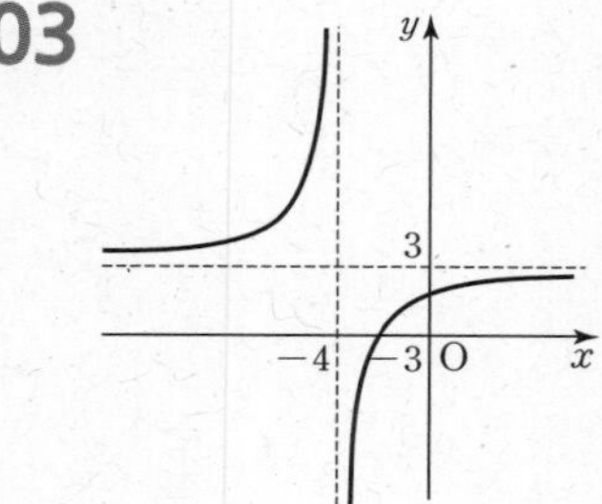

04

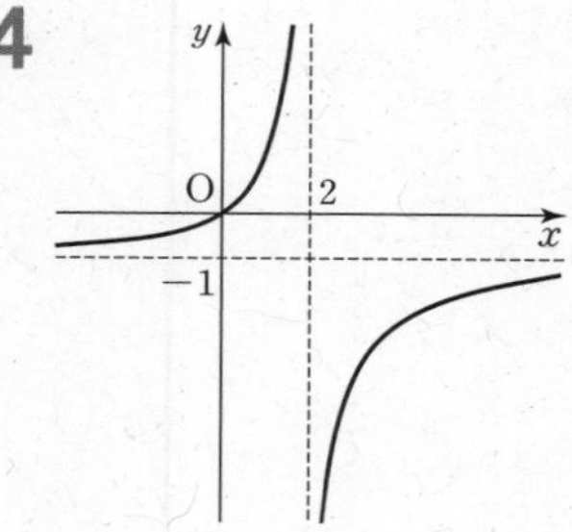

※ 유리함수 $y=\frac{ax+b}{x+c}$의 그래프가 다음 그림과 같을 때, 상수 a, b, c의 값을 각각 구하여라.

05

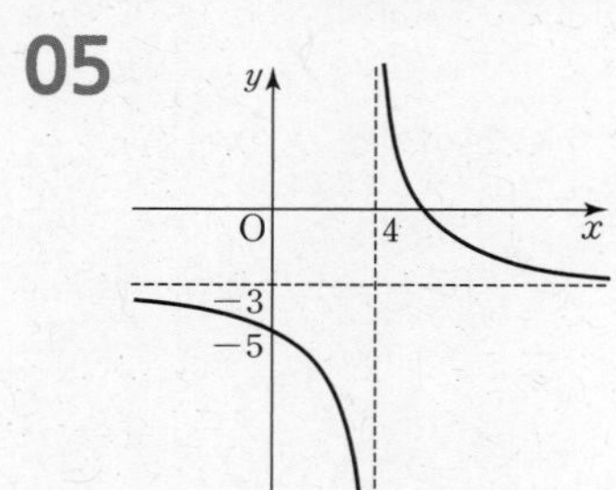

해설 | 주어진 그래프의 점근선의 방정식이 $x=4$, $y=-3$이므로 $y=\frac{k}{x-4}-3$으로 놓으면

이 그래프가 점 $(0,\ -5)$를 지나므로

$-5=\frac{k}{0-4}-3 \quad \therefore k=\square$

따라서 그래프의 식은

$y=\frac{\square}{x-4}-3=\frac{-3x+\square}{x-4}$이므로

$a=\square$, $b=\square$, $c=\square$

06

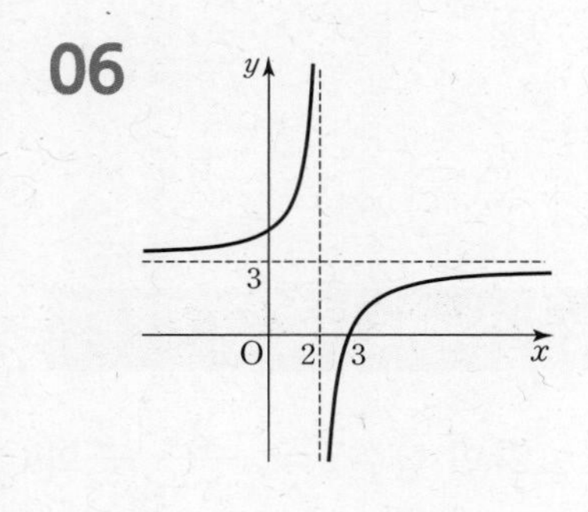

07

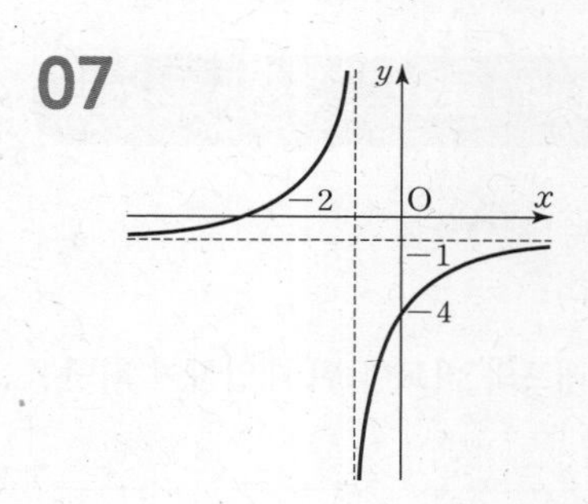

학교시험 필수예제

08 유리함수 $y=\frac{ax+b}{x-c}$의 그래프의 점근선의 방정식이 $x=-2$, $y=1$이고 점 $(-3,\ 0)$을 지날 때, 상수 a, b, c에 대하여 abc의 값은?

① -12　② -6　③ 3
④ 6　⑤ 12

유형 096 유리함수의 최대 · 최소

① $y=\frac{k}{x-p}+q$의 꼴로 나타낸다.
② 그래프를 그려본다.
③ 주어진 x의 범위를 그래프와 비교한 뒤 대입하여 최댓값과 최솟값을 구한다.

※ 다음 주어진 범위에서 함수의 최댓값과 최솟값을 구하여라.

09 $y=\frac{2x+1}{x+1}$ $[0\le x\le 4]$

(1) 주어진 함수를 $y=\frac{k}{x-p}+q$의 꼴로 나타내기

해설 | $y=\frac{2x+1}{x+1}=\frac{2(x+1)-1}{x+1}=-\frac{1}{x+1}+\square$

(2) 그래프로 나타내기

해설 | 주어진 함수의 그래프는 $y=-\frac{1}{x}$의 그래프를 x축의 방향으로 $\square$만큼, y축의 방향으로 $\square$만큼 평행이동한 그래프이므로 $0\le x\le 4$에서 $y=\frac{2x+1}{x+1}$의 그래프는 그림과 같다.

(3) 최댓값, 최솟값 구하기

해설 | $x=4$일 때, 최댓값은 $\square$

$x=0$일 때, 최솟값은 $\square$

10 $y=\frac{x+3}{x+1}$ $[0\le x\le 5]$

11 $y=\frac{2x}{x-2}$ $[-3\le x\le 1]$

12 $y=\frac{-x-2}{x-1}$ $[-2\le x\le 0]$

학교시험 필수예제

13 정의역이 $\{x|a\le x\le 2\}$인 함수 $y=\frac{-2x+2}{x+2}$의 최댓값이 2일 때, 최솟값은?

① $-\frac{1}{2}$ ② 0 ③ $\frac{1}{2}$
④ 1 ⑤ $\frac{3}{2}$

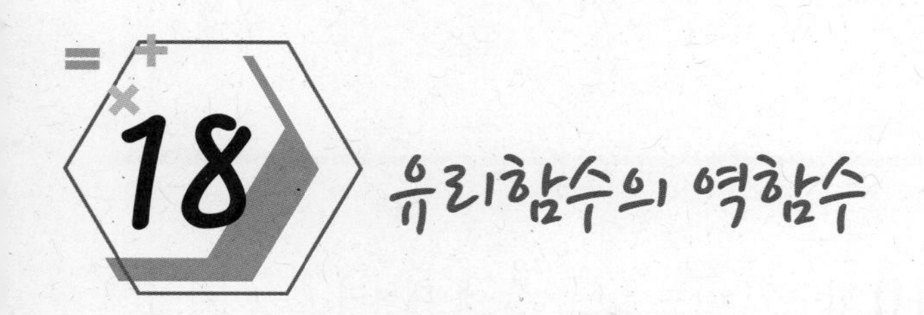

18 유리함수의 역함수

빠른정답 09쪽 / 친절한 해설 25쪽

함수 $y=\dfrac{ax+b}{cx+d}$ $(c\neq0,\ ad-bc\neq0)$의 역함수 구하기

① x에 대하여 푼다.

⇨ $y(cx+d)=ax+b$에서 $(cy-a)x=-dy+b$

$\therefore x=\dfrac{-dy+b}{cy-a}$

② x와 y를 서로 바꾼다. ⇨ $y=\dfrac{-dx+b}{cx-a}$

〈유리함수의 역함수의 특징〉

① 함수의 그래프와 역함수의 그래프는 직선 $y=x$에 대하여 대칭이다.

② 역함수의 정의역과 치역이 서로 바뀐다.

유형 097 유리함수의 역함수

① $f(x)=\dfrac{ax+b}{cx+d} \longrightarrow f^{-1}(x)=\dfrac{-dx+b}{cx-a}$

※ 다음 유리함수의 역함수를 구하여라.

01 $y=\dfrac{2x+3}{x-1}$

해설| 주어진 함수를 x에 대하여 풀면

$y(x-1)=2x+3$, $(y-\square)x=\square+3$

$\therefore x=\dfrac{y+3}{y-2}$

x와 y를 바꾸면 $y=\square$

02 $y=\dfrac{-x+4}{x+2}$

03 $y=\dfrac{x-3}{-x+1}$

04 $y=\dfrac{3x-2}{2x-4}$

05 $y=\dfrac{-2x-5}{3x-1}$

06 $y=\dfrac{x-2}{-2x-3}$

※ 다음 물음에 답하여라.

07 함수 $f(x)=\frac{2x-1}{x-a}$의 역함수가 $f^{-1}(x)=\frac{3x-1}{bx+c}$일 때, 상수 a, b, c의 값을 각각 구하여라.

08 함수 $f(x)=\frac{4x+a}{3x-2}$의 역함수가 $f^{-1}(x)=\frac{2x+4}{bx+c}$일 때, 상수 a, b, c의 값을 각각 구하여라.

09 함수 $f(x)=\frac{ax+4}{3x-b}$의 역함수가 $f^{-1}(x)=\frac{5x+4}{cx+1}$일 때, 상수 a, b, c의 값을 각각 구하여라.

10 함수 $f(x)=\frac{-x+3}{2x+a}$에 대하여 $f=f^{-1}$가 성립할 때, 상수 a의 값을 구하여라.

11 함수 $f(x)=\frac{ax-4}{3x+5}$에 대하여 $f=f^{-1}$가 성립할 때, 상수 a의 값을 구하여라.

학교시험 필수예제

12 두 함수 $y=\frac{2x-1}{ax+1}$과 $y=\frac{bx-1}{-3x+c}$의 그래프가 직선 $y=x$에 대하여 서로 대칭일 때, 상수 a, b, c의 곱 abc의 값은?

① -6 ② -3 ③ 2
④ 3 ⑤ 6

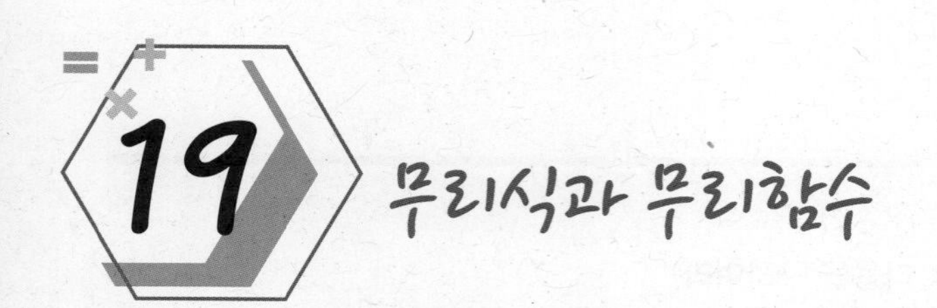

19 무리식과 무리함수

빠른정답 09쪽 / 친절한 해설 26쪽

1. **무리식** : 근호($\sqrt{\ }$) 안에 문자가 포함되어 있는 식 중에서 유리식으로 나타낼 수 없는 식
2. **무리식의 값이 실수가 되기 위한 조건**
   ① 근호 안에 있는 식의 값이 양수 또는 0 즉, (근호 안의 식의 값)≥ 0이 되는 범위
   ② (분모의 식의 값)$\neq 0$
3. **무리식의 계산** : 제곱근의 성질이나 분모의 유리화를 이용한다.
4. **무리함수** : $y=f(x)$에서 $f(x)$가 x에 대한 무리식인 함수

| 참고 | 무리함수에서 정의역이 주어져 있지 않을 때에는 근호 안의 식의 값이 0 이상이 되도록 하는 모든 실수의 집합을 정의역으로 한다.

〈제곱근의 성질〉

$$\sqrt{x^2}=|x|=\begin{cases} x & (x\geq 0) \\ -x & (x<0) \end{cases}$$

〈분모의 유리화〉

① $\dfrac{a}{\sqrt{b}}=\dfrac{a\sqrt{b}}{\sqrt{b}\sqrt{b}}=\dfrac{a\sqrt{b}}{b}$

② $\dfrac{c}{\sqrt{a}+\sqrt{b}}=\dfrac{c(\sqrt{a}-\sqrt{b})}{(\sqrt{a}+\sqrt{b})(\sqrt{a}-\sqrt{b})}=\dfrac{c(\sqrt{a}-\sqrt{b})}{a-b}$

(단, $a\neq b$)

유형 098 유리식과 무리식의 구분

유리식 ─ 다항식 / 분수식
무리식

※ 다음 식을 유리식과 무리식으로 구분하여라.

01 $\sqrt{x}-1$

02 $\sqrt{2}x-1$

03 $\dfrac{\sqrt{2}x+4}{3}$

04 $\dfrac{2}{\sqrt{x}-4}$

05 $\sqrt{x^2-3}$

06 $\dfrac{x}{x+2}$

유형 099 무리식의 값이 실수가 되기 위한 조건

(근호 안의 식의 값)≥ 0, (분모)$\neq 0$

※ 다음 무리식의 값이 실수가 되도록 하는 x의 값의 범위를 구하여라.

07 $\sqrt{2x+4}$

08 $\dfrac{1}{\sqrt{3x-6}}$

09 $\sqrt{x+1}-\sqrt{5-x}$

학교시험 필수예제

10 무리식 $\sqrt{x^2-2kx+3k-2}$의 값이 모든 실수 x에 대하여 항상 실수가 되도록 하는 정수 k의 개수는?

① 1 ② 2 ③ 3 ④ 4 ⑤ 5

유형 100 무리식의 계산

분모의 유리화: 분모에 근호가 포함된 식의 분모와 분자에 적당한 수 또는 식을 곱하여 분모에 근호가 포함되어 있지 않도록 식을 변형하는 것

※ 다음 식의 분모를 유리화하여라.

11 $\dfrac{\sqrt{x}-\sqrt{y}}{\sqrt{x}+\sqrt{y}}$

12 $\dfrac{\sqrt{x+1}+\sqrt{x}}{\sqrt{x+1}-\sqrt{x}}$

※ 다음 식을 계산하여라.

13 $\dfrac{1}{\sqrt{x}+\sqrt{y}}+\dfrac{1}{\sqrt{x}-\sqrt{y}}$

14 $\dfrac{\sqrt{x}-1}{\sqrt{x}+1}-\dfrac{\sqrt{x}+1}{\sqrt{x}-1}$

15 $\dfrac{x}{1+\sqrt{x+1}}+\dfrac{x}{1-\sqrt{x+1}}$

※ 다음을 구하여라.

16 $x=\sqrt{2}$일 때, $\dfrac{\sqrt{x+1}-\sqrt{x-1}}{\sqrt{x+1}+\sqrt{x-1}}$의 값

17 $x=\dfrac{\sqrt{3}}{2}$일 때, $\dfrac{1}{1+\sqrt{x}}+\dfrac{1}{1-\sqrt{x}}$의 값

18 $x=2+\sqrt{3}$, $y=2-\sqrt{3}$일 때, x^2+y^2+x+y의 값

19 $x=3-\sqrt{3}$일 때, $x^2-6x+10$의 값

학교시험 필수예제

20 $x=\dfrac{1}{2-\sqrt{3}}$일 때, x^3-5x^2+5x+1의 값은?

① -2　② -1　③ 0
④ 1　⑤ 2

유형 101 무리함수

1. 무리함수: 함수 $y=f(x)$의 $f(x)$가 x에 대한 무리식일 때
2. 무리함수의 정의역: (근호 안의 식의 값)≥ 0이 되도록 하는 모든 실수의 집합

※ 다음 함수 중 무리함수인 것에는 ○표, 무리함수가 아닌 것에는 ×표를 하여라.

21 $y=\sqrt{3x}$ (　　)

22 $y=\sqrt{-2x}$ (　　)

23 $y=\sqrt{3}x$ (　　)

24 $y=\sqrt{(x-1)^2}$ (　　)

25 $y=\sqrt{4-x}$ (　　)

26 $y=\sqrt{3x^2}$ (　　)

27 $y=\sqrt{6x-2}$ (　　)

28 $y=\sqrt{9-4x}$ (　　)

※ 다음 무리함수의 정의역을 구하여라.

29 $y=\sqrt{x+5}$

30 $y=\sqrt{2x+3}$

31 $y=\sqrt{4-x}$

32 $y=\sqrt{7-3x}$

33 $y=\sqrt{3x-6}$

34 $y=\sqrt{-2x+4}$

35 $y=\sqrt{-4x-5}$

무리함수 $y=\pm\sqrt{ax}(a\neq0)$의 그래프

1 무리함수 $y=\sqrt{ax}\ (a\neq0)$의 그래프

① $a>0$일 때
정의역 : $\{x|x\geq0\}$, 치역 : $\{y|y\geq0\}$

② $a<0$일 때
정의역 : $\{x|x\leq0\}$, 치역 : $\{y|y\geq0\}$

③ $y=\sqrt{ax}\ (a\neq0)$의 그래프에서 $|a|$의 값이 커질수록 x축에서 멀어진다.

④ $y=\sqrt{ax}\ (a\neq0)$의 역함수는 $y=\frac{x^2}{a}(x\geq0)$이다.

2 무리함수 $y=-\sqrt{ax}\ (a\neq0)$의 그래프

① $a>0$일 때
정의역 : $\{x|x\geq0\}$, 치역 : $\{y|y\leq0\}$

② $a<0$일 때
정의역 : $\{x|x\leq0\}$, 치역 : $\{y|y\leq0\}$

⟨$y=\sqrt{ax}\ (a\neq0)$의 그래프⟩

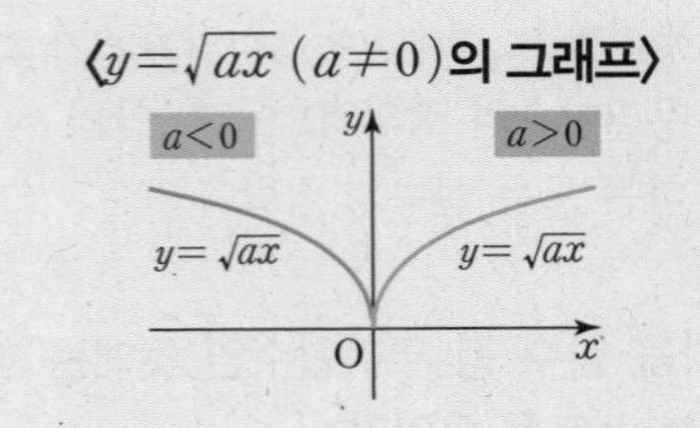

⟨$y=-\sqrt{ax}\ (a\neq0)$의 그래프⟩

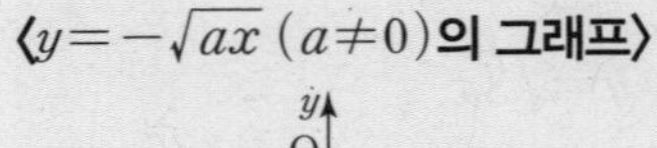
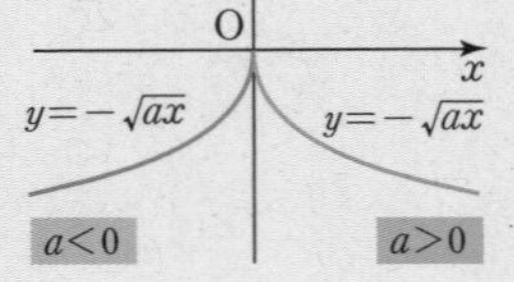

유형 102 무리함수의 그래프

※ 다음 함수의 대응관계를 표에 나타내고 좌표평면 위에 그래프를 그려라.

01 $y=\sqrt{x}$

x	…	1	2	3	4	…
y	…					…

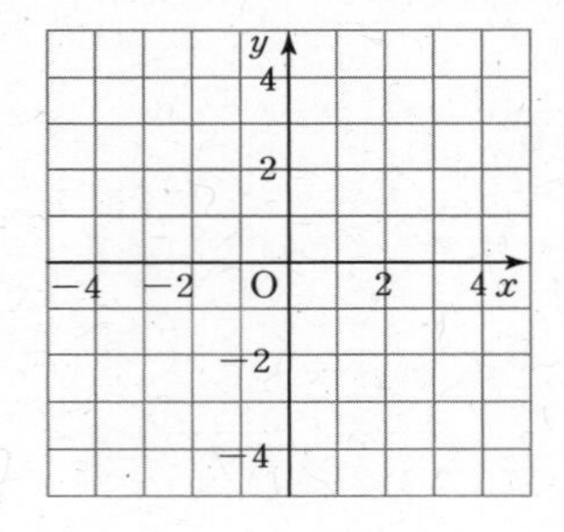

02 $y=\sqrt{-x}$

x	…	-1	-2	-3	-4	…
y	…					…

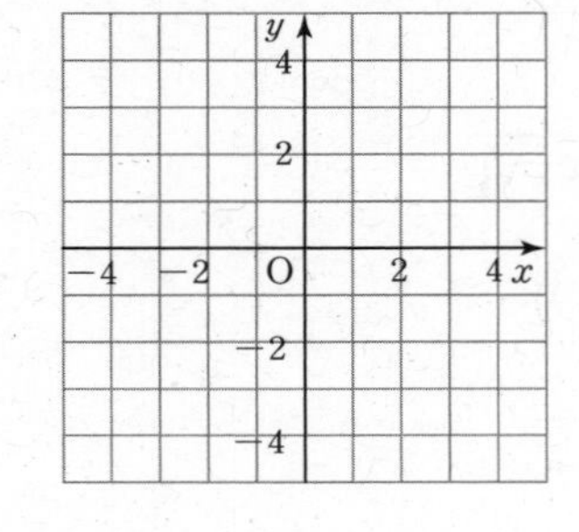

03 $y=-\sqrt{x}$

x	…	1	2	3	4	…
y	…					…

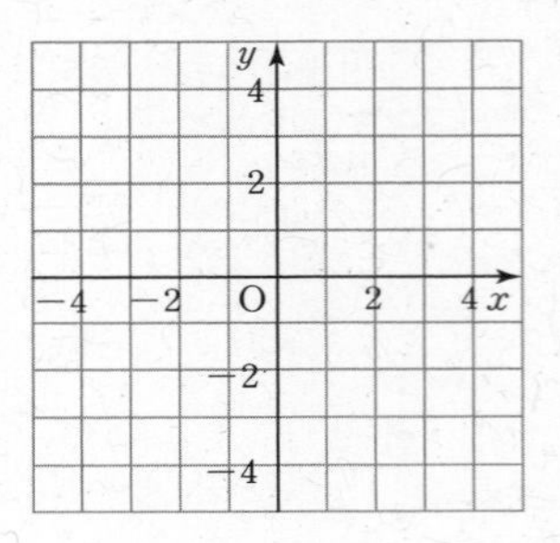

04 $y=-\sqrt{-x}$

x	…	-1	-2	-3	-4	…
y	…					…

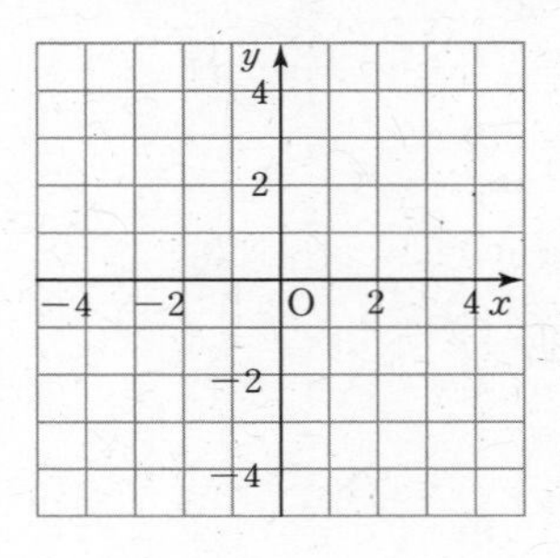

21 $y=\sqrt{ax}$의 그래프의 평행이동과 대칭이동

빠른정답 09쪽 / 친절한 해설 27쪽

1 무리함수 $y=\sqrt{ax}$ $(a\neq0)$의 그래프의 평행이동

① x축의 방향으로 p만큼 평행이동 ⇨ x 대신 $x-p$ 대입

② y축의 방향으로 q만큼 평행이동 ⇨ y 대신 $y-q$ 대입

2 무리함수 $y=\sqrt{ax}$ $(a\neq0)$의 그래프의 대칭이동

① x축에 대하여 대칭이동 ⇨ y 대신 $-y$ 대입

② y축에 대하여 대칭이동 ⇨ x 대신 $-x$ 대입

② 원점에 대하여 대칭이동 ⇨ x 대신 $-x$ 대입, y 대신 $-y$ 대입

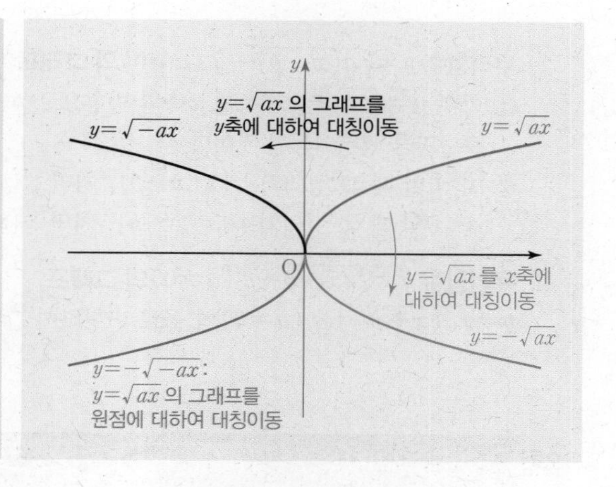

유형 103 $y=\sqrt{ax}$의 그래프의 평행이동과 대칭이동

※ 다음 함수의 그래프를 x축의 방향으로 p만큼, y축의 방향으로 q만큼 평행이동한 그래프의 식을 구하여라.

01 $y=\sqrt{x}$ $[p=1, q=5]$

해설 | $y=\sqrt{x}$의 그래프를 x축의 방향으로 1만큼, y축의 방향으로 5만큼 평행이동한 그래프의 식은

$y-\square=\sqrt{x-\square}$ $\therefore y=\square$

02 $y=\sqrt{2x}$ $[p=-6, q=2]$

03 $y=\sqrt{-4x}$ $[p=3, q=4]$

04 $y=-\sqrt{-2x}$ $[p=2, q=-5]$

05 $y=-\sqrt{5x}$ $[p=-4, q=-1]$

※ 무리함수 $y=\sqrt{2x}$의 그래프를 다음과 같이 대칭이동한 그래프를 그리고, 그 그래프의 식을 구하여라.

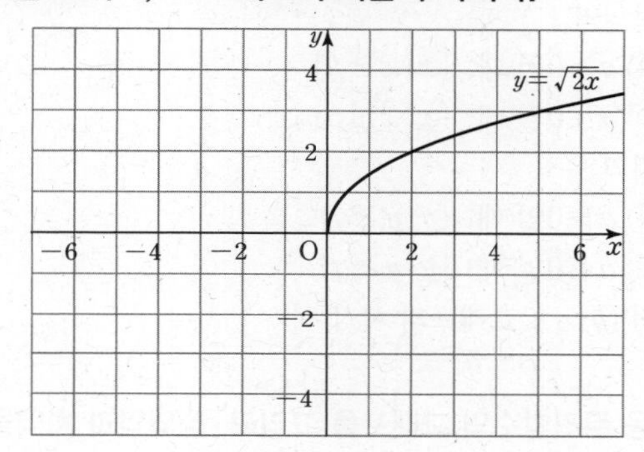

06 x축에 대하여 대칭이동

07 y축에 대하여 대칭이동

08 원점에 대하여 대칭이동

22 무리함수 $y=\sqrt{a(x-p)}+q$, $y=\sqrt{ax+b}+c$의 그래프

1 무리함수 $y=\sqrt{a(x-p)}+q$ $(a\neq0)$의 그래프

① 함수 $y=\sqrt{ax}$의 그래프를 x축의 방향으로 p만큼, y축의 방향으로 q만큼 평행이동한 것이다.

② $a>0$일 때 ⇨ 정의역 : $\{x|x\geq p\}$, 치역 : $\{y|y\geq q\}$

$a<0$일 때 ⇨ 정의역 : $\{x|x\leq p\}$, 치역 : $\{y|y\geq q\}$

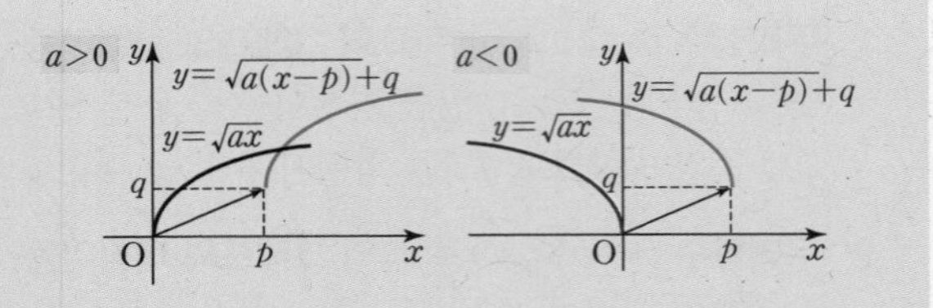

2 무리함수 $y=\sqrt{ax+b}+c$ $(a\neq0)$의 그래프

$y=\sqrt{a(x-p)}+q$ $(a\neq0)$의 꼴로 변형하여 그린다.

유형 104 무리함수 $y=\sqrt{a(x-p)}+q$의 그래프

1. 함수 $y=\sqrt{ax}$ 의 그래프를 x축의 방향으로 p만큼, y축의 방향으로 q만큼 평행이동한 것
2. 정의역
   ① $a>0$일 때: $\{x|x\geq p\}$
   ② $a<0$일 때: $\{x|x\leq p\}$
3. 치역
   ① $a>0$일 때: $\{y|y\geq q\}$
   ② $a<0$일 때: $\{y|y\geq q\}$
4. 점 (p, q): 그래프의 시작 점

※ 다음 무리함수의 그래프를 그리고, 정의역과 치역을 구하여라.

01 $y=\sqrt{(x-3)}+2$

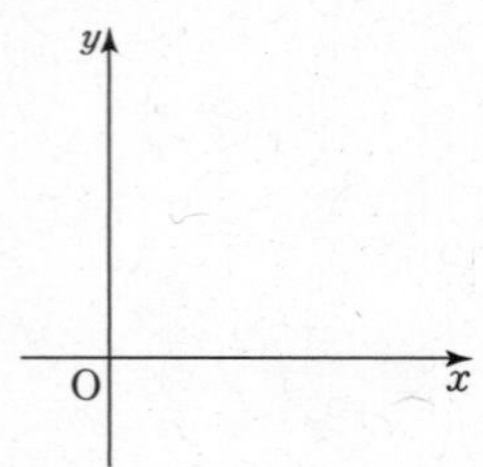

02 $y=\sqrt{-3(x+1)}+2$

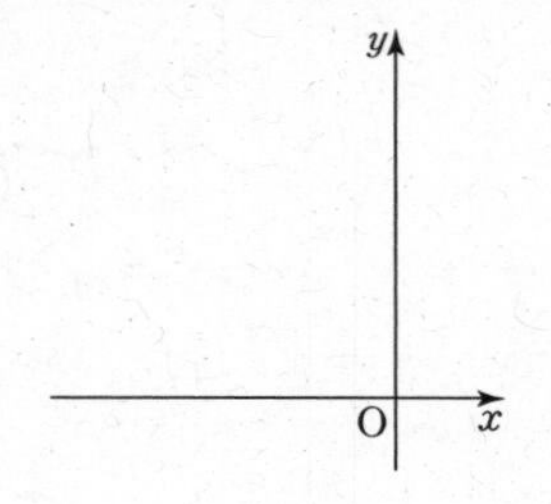

03 $y=-\sqrt{3(x+4)}+3$

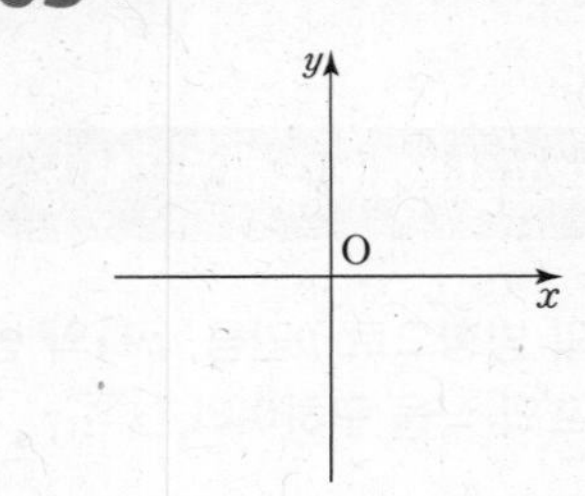

04 $y=-\sqrt{-4(x-2)}-1$

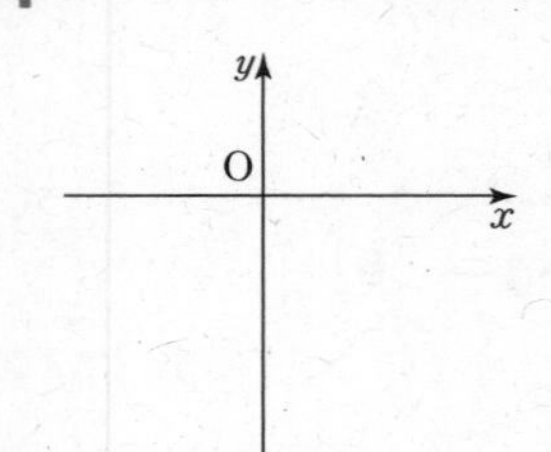

유형 105 무리함수 $y=\sqrt{ax+b}+c$의 그래프

1. $y=\sqrt{a(x-p)}+q$ 꼴로 변형된다.
2. $y=\sqrt{ax+b}+c$
   $\rightarrow y=\sqrt{a\left(x+\frac{b}{a}\right)}+c$
   $\rightarrow y=\sqrt{ax}$의 그래프를 x축의 방향으로 $-\frac{b}{a}$만큼, y축의 방향으로 c만큼 평행이동한 것

※ 다음 무리함수의 그래프를 그리고, 정의역과 치역을 구하여라.

05 $y=\sqrt{2x+6}-1$

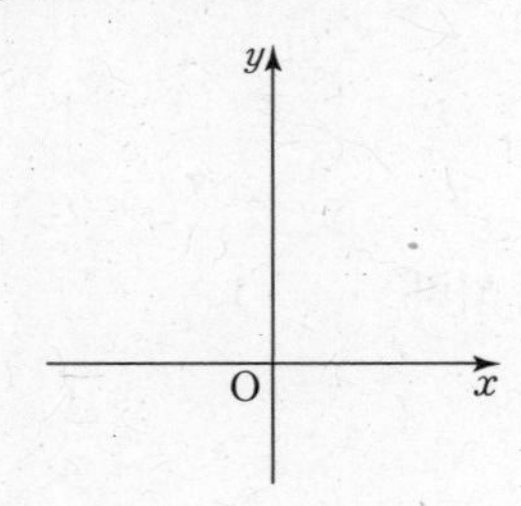

06 $y=\sqrt{4x-2}-1$

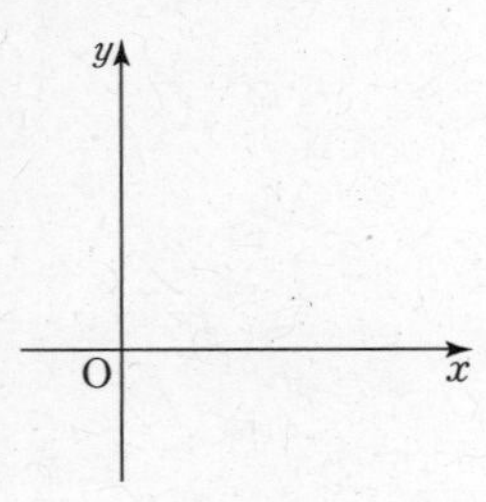

07 $y=\sqrt{-3x+6}-3$

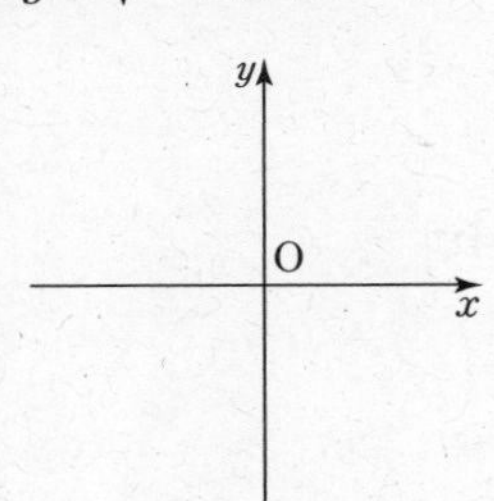

08 $y=-\sqrt{5x+10}-1$

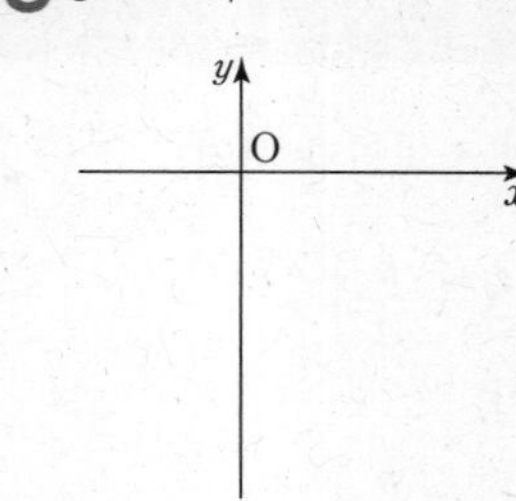

09 $y=-\sqrt{-x+4}+2$

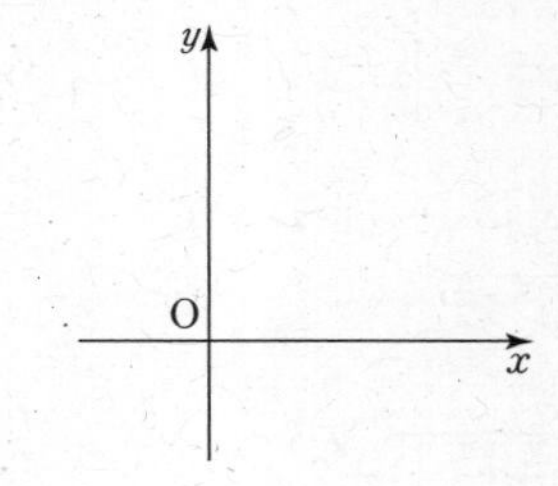

10 $y=-\sqrt{-2x-2}-2$

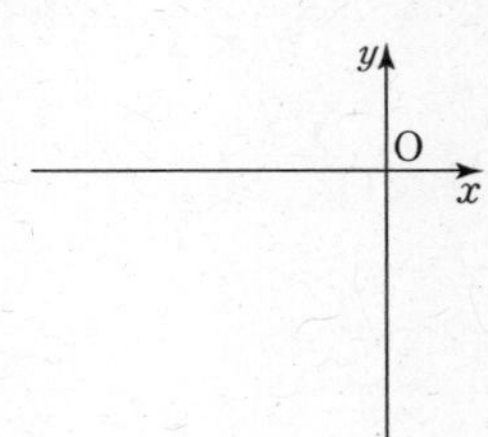

유형 106 무리함수의 정의역과 치역

$y=\sqrt{a\left(x+\frac{b}{a}\right)}+c\ (a\neq0)$의 정의역과 치역

① $a>0$일 때 ┌정의역: $\left\{x \mid x\geq-\frac{b}{a}\right\}$
└치역: $\{y \mid y\geq c\}$

② $a<0$일 때 ┌정의역: $\left\{x \mid x\leq-\frac{b}{a}\right\}$
└치역: $\{y \mid y\geq c\}$

※ 다음 무리함수의 그래프를 그리고, 주어진 정의역에 대한 치역을 구하여라.

11 $y=\sqrt{3x+6}+2$

정의역 : $\{x \mid 1\leq x\leq6\}$

해설|

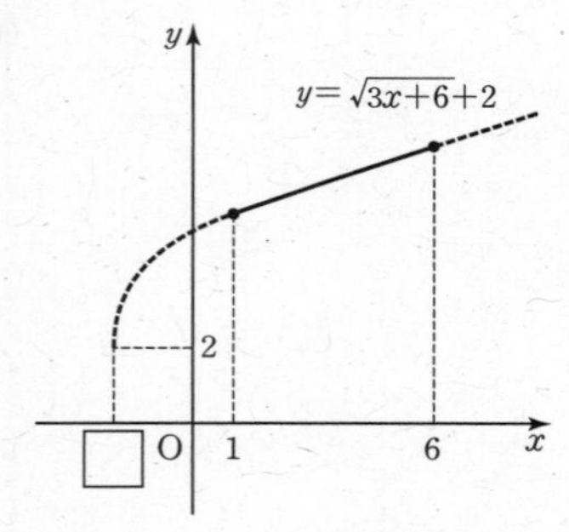

$y=\sqrt{3x+6}+2=\sqrt{3(x+\square)}+2$

정의역이 $\{x \mid 1\leq x\leq6\}$이므로

$x=1$일 때, $y=\sqrt{3\cdot1+6}+2=\square$

$x=6$일 때, $y=\sqrt{3\cdot6+6}+2=\square$

따라서 치역은 $\{y \mid \square\leq y\leq\square\}$

12 $y=-\sqrt{2x+6}-1$

정의역 : $\{x \mid 3\leq x\leq5\}$

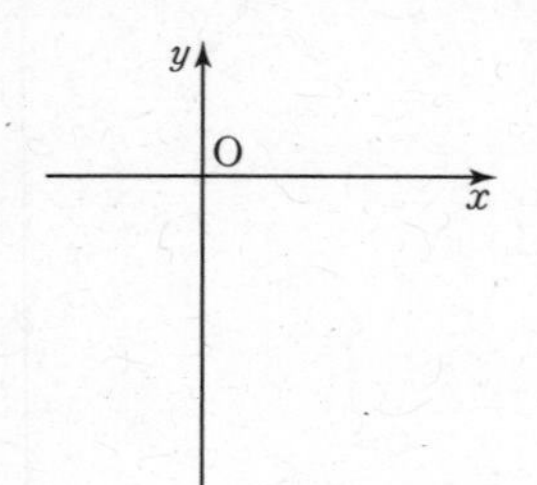

※ 다음 중 무리함수 $y=\sqrt{-x+2}-1$의 그래프에 대한 설명으로 옳은 것에는 ○표, 옳지 않은 것에는 ×표를 하여라.

13 $y=\sqrt{-x}$의 그래프를 평행이동한 것이다. ( )

14 제3사분면을 지나지 않는다. ( )

15 정의역은 $\{x \mid x\leq-2\}$이다. ( )

16 치역은 $\{y \mid y\leq-1\}$이다. ( )

학교시험 필수예제

17 다음 중 무리함수 $y=-\sqrt{4x-4}+2$에 대한 설명으로 옳지 않은 것은?

① 점 (1, 2)를 지난다.
② 증가함수이다.
③ 정의역은 $\{x \mid x\geq1\}$이다.
④ 치역은 $\{y \mid y\leq2\}$이다.
⑤ x축과 점 (2, 0)에서 만난다.

23 무리함수의 식 구하기

빠른정답 09쪽 / 친절한 해설 29쪽

무리함수의 식 구하기

1. 그래프가 시작하는 점의 좌표가 $(p,\ q)$인 경우 함수의 식을 $y=\pm\sqrt{a(x-p)}+q$로 놓는다.
2. 그래프가 지나는 점의 좌표를 대입하여 a의 값을 정한다.
3. $y=\pm\sqrt{ax+b}+c$ 꼴로 정리한다.

유형 107 무리함수의 식 구하기

※ 무리함수의 그래프가 다음 그림과 같을 때, 상수 a, b, c의 값을 각각 구하여라.

01 $y=\sqrt{ax+b}+c$

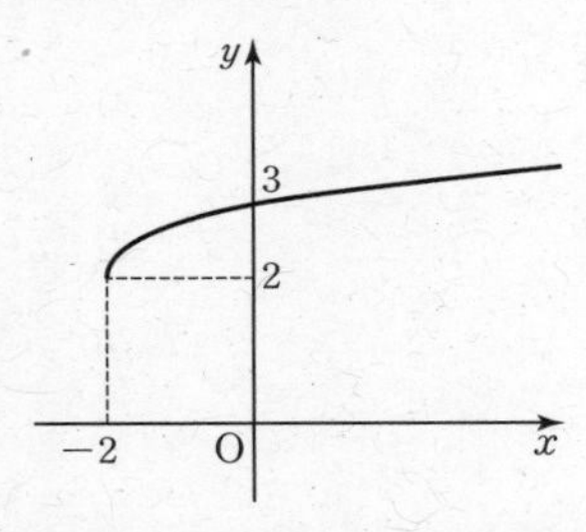

해설| 주어진 함수의 그래프는 함수 $y=\sqrt{ax}$의 그래프를 x축의 방향으로 □만큼, y축의 방향으로 □만큼 평행이동한 것이므로

$y=\sqrt{a(x+\square)}+\square$ …… ㉠

㉠의 그래프가 점 $(0,\ 3)$을 지나므로

$3=\sqrt{2a}+2$ $\therefore a=\square$

$a=\frac{1}{2}$을 ㉠에 대입하면

$y=\sqrt{\square(x+2)}+\square=\sqrt{\square x+\square}+\square$

$\therefore b=\square,\ c=\square$

02 $y=\sqrt{ax+b}+c$

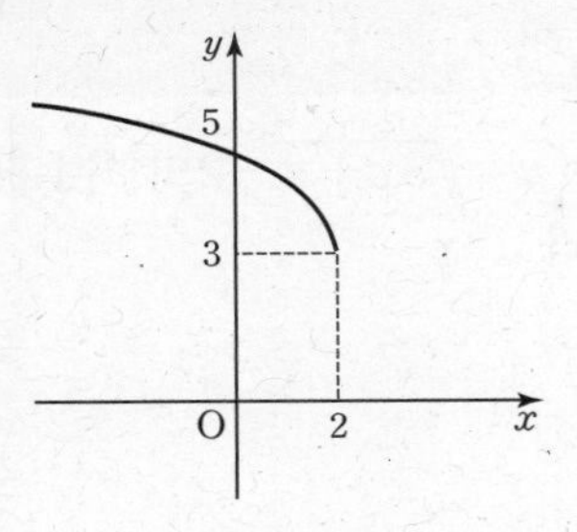

03 $y=-\sqrt{ax+b}+c$

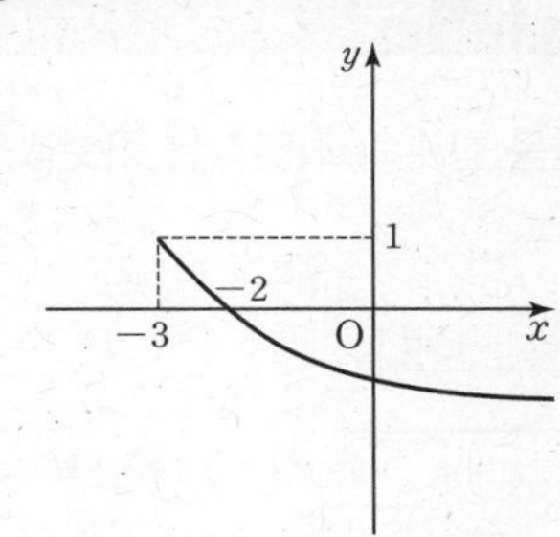

04 $y=-\sqrt{ax+b}+c$

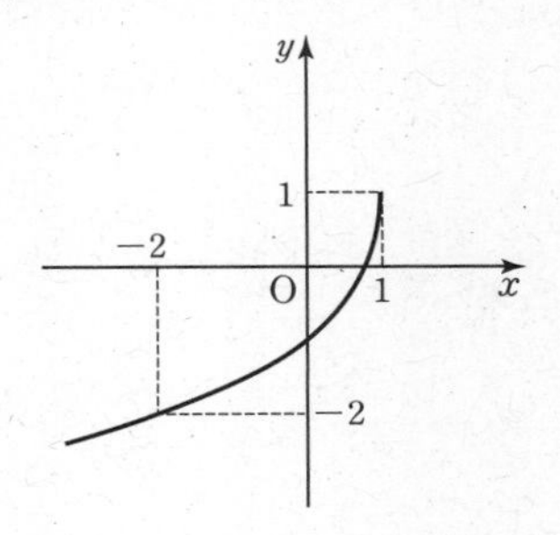

24 무리함수의 최대 · 최소

정의역이 $\{x \mid p \leq x \leq q\}$인 무리함수 $y=\sqrt{ax+b}+c$의 최대 · 최소
① $a>0$일 때, 최댓값 : $f(q)$, 최솟값 : $f(p)$
② $a<0$일 때, 최댓값 : $f(p)$, 최솟값 : $f(q)$

〈정의역이 주어진 무리함수의 최대 · 최소〉
주어진 정의역을 이용하여 그래프를 그려서 해결한다.

유형 108 무리함수의 최대 · 최소

※ 주어진 값의 범위에서 다음 함수의 최댓값과 최솟값을 각각 구하여라.

01 $y=\sqrt{2x-2}+2$ $[3 \leq x \leq 5]$

해설 | $y=\sqrt{2x-2}+2=\sqrt{2(x-\square)}+2$의 그래프는 $y=\sqrt{2x}$의 그래프를 x축의 방향으로 $\square$만큼, y축의 방향으로 2만큼 평행이동한 것이므로 그래프는 다음 그림과 같다.

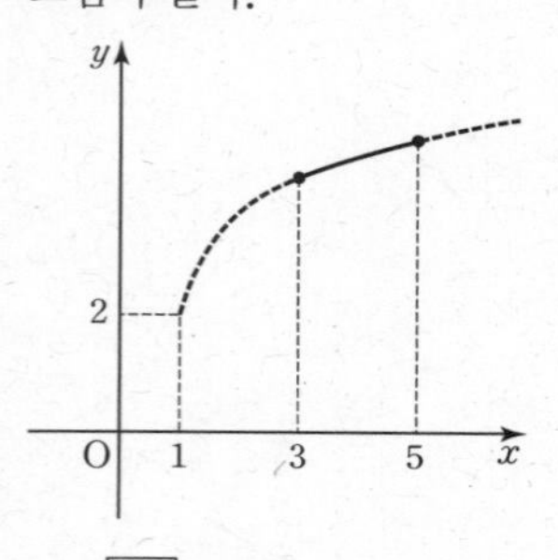

$x=\square$일 때,
최댓값은 $y=\sqrt{2\cdot\square-2}+2=\square$
$x=\square$일 때, 최솟값 $y=\sqrt{2\cdot\square-2}+2=\square$

02 $y=\sqrt{x+1}+1$ $[3 \leq x \leq 8]$

03 $y=\sqrt{-x-2}+2$ $[-6 \leq x \leq -3]$

04 $y=\sqrt{-2x+4}+1$ $[-6 \leq x \leq 0]$

학교시험 필수예제

05 $4 \leq x \leq 7$에서 함수 $y=\sqrt{3x+a}-2$의 최솟값이 2일 때, 최댓값을 구하여라.

25 무리함수의 그래프와 직선의 위치 관계

빠른정답 10쪽 / 친절한 해설 29쪽

무리함수의 그래프와 직선의 위치 관계

1. 무리함수 $y=f(x)$의 그래프와 직선 $y=g(x)$를 직접 그려서 위치 관계를 구한다.

2. 무리함수 $y=f(x)$의 그래프와 직선 $y=g(x)$가 접할 때
→ 이차방정식 $\{f(x)\}^2=\{g(x)\}^2$의 판별식을 D라 할 때, $D=0$임을 이용한다.

〈판별식〉

① 이차방정식
$ax^2+bx+c=0$ $(a\neq0)$
의 판별식을 D라 하면
$D=b^2-4ac$

② $\dfrac{D}{4}=b'^2-ac$ (b가 짝수일 때)

유형 109 무리함수의 그래프와 직선의 위치 관계

※ 주어진 무리함수의 그래프와 직선의 위치 관계가 다음과 같을 때, 실수 k의 값 또는 범위를 구하여라.

01 $y=\sqrt{3x-2}$, $y=x+k$

(1) 만나지 않는다.
(2) 한 점에서 만난다.
(3) 서로 다른 두 점에서 만난다.

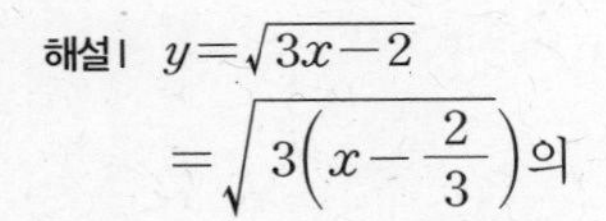

해설 | $y=\sqrt{3x-2}$
$=\sqrt{3\left(x-\dfrac{2}{3}\right)}$의 그래프는 $y=\sqrt{3x}$의 그래프를 x축의 방향으로 ☐ 만큼 평행이동한 것이므로 그래프는 그림과 같다.

(i) 직선 $y=x+k$가 점 $\left(\dfrac{2}{3},\ 0\right)$을 지날 때,
$0=\dfrac{2}{3}+k$ $\therefore k=$ ☐

(ii) $y=\sqrt{3x-2}$와 $y=x+k$가 접할 때,
$\sqrt{3x-2}=x+k$의 양변을 제곱하면
$3x-2=x^2+2kx+k^2$
$\therefore x^2+(2k-3)x+k^2+2=0$
이차방정식의 판별식을 D라 하면
$D=(2k-3)^2-4(k^2+2)=0$
$-12k+1=0$ $\therefore k=$ ☐

(1) $k>$ ☐ (2) $k<$ ☐ 또는 $k=$ ☐

(3) ☐ $\leq k<\dfrac{1}{12}$

02 $y=\sqrt{2-x}$, $y=-x+k$

(1) 만나지 않는다.

(2) 한 점에서 만난다.

(3) 서로 다른 두 점에서 만난다.

Tip
무리함수의 그래프와 직선의 위치 관계는 그래프를 그려서 구한다.

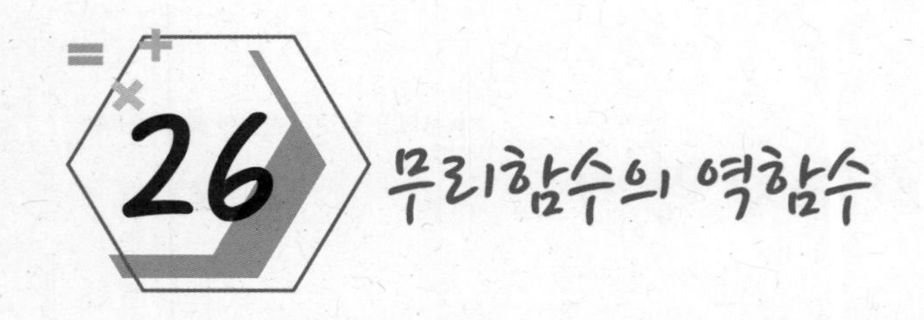

26 무리함수의 역함수

무리함수의 역함수 구하기

① $y=f(x)$를 x에 대하여 정리한다.
② x와 y의 자리를 바꾸어 역함수를 구한다.
이때 함수의 치역이 역함수의 정의역이 된다.

〈무리함수의 역함수의 정의역과 치역〉

① $f(x)$의 정의역 $\Leftrightarrow f^{-1}(x)$의 치역
② $f(x)$의 치역 $\Leftrightarrow f^{-1}(x)$의 정의역

유형 110 무리함수의 역함수 구하기

※ 다음 무리함수의 역함수를 구하여라.

01 $y=\sqrt{2x-3}+2$

해설| $y=\sqrt{2x-3}+2$에서 $y-\square=\sqrt{2x-3}$
양변을 제곱하면 $(y-2)^2=2x-3$
$\therefore x=\frac{1}{2}(y-\square)^2+\frac{3}{2}$
이때 $y=\sqrt{2x-3}+2$의 치역이 $\{y|y\geq 2\}$이므로
역함수의 정의역은 $\{x|x\geq\square\}$이다.
따라서 구하는 역함수는
$y=\square$ $(x\geq 2)$

02 $y=\sqrt{x+4}-5$

03 $y=\sqrt{6-x}-4$

04 $y=\sqrt{2x-2}-1$

05 $y=\sqrt{3x-6}-4$

학교시험 필수예제

06 무리함수 $y=\sqrt{2x+a}$의 역함수의 그래프가 점 $(4,\ 6)$을 지날 때, 상수 a의 값과 역함수를 구하여라.

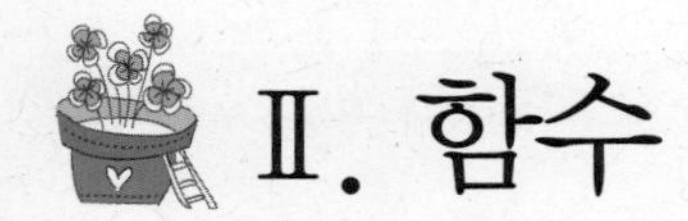

Ⅱ. 함수

1. 함수

(1) 함수 : 두 집합 X, Y에 대하여 X의 각 원소에 Y의 원소가 오직 하나씩 대응할 때, 이 대응을 X에서 Y로의 함수라 하고 기호로 $f: X \to Y$와 같이 나타낸다.

(2) 함수의 정의역, 공역, 치역

함수 $f: X \to Y$에서 집합 X를 정의역, 집합 Y를 공역이라 하고, 집합 X의 원소 x에 대응하는 집합 Y의 원소 $f(x)$를 함숫값이라 한다.

이때 함숫값 전체의 집합 $\{f(x) | x \in X\}$를 ❶ [　　] 이라 한다.

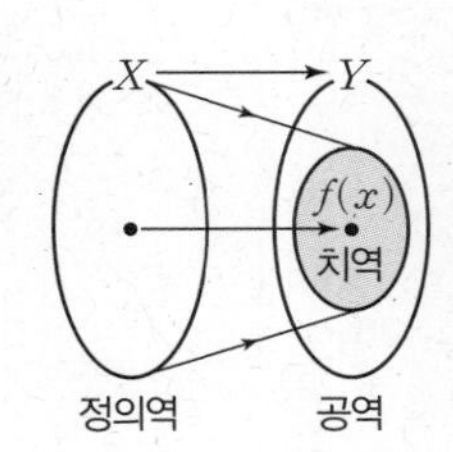

(3) 여러 가지 함수

① ❷ [　　] : 함수 $f: X \to Y$에서 정의역 X의 원소 x_1, x_2에 대하여 $x_1 \neq x_2$이면 $f(x_1) \neq f(x_2)$가 성립하는 함수

② 일대일대응 : 일대일함수이고 치역과 공역이 같은 함수

③ 항등함수 : 함수 $f: X \to Y$에서 정의역 X의 각 원소 x에 그 자신인 x가 대응하는 함수, 즉 $f(x)=$ ❸ [　　] 인 함수

④ ❹ [　　] : 함수 $f: X \to Y$에서 정의역 X의 모든 원소 x에 공역 Y의 단 하나의 원소 c에 대응하는 함수 즉, $f(x)=c$인 함수

(4) 합성함수 : $f: X \to Z$, $g: Z \to Y$가 주어졌을 때, 집합 X의 각 원소 x에 집합 Y의 원소 $g(f(x))$를 대응시키는 함수를 f와 g의 합성함수라 하고 기호로 $g \circ f$와 같이 나타낸다.

즉, $g \circ f: X \to Y$, $(g \circ f)(x) = g(f(x))$

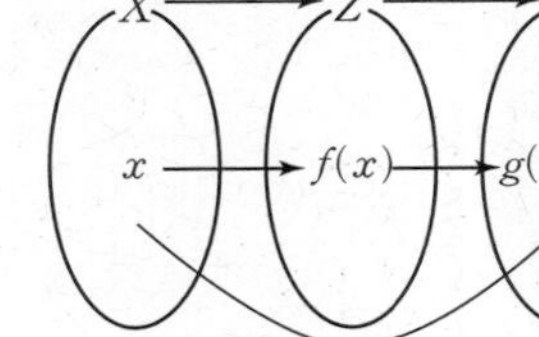

(5) 합성함수의 성질

세 함수 f, g, h에 대하여

① $g \circ f \neq f \circ g$ ⇨ 일반적으로 교환법칙이 성립하지 않는다.

② $(f \circ g) \circ h = f \circ (g \circ h)$ ⇨ 결합법칙이 ❺ [　　]

③ $f: X \to X$일 때, $f \circ I = I \circ f = f$ (단, I는 X에서의 항등함수)

개념 window

• 대응

공집합이 아닌 두 집합 X, Y에 대하여 X의 원소에 Y의 원소를 짝짓는 것을 집합 X에서 집합 Y로의 대응이라 한다. 이때 X의 원소 x에 Y의 원소 y가 대응하는 것을 기호로 $x \to y$와 같이 나타낸다.

• 서로 같은 함수

두 함수 f, g가 정의역과 공역이 같고, 정의역의 모든 원소에 대한 함숫값이 서로 같을 때, '두 함수 f, g는 서로 같다.'고 하고 기호로 $f=g$와 같이 나타낸다.

❶ 치역 ❷ 일대일함수 ❸ x ❹ 상수함수 ❺ 성립한다.

(6) ⑥ : 함수 $f : X \to Y$가 일대일대응일 때, Y의 각 원소 y에 $f(x)=y$인 X의 원소 x를 대응시키는 함수를 f의 역함수라 하고, 기호로 f^{-1}와 같이 나타낸다. 즉

$f^{-1} : Y \to X,\ x=f^{-1}(y)$

(7) 역함수의 성질

두 함수 $f : X \to Y,\ g : Y \to Z$가 일대일대응일 때

① $f^{-1}\circ f=I,\ f\circ f^{-1}=I$ (단, I는 항등함수)

② $(f^{-1})^{-1}=f$

③ $g\circ f=I \iff g=f^{-1},\ \ f\circ g=I \iff f=g^{-1}$

④ $(g\circ f)^{-1}=$ ⑦

개념 window

2. 유리함수

(1) 유리함수 : $y=f(x)$에서 $f(x)$가 x에 대한 유리식인 함수

다항함수 : $f(x)$가 x에 대한 다항식으로 나타내어진 유리함수

(2) 유리함수 $y=\dfrac{k}{x}$ $(k\neq 0)$의 그래프

① 정의역과 치역은 모두 ⑧ 을 제외한 실수 전체의 집합이다.

② $k>0$이면 그래프는 제1, 3사분면에 있고, $k<0$이면 그래프는 제2, 4사분면에 있다.

③ ⑨ 에 대하여 대칭이다.

④ 점근선은 x축과 y축이다.

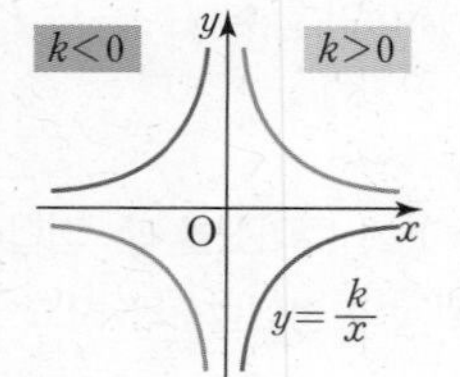

(3) 유리함수 $y=\dfrac{k}{x-p}+q$ $(k\neq 0)$의 그래프

① 함수 $y=\dfrac{k}{x}$의 그래프를 x축의 방향으로 p만큼, y축으로 q만큼 평행이동한 것이다.

② 정의역은 $\{x\,|\,x\neq p$인 실수$\}$, 치역은 $\{y\,|\,y\neq q$인 실수$\}$이다.

③ 점 $(p,\ q)$에 대하여 대칭이다.

④ 점근선은 두 직선 ⑩ 이다.

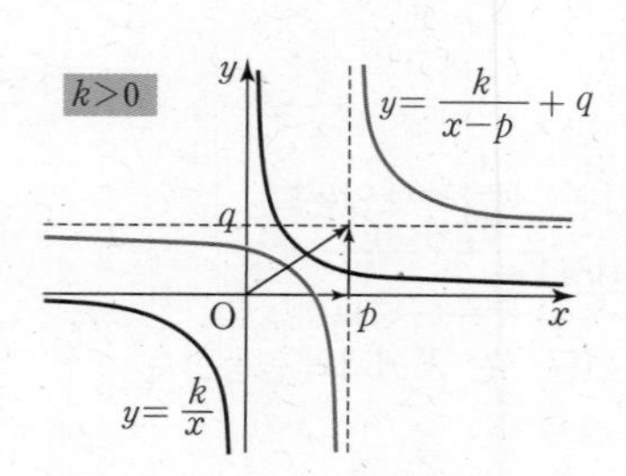

• 점근선과 그래프는 만나지 않는다.

⑥ 역함수 ⑦ $f^{-1}\circ g^{-1}$ ⑧ 0 ⑨ 원점 ⑩ $x=p,\ y=q$

(4) 유리함수 $y=\dfrac{ax+b}{cx+d}$ $(c\neq0,\ ad-bc\neq0)$의 그래프는 $y=\dfrac{k}{x-p}+q$ $(k\neq0)$의 꼴로 변형하여 그린다.

3. 무리함수

(1) 무리함수 : $y=f(x)$에서 $f(x)$가 x에 대한 무리식인 함수

(2) 무리함수에서 정의역이 주어져 있지 않을 때에는 근호 안의 식의 값이 0 이상이 되도록 하는 모든 실수의 집합을 정의역으로 한다.

(3) 무리함수 $y=\pm\sqrt{ax}$ $(a\neq0)$의 그래프

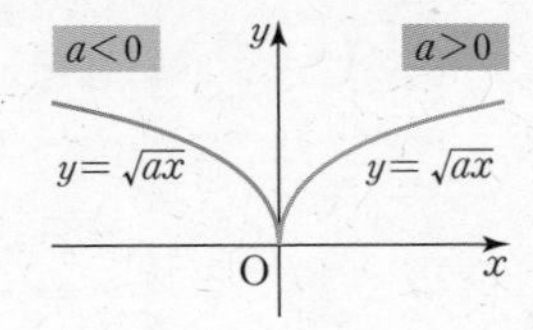

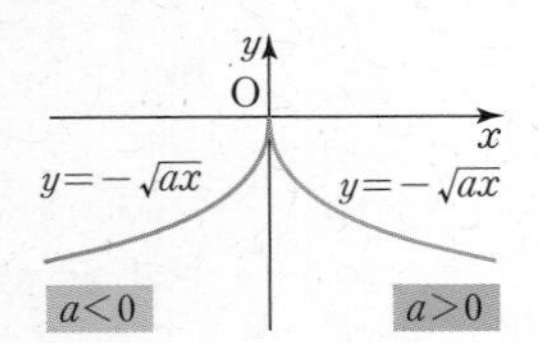

(4) 무리함수 $y=\sqrt{ax}$ $(a\neq0)$의 그래프의 평행이동

① x축의 방향으로 p만큼 평행이동 ⇨ x 대신 ⑪ ______ 대입

② y축의 방향으로 q만큼 평행이동 ⇨ y 대신 $y-q$ 대입

(5) 무리함수 $y=\sqrt{ax}$ $(a\neq0)$의 그래프의 대칭이동

① x축에 대하여 대칭이동 ⇨ y 대신 $-y$ 대입

② ⑫ ______ 에 대하여 대칭이동 ⇨ x 대신 $-x$ 대입

③ 원점에 대하여 대칭이동 ⇨ x 대신 $-x$ 대입, y 대신 $-y$ 대입

(6) 무리함수 $y=\sqrt{a(x-p)}+q$ $(a\neq0)$의 그래프 : 함수 $y=\sqrt{ax}$의 그래프를 x축의 방향으로 p만큼, y축의 방향으로 q만큼 ⑬ ______ 한 것이다.

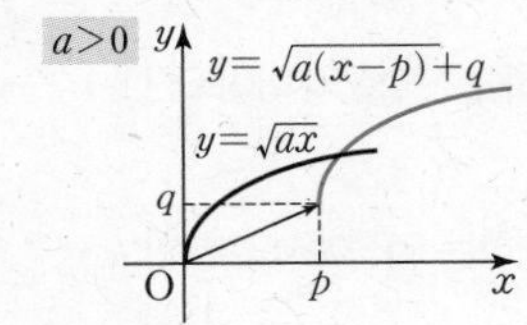

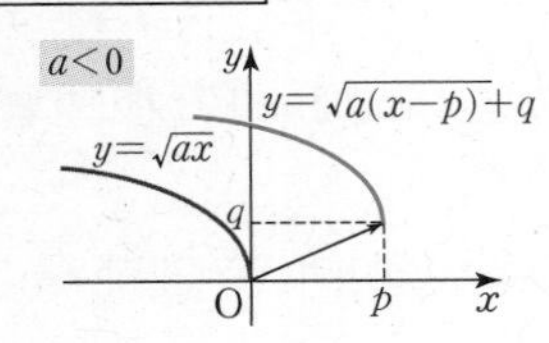

• $y=\sqrt{ax}$와 $y=\sqrt{ax+b}+c$의 그래프는 a가 같으면 평행이동하여 겹칠 수 있다.

(7) 무리함수 $y=\sqrt{ax+b}+c$ $(a\neq0)$의 그래프는 $y=\sqrt{a(x-p)}+q$ $(a\neq0)$의 꼴로 변형하여 그린다.

⑪ $x-p$ ⑫ y축 ⑬ 평행이동

목제주령구

신라 시대의 14면체 주사위.

불꽃놀이

불꽃놀이는 불꽃이 터지는 시간의 배열에 따라 다양한 모양을 연출할 수 있음.

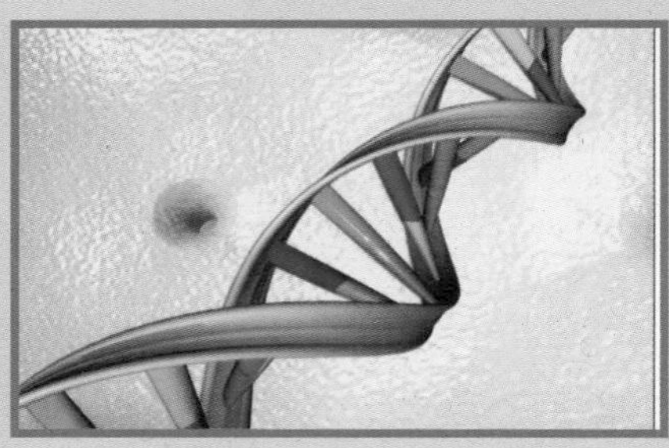

게놈 프로젝트

염기의 배열을 분석하는 과정에서 순열과 조합이 활용됨.

어떻게?

4종의 염기인 아데닌, 시토신, 구아닌, 티민만으로 다양한 유전 정보가 정해질 수 있을까?

그 답은 바로

4종의 염기가 배열되는 순서에 따라 유전 정보가 결정되기 때문

과학자들은 인체의 유전 정보를 가지고 있는 게놈(genome)을 해독해 유전자 지도를 작성하고 유전자 배열을 분석하는 연구 작업인 게놈 프로젝트를 활발하게 진행하고 있다.

게놈은 유전자(gene)와 세포핵 속에 있는 염색체(chromosome)의 합성어로 유전물질인 디옥시리보 핵산(DNA)의 집합체를 뜻하며 이것이 생명 현상을 결정짓기 때문에 흔히 '생물의 설계도' 또는 '생명의 책'이라 불린다.

한 개의 세포에는 23쌍의 염색체가 들어 있으며 이 염색체 안에 있는 DNA는 4종의 염기인 아데닌(A), 시토신(C), 구아닌(G), 티민(T)이 일정한 순서의 사슬 모양으로 길게 연결된 2중 나선형 구조로 되어 있다.

DNA를 구성하고 있는 이 염기들의 배열에 따라 유전 정보가 정해지는데, 그 염기 배열에 따라 각 개체가 합성하는 단백질의 아미노산 순서와 배열이 결정된다.

이와 같은 염기의 배열을 분석하는 것은 유전적 요소를 연구할 때 매우 중요한 일이며, 염기의 배열을 분석하는 과정에서 순열과 조합이 중요한 도구로 쓰인다.

III 순열과 조합

학습목표

01 합의 법칙과 곱의 법칙을 이해하고, 이를 이용하여 경우의 수를 구할 수 있다.
02 순열의 의미를 이해하고, 순열의 수를 구할 수 있다.
03 조합의 의미를 이해하고, 조합의 수를 구할 수 있다.

경우의 수

1. **합의 법칙** : 두 사건 A, B가 동시에 일어나지 않을 때, 사건 A, B가 일어나는 경우의 수가 각각 m, n이면

   (사건 A 또는 사건 B가 일어나는 경우의 수)$=m+n$

2. **곱의 법칙** : 두 사건 A, B에 대하여 사건 A가 일어나는 경우의 수가 m이고, 그 각각에 대하여 사건 B가 일어나는 경우의 수가 n일 때,

   (두 사건 A, B가 연이어 일어나는 경우의 수)$=m\times n$

〈합의 법칙〉

어느 두 사건도 동시에 일어나지 않는 셋 이상의 사건에 대해서도 성립한다.

〈곱의 법칙〉

연이어 일어나는 셋 이상의 사건에 대해서도 성립한다.

유형 111 합의 법칙

※ 다음을 구하여라.

01 소설책 3권, 수필책 4권 중에서 한 권을 골라 읽는 경우의 수

02 햄버거 5종류와 샌드위치 3종류 중에서 한 개를 골라 먹는 경우의 수

03 사과 5개, 참외 4개, 배 4개 중에서 1개를 골라 먹는 경우의 수

04 서로 다른 두 개의 주사위를 동시에 던질 때, 나오는 눈의 수의 합이 4 또는 7이 되는 경우의 수

05 1에서 10까지의 자연수가 하나씩 적혀 있는 10장의 카드에서 1장을 뽑을 때, 3의 배수 또는 4의 배수가 나오는 경우의 수

06 1에서 20까지의 자연수가 하나씩 적혀 있는 20장의 카드에서 1장을 뽑을 때, 2의 배수 또는 5의 배수가 나오는 경우의 수

07 서로 다른 두 개의 주사위를 동시에 던질 때, 나오는 두 눈의 수의 차가 4 이상이 되는 경우의 수

08 서로 다른 두 개의 주사위를 동시에 던질 때, 나오는 눈의 수의 합이 4의 배수가 되는 경우의 수

09 1에서 100까지의 자연수 중에서 3과 5로 나누어 떨어지지 않는 자연수의 개수

10 1에서 8까지의 자연수가 적힌 8개의 공이 들어 있는 주머니가 있다. 이 주머니에서 한 개씩 두 개의 공을 꺼낼 때, 나오는 두 공에 적힌 수의 차가 3 미만이 되는 경우의 수 (단, 꺼낸 공은 다시 넣는다.)

학교시험 필수예제

11 두 집합 $A=\{1,\ 2,\ 3\}$, $B=\{1,\ 2,\ 3,\ 4,\ 5,\ 6\}$에 대하여 $a\in A$, $b\in B$일 때, $ab\leq 9$를 만족시키는 순서쌍 $(a,\ b)$의 개수를 구하여라.

유형 112 곱의 법칙

※ 다음를 구하여라.

12 6종류의 햄버거와 4종류의 탄산음료 중에서 햄버거와 탄산음료를 각각 1개씩 구매하는 방법의 수

13 남학생 5명, 여학생 4명인 동아리에서 남녀 한 명씩 대표를 뽑는 방법의 수

14 오른쪽 그림과 같이 A지점에서 B지점까지 가는 길이 3가지, B지점에서 C지점까지 가는 길이 2가지일 때, A지점에서 B지점을 거쳐 C지점으로 가는 방법의 수

15 상의 3벌과 하의 4벌, 신발 2켤레가 있을 때, 상의와 하의, 신발을 하나씩 짝지어 입는 방법의 수

16 다항식 $(x+y+z)(a+b)$를 전개할 때, 생기는 항의 개수

17 10 이상 60 미만인 두 자리 자연수 중에서 5의 배수의 개수

18 72의 양의 약수의 개수

19 140과 280의 양의 공약수의 개수

20 십의 자리의 숫자는 짝수이고 일의 자리의 숫자는 소수인 두 자리 자연수의 개수

21 어떤 서점에 5종류의 수학 참고서와 4종류의 영어 참고서가 있다. 준희가 각각 한 종류씩을 구입하려고 할 때, 구입하는 방법의 수

22 어느 레스토랑에는 점심 메뉴로 스프 3종류, 메인메뉴 4종류, 음료수 3종류가 있다. 스프, 메인메뉴, 음료수를 각각 한 종류씩 주문할 때, 주문하는 방법의 수

23 오른쪽 그림과 같이 어떤 체육관에 8개의 출입문이 있다. A, B 두 출입구는 입장만 가능하다고 할 때, 어느 한 출입문으로 들어와서 다른 출입문으로 나가는 방법의 수

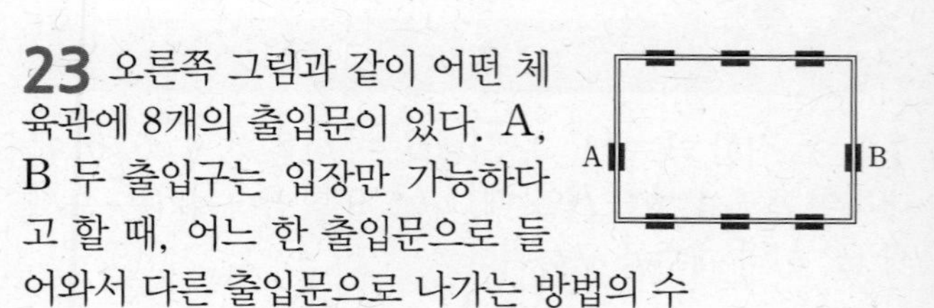

24 세 주사위 A, B, C를 동시에 던질 때, 나오는 눈의 수의 곱이 짝수인 경우의 수를 구하여라.

25 500원짜리 동전 2개, 100원짜리 동전 3개, 10원짜리 동전 4개의 일부 또는 전부를 사용하여 지불하는 방법의 수 (단, 0원을 지불하는 경우는 제외한다.)

26 10의 거듭제곱 중 양의 약수의 개수가 100개인 수

학교시험 필수예제

27 부등식 $x+3y \le 8$을 만족하는 자연수 x, y의 순서쌍 (x, y)의 개수는?

① 4 ② 5 ③ 6
④ 7 ⑤ 8

유형 113 도형에 색칠하는 경우의 수

28 오른쪽 그림은 4개의 행정구역을 나타내는 지도이다. 이 지도의 A, B, C, D 4개의 행정구역을 서로 다른 4가지의 색을 칠하여 구분하려고 한다. 같은 색을 중복하여 사용해도 좋으나 인접한 영역은 서로 다른 색으로 칠할 때, 칠하는 방법의 수를 구하여라.

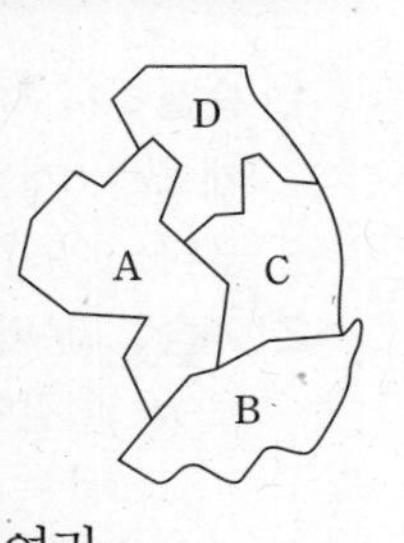

29 오른쪽 그림의 A, B, C, D, E 5개의 영역을 서로 다른 5가지의 색을 칠하여 구분하려고 한다. 같은 색을 중복하여 사용해도 좋으나 인접한 영역은 서로 다른 색으로 칠할 때, 칠하는 경우의 수를 구하여라.

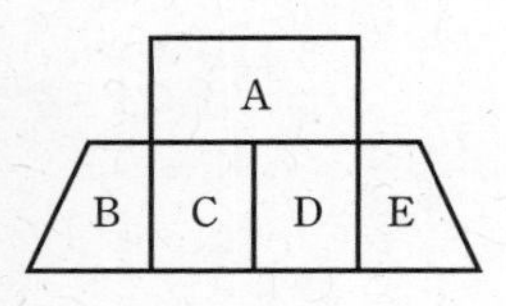

30 오른쪽 그림의 A, B, C, D 4개의 영역에 파랑, 노랑, 빨강, 연두의 물감을 칠하여 구분하려고 한다. 같은 색을 중복하여 사용해도 좋으나 인접한 영역은 서로 다른 색으로 칠할 때, 칠하는 경우의 수를 구하여라.

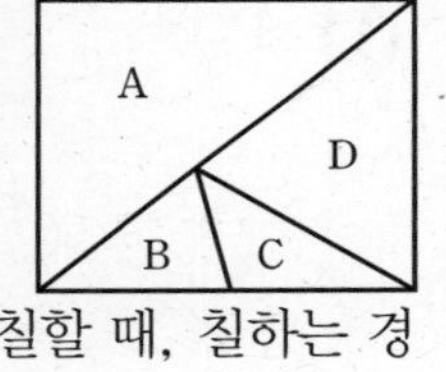

학교시험 필수예제

31 오른쪽 그림의 A, B, C, D, E 5개의 영역을 서로 다른 5가지의 색을 칠하여 구분하려고 한다. 같은 색을 중복하여 사용해도 좋으나 인접한 영역은 서로 다른 색으로 칠할 때, 칠하는 경우의 수는?

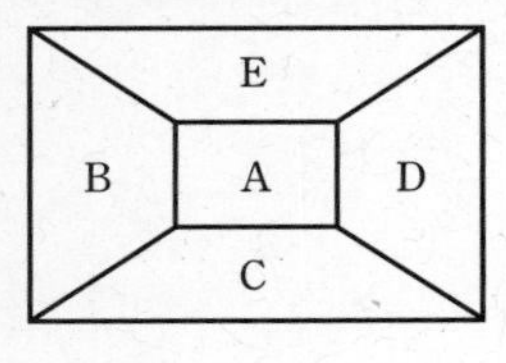

① 180 ② 240 ③ 360
④ 420 ⑤ 540

순열

1. **순열** : 서로 다른 n개에서 r $(0<r\le n)$개를 택하여 일렬로 나열하는 것을 n개에서 r개를 택하는 순열이라 하고, 이 순열의 수를 기호로 ${}_n\mathrm{P}_r$와 같이 나타낸다.
2. **계승** : 1부터 n까지의 자연수를 차례대로 곱한 것을 n의 계승이라 하고, 기호로 $n!$과 같이 나타낸다. 즉,
   $n!=n(n-1)(n-2)\cdots3\cdot2\cdot1$
3. **순열의 수** : 서로 다른 n개에서 r개를 택하는 순열의 수는
   ${}_n\mathrm{P}_r=n(n-1)(n-2)\cdots(n-r+1)$ (단, $0<r\le n$)

   ① ${}_n\mathrm{P}_r=\dfrac{n!}{(n-r)!}$ (단, $0<r\le n$)

   ② $0!=1$, ${}_n\mathrm{P}_0=1$, ${}_n\mathrm{P}_n=n!$

| 참고 | ${}_n\mathrm{P}_r$의 P는 순열을 뜻하는 permutation의 첫 글자이다.

〈서로 다른 n개에서 r $(0<r\le n)$개를 택하는 순열〉

첫 번째, 두 번째, 세 번째, $\cdots$, r번째 자리에 올 수 있는 것은 각각 n, $n-1$, $n-2$, $\cdots$, $(n-r+1)$가지이므로 곱의 법칙에 의하여

${}_n\mathrm{P}_r=n(n-1)\cdots\times(n-r+1)$

유형 114 순열의 계산

${}_n\mathrm{P}_r$: n부터 시작하여 r개를 곱한다.

※ 다음 값을 구하여라.

01 ${}_5\mathrm{P}_2$

02 ${}_4\mathrm{P}_4$

03 ${}_6\mathrm{P}_0$

04 $5!$

※ 다음을 만족시키는 n 또는 r의 값을 구하여라.

05 ${}_n\mathrm{P}_2=90$

06 ${}_5\mathrm{P}_r=60$

07 ${}_n\mathrm{P}_n=120$

08 ${}_{n}P_{4}=6\times{}_{n}P_{2}$

09 ${}_{6}P_{r}\times4!=2880$

10 ${}_{n}P_{2}\times5!=10800$

11 ${}_{5}P_{r}\times5!=7200$

12 ${}_{n}P_{2}\times3!=180$

13 ${}_{n}P_{4}=20{}_{n}P_{2}$

14 ${}_{n}P_{5}=30{}_{n}P_{3}$

15 ${}_{n}P_{3}:5{}_{n}P_{2}=3:1$

학교시험 필수예제

16 등식 ${}_{n}P_{2}+4{}_{n}P_{1}=28$을 만족하는 n의 값은?

① 3 ② 4 ③ 5

④ 6 ⑤ 7

유형 115 순열을 이용한 경우의 수

※ 다음 경우의 수를 구하여라.

17 10명의 학생 중에서 반장 1명과 부반장 1명을 선출하는 방법의 수

18 7명의 학생 중에서 4명을 뽑아 일렬로 세우는 방법의 수

19 a, b, c, d 중에서 3개를 뽑아 일렬로 나열하는 방법의 수

20 서로 다른 4권의 책 중에서 4개를 뽑아 일렬로 나열하는 방법의 수

21 12명으로 구성되어 있는 동아리에서 회장, 부회장, 총무를 각각 1명씩 선출하는 방법의 수

※ 다음을 구하여라.

22 n명의 축구 선수가 승부차기를 할 때, 순서를 정하는 방법의 수가 120이다. 이때 n의 값을 구하여라.

23 학생 수가 n명인 학급에서 회장 1명, 부회장 1명을 선출하는 방법의 수가 210일 때, n의 값을 구하여라.

학교시험 필수예제

24 10권의 책 중 n권을 뽑아 책꽂이에 일렬로 꽂는 방법의 수가 90일 때, n의 값을 구하여라.

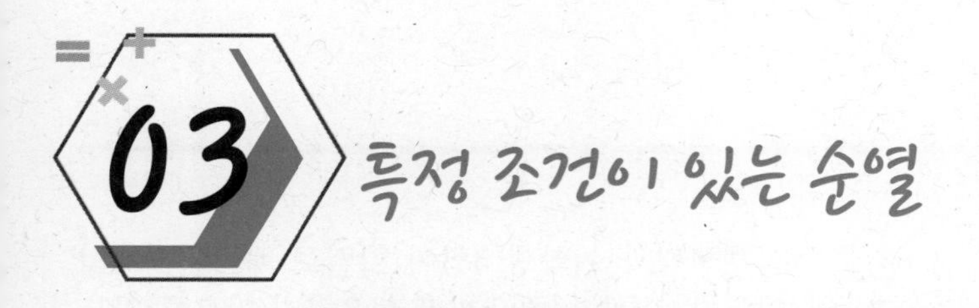

03 특정 조건이 있는 순열

1. 이웃하는 순열
① 이웃하는 것을 하나로 묶는다.
② (하나로 묶었을 때의 순열의 수)×(한 묶음 안에서의 순서를 바꾸는 순열의 수)

2. 이웃하지 않는 순열
① 이웃해도 좋은 것만 먼저 배열한다.
② (이웃해도 되는 것들의 순열의 수)×(그 양 끝과 사이사이에 이웃하지 않아야 할 것을 끼워 넣는 순열의 수)

3. '적어도'가 있는 경우의 순열
① 반대인 경우의 수를 생각한다.
② (전체 경우의 수)−(반대 경우의 수)

유형 116 이웃하는 순열의 수

※ 1학년 학생 3명과 2학년 학생 4명을 일렬로 세울 때, 다음을 구하여라.

01 1학년 학생 3명이 서로 이웃하게 서는 방법의 수

02 2학년 학생 4명이 서로 이웃하게 서는 방법의 수

03 1학년 학생은 1학년 학생끼리, 2학년 학생은 2학년 학생끼리 이웃하여 서는 방법의 수

04 ANSWER에 있는 6개의 문자를 일렬로 나열할 때, A와 E를 이웃하게 나열하는 방법의 수를 구하여라.

05 남학생 2명, 여학생 3명을 일렬로 세울 때, 남학생은 남학생끼리, 여학생은 여학생끼리 이웃하게 세우는 방법의 수를 구하여라.

06 7개의 문자 a, b, c, d, e, f, g를 일렬로 배열할 때, a, g가 이웃하는 경우의 수를 구하여라.

학교시험 필수예제

07 세 쌍의 부부가 영화 관람을 가서 6개의 좌석에 일렬로 앉을 때, 부부끼리 이웃하여 앉는 방법의 수를 구하여라.

유형 117 이웃하지 않는 순열의 수

※ 남자 4명과 여자 3명을 일렬로 세울 때, 다음을 구하여라.

08 남자끼리는 서로 이웃하지 않게 서는 방법의 수

09 여자끼리는 서로 이웃하지 않게 서는 방법의 수

10 6개의 문자 a, b, c, d, e, f를 일렬로 배열할 때, 3개의 문자 a, b, c가 서로 이웃하지 않도록 하는 방법의 수를 구하여라.

11 3명의 학생이 일렬로 놓인 7개의 똑같은 의자에 앉을 때, 어느 두 명도 이웃하지 않게 앉는 방법의 수를 구하여라.

12 남학생 4명과 여학생 3명이 일렬로 배치된 7개의 의자에 앉는다. 이때 여학생끼리 이웃하지 않도록 앉는 방법의 수를 구하여라.

13 수학책 3권을 포함하여 서로 다른 6권의 책을 책꽂이에 꽂을 때, 수학책 3권 중 어느 두 권도 이웃하지 않도록 꽂는 방법의 수를 구하여라.

14 triangle의 8개의 문자를 일렬로 나열할 때, 모음끼리는 이웃하지 않도록 나열하는 경우의 수를 구하여라.

학교시험 필수예제

15 seoul의 5개의 문자를 일렬로 나열할 때, 양 끝이 모두 모음인 경우의 수를 구하여라.

유형 118 제한 조건이 있는 순열의 수

※ 남학생 4명, 여학생 6명 중에서 반장 1명, 부반장 1명을 뽑을 때, 다음을 구하여라.

16 모든 방법의 수

17 반장, 부반장 모두 남학생이 뽑히는 방법의 수

18 반장, 부반장 중에서 적어도 한 명은 여학생이 뽑히는 방법의 수

19 KEYBOARD의 8개의 문자를 일렬로 나열할 때, K가 맨 앞에, D가 맨 끝에 오도록 하는 방법의 수를 구하여라.

20 A, B, C, D, E의 5개의 문자를 일렬로 나열할 때, A, B, C 중에서 적어도 2개가 이웃하도록 나열하는 방법의 수를 구하여라.

21 superman의 8개의 문자를 일렬로 나열할 때, s와 r 사이에 3개의 문자가 들어 있는 경우의 수를 구하여라.

22 picture의 7개의 문자를 일렬로 나열할 때, 적어도 한쪽 끝에 모음이 오는 경우의 수를 구하여라.

23 mailbox의 7개의 문자를 일렬로 나열할 때, 적어도 두 개의 모음이 이웃하는 경우의 수를 구하여라.

학교시험 필수예제

24 남자 2명, 여자 3명이 한 줄로 설 때, 한 줄로 서는 방법의 수를 a, 양 끝에 여자가 서는 방법의 수를 b라고 하자. 이때 $a+b$의 값은?

① 150　② 152　③ 154
④ 156　⑤ 158

유형 119 순열을 이용한 정수의 개수

25 4개의 숫자 0, 1, 2, 3에서 서로 다른 3개의 숫자를 택하여 만들 수 있는 세 자리의 자연수의 개수를 구하여라.

해설 | 백의 자리에는 ☐이 올 수 없으므로 백의 자리에 올 수 있는 숫자는 1, 2, 3의 ☐가지이다.
십의 자리와 일의 자리에는 백의 자리에 온 숫자를 제외한 ☐개의 숫자 중에서 ☐개를 택하여 일렬로 배열하면 되므로 그 방법의 수는 ☐가지이다.
따라서 구하는 자연수의 개수는 ☐이다.

26 5개의 숫자 0, 1, 2, 3, 4에서 서로 다른 4개의 숫자를 택하여 만들 수 있는 네 자리의 자연수의 개수를 구하여라.

27 4개의 숫자 0, 1, 2, 3에서 서로 다른 3개의 숫자를 택하여 만들 수 있는 세 자리의 자연수 중에서 홀수의 개수를 구하여라.

28 6개의 숫자 0, 1, 2, 3, 4, 5에서 서로 다른 4개의 숫자를 택하여 만들 수 있는 네 자리의 자연수 중에서 5의 배수의 개수를 구하여라.

29 0, 1, 2, 3, 4의 5개의 숫자 중 서로 다른 4개의 숫자를 택하여 만들 수 있는 네 자리의 자연수 중 천의 자릿수와 일의 자릿수가 모두 홀수인 자연수의 개수를 구하여라.

30 1, 2, 3, 4, 5, 6의 6개의 숫자에서 서로 다른 3개의 수를 택하여 만들 수 있는 세 자리의 자연수 중 3의 배수의 개수를 구하여라.

31 0, 1, 2, 3, 4, 5의 6개의 숫자에서 서로 다른 4개의 숫자를 택하여 만들 수 있는 네 자리의 자연수 중 4의 배수의 개수를 구하여라.

학교시험 필수예제

32 0, 1, 2, 3, 4, 5의 6개의 숫자를 한 번씩만 사용하여 만들 수 있는 세 자리의 자연수 중 적어도 한쪽 끝이 짝수인 자연수의 개수를 구하여라.

유형 120 사전식 배열의 순열의 수

33 5개의 문자 A, C, D, N, Y를 사전식으로 ACDNY부터 YNDCA까지 배열할 때, CANDY는 몇 번째인지 구하여라.

해설| A□□□□ 꼴인 단어의 개수는

□! = □

CA□□□ 꼴인 단어에서 CANDY의 순서는

□, □, □의 3번째

따라서 CANDY가 나타나는 순서는 □번째이다.

34 5개의 문자 A, B, C, D, E를 한 번씩만 사용하여 만든 단어를 사전식으로 배열할 때, CAEDB는 몇 번째인지 구하여라.

35 5개의 숫자 1, 2, 3, 4, 5를 모두 사용하여 만든 다섯 자리의 자연수를 작은 수부터 차례로 배열할 때, 100번째 수를 구하여라.

36 네 개의 숫자 1, 2, 3, 4를 한 번씩만 이용하여 만든 네 자리 정수 중에서 2400보다 큰 수의 개수를 구하여라.

37 0, 1, 2, 3, 4, 5, 6의 7개의 숫자 중 서로 다른 3개의 숫자를 택하여 세 자리의 자연수를 만들 때, 250보다 큰 수의 개수를 구하여라.

38 5개의 문자 a, b, c, d, e를 사전식으로 배열할 때, 100번째의 문자열을 구하여라.

39 5개의 문자 a, b, c, d, e를 사전식으로 배열할 때, $bedac$는 몇 번째의 문자열인지 구하여라.

학교시험 필수예제

40 5개의 숫자 0, 1, 2, 3, 4를 모두 사용하여 다섯 자리의 자연수를 크기가 작은 수부터 차례로 나열할 때, 40번째에 오는 수는?

① 20134 ② 23140 ③ 23401
④ 24130 ⑤ 24310

04 조합

1. **조합** : 서로 다른 n개에서 순서를 생각하지 않고 $r\ (0<r\le n)$개를 택하는 것을 n개에서 r개를 택하는 조합이라 하고, 이 조합의 수를 기호로 ${}_n\mathrm{C}_r$와 같이 나타낸다.

2. **조합의 수**

① ${}_n\mathrm{C}_r=\dfrac{{}_n\mathrm{P}_r}{r!}=\dfrac{n!}{r!(n-r)!}$ (단, $0\le r\le n$)

② ${}_n\mathrm{C}_0=1,\ {}_n\mathrm{C}_n=1$

③ ${}_n\mathrm{C}_r={}_n\mathrm{C}_{n-r}$ (단, $0\le r\le n$)

④ ${}_n\mathrm{C}_r={}_{n-1}\mathrm{C}_r+{}_{n-1}\mathrm{C}_{r-1}$ (단, $1\le r\le n$)

|참고| ${}_n\mathrm{C}_r$의 C는 조합을 뜻하는 Combination의 첫 글자이다.

〈순열은 조합에 순서를 부여한 것〉

서로 다른 n개에서 r개를 택하는 조합의 수는 ${}_n\mathrm{C}_r$이고, 그 각각에 대하여 r개를 일렬로 나열하는 방법의 수는 $r!$이다. 그런데 서로 다른 n개에서 r개를 택하는 순열의 수는 ${}_n\mathrm{P}_r$이므로

$${}_n\mathrm{C}_r\cdot r!={}_n\mathrm{P}_r \qquad \therefore\ {}_n\mathrm{C}_r=\frac{{}_n\mathrm{P}_r}{r!}$$

유형 121 조합의 계산

※ 다음 값을 구하여라.

01 ${}_4\mathrm{C}_2$

02 ${}_5\mathrm{C}_3$

03 ${}_9\mathrm{C}_7$

04 ${}_6\mathrm{C}_6$

05 ${}_8\mathrm{C}_0$

06 ${}_{15}\mathrm{C}_{13}$

07 ${}_{20}\mathrm{C}_{18}$

※ 다음을 만족시키는 n 또는 r의 값을 구하여라.

08 ${}_n\mathrm{C}_2=28$

09 ${}_n\mathrm{C}_3=10$

10 ${}_{2n+1}C_2=78$

11 ${}_{n}C_3={}_{n}C_7$

12 ${}_{8}C_r={}_{8}C_{r-2}$

13 ${}_{10}C_r={}_{10}C_3$ (단, $r\neq3$)

14 ${}_{20}C_r={}_{20}C_5$ (단, $r\neq5$)

15 ${}_{12}C_{r-3}={}_{12}C_{3r-1}$

16 ${}_{5}C_3={}_{n}C_3+{}_{4}C_2$

17 등식 ${}_{2n}P_5=10k\times{}_{2n}C_5$를 만족하는 상수 k의 값을 구하여라.

학교시험 필수예제

18 ${}_{n}P_3=120$, ${}_{n}C_4=15$일 때, ${}_{n}C_3+{}_{n}P_4$의 값은?

① 300　② 320　③ 340
④ 360　⑤ 380

유형 122 조합의 수

(서로 다른 n개에서 r개를 택하는 조합의 수)
$=$($(n-r)$개를 택하는 조합의 수)

19 서로 다른 10개의 아이스크림 중에서 3개를 동시에 고르는 방법의 수를 구하여라.

20 7명의 학생 중에서 대표 2명을 뽑는 방법의 수를 구하여라.

21 8개의 야구팀이 다른 팀과 모두 한 번씩 경기를 할 때, 총 경기 수를 구하여라.

22 축구 선수 5명, 농구 선수 3명 중에서 축구 선수와 농구 선수를 각각 2명씩 뽑는 방법의 수를 구하여라.

23 남학생 8명, 여학생 7명 중에서 남학생 2명, 여학생 3명을 뽑는 방법의 수를 구하여라.

24 5번의 농구대회에서 리그전을 치룬 결과 총 140회 경기를 했다면 이 대회에 참가한 팀의 수를 구하여라.

25 남학생 6명, 여학생 4명인 모임에서 남자 대표 2명, 여자 대표 1명을 선출하는 방법의 수를 구하여라.

26 원소의 개수가 6개인 집합 A의 부분집합 중 원소의 개수가 2개 이하인 부분집합의 개수를 구하여라.

학교시험 필수예제

27 1부터 9까지의 숫자 중 서로 다른 두 수를 뽑을 때, 뽑힌 두 수의 합이 짝수인 경우의 수를 구하여라.

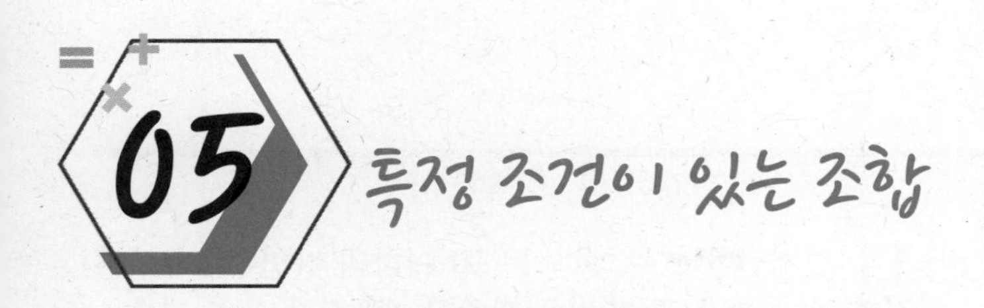

특정 조건이 있는 조합

1. **특정한 것이 반드시 포함되는 경우** : 특정한 것을 이미 뽑았다고 생각하고 나머지에서 필요한 것을 뽑는다.
2. **서로 다른 n개에서 r개를 뽑을 때**
   ① 특정한 k개를 포함하여 r개를 뽑는 경우 ⇨ ${}_{n-k}C_{r-k}$
   ② 특정한 k개를 제외하고 r개를 뽑는 경우 ⇨ ${}_{n-k}C_{r}$
3. **'적어도'가 있는 경우의 조합**
   ① 반대인 경우의 수를 생각한다.
   ② (전체 경우의 수)−(반대 경우의 수)
4. **뽑아서 나열하는 경우의 수**
   ① 뽑는 것은 조합으로, 나열하는 것은 순열로 계산한다.
   ② 뽑아서 나열하는 것 ⇨ (조합의 수)×(순열의 수)

유형 123 제한 조건이 있을 때의 조합의 수

※ **7개의 문자 A, B, C, D, E, F, G 중에서 4개를 뽑을 때, 다음을 구하여라.**

01 B를 반드시 뽑는 방법의 수

02 F를 제외하고 뽑는 방법의 수

03 A는 포함하고, D는 제외하여 뽑는 방법의 수

04 찬호와 주미를 포함한 9명의 학생 중에서 대표 4명을 선발할 때, 찬호와 주미가 모두 선발되는 방법의 수를 구하여라.

05 서로 다른 색이 칠해진 10개의 공이 들어 있는 주머니에서 5개의 공을 꺼낼 때, 특정한 2가지의 색이 칠해진 공을 꺼내는 방법의 수를 구하여라.

06 8명의 학생 중 4명의 위원을 선출할 때, 특정한 세 학생 A, B, C 중 A는 선출되지 않고 B, C는 함께 선출되는 경우의 수를 구하여라.

07 1부터 10까지의 자연수가 각각 하나씩 적혀 있는 10개의 공이 들어 있는 상자에서 5개의 공을 꺼낼 때, 3이 적힌 공은 포함되고, 9가 적힌 공은 포함되지 않는 경우의 수를 구하여라.

08 서로 다른 빨간색 볼펜 6개, 파란색 볼펜 3개 중에서 4개를 뽑을 때, 빨간색 볼펜 2개를 반드시 포함하여 뽑는 방법의 수를 구하여라.

09 남자 5명과 여자 4명 중에서 3명의 대표를 뽑을 때, 적어도 남자 1명이 포함되도록 뽑는 방법의 수를 구하여라.

10 A, B를 포함한 10명 중에서 4명의 대표를 뽑을 때, A, B 중에서 한 명만 포함되도록 뽑는 방법의 수를 구하여라.

11 전체집합 $U=\{x|x$는 10 이하의 자연수$\}$의 부분집합 A가 다음 두 조건을 만족할 때, 집합 A의 개수를 구하여라.

(가) $n(A)=4$
(나) 집합 A의 원소 중 가장 큰 원소는 8이다.

12 1, 2, 3, 4, 5, 6의 자연수가 하나씩 적혀 있는 6장의 카드 중에서 2장의 카드를 뽑을 때, 짝수가 쓰여 있는 카드를 적어도 1장 뽑는 경우의 수를 구하여라.

13 새로 입사한 남자 사원 9명, 여자 사원 5명 중에서 3명을 뽑아 영업부에 배치하려고 한다. 남자 사원과 여자 사원을 각각 적어도 1명씩 영업부에 배치하는 방법의 수를 구하여라.

학교시험 필수예제

14 남자 10명, 여자 10명 중에서 6명을 뽑을 때, 남자와 여자를 각각 적어도 2명 뽑는 경우의 수를 구하여라.

유형 124 뽑아서 나열하는 조합의 수

15 부모를 포함한 6명의 가족 중에서 부모를 포함하여 4명을 뽑아 일렬로 세우는 방법의 수를 구하여라.

16 남학생 4명과 여학생 5명 중에서 남학생 2명과 여학생 2명을 뽑아서 일렬로 세우는 방법의 수를 구하여라.

17 7명의 어른 중에서 5명을 일렬로 세우는 방법의 수를 구하여라.

학교시험 필수예제

18 5개의 숫자 1, 2, 3, 4, 5 중에서 3개를 뽑아 세 자리의 정수를 만들 때, 2는 포함되고, 4는 포함하지 않는 자연수의 개수를 구하여라.

19 8명 중에서 4명을 뽑아 일렬로 세울 때, 특정한 2명이 모두 포함되고, 또 그들끼리 이웃하도록 세우는 방법의 수를 구하여라.

20 5개의 과일과 3개의 야채 중에서 3개의 과일과 2개의 야채를 택하여 일렬로 진열하는 방법의 수를 구하여라.

21 흰 바둑돌 5개와 검은 바둑돌 4개를 일렬로 나열할 때, 가운데 놓인 바둑돌을 중심으로 대칭인 형태로 바둑돌을 나열하는 방법의 수를 구하여라.

학교시험 필수예제

22 어느 동호회의 회원 중 특정한 2명을 포함하여 4명을 뽑아 일렬로 세우는 방법의 수가 240일 때, 이 동호회의 총 회원 수를 구하여라.

유형 125 조합의 도형에의 응용

23 오른쪽 그림과 같이 원 위에 6개의 점이 놓여 있을 때, 주어진 점을 이어서 만들 수 있는 서로 다른 직선의 개수를 구하여라.

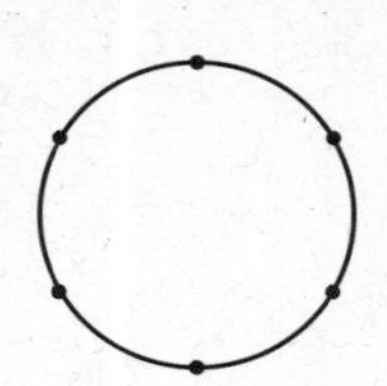

24 오른쪽 그림과 같이 두 평행선 위에 8개의 점이 놓여 있을 때, 두 점을 연결하여 만들 수 있는 서로 다른 직선의 개수를 구하여라.

25 오른쪽 그림과 같은 육각형에서 대각선의 개수를 구하여라.

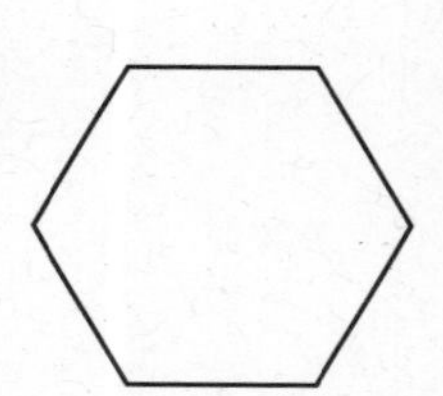

26 오른쪽 그림과 같이 정삼각형의 변 위에 같은 간격으로 놓인 9개의 점 중에서 3개의 점을 연결하여 만들 수 있는 삼각형의 개수를 구하여라.

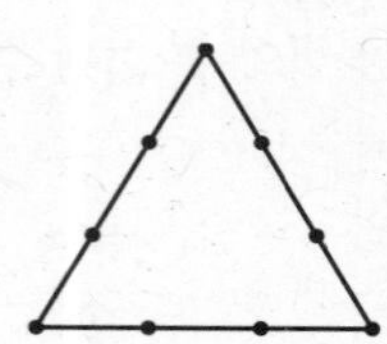

27 오른쪽 그림과 같이 반원 위에 있는 7개의 점 중에서 3개의 점을 꼭짓점으로 하는 삼각형의 개수를 구하여라.

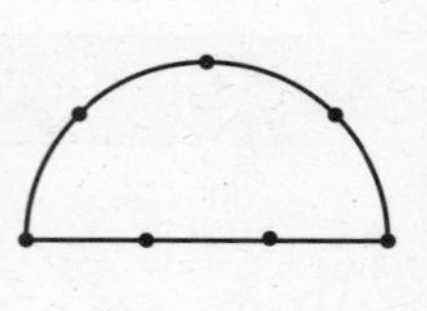

28 오른쪽 그림과 같이 원 위에 같은 간격으로 놓여 있는 8개의 점 중에서 4개의 점을 꼭짓점으로 하는 사각형의 개수를 구하여라.

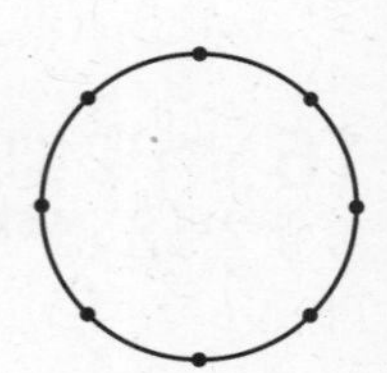

29 오른쪽 그림과 같이 가로 방향의 평행선 4개와 세로 방향의 평행선 6개가 서로 만날 때, 이 평행선으로 만들어지는 평행사변형의 개수를 구하여라.

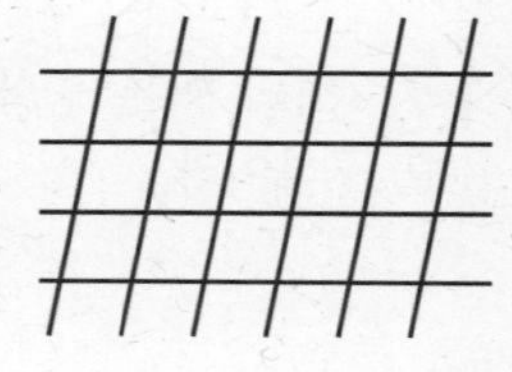

학교시험 필수예제

30 오른쪽 그림과 같이 두 평행선 위에 10개의 점이 주어져 있다. 주어진 점을 연결하여 만들 수 있는 서로 다른 삼각형의 개수를 구하여라.

06 분할과 분배

1. **분할의 수** : 서로 다른 n개를 p개, q개, r개 $(p+q+r=n)$의 3묶음으로 나누는 방법의 수는
   ① p, q, r가 모두 다른 수일 때 ➔ ${}_{n}C_{p}\times{}_{n-p}C_{q}\times{}_{r}C_{r}$
   ② p, q, r 중 어느 두 수가 같을 때 ➔ ${}_{n}C_{p}\times{}_{n-p}C_{q}\times{}_{r}C_{r}\times\frac{1}{2!}$
   ③ p, q, r의 세 수가 모두 같을 때 ➔ ${}_{n}C_{p}\times{}_{n-p}C_{q}\times{}_{r}C_{r}\times\frac{1}{3!}$
2. **분배의 수** : k묶음으로 분할하여 서로 다른 k곳에 나누어 주는 방법의 수는
   (k묶음으로 나누는 방법의 수)$\times k!$

〈분할과 분배〉
여러 개의 물건을 몇 개의 묶음으로 나누는 것을 분할이라 하고, 그 묶음을 나누어 주는 것을 분배라고 한다.

유형 126 분할과 분배의 수

※ 서로 다른 종류의 꽃 6송이를 다음과 같이 3개의 묶음으로 나누는 방법의 수를 구하여라.

01 1송이, 2송이, 3송이

02 2송이, 2송이, 2송이

※ 8명의 학생에 대하여 다음을 구하여라.

03 3명, 3명, 2명의 3개 조로 나누는 방법의 수

04 위에서 나눈 3개 조의 학생들에게 교실, 유리창, 화장실을 청소하도록 하는 방법의 수

유형 127 대진표 작성하기

05 6개의 학급이 참가한 농구 대회의 대진표가 오른쪽 그림과 같을 때, 대진표를 작성하는 방법의 수를 구하여라.

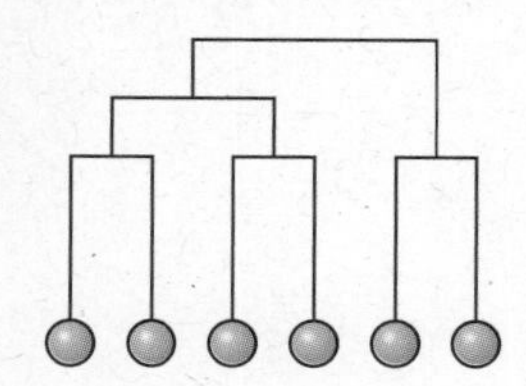

06 6명의 학생이 참가한 씨름 대회의 대진표가 오른쪽 그림과 같을 때, 대진표를 작성하는 방법의 수를 구하여라.

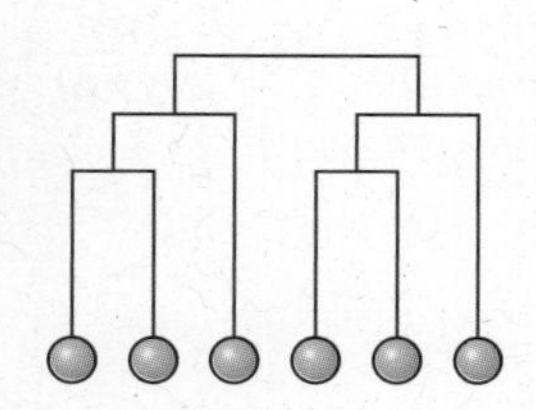

07 8명의 팀이 참가한 축구 대회의 대진표가 오른쪽 그림과 같을 때, 대진표를 작성하는 방법의 수를 구하여라.

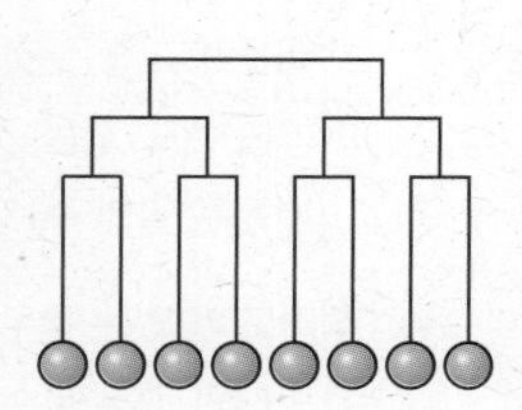

Ⅲ. 순열과 조합

1. 경우의 수

(1) 합의 법칙 : 두 사건 A, B가 동시에 일어나지 않을 때, 사건 A, B가 일어나는 경우의 수가 각각 m, n이면

(사건 A 또는 사건 B가 일어나는 경우의 수)= ❶

(2) 곱의 법칙 : 두 사건 A, B에 대하여 사건 A가 일어나는 경우의 수가 m이고, 그 각각에 대하여 사건 B가 일어나는 경우의 수가 n일 때,

(두 사건 A, B가 연이어 일어나는 경우의 수)= ❷

개념 window

- 합의 법칙은 어느 두 사건도 동시에 일어나지 않는 셋 이상의 사건에 대해서도 성립한다.
- 곱의 법칙은 연이어 일어나는 셋 이상의 사건에 대해서도 성립한다.

2. 순열

(1) 순열 : 서로 다른 n개에서 r $(0<r\le n)$개를 택하여 일렬로 나열하는 것을 n개에서 r개를 택하는 순열이라 하고, 이 순열의 수를 기호로 ❸ 와 같이 나타낸다.

(2) 순열의 수 : 서로 다른 n개에서 r개를 택하는 순열의 수는

${}_{n}\mathrm{P}_{r}=n(n-1)(n-2)\cdots(n-r+1)$ (단, $0<r\le n$)

① ${}_{n}\mathrm{P}_{r}=\dfrac{n!}{(n-r)!}$ (단, $0<r\le n$)　　② $0!=1$, ${}_{n}\mathrm{P}_{0}=$ ❹, ${}_{n}\mathrm{P}_{n}=$ ❺

- 서로 다른 n개에서 r $(0<r\le n)$개를 택하는 순열에서 첫 번째, 두 번째, 세 번째, …, r번째 자리에 올 수 있는 것은 각각 n, $n-1$, $n-2$, …, $n-r+1$가지이므로 곱의 법칙에 의하여 ${}_{n}\mathrm{P}_{r}=n(n-1)(n-2)\cdots(n-r+1)$

3. 특정 조건이 있는 순열

(1) 이웃하는 순열

① 이웃하는 것을 하나로 묶는다.

② (하나로 묶었을 때의 순열의 수)×(한 묶음 안에서의 순서를 바꾸는 순열의 수)

(2) 이웃하지 않는 순열

① 이웃해도 좋은 것만 먼저 배열한다.

② (이웃해도 되는 것들의 순열의 수)×(그 양 끝과 사이사이에 이웃하지 않아야할 것을 끼워 넣는 순열의 수)

(3) '적어도'가 있는 경우의 순열

① 반대인 경우의 수를 생각한다.

② (전체 경우의 수)−(반대 경우의 수)

❶ $m+n$　❷ $m\times n$　❸ ${}_{n}\mathrm{P}_{r}$　❹ 1　❺ $n!$

4. 조합

(1) 조합 : 서로 다른 n개에서 순서를 생각하지 않고 $r(0<r\le n)$개를 택하는 것을 n개에서 r개를 택하는 조합이라 하고, 이 조합의 수를 기호로 ⑥ [ ] 와 같이 나타낸다.

(2) 조합의 수

① ${}_n\mathrm{C}_r=\dfrac{{}_n\mathrm{P}_r}{r!}=\dfrac{n!}{r!(n-r)!}$ (단, $0\le r\le n$)　　② ${}_n\mathrm{C}_0=$ ⑦ [ ], ${}_n\mathrm{C}_n=$ ⑧ [ ]

③ ${}_n\mathrm{C}_r={}_n\mathrm{C}_{n-r}$ (단, $0\le r\le n$)　　④ ${}_n\mathrm{C}_r={}_{n-1}\mathrm{C}_r+{}_{n-1}\mathrm{C}_{r-1}$ (단, $1\le r\le n$)

개념 window

- 서로 다른 n개에서 r개를 택하는 조합의 수는 ${}_n\mathrm{C}_r$이고, 그 각각에 대하여 r개를 일렬로 나열하는 방법의 수는 $r!$이다. 그런데 서로 다른 n개에서 r개를 택하는 순열의 수는 ${}_n\mathrm{P}_r$이므로

$${}_n\mathrm{C}_r\cdot r!={}_n\mathrm{P}_r \quad \therefore\ {}_n\mathrm{C}_r=\frac{{}_n\mathrm{P}_r}{r!}$$

5. 특정 조건이 있는 조합

(1) 특정한 것이 반드시 포함되는 경우 : 특정한 것을 이미 뽑았다고 생각하고 나머지에서 필요한 것을 뽑는다.

(2) 서로 다른 n개에서 r개를 뽑을 때

① 특정한 k개를 포함하여 r개를 뽑는 경우 ⇨ ${}_{n-k}\mathrm{C}_{r-k}$

② 특정한 k개를 제외하고 r개를 뽑는 경우 ⇨ ${}_{n-k}\mathrm{C}_r$

(3) '적어도'가 있는 경우의 조합

① 반대인 경우의 수를 생각한다.

② (전체 경우의 수) − (반대 경우의 수)

(4) 뽑아서 나열하는 경우의 수

① 뽑는 것은 ⑨ [ ] 으로, 나열하는 것은 ⑨ [ ] 로 계산한다.

(2) 뽑아서 나열하는 것 ⇨ (조합의 수) × (순열의 수)

6. 분할과 분배

(1) 분할의 수 : 서로 다른 n개를 p개, q개, r개 $(p+q+r=n)$의 3묶음으로 나누는 방법의 수는

① p, q, r가 모두 다른 수일 때 ➔ ${}_n\mathrm{C}_p\times{}_{n-p}\mathrm{C}_q\times{}_r\mathrm{C}_r$

② p, q, r 중 어느 두 수가 같을 때 ➔ ${}_n\mathrm{C}_p\times{}_{n-p}\mathrm{C}_q\times{}_r\mathrm{C}_r\times$ ⑪ [ ]

③ p, q, r의 세 수가 모두 같을 때 ➔ ${}_n\mathrm{C}_p\times{}_{n-p}\mathrm{C}_q\times{}_r\mathrm{C}_r\times$ ⑫ [ ]

(2) 분배의 수 : k묶음으로 분할하여 서로 다른 k곳에 나누어 주는 방법의 수는

(k묶음으로 나누는 방법의 수) × $k!$

- 여러 개의 물건을 몇 개의 묶음으로 나누는 것을 분할이라 하고, 그 묶음을 나누어 주는 것을 분배라고 한다.

⑥ ${}_n\mathrm{C}_r$　⑦ 1　⑧ 1　⑨ 조합　⑩ 순열　⑪ $\dfrac{1}{2!}$　⑫ $\dfrac{1}{3!}$

MEMO

유형 익힘 분석

틀린 문항이 20% 이하이면 ○표, 20%~50% 범위이면 △표, 50% 이상이면 ×표를 하여 결과를 기준으로 나에게 취약한 유형을 파악한 후 관련 개념과 문제를 반드시 복습하고 개념을 완벽히 이해하도록 하세요.

유형No.	유형	총 문항수	틀린 문항수	채점결과
001	집합의 뜻과 표현	12		○△×
002	유한집합과 무한집합	8		○△×
003	유한집합의 원소의 개수	6		○△×
004	기호 $\in$, $\notin$, $\subset$, $\not\subset$	21		○△×
005	부분집합	7		○△×
006	서로 같은 집합	5		○△×
007	진부분집합	5		○△×
008	부분집합의 개수	10		○△×
009	특정한 원소를 반드시 갖는 부분집합의 개수	7		○△×
010	특정한 원소를 갖지 않는 부분집합의 개수	6		○△×
011	합집합	8		○△×
012	교집합	6		○△×
013	서로소	6		○△×
014	여집합	8		○△×
015	차집합	12		○△×
016	집합의 연산법칙	6		○△×
017	집합의 연산의 성질	19		○△×
018	드모르간의 법칙	9		○△×
019	$A\cup B$, $A\cap B$의 원소의 개수	10		○△×
020	여집합의 원소의 개수	8		○△×
021	차집합의 원소의 개수	5		○△×
022	$A\cup B\cup C$의 원소의 개수	5		○△×
023	$A\cap B\cap C$의 원소의 개수	5		○△×
024	명제/명제의 부정	16		○△×
025	명제의 부정/명제의 참, 거짓	8		○△×
026	정의	7		○△×
027	정의와 정리의 구분	5		○△×
028	명제와 조건의 구분	5		○△×
029	조건의 부정	6		○△×
030	조건의 진리집합	8		○△×
031	조건의 부정의 진리집합	6		○△×
032	'p 또는 q'의 부정	6		○△×
033	'p 그리고 q'의 부정	5		○△×
034	조건 p 또는 q의 진리집합	3		○△×
035	조건 p 그리고 q의 진리집합	3		○△×
036	가정과 결론	6		○△×
037	명제 $p\rightarrow q$의 참, 거짓	12		○△×
038	명제와 집합 사이의 관계	6		○△×
039	'모든'이 있는 명제의 참, 거짓	10		○△×
040	'어떤'이 있는 명제의 참, 거짓	10		○△×
041	명제의 역과 대우	6		○△×
042	명제의 역과 대우의 참, 거짓	7		○△×
043	명제와 대우의 관계	5		○△×
044	충분조건과 필요조건	12		○△×
045	필요충분조건	6		○△×
046	필요조건, 충분조건, 필요충분조건	14		○△×
047	대우를 이용한 명제의 증명	4		○△×
048	귀류법을 이용한 명제의 증명	4		○△×
049	절대부등식	12		○△×
050	합의 최솟값	5		○△×
051	곱의 최댓값	4		○△×
052	$ax+by$의 최댓값과 최솟값	5		○△×
053	x^2+y^2의 최솟값	5		○△×
054	대응	3		○△×
055	함수의 뜻	7		○△×
056	함수의 그래프	4		○△×
057	함수의 정의역, 공역, 치역	3		○△×
058	함숫값 구하기	8		○△×
059	$f(x)$ 구하기	9		○△×
060	치역 구하기	5		○△×
061	서로 같은 함수	9		○△×
062	여러 가지 함수	8		○△×
063	일대일 대응	9		○△×
064	일대일 대응이 되는 조건	8		○△×

연마 수학

수학(하)

정답 및 해설

연마
수학

수학(하)

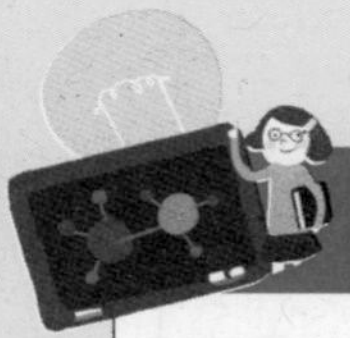

빠른 정답

I. 집합과 명제

01 집합 본문 8쪽

01 ○
02 ×
03 ×
04 ○
05 ×
06 ②
07 $\{1, 2, 3, 4\}$
08 $\{2, 3, 5, 7\}$
09 $\{x|x$는 10 미만인 홀수$\}$
10 $\{x|1<x<7$인 자연수$\}$
11
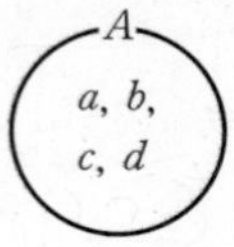

12
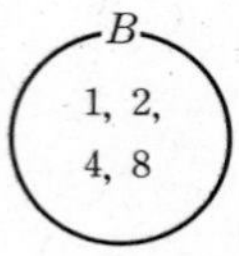

02 원소의 개수에 따른 집합의 분류 본문 9쪽

01 유
02 무
03 유
04 무
05 유
06 무
07 유
08 유
09 4
10 33
11 6
12 1
13 0
14 ②

03 부분집합 본문 10쪽

01 $\in$
02 $\in$
03 $\subset$
04 $\subset$
05 $\subset$
06 $\subset$
07 $\not\in$
08 $\in$
09 $\subset$
10 $\not\subset$
11 $\in$
12 $\not\in$
13 $\subset$
14 $\not\subset$
15 ○
16 ×
17 ○
18 ○
19 ×
20 ○
21 ②
22 $\varnothing$
23 $\{1\}$, $\{2\}$, $\{3\}$
24 $\{1, 2\}$, $\{1, 3\}$, $\{2, 3\}$
25 $\{1, 2, 3\}$
26 $\varnothing$, $\{1\}$, $\{2\}$, $\{3\}$, $\{1, 2\}$, $\{1, 3\}$, $\{2, 3\}$, $\{1, 2, 3\}$
27 $\varnothing$, $\{a\}$, $\{b\}$, $\{a, b\}$
28 $\varnothing$, $\{3\}$, $\{6\}$, $\{9\}$, $\{3, 6\}$, $\{3, 9\}$, $\{6, 9\}$, $\{3, 6, 9\}$

04 서로 같은 집합 본문 12쪽

01 $A=B$
02 $A\neq B$
03 $A=B$
04 $A\neq B$
05 ②
06 진부분집합이다.
07 진부분집합이 아니다.
08 진부분집합이다.
09 $\varnothing$, $\{1\}$, $\{5\}$
10 $\varnothing$, $\{1\}$, $\{3\}$, $\{9\}$, $\{1, 3\}$, $\{1, 9\}$, $\{3, 9\}$

05 부분집합의 개수 본문 13쪽

01 8
02 16
03 4
04 32
05 4
06 15
07 3
08 15
09 7
10 1
11 $\varnothing$, $\{2\}$, $\{3\}$, $\{2, 3\}$
12 $\{1\}$, $\{1, 2\}$, $\{1, 3\}$, $\{1, 2, 3\}$
13 4
14 8
15 8
16 4
17 32
18 8
19 8
20 8
21 4
22 8
23 ②

06 합집합과 교집합 본문 15쪽

01
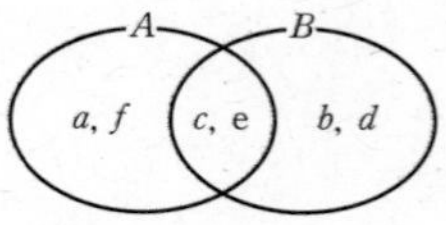

$A\cup B$
$=\{a, b, c, d, e, f\}$

02
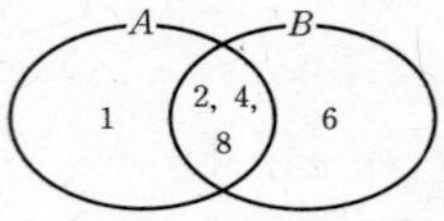

$A\cup B=\{1, 2, 4, 6, 8\}$

03
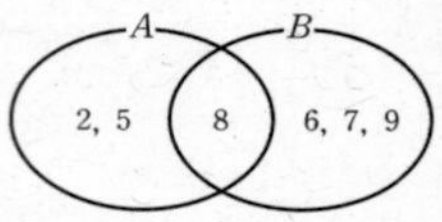

$A\cup B$
$=\{2, 5, 6, 7, 8, 9\}$

04 $A\cup B=\{1, 2, 3, 5, 8\}$
05 $A\cup B=\{1, 2, 3, 5, 6\}$
06 $A\cup B$
$=\{1, 2, 3, 5, 7, 9\}$
07 $A\cup B=\{x|3<x\leq 7\}$
08 $A\cup B=\{x|2\leq x<9\}$
09
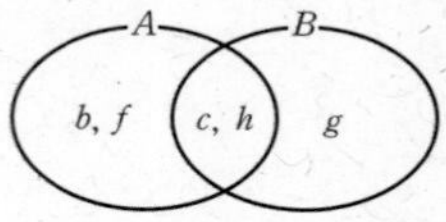

$A\cap B=\{c, h\}$

10
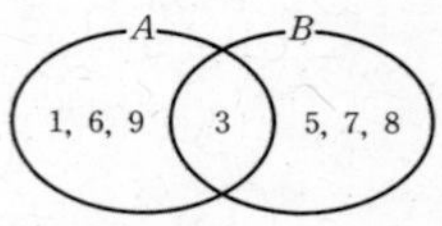

$A\cap B=\{3\}$

11 $A\cap B=\{2, 6\}$
12 $A\cap B=\{15\}$
13 $A\cap B=\{x|5\leq x<6\}$
14 $A\cap B=\{x|3<x<5\}$
15 ○
16 ×
17 ×
18 ×
19 ○
20 ㄱ과 ㄷ

07 여집합과 차집합 본문 17쪽

01
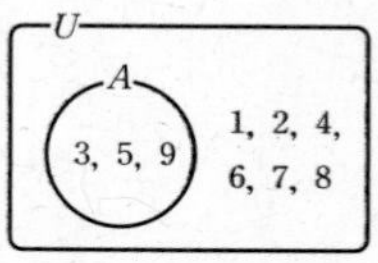

$A^C=\{1, 2, 4, 6, 7, 8\}$

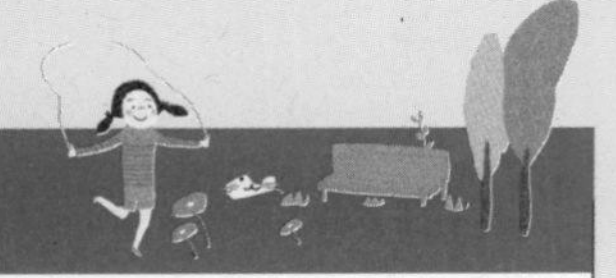

02 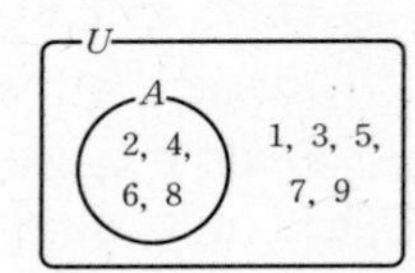

$A^C=\{1, 3, 5, 7, 9\}$

03 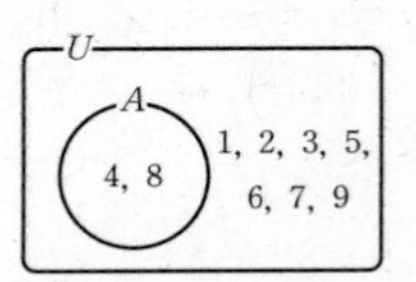

$A^C=\{1, 2, 3, 5, 6, 7, 9\}$

04 $A^C=\{2, 3, 4, 5, 7, 9\}$

05 $B^C=\{1, 4, 6, 7\}$

06 $C^C=\{2, 4, 6, 8, 10\}$

07 D^C
$=\{1, 2, 4, 5, 7, 8, 10\}$

08 $E^C=\{1, 4, 6, 8, 9, 10\}$

09 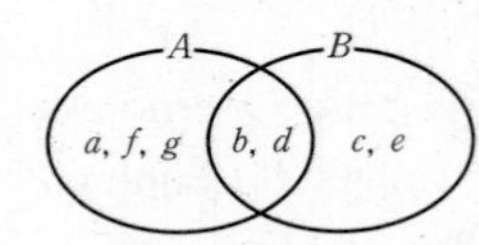

$A-B=\{a, f, g\}$

10 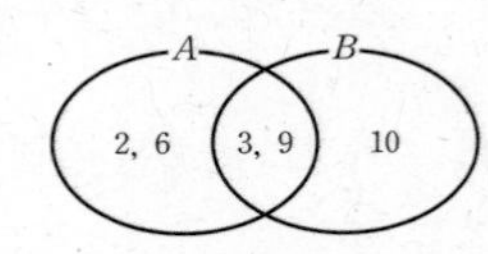

$A-B=\{2, 6\}$

11 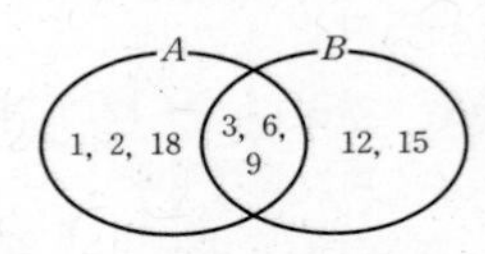

$A-B=\{1, 2, 18\}$

12 $A-B=\{2, 7, 10\}$

13 $A-B=\{b, c, g\}$

14 $A-B=\varnothing$

15 $A-B=\{4, 8\}$

16 $B-A=\{5, 9\}$

17 $(A\cup B)-A=\{5, 9\}$

18 $A-(A\cap B)=\{4, 8\}$

19 $(A\cup B)-(A\cap B)$
$=\{4, 5, 8, 9\}$

20 ⑤

08 집합의 연산법칙

본문 19쪽

01 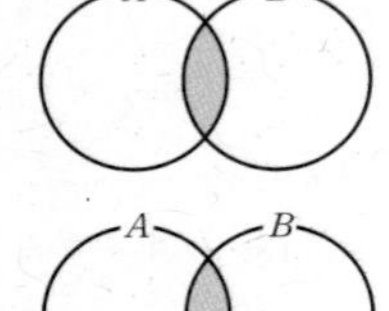

=

02 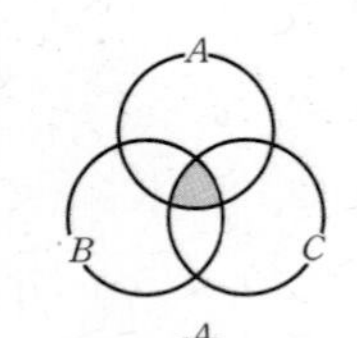

=

03 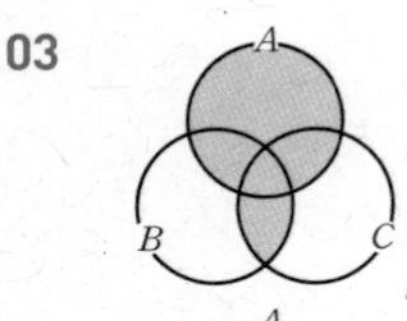

=

04 (1) $\{3, 6, 9\}$
(2) $\{3, 6, 9\}$
(3) =

05 (1) $\{1, 2, 3, 5, 6, 7, 8, 9\}$
(2) $\{1, 2, 3, 5, 6, 7, 8, 9\}$
(3) =

06 (1) $\{1, 3, 6, 9\}$
(2) $\{1, 3, 6, 9\}$
(3) =

09 집합의 연산의 성질

본문 20쪽

01 $\varnothing$

02 A

03 A

04 A

05 A

06 U

07 (1) 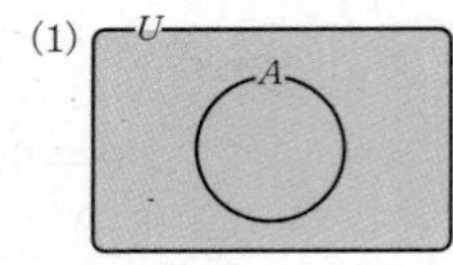

(2)

(3) =

08 (1) 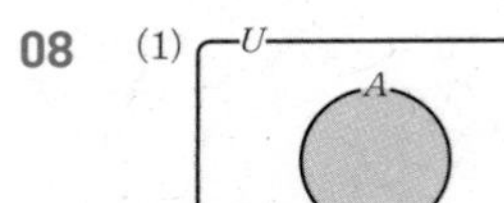

(2)

(3) =

09 $\{1, 2, 3, 4, 5, 6\}$

10 $\varnothing$

11 $\varnothing$

12 $\{1, 2, 3, 4, 5, 6\}$

13 $\{1, 2, 3, 6\}$

14 (1) 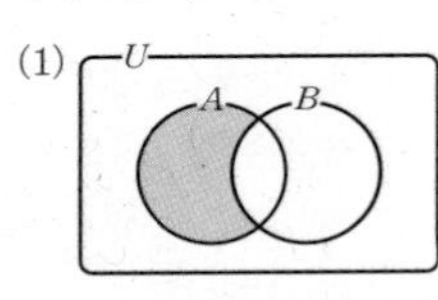

(2)

(3) =

15 $\{2, 7, 8\}$

16 $\{2, 7, 8\}$

17 $\{1, 5\}$

18 $\{1, 5\}$

19 ②

10 드모르간의 법칙

본문 22쪽

01 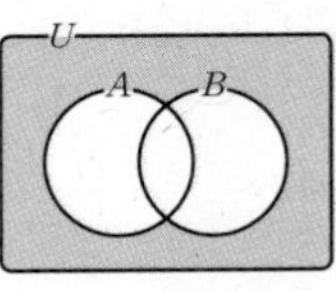

=

02 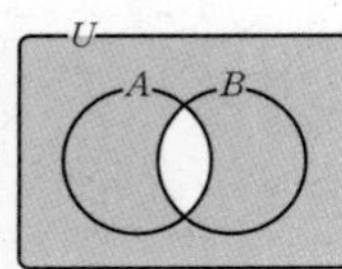

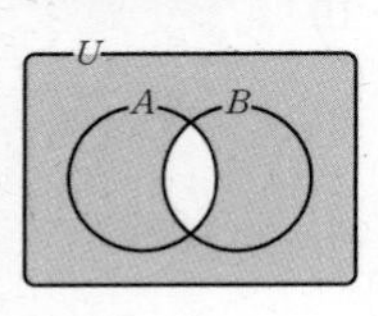

=

03 B

04 B^C

05 A

06 A^C

07 (가) ㄱ (나) ㄴ

08 (가) ㄹ (나) ㄷ

09 A

11 유한집합의 원소의 개수

본문 23쪽

01 $n(A\cap B)$, 2, 10

02 9

03 9

04 17

05 14

06 $n(A\cup B)$, 7, 2

07 1

08 5

09 4

10 0

11 6

12 18

13 20

14 4

15 10

16 14

17 8

18 16

19 11

20 7

21 7

22 24

23 ④
24 11
25 19
26 26
27 24
28 19
29 1
30 3
31 2
32 3
33 5

12 명제/명제의 부정

본문 26쪽

01 ×
02 ×
03 ○
04 ×
05 ○
06 ○
07 ○
08 ○
09 -3은 정수가 아니다.
10 10은 3의 배수가 아니다.
11 4는 9의 약수이다.
12 $7-4\neq3$
13 $\sqrt{5}$는 유리수가 아니다.
14 직사각형은 평행사변형이다.
15 8은 소수가 아니다.
16 3은 집합 $\{1, 3, 5\}$의 원소가 아니다.
17 (1) 거짓
(2) 0은 자연수가 아니다.
(3) 참
18 (1) 참
(2) 8은 짝수가 아니다.
(3) 거짓
19 (1) 참
(2) 6은 집합 $\{2, 4, 6, 8\}$의 원소가 아니다.
(3) 거짓
20 (1) 참
(2) $\sqrt{6}$은 유리수이다.
(3) 거짓
21 (1) 참
(2) 15는 3의 배수가 아니다.
(3) 거짓
22 (1) 거짓
(2) 4와 6은 서로소가 아니다.
(3) 참
23 (1) 참
(2) 7은 소수가 아니다.
(3) 거짓
24 ④

13 정의, 증명, 정리

본문 28쪽

01 두 점을 잇는 최단 거리
02 평면 위의 한 점에서 일정한 거리에 있는 모든 점들의 집합
03 한 쌍의 마주 보는 변이 평행한 사각형
04 네 각의 크기가 모두 같은 사각형
05 네 변의 길이가 모두 같은 사각형
06 모든 변의 길이와 모든 내각의 크기가 각각 같은 다각형
07 두 변의 길이가 같은 삼각형
08 정리
09 정의
10 정리
11 정의
12 ②, ④

14 조건과 진리집합

본문 29쪽

01 조건
02 명제
03 조건
04 명제
05 ③
06 x는 12의 약수가 아니다.
07 x는 자연수가 아니다.
08 $x-5\neq7$
09 $x+4\geq5$
10 $x-3=0$
11 $A\not\subset B$
12 $\{5, 6, 7, 8\}$
13 $\{6\}$
14 $\{2\}$
15 $\{1, 3\}$
16 $\{1, 2, 3\}$
17 $\{1, 2, 4, 8\}$
18 $\{1, 2, 3, 4 ,5, 6, 7, 8\}$
19 $\varnothing$
20 4, 5, 6, 7, 8, 9; 1, 2, 3
21 $\{1, 2, 3, 8, 9\}$
22 $\{1, 2, 3, 5, 6, 7, 8, 9\}$
23 $\{1, 2\}$
24 $\{1, 4, 6, 8, 9\}$
25 $\{4, 5, 7, 8\}$

15 조건 'p 또는 q'와 'p 그리고 q'

본문 31쪽

01 $x\neq3$ 그리고 $x\neq-6$
02 $x+4\neq0$ 그리고 $x+9\neq0$
03 $x\leq-5$ 그리고 $x>7$
04 $x-5<0$ 그리고 $x-8>0$
05 $a\notin A$ 그리고 $b\in B$
06 $A\subset B$ 그리고 $A\neq B$
07 $x\neq0$ 또는 $y\neq4$
08 $x\neq5$ 또는 $y=6$
09 $x<6$ 또는 $x\geq10$
10 $x\notin A$ 또는 $x\notin B$
11 ④
12 (1) $P=\{2\}$
(2) $Q=\{1\}$
(3) $\{1, 2\}$
13 (1) $P=\{1, 2, 3\}$
(2) $Q=\{8, 9\}$
(3) $\{1, 2, 3, 8, 9\}$
14 (1) $P=\{1, 2, 5\}$
(2) $Q=\{4, 8\}$
(3) $\{1, 2, 4, 5, 8\}$
15 (1) $P=\{3, 4, 5, 6, 7, 8\}$
(2) $Q=\{5, 6, 7, 8, 9, 10\}$
(3) $\{5, 6, 7, 8\}$
16 (1) $P=\{2, 4, 6, 8, 10\}$
(2) $Q=\{3, 6, 9\}$
(3) $\{6\}$
17 ③

16 명제 $p \longrightarrow q$

본문 33쪽

01 가정 : $x=3$이다.
결론 : $x^2=9$이다.
02 가정 : x는 15의 배수이다.
결론 : x는 5의 배수이다.
03 가정 : $a^2=0$이다.
결론 : $a=0$이다.
04 가정 : ab는 짝수이다.
결론 : a, b는 모두 짝수이다.
05 가정 : a, b는 유리수이다.
결론 : $a+b$는 유리수이다.
06 가정 : x는 12의 약수이다.
결론 : x는 6의 약수이다.
07 참
08 거짓
09 참
10 거짓
11 예 $a=-1$, $b=-2$
12 예 $a=-1$, $b=-2$
13 1, -1, 1, $\subset$
14 참
15 거짓
16 거짓
17 참
18 거짓
19 ×
20 ×
21 ○
22 ○

23 ×
24 ③

17 '모든'이나 '어떤'이 들어 있는 명제

본문 35쪽

01 표는 해설 참조, 참
02 표는 해설 참조, 거짓
03 표는 해설 참조, 거짓
04 표는 해설 참조, 참
05 참
06 거짓
07 참
08 참
09 거짓
10 거짓
11 표는 해설 참조, 거짓
12 표는 해설 참조, 참
13 표는 해설 참조, 거짓
14 표는 해설 참조, 참
15 표는 해설 참조, 참
16 참
17 참
18 거짓
19 거짓
20 ②

18 명제의 역과 대우

본문 37쪽

01 대우
02 역
03 대우
04 역
05 역
06 대우
07 해설 참조
08 해설 참조
09 해설 참조
10 해설 참조
11 해설 참조
12 해설 참조
13 해설 참조
14 ㄴ
15 ㄱ
16 ㄷ
17 ㄹ
18 ④

19 충분조건과 필요조건 본문 39쪽

01 (1) 참
(2) 거짓
(3) 충분조건
02 (1) 참
(2) 거짓
(3) 충분조건
03 (1) 거짓
(2) 참
(3) 필요조건
04 (1) 거짓
(2) 참
(3) 필요조건
05 (1) 참
(2) 거짓
(3) 충분조건
06 충분조건
07 (1) $P=\{0\}$
(2) $Q=\{-1, 0\}$
(3) 충분조건
08 (1) $P=\{-1, 2\}$
(2) $Q=\{-1\}$
(3) 필요조건
09 (1) $P=\{x|x<6\}$
(2) $Q=\{x|-5<x\leq 2\}$
(3) 필요조건
10 (1) $P=\{7, 14, 21, \cdots\}$
(2) $Q=\{14, 28, 42, \cdots\}$
(3) 필요조건
11 (1) $P=\{1, 3, 9\}$
(2) $Q=\{1, 2, 3, 4, 6, 9, 12, 18, 36\}$
(3) 충분조건
12 (1) $P=\{2, 3, 5, 7\}$
(2) $Q=\{1, 2, 3, 4, 5, 6, 7, 8, 9\}$
(3) 충분조건

20 필요충분조건 본문 41쪽

01 (1) 참
(2) 참
(3) 필요충분조건
02 (1) 참
(2) 참
(3) 필요충분조건
03 (1) 참
(2) 참
(3) 필요충분조건
04 (1) 참
(2) 참
(3) 필요충분조건
05 (1) 참
(2) 참
(3) 필요충분조건
06 (1) 참
(2) 참
(3) 필요충분조건
07 충분조건
08 필요조건
09 충분조건
10 필요충분조건
11 충분조건
12 필요조건
13 필요충분조건
14 필요조건
15 필요충분조건
16 필요조건
17 필요충분조건
18 충분조건
19 필요조건
20 ⑤

21 여러 가지 증명 방법

본문 43쪽

01 짝수, $2k^2$, 짝수
02 홀수, $2mn-m-n$, $2mn-m-n$, 홀수
03 $a\neq 0$, $a^2+b^2\neq 0$, $>$
04 홀수, 홀수, 짝수
05 $\leq$, $>$
06 $3k+2$, $3k+2$, 3의 배수
07 3, $3k$, $3k^2$, 서로소
08 (가) 유리수
(나) 유리수
(다) 유리수
(라) 무리수

22 절대부등식 본문 45쪽

01 ×
02 ○
03 ×
04 ○
05 ×
06 ×
07 $3b^2$, $3b^2$, $\geq$
08 $9b^2$, b^2, b^2, b^2
09 $a^2y^2+b^2x^2$, $ay-bx$, $=$
10 $2ab$, $\frac{a-b}{2}$, $=$
11 $2ab$, $\geq$, $\geq$
12 ①

23 산술평균과 기하평균의 관계

본문 47쪽

01 4, 4, 4
02 2
03 2
04 6
05 8
06 4, 2, 2
07 25
08 6
09 ③

24 코시-슈바르츠의 부등식 본문 48쪽

01 8, $-2\sqrt{2}$, $2\sqrt{2}$, $2\sqrt{2}$, $-2\sqrt{2}$
02 최댓값 : $2\sqrt{5}$, 최솟값 : $-2\sqrt{5}$
03 최댓값 : $2\sqrt{10}$, 최솟값 : $-2\sqrt{10}$

04 최댓값 : 10,
최솟값 : -10

05 13

06 18

07 $\frac{5}{2}$

08 20

09 $\frac{5}{4}$

10 4

Ⅱ. 함수

01 대응과 함수 본문 54쪽

01
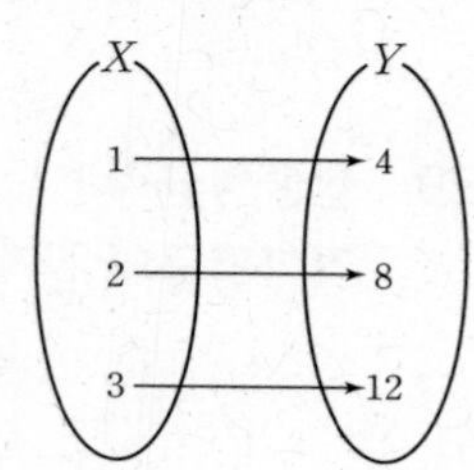

02
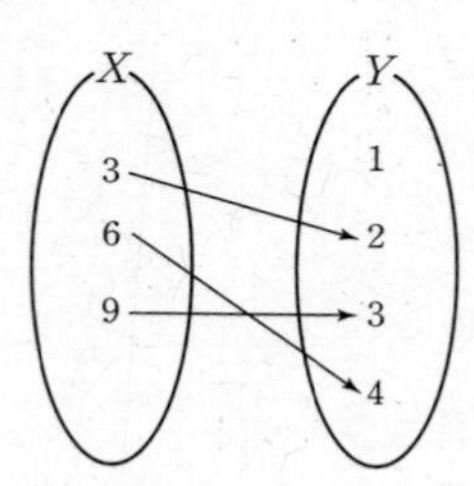

03
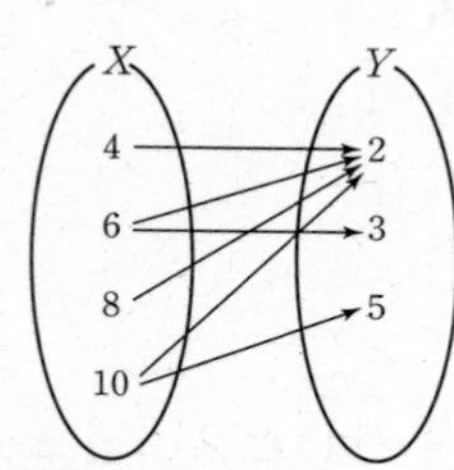

04 ○

05 ×

06 ×

07 ○

08 ×

09 ○

10 ④

11 ○

12 ×

13 ×

14 ○

02 함수의 정의역, 공역, 치역 본문 56쪽

01 정의역 : $\{1,\ 2,\ 3\}$
공역 : $\{1,\ 2,\ 3\}$
치역 : $\{1,\ 2,\ 3\}$

02 정의역 : $\{2,\ 6,\ 8\}$
공역 : $\{1,\ 2\}$
치역 : $\{1\}$

03 정의역 : $\{1,\ 3,\ 5,\ 7\}$
공역 : $\{12,\ 15,\ 18,\ 19\}$
치역 : $\{12,\ 15,\ 19\}$

04 2, 8

05 (1) 74
(2) 2
(3) -1

06 (1) -3
(2) $-\frac{31}{3}$
(3) -7

07 1, 1, 4

08 19

09 $\frac{5}{2}$

10 -5

11 9

12 $t+1,\ t+3,\ \frac{x+3}{2}$

13 $f(x)=-2x+8$

14 $f(x)=3x-4$

15 $f(x)=\frac{4x+13}{3}$

16 $-6t+15,\ -6x+33$

17 $f(2x+5)=-12x-15$

18 $f(-4x)=24x+15$

19 $f\left(\frac{4-3x}{3}\right)=6x+7$

20 ④

21 $\{1,\ 2,\ 4\}$

22 $\{2,\ 8\}$

23 $\{-4,\ -2,\ 4\}$

24 $\{0,\ 1,\ 2\}$

25 ①

03 서로 같은 함수 본문 59쪽

01 $f=g$

02 $f=g$

03 $f\neq g$

04 $f\neq g$

05 $f=g$

06 $b,\ 0,\ 1$

07 $a=-\frac{1}{2},\ b=5$

08 $a=-3,\ b=4$

09 $\{-3\},\ \{1\},\ \{-3,\ 1\}$

04 여러 가지 함수 본문 60쪽

01 ㄴ, ㄷ, ㄹ

02 ㄴ, ㄷ

03 ㄷ

04 ㄱ

05 ㄷ, ㄹ, ㅁ

06 ㄷ, ㄹ, ㅁ

07 ㄷ

08 ㄱ, ㅂ

09 ○

10 ×

11 ×

12 ○

13 ×

14 1, =

15 해설 참조

16 해설 참조

17 해설 참조

18 22, 22, 4, 10

19 $a=2,\ b=-7$

20 $a=\frac{7}{3},\ b=1$

21 $a=\frac{5}{2},\ b=-7$

22 $5,\ 5,\ -\frac{7}{3},\ \frac{29}{3}$

23 $a=-2,\ b=-2$

24 $a=-1,\ b=-1$

25 ④

26 $-2,\ -2,\ -4$

27 k의 최솟값 : 1
치역 : $\{f(x)\,|\,f(x)\geq-3\}$

28 k의 최솟값 : 2
치역 : $\{f(x)\,|\,f(x)\geq2\}$

29 4, 4, 1

30 k의 최솟값 : $-\frac{3}{2}$
치역 : $\{f(x)\,|\,f(x)\leq-3\}$

31 k의 최솟값 : 3
치역 : $\{f(x)\,|\,f(x)\leq0\}$

32 ×

33 ○

34 ×

35 ×

36 ○

37 ○

38 ×

39 1, 0, 3

40 3개

41 7개

42 ③

05 여러 가지 함수의 개수 본문 65쪽

01 (1) 9개 (2) 3개

02 (1) 8개 (2) 2개

03 (1) 64개 (2) 24개
(3) 4개

04 (1) 27개 (2) 6개
(3) 6개 (4) 3개

05 (1) 256개 (2) 24개
(3) 24개 (4) 4개

06 ④

06 합성함수 본문 66쪽

01 (1) $b,\ 2,\ b,\ 2$ (2) 3
(3) 4 (4) 1

02 (1) 2 (2) 3
(3) 4 (4) 4

(5) a (6) c
(7) d (8) a

03 2, 9, 9, 9, 20
04 -16
05 -9
06 -6
07 3
08 -34
09 $x-2$, x^2-4x+5
10 x^2-1
11 $x-4$
12 x^4+2x^2+2
13 ④
14 4
15 7
16 7
17 6
18 13
19 -14
20 10
21 0
22 -66
23 0

07 합성함수의 성질 본문 69쪽

01 (1) 7 (2) -1
(3) $\neq$
02 (1) 9 (2) 3
(3) $\neq$
03 a, 5, -3
04 -2
05 0
06 (1) $-x+2$, $-3x+6$, $-12x+6$
(2) $4x$, $-4x+2$, $-12x+6$
(3) $=$
07 -11
08 12
09 $ab+b$, 3, -2, $3x-2$
10 4
11 -8
12 ⑤
13 3, 3, $3x+1$
14 $h(x)=\frac{1}{3}x^2-3$
15 $h(x)=\frac{x+9}{2}$
16 $h(x)=x^2-10x+10$
17 $h(x)=\frac{1}{2}x^2+2$
18 $h(x)=3x-4$
19 $h(x)=x+6$
20 ②
21 (1) $f^2(x)=x+2$
(2) $f^3(x)=x+3$
(3) $f^4(x)=x+4$
(4) $f^n(x)=x+n$
(5) $f^{15}(3)=18$
22 (1) $f^2(x)=x$
(2) $f^3(x)=-x+1$
(3) $f^4(x)=x$
(4) $f^5(x)=-x+1$
23 (1) $\frac{1}{2}$ (2) -1
(3) $\frac{1}{2}$ (4) $\frac{1}{2}$
(5) -1
24 ①

08 역함수 본문 73쪽

01 3
02 2
03 4
04 1
05 5
06 27
07 -2
08 1
09 ①
10 ×
11 ○
12 ×
13 ○
14 일대일대응, 3, -6
15 -1
16 $\frac{5}{3}$
17 감소함수, 0
18 $-3<a<5$
19 b, -5, 1
20 $a=2$, $b=11$
21 $a=4$, $b=7$
22 ①
23 $\frac{1}{2}$, a, 3
24 1
25 8
26 5

09 역함수 구하기 본문 76쪽

01 5, $\frac{5}{3}$, $\frac{1}{3}x+\frac{5}{3}$
02 $y=\frac{1}{2}x-2$
03 $y=2x-3$
04 $y=\frac{3}{2}x-3$
05 -1
06 $-\frac{1}{2}$
07 1

10 역함수의 성질 본문 77쪽

01 2, 4, 15
02 16
03 0
04 x, $2x-3$, $\frac{2}{3}x-\frac{5}{3}$
05 $h(x)=x-4$
06 $h(x)=4x-17$
07 $5-a$, $-2a+6$, 2
08 -6
09 -2
10 4
11 2, 0
12 3
13 $\frac{5}{3}$
14 5
15 ④

11 역함수의 그래프 본문 79쪽

01 c, b
02 a
03 a
04 ○
05 ○
06 ×
07 ○
08 5, 9, 2, 1, $2x+1$
09 $f(x)=-x+4$
10 $f(x)=\frac{1}{2}x-6$
11 $f(x)=2x-4$
12 $y=x$, 6, 6, 6
13 (4, 4)
14 $(-2, -2)$
15 (2, 2)
16 (3, 3)
17 $(-2, -2)$

12 유리식 본문 81쪽

01 ×
02 ○
03 ○
04 ×
05 ×
06 ○
07 $\frac{y}{x^2y}$, $\frac{3x}{x^2y}$
08 $\frac{2x-1}{(2x+1)(2x-1)}$, $\frac{(x-1)(2x+1)}{(2x+1)(2x-1)}$
09 $\frac{(x+2)(x-3)}{(x-1)(x-2)(x-3)}$, $\frac{(x+3)(x-1)}{(x-1)(x-2)(x-3)}$
10 $\frac{3x^2}{2y^3}$

11 $\dfrac{x+1}{x+2}$

12 $\dfrac{x}{x+y}$

13 유리식의 계산 본문 82쪽

01 $\dfrac{2x}{(x+1)(x-1)}$

02 $\dfrac{-x+21}{(2x-3)(x+5)}$

03 $\dfrac{2x^2+9x+6}{(2x+1)(2x+3)(2x+5)}$

04 $-\dfrac{2x^2+9x+17}{(x^2+3)(x-5)}$

05 $\dfrac{1}{x+2}$

06 $\dfrac{4x}{2x-1}$

07 $\dfrac{x^2}{3x-2}$

08 $\dfrac{1}{x(x+2)}$

09 $2x+3,\ 2x+1,\ \dfrac{1}{2x+3}$

10 $\dfrac{1}{2}\left(\dfrac{1}{x-1}-\dfrac{1}{x+1}\right)$

11 $\dfrac{1}{x}-\dfrac{1}{x+3}$

12 $2\left(\dfrac{1}{x+1}-\dfrac{1}{x+2}\right)$

13 $\dfrac{3}{x(x+3)}$

14 $\dfrac{6}{(x+2)(x+8)}$

15 $\dfrac{19}{20}$

16 ⑤

14 유리함수 본문 84쪽

01 ○

02 ×

03 ○

04 ×

05 ○

06 ×

07 ○

08 ×

09 $\{x \mid x\neq 0$인 실수$\}$

10 $\{x \mid x\neq 4$인 실수$\}$

11 $\{x \mid x\neq 2$인 실수$\}$

12 $\left\{x \mid x\neq -\dfrac{2}{3}\text{인 실수}\right\}$

13 $\{x \mid x\neq -2, x\neq 2$인 실수$\}$

14 $\{x \mid x$는 모든 실수$\}$

15 $\left\{x \mid x\neq \dfrac{5}{4}\text{인 실수}\right\}$

15 유리함수 $y=\dfrac{k}{x}$의 그래프 본문 85쪽

01 해설 참조

02 해설 참조

03 해설 참조

04 해설 참조

05 ③

16 유리함수 $y=\dfrac{k}{x-p}+q$의 그래프 본문 86쪽

01 $2,\ 3,\ \dfrac{3}{x-3}+2$

02 $y=\dfrac{2}{x+5}+1$

03 $y=-\dfrac{4}{x-2}-6$

04 $y=-\dfrac{5}{x+4}-3$

05 (1) $x=4,\ y=5$
(2) $\{x \mid x\neq 4$인 실수$\}$
(3) $\{y \mid y\neq 5$인 실수$\}$

06 (1) $x=1,\ y=0$
(2) $\{x \mid x\neq 1$인 실수$\}$
(3) $\{y \mid y\neq 0$인 실수$\}$

07 (1) $x=-3,\ y=7$
(2) $\{x \mid x\neq -3$인 실수$\}$
(3) $\{y \mid y\neq 7$인 실수$\}$

08

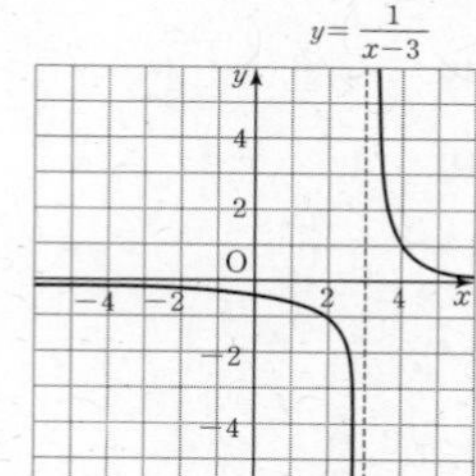

09

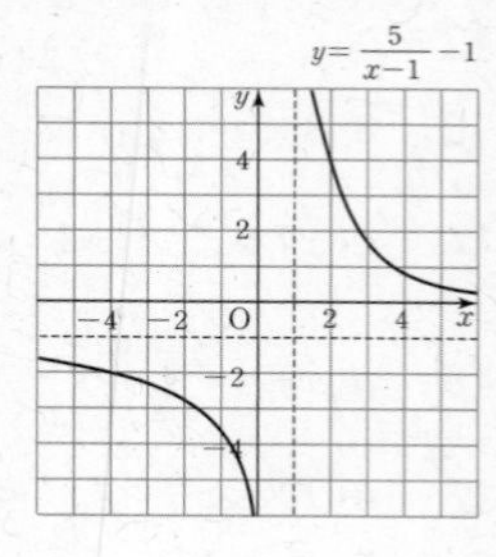

10

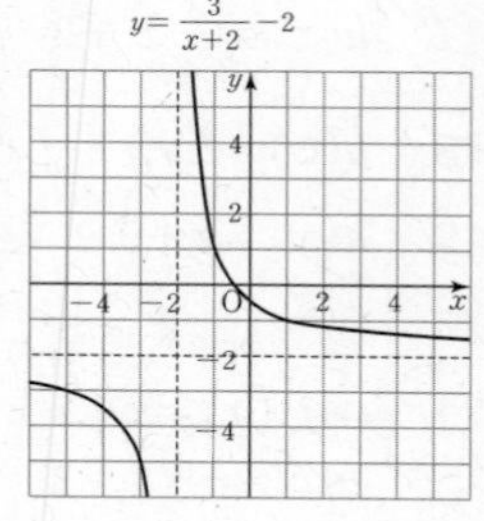

11

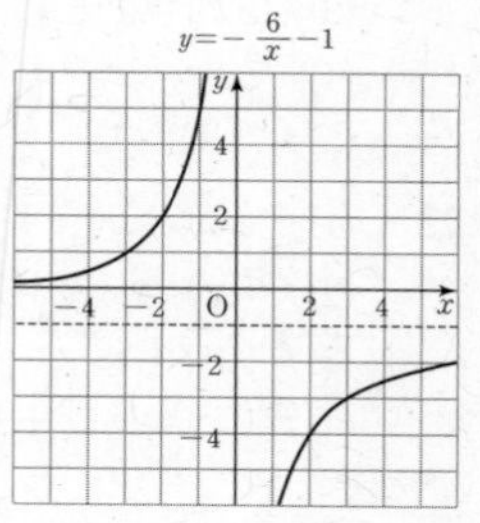

12

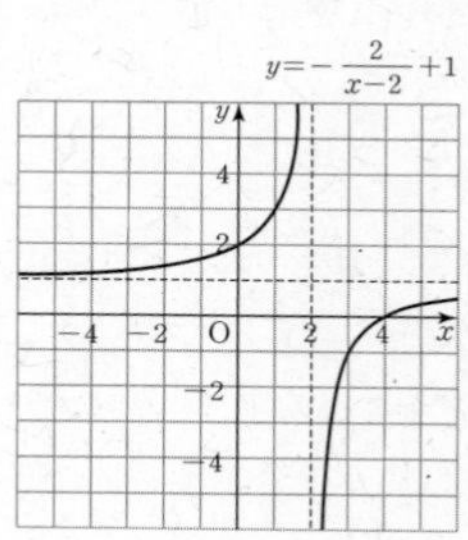

13

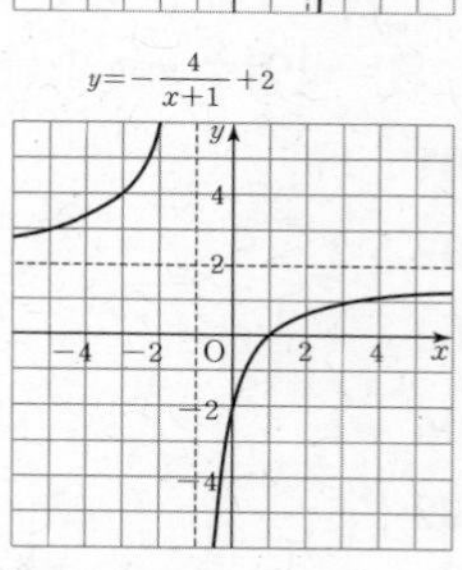

14 제2, 4사분면

15 제3사분면

16 제3사분면

17 제1사분면

18 ①

19 $-4,\ -5,\ -4,\ -1$

20 -1

21 3

22 3

23 5, 5, 1, 2, 1, 2

24 (1) $x=-2,\ y=4$
(2) $\{x \mid x\neq -2$인 실수$\}$
(3) $\{y \mid y\neq 4$인 실수$\}$

25 (1) $x=3,\ y=1$
(2) $\{x \mid x\neq 3$인 실수$\}$
(3) $\{y \mid y\neq 1$인 실수$\}$

26 (1) $x=-5,\ y=-2$
(2) $\{x \mid x\neq -5$인 실수$\}$
(3) $\{y \mid y\neq -2$인 실수$\}$

27 (1) $x=6,\ y=-1$
(2) $\{x \mid x\neq 6$인 실수$\}$
(3) $\{y \mid y\neq -1$인 실수$\}$

28 (1) $x=\dfrac{1}{2},\ y=2$
(2) $\left\{x \mid x\neq \dfrac{1}{2}\text{인 실수}\right\}$
(3) $\{y \mid y\neq 2$인 실수$\}$

29

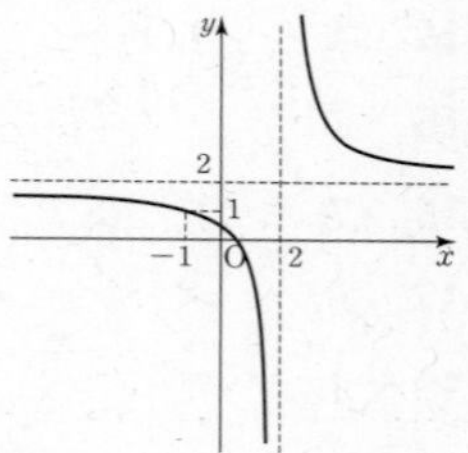

30

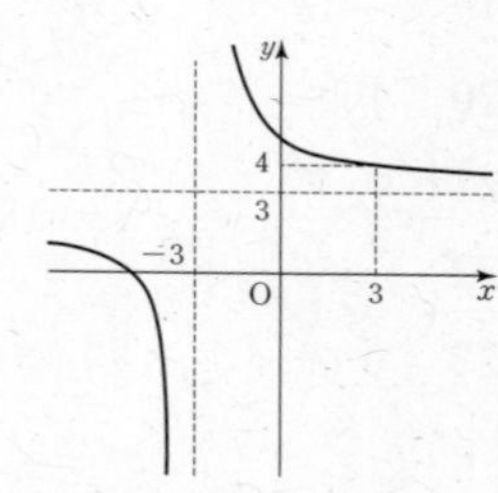

31

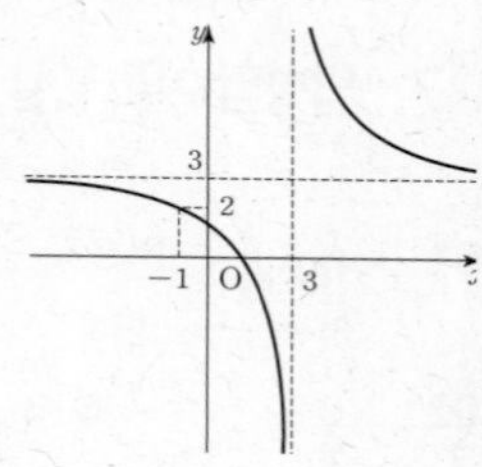

32

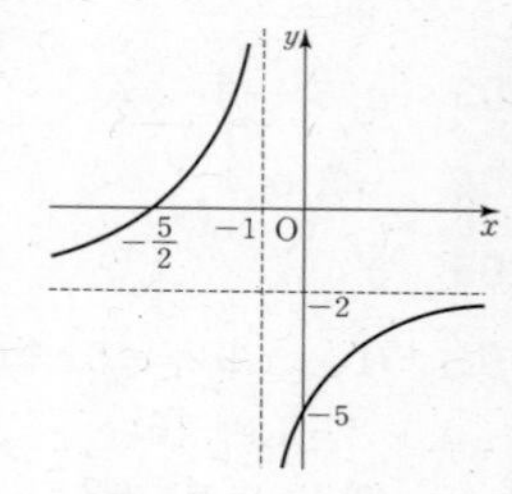

33

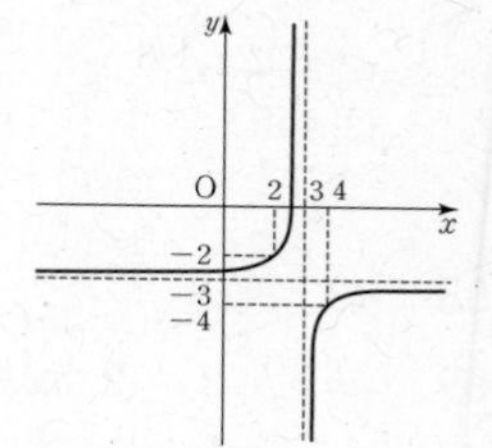

34

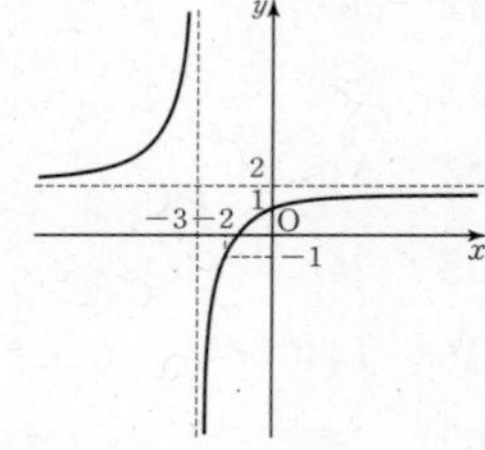

35 ○

36 ×

37 ○

38 ×

39 ○

40 ○

41 ×

42 ×

43 ○

44 ㄱ, ㄴ

17 유리함수의 식 구하기 본문 92쪽

01 $4, 6, 6, -2, -4$

02 $k=1, p=3, q=1$

03 $k=-3, p=-4, q=3$

04 $k=-2, p=2, q=-1$

05 $8, 8, 20, -3, 20, -4$

06 $a=3, b=-9, c=-2$

07 $a=-1, b=-8, c=2$

08 ②

09 (1) 2
(2) $-1, 2, 4$
(3) $\frac{9}{5}, 1$

10 최댓값 : 3, 최솟값 : $\frac{4}{3}$

11 최댓값 : $\frac{6}{5}$, 최솟값 : -2

12 최댓값 : 2, 최솟값 : 0

13 ①

18 유리함수의 역함수

본문 95쪽

01 $2, y, \frac{x+3}{x-2}$

02 $y=\frac{-2x+4}{x+1}$

03 $y=\frac{x+3}{x+1}$

04 $y=\frac{4x-2}{2x-3}$

05 $y=\frac{x-5}{3x+2}$

06 $y=\frac{-3x+2}{2x+1}$

07 $a=3, b=1, c=-2$

08 $a=4, b=3, c=-4$

09 $a=-1, b=5, c=3$

10 1

11 -5

12 ①

19 무리식과 무리함수

본문 97쪽

01 무리식

02 유리식

03 무리식

04 무리식

05 무리식

06 유리식

07 $x\geq-2$

08 $x>2$

09 $-1\leq x\leq5$

10 ②

11 $\frac{x+y-2\sqrt{xy}}{x-y}$

12 $2x+1+2\sqrt{x^2+x}$

13 $\frac{2\sqrt{x}}{x-y}$

14 $-\frac{4\sqrt{x}}{x-1}$

15 -2

16 $\sqrt{2}-1$

17 $8+4\sqrt{3}$

18 18

19 4

20 ⑤

21 ○

22 ○

23 ×

24 ×

25 ○

26 ×

27 ○

28 ○

29 $\{x|x\geq-5\}$

30 $\left\{x\middle|x\geq-\frac{3}{2}\right\}$

31 $\{x|x\leq4\}$

32 $\left\{x\middle|x\leq\frac{7}{3}\right\}$

33 $\{x|x\geq2\}$

34 $\{x|x\leq2\}$

35 $\left\{x\middle|x\leq-\frac{5}{4}\right\}$

20 무리함수 $y=\pm\sqrt{ax}$의 그래프 본문 100쪽

01 해설 참조

02 해설 참조

03 해설 참조

04 해설 참조

21 $y=\sqrt{ax}$의 그래프의 평행이동과 대칭이동 본문 101쪽

01 $5, 1, \sqrt{x-1}+5$

02 $y=\sqrt{2(x+6)}+2$

03 $y=\sqrt{-4(x-3)}+4$

04 $y=-\sqrt{-2(x-2)}-5$

05 $y=-\sqrt{5(x+4)}-1$

06 해설 참조, $y=-\sqrt{2x}$

07 해설 참조, $y=\sqrt{-2x}$

08 해설 참조, $y=-\sqrt{-2x}$

22 무리함수 $y=\sqrt{a(x-p)}+q$, $y=\sqrt{ax+b}+c$의 그래프 본문 102쪽

01 해설 참조,
정의역 : $\{x|x\geq3\}$,
치역 : $\{y|y\geq2\}$

02 해설 참조,
정의역 : $\{x|x\leq-1\}$,
치역 : $\{y|y\geq2\}$

03 해설 참조,
정의역 : $\{x|x\geq-4\}$,
치역 : $\{y|y\leq3\}$

04 해설 참조,
정의역 : $\{x|x\leq2\}$,
치역 : $\{y|y\leq-1\}$

05 해설 참조,
정의역 : $\{x|x\geq-3\}$,
치역 : $\{y|y\geq-1\}$

06 해설 참조,
정의역 : $\left\{x\middle|x\geq\frac{1}{2}\right\}$,
치역 : $\{y|y\geq-1\}$

07 해설 참조,
정의역 : $\{x|x\leq2\}$,
치역 : $\{y|y\geq-3\}$

08 해설 참조,
정의역 : $\{x|x\geq-2\}$,
치역 : $\{y|y\leq-1\}$

09 해설 참조,
정의역 : $\{x|x\leq4\}$,
치역 : $\{y|y\leq2\}$

10 해설 참조,
정의역 : $\{x|x\leq-1\}$,
치역 : $\{y|y\leq-2\}$

11 $-2, 2, 5, 2+2\sqrt{6}, 5, 2+2\sqrt{6}$

12 해설 참조,
$\{y|-5\leq y\leq-1-2\sqrt{3}\}$

13 ○

14 ○

15 ×

16 ×

17 ②

23 무리함수의 식 구하기 본문 105쪽

01 $-2, 2, 2, 2, \frac{1}{2}, \frac{1}{2}, 2, \frac{1}{2}, 1, 2, 1, 2$

02 $a=-2, b=4, c=3$

03 $a=1, b=3, c=1$

04 $a=-3, b=3, c=1$

24 무리함수의 최대 · 최소 본문 106쪽

01 $1, 1, 5, 5, 2+2\sqrt{2}, 3, 3, 4$

02 최댓값 : 4, 최솟값 : 3

03 최댓값 : 4, 최솟값 : 3

04 최댓값 : 5, 최솟값 : 3

05 3

25 무리함수의 그래프와 직선의 위치 관계 본문 107쪽

01 $\frac{2}{3}, -\frac{2}{3}, \frac{1}{12}$

(1) $\frac{1}{12}$

(2) $-\frac{2}{3}, \frac{1}{12}$

(3) $-\frac{2}{3}$

02 (1) $k>\frac{9}{4}$

(2) $k=\frac{9}{4}$ 또는 $k<2$

(3) $2\le k<\frac{9}{4}$

26 무리함수의 역함수 본문 108쪽

01 $2, 2, 2, \frac{1}{2}(x-2)^2+\frac{3}{2}$

02 $y=(x+5)^2-4$ $(x\ge-5)$

03 $y=-(x+4)^2+6$ $(x\ge-4)$

04 $y=\frac{1}{2}(x+1)^2+1$ $(x\ge-1)$

05 $y=\frac{1}{3}(x+4)^2+2$ $(x\ge-4)$

06 $a=4$, $y=\frac{1}{2}x^2-2$ $(x\ge0)$

Ⅲ. 순열과 조합

01 경우의 수 본문 114쪽

01 7

02 8

03 13

04 9

05 5

06 12

07 6

08 9

09 53

10 34

11 13

12 24

13 20

14 6

15 24

16 6

17 10

18 12

19 12

20 16

21 20

22 36

23 42

24 189

25 59

26 10^9

27 ④

28 48

29 960

30 84

31 ④

02 순열 본문 118쪽

01 20

02 24

03 1

04 120

05 10

06 3

07 5

08 5

09 3

10 10

11 3

12 6

13 7

14 9

15 17

16 ②

17 90

18 840

19 24

20 24

21 1320

22 5

23 15

24 2

03 특정 조건이 있는 순열 본문 121쪽

01 720

02 576

03 288

04 240

05 24

06 1440

07 48

08 144

09 1440

10 144

11 60

12 1440

13 144

14 14400

15 36

16 90

17 12

18 78

19 720

20 108

21 5760

22 3600

23 3600

24 ④

25 0, 3, 3, 2, 6, 18

26 96

27 8

28 108

29 12

30 48

31 72

32 76

33 4, 24, CADNY, CADYN, CANDY, 27

34 54

35 51342

36 14

37 129

38 eacdb

39 47번째

40 ②

04 조합 본문 126쪽

01 6
02 10
03 36
04 1
05 1
06 105
07 190
08 8
09 5
10 6
11 10
12 5
13 7
14 15
15 4
16 4
17 12
18 ⑤
19 120
20 21
21 28
22 30
23 980
24 8
25 60
26 22
27 16

05 특정 조건이 있는 조합 본문 129쪽

01 20
02 15
03 10
04 21
05 56
06 10
07 70
08 315
09 80
10 112
11 35
12 12
13 270
14 33300
15 144
16 1440
17 2520
18 18
19 180
20 3600
21 6
22 7
23 15
24 17
25 9
26 72
27 31
28 70
29 90
30 96

06 분할과 분배 본문 133쪽

01 60
02 15
03 280
04 1680
05 45
06 90
07 315

친절한 해설

Ⅰ. 집합과 명제

02 원소의 개수에 따른 집합의 분류 본문 9쪽

07 $|x|<20$, 즉 $-20<x<20$인 정수는 $-19, -18, -17, \cdots, 19$ ⇨ 유한집합

08 $x^2+1=0$, 즉 $x^2=-1$을 만족하는 실수는 없으므로 공집합이다. ⇨ 유한집합

11 $A=\{1, 2, 4, 5, 10, 20\}$이므로
$n(A)=6$

12 $A=\{-2\}$이므로 $n(A)=1$

13 $A=\varnothing$이므로 $n(A)=0$

14 $B=\{2, 4, 6, 8\}$이므로
$n(A)=5$, $n(B)=4$
$\therefore n(A)-n(B)=5-4=1$

03 부분집합 본문 10쪽

01 2는 집합 A에 속한다.

03 $\{2, 4, 6\}$은 집합 A에 포함된다.

10 1이 $\{2, 3, 4, 5\}$에 속하지 않으므로 $\{1, 3\}$은 부분집합이 아니다.

16 $\{2\}$는 집합이므로 $\{2\}\subset A$로 나타낸다.

17 $\{1, 2\}$는 집합 A의 원소이므로 $\{1, 2\}\in A$로 나타낼 수 있다.

18 1, 2는 집합 A의 원소이므로 $\{1, 2\}$는 집합 A의 부분집합이다. 따라서 $\{1, 2\}\subset A$로 나타낼 수 있다.

19 $\{1\}$은 집합 A의 원소가 아니므로 $\{\{1\}\}\not\subset A$로 나타낸다.

20 $\{1, 2\}$는 집합 A의 원소이므로 $\{\{1, 2\}\}$는 집합 A의 부분집합이다. 따라서 $\{\{1, 2\}\}\subset A$로 나타낼 수 있다.

28 $\{x|x$는 10 이하인 3의 양의 배수$\}=\{3, 6, 9\}$

04 서로 같은 집합 본문 12쪽

01 원소의 순서는 상관없다.

02 $B=\{2, 4, 6, 8, 10\}$이므로 $A\neq B$

03 $A=\{1, 3, 5, 15\}$이므로 $A=B$

04 $A=\{-1\}$이므로 $A\neq B$

05 $a=-b$, $a-4=3$에서 $a=7$, $b=-7$
$\therefore a+b=0$

06 $B=\{2, 4, 6, 8, 10\}$이므로 A는 B의 진부분집합이다.

07 $A=\{1, 2, 3, 6\}$이므로 $A=B$, 즉 A는 B의 진부분집합이 아니다.

08 $A\subset B$이지만 $A\neq B$이므로 A는 B의 진부분집합이다.

10 9의 양의 약수는 1, 3, 9이므로 $\{1, 3, 9\}$의 부분집합 중 자기 자신을 제외한 모든 부분집합을 구한다.

05 부분집합의 개수 본문 13쪽

01 $n(A)=3$이므로 부분집합의 개수는 $2^3=8$이다.

02 $B=\{1, 2, 4, 8\}$, $n(B)=4$이므로 부분집합의 개수는 $2^4=16$이다.

03 $C=\{3, 4\}$, $n(C)=2$이므로 부분집합의 개수는 $2^2=4$이다.

04 $D=\{-2, -1, 0, 1, 2\}$, $n(D)=5$이므로 부분집합의 개수는 $2^5=32$이다.

05 $E=\{-2, 2\}$, $n(E)=2$이므로 부분집합의 개수는 $2^2=4$이다.

06 $n(F)=4$이므로 진부분집합의 개수는 $2^4-1=15$이다.

07 $G=\{1, 3\}$, $n(G)=2$이므로 진부분집합의 개수는 $2^2-1=3$이다.

08 $H=\{-2, -1, 0, 1\}$, $n(H)=4$이므로 진부분집합의 개수는 $2^4-1=15$이다.

09 $I=\{1, 2, 4\}$, $n(I)=3$이므로 진부분집합의 개수는 $2^3-1=7$이다.

10 $J=\{-3\}$, $n(J)=1$이므로 진부분집합의 개수는 $2^1-1=1$이다.

12 1을 제외한 나머지 원소로 이루어진 부분집합에 1을 포함하여 부분집합을 구한다.

13 $2^{4-2}=4$

14 $2^{4-1}=8$

15 $2^{5-2}=8$

16 $2^{5-3}=4$

17 $2^{6-1}=32$

18 $2^{4-1}=8$

19 $2^{6-3}=8$

20 $2^{4-1}=8$

21 $2^{5-3}=4$

22 $2^{5-2}=8$

23 6, 12, 15로 이루어진 부분집합의 개수와 같다. ⇨ $2^{6-2-1}=8$

06 합집합과 교집합 본문 15쪽

05 $A=\{1, 5\}$, $B=\{1, 2, 3, 6\}$이므로
$A\cup B=\{1, 2, 3, 5, 6\}$이다.

06 $A=\{2, 3, 5, 7\}$, $B=\{1, 3, 5, 7, 9\}$이므로
$A\cup B=\{1, 2, 3, 5, 7, 9\}$이다.

07

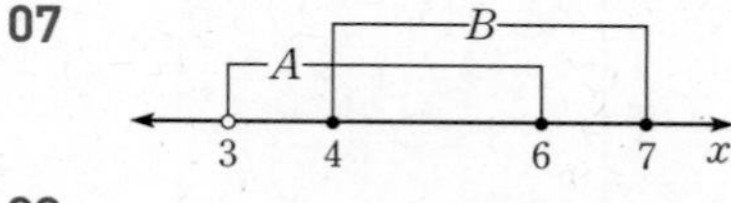

08

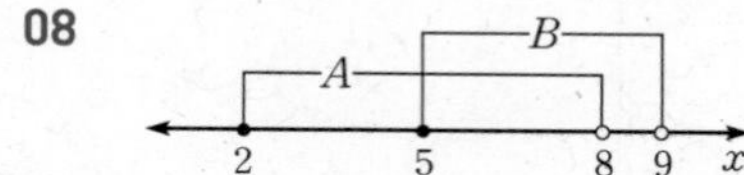

11 $B=\{1, 2, 3, 4, 6, 12\}$이므로 $A\cap B=\{2, 6\}$이다.

12 $A=\{3, 6, 9, 12, 15, 18\}$, $B=\{5, 10, 15, 20\}$이므로
$A\cap B=\{15\}$이다.

15 $A\cap B=\varnothing$이므로 A와 B는 서로소이다.

16 $A\cap B=\{8\}$이므로 A와 B는 서로소가 아니다.

17 $A\cap B=\{3\}$이므로 A와 B는 서로소가 아니다.

18 $A\cap B=\{2\}$이므로 서로소가 아니다.

19 $\varnothing$은 모든 집합과 서로소이다.

07 여집합과 차집합 본문 17쪽

06 $C=\{1, 3, 5, 7, 9\}$

07 $D=\{3, 6, 9\}$

08 $E=\{2, 3, 5, 7\}$

17 $A\cup B=\{1, 4, 5, 6, 8, 9\}$

18 $A\cap B=\{1, 6\}$

19 $A\cup B=\{1, 4, 5, 6, 8, 9\}$, $A\cap B=\{1, 6\}$

09 집합의 연산의 성질 본문 20쪽

19 $(A\cap B^C)\cup(A-B^C)=(A\cap B^C)\cup(A\cap B)$
$=A\cap(B^C\cup B)$
$=A\cap U=A$

10 드모르간의 법칙 본문 22쪽

09 $A-(A-B)=A\cap(A\cap B^C)^C$
$=A\cap(A^C\cup B)$
$=(A\cap A^C)\cup(A\cap B)$
$=\varnothing\cup(A\cap B)=A\cap B$
이때 $A\subset B$이므로 $A\cap B=A$

11 유한집합의 원소의 개수 본문 23쪽

02 $n(A\cup B)=3+7-1=9$

03 $n(A\cup B)=9+5-5=9$

04 $n(A\cup B)=12+8-3=17$

05 $n(A\cup B)=4+10=14$

07 $n(A\cap B)=6+3-8=1$

08 $n(A\cap B)=11+9-15=5$

09 $n(A\cap B)=7+4-7=4$

10 $n(A\cap B)=8+3-11=0$

11 $n(A^C)=n(U)-n(A)=30-24=6$

12 $n(B^C)=n(U)-n(B)=30-12=18$

13 $n((A\cap B)^C)=n(U)-n(A\cap B)=30-10=20$

14 $n(A\cup B)=24+12-10=26$이므로
$n((A\cup B)^C)=n(U)-n(A\cup B)=30-26=4$

15 $n(A^C)=n(U)-n(A)=40-30=10$

16 $n(B^C)=n(U)-n(B)=40-26=14$

17 $n((A\cup B)^C)=n(U)-n(A\cup B)=40-32=8$

18 $n(A\cap B)=30+26-32=24$이므로
$n((A\cap B)^C)=n(U)-n(A\cap B)=40-24=16$

19 $n(A-B)=n(A)-n(A\cap B)$
$=23-12=11$

20 $n(A-B)=n(A)-n(A\cap B)$
$=16-9=7$

21 $n(A-B)=n(A\cup B)-n(B)$
$=32-25=7$

22 $n(A-B)=n(A\cup B)-n(B)$
$=40-16=24$

23 $n(A-B)=n(A\cup B)-n(B)$
$=53-36=17$
$n(B-A)=n(A\cup B)-n(A)$
$=53-22=31$
$\therefore n(A-B)+n(B-A)=17+31=48$

24 $n(A\cup B\cup C)=n(A)+n(B)+n(C)$
$-n(A\cap B)-n(B\cap C)$
$-n(C\cap A)+n(A\cap B\cap C)$
$=5+7+6-3-3-2+1=11$

25 $n(A\cup B\cup C)=12+8+9-5-4-3+2=19$

26 $n(A\cup B\cup C)=16+12+15-8-5-7+3=26$

27 $n(A\cup B\cup C)=13+15+10-5-6-7+4=24$

28 $n(A\cup B\cup C)=11+8+10-3-6-4+3=19$

29 $n(A\cap B\cap C)=n(A\cup B\cup C)-n(A)-n(B)-n(C)$
$+n(A\cap B)+n(B\cap C)+n(C\cap A)$
$=18-9-6-7+2+2+1=1$

30 $n(A\cap B\cap C)=18-11-7-13+4+5+7=3$

31 $n(A\cap B\cap C)=25-14-10-13+6+3+5=2$

32 $n(A\cap B\cap C)=32-15-20-16+7+9+6=3$

33 $n(A\cap B\cap C)=31-17-17-16+7+9+8=5$

12 명제/명제의 부정 본문 26쪽

21 (1) $15=3\times5$이므로 15는 3의 배수이다.

22 (1) 4와 6의 최대공약수가 2이므로 서로소가 아니다.

24 각각의 부정은 다음과 같다.
① 정사각형은 평행사변형이 아니다. (거짓)
② 1은 소수이다. (거짓)
③ 4는 100의 약수가 아니다. (거짓)
④ $\sqrt{9}$는 유리수이다. (참)
⑤ $5+6<11$ (거짓)

14 조건과 진리집합 본문 29쪽

01 x의 값에 따라 참이 될 수도 거짓이 될 수도 있으므로 조건이다.

03 $x>8$이면 참, $x\leq 8$이면 거짓이므로 조건이다.

15 $x^2-4x+3=0$, $(x-1)(x-3)=0$ $\therefore x=1$ 또는 $x=3$

21 $P=\{4, 5, 6, 7\}$이므로
$P^C=\{1, 2, 3, 8, 9\}$

22 $P=\{4\}$이므로
$P^C=\{1, 2, 3, 5, 6, 7, 8, 9\}$

23 $P=\{3, 4, 5, 6, 7, 8, 9\}$이므로
$P^C=\{1, 2\}$

24 $P=\{2, 3, 5, 7\}$이므로
$P^C=\{1, 4, 6, 8, 9\}$

25 $P=\{1, 2, 3, 6, 9\}$이므로
$P^C=\{4, 5, 7, 8\}$

15 조건 'p 또는 q'와 'p 그리고 q' 본문 31쪽

09 $6\leq x<10$은 $6\leq x$ 그리고 $x<10$이므로 부정은 $x<6$ 또는 $x\geq 10$이다.

11 $(a-1)^2+(b-1)^2=0$의 부정은
$(a-1)^2+(b-1)^2\neq 0$이므로
$a\neq 1$ 또는 $b\neq 1$

12 (3) $P\cup Q=\{1, 2\}$

13 (3) $P\cup Q=\{1, 2, 3, 8, 9\}$

14 (3) $P\cup Q=\{1, 2, 4, 5, 8\}$

15 (3) $P\cap Q=\{5, 6, 7, 8\}$

16 (3) $P\cap Q=\{6\}$

17 $p: x<2$에서 $\sim p: x\geq 2$이므로 $P^C=\{x|x\geq 2\}$
$q: x<5$에서 $Q=\{x|x<5\}$
따라서 구하는 진리집합은 $P^C\cap Q=\{x|2\leq x<5\}$

16 명제 $p\longrightarrow q$의 참, 거짓 본문 33쪽

07 $P\subset Q$이므로 명제 $p\longrightarrow q$는 참이다.

08 $P\not\subset Q$이므로 명제 $p\longrightarrow q$는 거짓이다.

09 $Q=\{1, 2, 4, 8\}$이고 $P\subset Q$이므로 명제 $p\longrightarrow q$는 참이다.

10 $P=\{-1, 6\}$, $Q=\{6\}$이고 $P\not\subset Q$이므로 명제 $p\longrightarrow q$는 거짓이다.

11 $a=-1$, $b=-2$라 하면 $\frac{1}{a}=-1$, $\frac{1}{b}=-\frac{1}{2}$
즉, $a>b$이지만 $\frac{1}{a}<\frac{1}{b}$ (거짓)

12 $a=-1$, $b=-2$라 하면 $a^2=1$, $b^2=4$
즉, $a>b$이지만 $a^2<b^2$ (거짓)

14 두 조건 p, q의 진리집합을 각각 P, Q라 하면
$P=\{4\}$, $Q=\{-2, 4\}$
$P\subset Q$이므로 명제 $p\longrightarrow q$는 참이다.

15 $a=0$, $b=1$, $c=2$라 하면
$ab=0$, $ac=0$
즉, $ab=ac$이지만 $b\neq c$ (거짓)

16 $x=\frac{1}{2}$이라 하면 $x^2=\frac{1}{4}$
즉, $x>0$이지만 $x>x^2$ (거짓)

17 두 조건 p, q의 진리집합을 각각 P, Q라 하면
$P=\{x|-4<x<4\}$, $Q=\{x|x<4\}$
$P\subset Q$이므로 명제 $p\longrightarrow q$는 참이다.

18 2는 소수이지만 짝수이다. (거짓)

19 명제 $p\longrightarrow \sim q$가 참이므로 $P\subset Q^C$이다. $\Rightarrow P\cap Q=\varnothing$

20 $P\subset Q^C$이지만 $P\cup Q=U$라 할 수 있는 것은 아니다.

23 $P^C\cup Q^C=U$

24 $P\cap Q=\varnothing$이므로 $Q\subset P^C$
따라서 참인 명제는 $q\longrightarrow \sim p$

17 '모든'이나 '어떤'이 들어 있는 명제 본문 35쪽

01

x	1	2	3	4
$x\leq 4$	참	참	참	참

모든 x가 조건을 만족시키므로 참이다.

02

x	1	2	3	4
x는 홀수이다.	참	거짓	참	거짓

조건을 만족시키지 않는 x가 존재하므로 거짓이다.

03

x	1	2	3	4
x는 4의 약수이다.	참	참	거짓	참

$x=3$이 조건을 만족시키지 않으므로 거짓이다.

04

x	1	2	3	4
$x^2<20$이다.	참	참	참	참

모든 x가 조건을 만족시키므로 참이다.

06 $x=0$이면 $x^2=0$ (거짓)

09 $x=1$이면 $x^2=1$ (거짓)

10 $x=2$이면 $\frac{1}{x}=\frac{1}{2}$ (거짓)

11

x	1	2	3	4
$x+2=0$이다.	거짓	거짓	거짓	거짓

조건을 만족시키는 x가 없으므로 거짓이다.

12

x	1	2	3	4
$x^2=1$이다.	참	거짓	거짓	거짓

$x=1$이 조건을 만족시키므로 참이다.

13

x	1	2	3	4
x는 5의 배수이다.	거짓	거짓	거짓	거짓

조건을 만족시키는 x가 없으므로 거짓이다.

14

x	1	2	3	4
$\|x\|>1$이다.	거짓	참	참	참

조건을 만족시키는 x가 존재하므로 참이다.

15

x	1	2	3	4
$x^2+4x-12=0$이다.	거짓	참	거짓	거짓

$x=2$가 조건을 만족시키므로 참이다.

16 $x=0$이 조건을 만족시킨다.

17 6의 배수 중 42는 7의 배수가 된다.

18 $x^2+1=0$을 만족시키는 실수 x는 존재하지 않는다.

19 $x^2-2x+2=(x-1)^2+1<0$을 만족시키는 실수 x는 존재하지 않는다.

20 ㄱ : $x=1$은 조건을 만족시키지 않는다. (거짓)
ㄴ : $x=0$은 조건을 만족시키지 않는다. (거짓)
ㄷ : $x^2+3x-10=0$을 만족시키는 x는 존재하지 않는다. (거짓)

18 명제의 역과 대우 본문 37쪽

07

명제	$a=b$이면 $a+c=b+c$이다.	참
역	$a+c=b+c$이면 $a=b$이다.	참
대우	$a+c\neq b+c$이면 $a\neq b$이다.	참

08

명제	$x^2=1$이면 $x=1$이다.	거짓
역	$x=1$이면 $x^2=1$이다.	참
대우	$x\neq 1$이면 $x^2\neq 1$이다.	거짓

09

명제	직사각형은 정사각형이다.	거짓
역	정사각형은 직사각형이다.	참
대우	정사각형이 아니면 직사각형이 아니다.	거짓

10

명제	x가 10의 배수이면 x는 5의 배수이다.	참
역	x가 5의 배수이면 x는 10의 배수이다.	거짓
대우	x가 5의 배수이가 아니면 x는 10의 배수도 아니다.	참

11

명제	$x>3$이면 $x\geq 4$이다.	거짓
역	$x\geq 4$이면 $x>3$이다.	참
대우	$x<4$이면 $x\leq 3$이다.	거짓

12

명제	x가 4의 약수이면 x는 20의 약수이다.	참
역	x가 20의 약수이면 x는 4의 약수이다.	거짓
대우	x가 20의 약수가 아니면 x는 4의 약수도 아니다.	참

13

명제	$a>0$ 또는 $b>0$이면 $a+b>0$이다.	거짓
역	$a+b>0$이면 $a>0$ 또는 $b>0$이다.	참
대우	$a+b\leq 0$이면 $a\leq 0$이고 $b\leq 0$이다.	거짓

18 ① $p\to \sim q$의 대우이므로 참이다.
② $\sim q\to r$의 대우이므로 참이다.
③ $p\to \sim q$와 $\sim q\to r$가 참이므로 $p\to r$도 참이다.
⑤ $p\to r$의 대우이므로 참이다.

19 충분조건과 필요조건 본문 39쪽

01 (2) $|x|=2$에서 $x=-2$ 또는 $x=2$ (거짓)
(3) 명제 $p\to q$가 참이므로 p는 q이기 위한 충분조건이다.

02 (2) $x^2=1$에서 $x=-1$ 또는 $x=1$ (거짓)
(3) 명제 $p\to q$가 참이므로 p는 q이기 위한 충분조건이다.

03 (1) $ab=0$에서 $a=0$ 또는 $b=0$ (거짓)
(3) 명제 $q\to p$가 참이므로 p는 q이기 위한 필요조건이다.

04 (3) 명제 $q\to p$가 참이므로 p는 q이기 위한 필요조건이다.

05 (3) 명제 $p\to q$가 참이므로 p는 q이기 위한 충분조건이다.

06 $a>b>c$이면 $a-b>0$, $b-c>0$, $a-c>0$이므로
$(a-b)(b-c)(a-c)>0$
(역의 반례) $a=1$, $b=3$, $c=2$이면
$(1-3)(3-2)(1-2)=2>0$이지만 $1>3>2$는 아니다.
따라서 충분조건이다.

07 (3) $P\subset Q$이므로 p는 q이기 위한 충분조건이다.

08 (3) $Q\subset P$이므로 p는 q이기 위한 필요조건이다.

09 (3) $Q\subset P$이므로 p는 q이기 위한 필요조건이다.

10 (3) $Q\subset P$이므로 p는 q이기 위한 필요조건이다.

11 (3) $P\subset Q$이므로 p는 q이기 위한 충분조건이다.

12 (3) $P\subset Q$이므로 p는 q이기 위한 충분조건이다.

20 필요충분조건 본문 41쪽

01 (1) $2x-10=0$에서 $x=5$ (참)

02 (1) $x^2=16$에서 $x=\pm 4$, $|x|=4$에서 $x=\pm 4$ (참)

03 (1) $x^2+3x-4=0$에서 $x=-4$ 또는 $x=1$ (참)

04 (1) $3x\geq 12$에서 $x\geq 4$ (참)

05 (1) $x-1\leq 0$에서 $x\leq 1$
$3x\leq 3$에서 $x\leq 1$ (참)

06 (1) $|x|<2$에서 $-2<x<2$ (참)

07 $x^2+x-2=0$에서 $x=-2$ 또는 $x=1$이므로
p는 q이기 위한 충분조건이다.

08 p, q의 진리집합을 각각 P, Q라 하면
$P=\{4,\ 8,\ 12,\ \cdots\}$, $Q=\{8,\ 16,\ 24,\ \cdots\}$ $\quad\therefore Q\subset P$
따라서 p는 q이기 위한 필요조건이다.

09 $2x+8>0$에서 $x>-4$이므로
p는 q이기 위한 충분조건이다.

10 $x^2=x$에서 $x=0$ 또는 $x=1$이므로
p는 q이기 위한 필요충분조건이다.

11 p, q의 진리집합을 각각 P, Q라 하면
$P=\{1,\ 2,\ 3,\ 6\}$, $Q=\{1,\ 2,\ 3,\ 4,\ 6,\ 12\}$ $\quad\therefore P\subset Q$
따라서 p는 q이기 위한 충분조건이다.

12 p, q의 진리집합을 각각 P, Q라 하면 $Q\subset P$이므로
p는 q이기 위한 필요조건이다.

13 $x-4=0$에서 $x=4$
$2x+5=x+9$에서 $x=4$
따라서 p는 q이기 위한 필요충분조건이다.

14 $|x|<2$에서 $-2<x<2$이므로
p는 q이기 위한 필요조건이다.

15 $x^2+y^2=0$에서 $x=y=0$이므로
p는 q이기 위한 필요충분조건이다.

16 $x^2=9$에서 $x=-3$ 또는 $x=3$이므로
p는 q이기 위한 필요조건이다.

17 $xy=0$에서 $x=0$ 또는 $y=0$이므로
p는 q이기 위한 필요충분조건이다.

18 p, q의 진리집합을 각각 P, Q라 하면 $P\subset Q$이므로
p는 q이기 위한 충분조건이다.

19 $3x-3>0$에서 $x>1$이므로
p는 q이기 위한 필요조건이다.

20 ① 필요조건 ② 필요조건
③ 필요조건 ④ 필요충분조건

22 절대부등식 본문 45쪽

01 $x<-1$이므로 $x=1$(반례)일 때 거짓이다.

02 $|x|>-3$이므로 모든 x에 대하여 참이다.

03 $x^2-2x+1>0$, $(x-1)^2>0$이므로
$x=1$(반례)일 때 거짓이다.

04 $(x-3)^2>-2$이므로 모든 x에 대하여 참이다.

05 $4<0$이므로 거짓이다.

06 $x^2+4x+2>0$, $(x+2)^2-2>0$, $(x+2)^2>2$이므로
$x=-2$(반례)일 때 거짓이다.

23 산술평균과 기하평균의 관계 본문 47쪽

02 $a>0$, $\dfrac{1}{a}>0$이므로
산술평균과 기하평균의 관계에서
$a+\dfrac{1}{a}\geq 2\sqrt{a\cdot\dfrac{1}{a}}=2$

03 $2a>0$, $\dfrac{1}{2a}>0$이므로
산술평균과 기하평균의 관계에서
$2a+\dfrac{1}{2a}\geq 2\sqrt{2a\cdot\dfrac{1}{2a}}=2$

04 $a-3>0$, $\dfrac{9}{a-3}>0$이므로
산술평균과 기하평균의 관계에서
$a-3+\dfrac{9}{a-3}\geq 2\sqrt{(a-3)\cdot\dfrac{9}{a-3}}=6$

05 $2(a-2)>0$, $\dfrac{8}{a-2}>0$이므로
산술평균과 기하평균의 관계에서
$2(a-2)+\dfrac{8}{a-2}\geq 2\sqrt{2(a-2)\cdot\dfrac{8}{a-2}}=8$

07 $a>0$, $b>0$이므로
산술평균과 기하평균의 관계에서
$\sqrt{ab}\leq\dfrac{a+b}{2}=\dfrac{10}{2}=5$
따라서 ab의 최댓값은 $5^2=25$

08 $a>0$, $b>0$이므로
산술평균과 기하평균의 관계에서
$\dfrac{a^2+b^2}{2}\geq\sqrt{a^2\cdot b^2}=ab$에서
$ab\leq 6$

09 $\dfrac{1}{a}+\dfrac{1}{b}=\dfrac{a+b}{ab}=\dfrac{8}{ab}$ ……㉠
이때 $\sqrt{ab}\leq\dfrac{a+b}{2}=4$이므로 $0<ab\leq 16$
㉠에서 $\dfrac{1}{a}+\dfrac{1}{b}$의 최솟값은 $\dfrac{8}{ab}=\dfrac{8}{16}=\dfrac{1}{2}$

24 코시-슈바르츠의 부등식 본문 48쪽

02 $(1^2+2^2)(x^2+y^2)\geq(x+2y)^2$에서
$(x+2y)^2\leq 20$
$\therefore -2\sqrt{5}\leq x+2y\leq 2\sqrt{5}$

03 $(3^2+1^2)(x^2+y^2)\geq(3x+y)^2$에서
$(3x+y)^2\leq 40$
$\therefore -2\sqrt{10}\leq 3x+y\leq 2\sqrt{10}$

04 $(3^2+4^2)(x^2+y^2)\geq(3x+4y)^2$에서
$(3x+4y)^2\leq 100$
$\therefore -10\leq 3x+4y\leq 10$

05 $(2^2+3^2)(x^2+y^2)\geq(2x+3y)^2$에서
$(2x+3y)^2\leq 13a$
$\therefore -\sqrt{13a}\leq 2x+3y\leq\sqrt{13a}$
$\sqrt{13a}-(-\sqrt{13a})=26$이므로 $2\sqrt{13a}=26$
$\sqrt{13a}=13$ $\quad\therefore a=13$

06 $(1^2+1^2)(x^2+y^2)\geq(x+y)^2$에서
$2(x^2+y^2)\geq 36$
$\therefore x^2+y^2\geq 18$

07 $(3^2+1^2)(x^2+y^2)\geq(3x+y)^2$에서
$10(x^2+y^2)\geq 25$

$\therefore x^2+y^2 \ge \frac{5}{2}$

08 $(1^2+2^2)(x^2+y^2) \ge (x+2y)^2$에서
$5(x^2+y^2) \ge 100$
$\therefore x^2+y^2 \ge 20$

09 $(2^2+4^2)(x^2+y^2) \ge (2x+4y)^2$에서
$20(x^2+y^2) \ge 25$
$\therefore x^2+y^2 \ge \frac{5}{4}$

10 $(4^2+3^2)(x^2+y^2) \ge (4x+3y)^2$에서
$25(x^2+y^2) \ge 100$
$\therefore x^2+y^2 \ge 4$

Ⅱ. 함수

01 대응과 함수 본문 54쪽

01 $x=1 \to y=4\times1=4$
$x=2 \to y=4\times2=8$
$x=3 \to y=4\times3=12$

02 $x=3 \to y=$(3의 약수의 개수)$=2$
$x=6 \to y=$(6의 약수의 개수)$=4$
$x=9 \to y=$(9의 약수의 개수)$=3$

03 $x=4 \to y=$(4의 소인수)$=2$
$x=6 \to y=$(6의 소인수)$=2, 3$
$x=8 \to y=$(8의 소인수)$=2$
$x=10 \to y=$(10의 소인수)$=2, 5$

05 X의 원소 2에 대응하는 Y의 원소가 없다.

06 X의 원소 d에 대응하는 Y의 원소가 2개이다.

08 X의 원소 a에 대응하는 Y의 원소가 없다.

12 X의 한 원소에 대응하는 Y의 원소가 무수히 많다.

13 X의 원소에 대응하는 Y의 원소가 2개인 것이 있다.

02 함수의 정의역, 공역, 치역 본문 56쪽

05 (1) $f(5)=3\times5^2-1=74$
(2) $f(-1)=3\times(-1)^2-1=2$
(3) $f(0)=3\times0^2-1=-1$

06 (1) $f(2)=\frac{4}{2}-5=-3$
(2) $f\left(-\frac{3}{4}\right)=\frac{4}{-\frac{3}{4}}-5=-\frac{31}{3}$
(3) $f(-2)=\frac{4}{-2}-5=-7$

08 $2x-3=4$에서 $x=\frac{7}{2}$이므로
$f(4)=4\times\frac{7}{2}+5=19$

09 $3x-5=4$에서 $x=3$이므로
$f(4)=\frac{1}{6}\times3+2=\frac{5}{2}$

10 $\frac{2-3x}{2}=4$에서 $x=-2$이므로
$f(4)=\frac{4}{-2}-3=-5$

11 $\frac{5x+4}{3}=4$에서 $x=\frac{8}{5}$이므로
$f(4)=10\times\frac{8}{5}-7=9$

13 $2-x=t$로 놓으면 $x=2-t$이므로
$f(t)=2(2-t)+4=-2t+8$
$\therefore f(x)=-2x+8$

14 $x+3=t$로 놓으면 $x=t-3$이므로
$f(t)=3(t-3)+5=3t-4$
$\therefore f(x)=3x-4$

15 $\frac{3x-2}{2}=t$로 놓으면 $x=\frac{2t+2}{3}$이므로
$f(t)=2\cdot\frac{2t+2}{3}+3=\frac{4t+13}{3}$
$\therefore f(x)=\frac{4x+13}{3}$

17 $f(2x+5)=-6(2x+5)+15=-12x-15$

18 $f(-4x)=-6(-4x)+15=24x+15$

19 $f\left(\frac{4-3x}{3}\right)=-6\left(\frac{4-3x}{3}\right)+15=6x+7$

20 $2x-5=t$로 놓으면 $x=\frac{t+5}{2}$이므로
$f(t)=9-\frac{t+5}{2}=\frac{13-t}{2}$
$\therefore f(4-3x)=\frac{13-(4-3x)}{2}=\frac{3x+9}{2}$
따라서 $a=\frac{3}{2}$, $b=\frac{9}{2}$이므로 $a+b=6$

21 $x=-2$일 때, $y=-2+3=1$
$x=-1$일 때, $y=-1+3=2$
$x=1$일 때, $y=1+3=4$

22 $x=-2$일 때, $y=2\times(-2)^2=8$
$x=-1$일 때, $y=2\times(-1)^2=2$
$x=1$일 때, $y=2\times1^2=2$

23 $x=-2$일 때, $y=\frac{4}{-2}=-2$
$x=-1$일 때, $y=\frac{4}{-1}=-4$
$x=1$일 때, $y=\frac{4}{1}=4$

24 $x=-2$일 때, $y=-2+2=0$
$x=-1$일 때, $y=-1+2=1$

$x=1$일 때, $y=2$

25 $y=-2$일 때, $-2=\frac{5-3x}{2}$ $\therefore x=3$

$y=1$일 때, $1=\frac{5-3x}{2}$ $\therefore x=1$

$y=4$일 때, $4=\frac{5-3x}{2}$ $\therefore x=-1$

$y=7$일 때, $7=\frac{5-3x}{2}$ $\therefore x=-3$

03 서로 같은 함수 본문 59쪽

01 $f(-1)=g(-1)=1$, $f(1)=g(1)=1$
이므로 $f=g$

02 $f(-1)=g(-1)=2$, $f(1)=g(1)=4$
이므로 $f=g$

03 $f(-1)=-3$, $g(-1)=-5$, $f(1)=g(1)=1$
이므로 $f\neq g$

04 $f(-1)=g(-1)=3$, $f(1)=3$, $g(1)=1$
이므로 $f\neq g$

05 $f(-1)=g(-1)=4$, $f(1)=g(1)=2$
이므로 $f=g$

07 $f(2)=4$, $g(2)=2a+b$이므로 $2a+b=4$ …… ㉠
$f(4)=3$, $g(4)=4a+b$이므로 $4a+b=3$ …… ㉡
㉠, ㉡을 연립하여 풀면 $a=-\frac{1}{2}$, $b=5$

08 $f(1)=1$, $g(1)=a+b$이므로 $a+b=1$ …… ㉠
$f(2)=-2$, $g(2)=2a+b$이므로 $2a+b=-2$ …… ㉡
㉠, ㉡을 연립하여 풀면 $a=-3$, $b=4$

09 $f(x)=g(x)$에서 $x^2=-2x+3$
$x^2+2x-3=0$, $(x+3)(x-1)=0$
$\therefore x=-3$ 또는 $x=1$
따라서 구하는 집합 X는 집합 $\{-3, 1\}$의 부분집합 중 $\varnothing$을 제외한 $\{-3\}$, $\{1\}$, $\{-3, 1\}$이다.

04 여러 가지 함수 본문 60쪽

15 $x_1=-2$, $x_2=0$일 때,
$f(-2)=f(0)=-5$
즉, $x_1\neq x_2$이지만 $f(x_1)=f(x_2)$이다.
따라서 함수 $f(x)$는 일대일함수가 아니므로 일대일대응이 아니다.

16 함수 $f(x)$는 $x_1\neq x_2$일 때,
$f(x_1)=f(x_2)=6$이다.
따라서 함수 $f(x)$는 일대일함수가 아니므로 일대일대응이 아니다.

17 함수 $f(x)$는 임의의 두 실수 x_1, x_2에 대하여 $x_1\neq x_2$이면 $f(x_1)\neq f(x_2)$이다.
그런데 치역은 $\{f(x)\,|\,f(x)<-1$ 또는 $f(x)\geq 0\}$이므로 공역과 같지 않다.
따라서 함수 $f(x)$는 일대일함수이지만 일대일대응은 아니다.

19 $a>0$이므로 함수 f는 증가함수이다.
이 함수가 일대일대응이 되려면
$f(1)=-5$, $f(4)=1$이어야 하므로
$f(1)=a+b=-5$,
$f(4)=4a+b=1$
두 식을 연립하여 풀면 $a=2$, $b=-7$

20 $a>0$이므로 함수 f는 증가함수이다.
이 함수가 일대일대응이 되려면
$f(-3)=-6$, $f(3)=8$이어야 하므로
$f(-3)=-3a+b=-6$,
$f(3)=3a+b=8$
두 식을 연립하여 풀면 $a=\frac{7}{3}$, $b=1$

21 $a>0$이므로 함수 f는 증가함수이다.
이 함수가 일대일대응이 되려면
$f(2)=-2$, $f(10)=18$이어야 하므로
$f(2)=2a+b=-2$,
$f(10)=10a+b=18$
두 식을 연립하여 풀면 $a=\frac{5}{2}$, $b=-7$

23 $a<0$이므로 함수 f는 감소함수이다.
이 함수가 일대일대응이 되려면
$f(-4)=6$, $f(2)=-6$이어야 하므로
$f(-4)=-4a+b=6$,
$f(2)=2a+b=-6$
두 식을 연립하여 풀면 $a=-2$, $b=-2$

24 $a<0$이므로 함수 f는 감소함수이다.
이 함수가 일대일대응이 되려면
$f(2)=-3$, $f(4)=-5$이어야 하므로
$f(2)=2a+b=-3$,
$f(4)=4a+b=-5$
두 식을 연립하여 풀면 $a=-1$, $b=-1$

25 $a<0$이므로 함수 f는 감소함수이다.
이 함수가 일대일대응이 되려면
$f(-5)=9$, $f(3)=-3$이어야 하므로
$f(-5)=-5a-b=9$, $f(3)=3a-b=-3$
두 식을 연립하여 풀면 $a=-\frac{3}{2}$, $b=-\frac{3}{2}$

$\therefore ab=\frac{9}{4}$

27 $f(x)=2x^2-4x-1=2(x-1)^2-3$
이므로 그래프는 오른쪽 그림과 같다.

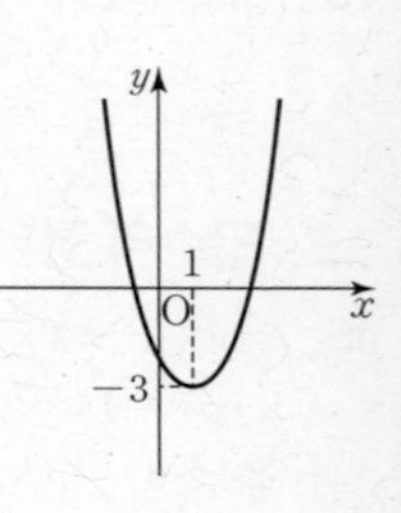

$x\geq 1$일 때, 함수 $f(x)$가 일대일대응이 되므로 $k\geq 1$
따라서 k의 최솟값은 1이고 그때의 치역은
$\{f(x)\,|\,f(x)\geq -3\}$

28 $f(x)=\frac{1}{2}x^2-2x+4$
$=\frac{1}{2}(x-2)^2+2$
이므로 그래프는 오른쪽 그림과 같다.

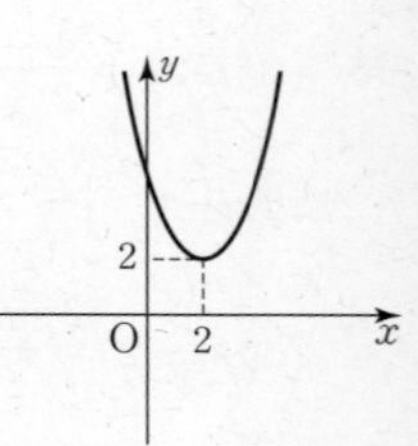

$x\geq 2$일 때, 함수 $f(x)$가 일대일대응이 되므로 $k\geq 2$

따라서 k의 최솟값은 2이고 그때의 치역은 $\{f(x) \mid f(x) \geq 2\}$

30 $f(x)=-4x^2-12x-12$

$=-4\left(x+\frac{3}{2}\right)^2-3$

이므로 그래프는 오른쪽 그림과 같다.

$x \geq -\frac{3}{2}$일 때, 함수 $f(x)$가 일대일대응이 되므로 $k \geq -\frac{3}{2}$

따라서 k의 최솟값은 $-\frac{3}{2}$이고 그때의 치역은 $\{f(x) \mid f(x) \leq -3\}$

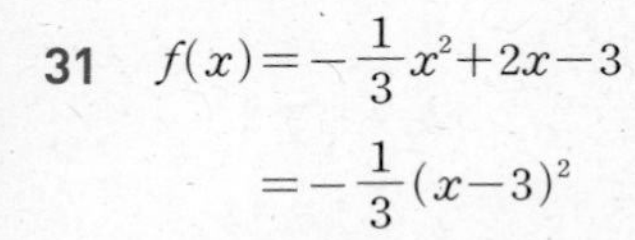

31 $f(x)=-\frac{1}{3}x^2+2x-3$

$=-\frac{1}{3}(x-3)^2$

이므로 그래프는 오른쪽 그림과 같다.

$x \geq 3$일 때, 함수 $f(x)$가 일대일대응이 되므로 $k \geq 3$

따라서 k의 최솟값은 3이고 그때의 치역은 $\{f(x) \mid f(x) \leq 0\}$

32 $f(-1)=|-1|=1 \neq -1$이므로 항등함수가 아니다.

33 $f(-1)=-1$, $f(0)=0$, $f(1)=1$이므로 항등함수이다.

34 $f(-1)=(-1)^2=1 \neq -1$이므로 항등함수가 아니다.

35 $f(-1)=-(-1)=1 \neq -1$이므로 항등함수가 아니다.

36 $f(-1)=-1$, $f(0)=0$, $f(1)=1$이므로 항등함수이다.

37 $f(-1)=-1$, $f(0)=0$, $f(1)=1$이므로 항등함수이다.

38 $f(0)=1-0=1 \neq 0$이므로 항등함수가 아니다.

40 $f(x)$가 항등함수이어야 하므로

$f(x)=-x^2-4x+6=x$에서

$x^2+5x-6=0$, $(x+6)(x-1)=0$

$\therefore x=-6$ 또는 $x=1$

따라서 구하는 집합 X의 개수는 $\{-6\}$, $\{1\}$, $\{-6, 1\}$의 3개이다.

41 $f(x)$가 항등함수이어야 하므로

$f(x)=x^3-2x^2+2=x$에서

$x^3-2x^2-x+2=0$, $(x+1)(x-1)(x-2)=0$

$\therefore x=-1$ 또는 $x=1$ 또는 $x=2$

따라서 구하는 집합 X의 개수는 $\{-1\}$, $\{1\}$, $\{2\}$, $\{-1, 1\}$, $\{-1, 2\}$, $\{1, 2\}$, $\{-1, 1, 2\}$의 7개이다.

42 $f(x)=2x^2-16x+8=x$에서

$2x^2-17x+8=0$, $(2x-1)(x-8)=0$

$\therefore x=\frac{1}{2}$ 또는 $x=8$

따라서 집합 $X=\left\{\frac{1}{2}, 8\right\}$이므로 $ab=4$

05 여러 가지 함수의 개수 본문 65쪽

01 (1) $3^2=9$(개)

02 (1) $2^3=8$(개)

03 (1) $4^3=64$(개)

(2) $4 \times 3 \times 2=24$(개)

04 (1) $3^3=27$(개)

(2) $3 \times 2 \times 1=6$(개)

(3) $3 \times 2 \times 1=6$(개)

05 (1) $4^4=256$(개)

(2) $4 \times 3 \times 2 \times 1=24$(개)

(3) $4 \times 3 \times 2 \times 1=24$(개)

06 $(-1) \times (-1)=1$, $(-1) \times 1=-1$, $(-1) \times 2=-2$, $1 \times 1=1$, $1 \times 2=2$, $2 \times 2=4$이므로

$Y=\{-2, -1, 1, 2, 4\}$

따라서 함수의 개수는 $5^3=125$(개)이다.

06 합성함수 본문 66쪽

01 (2) $(g \circ f)(2)=g(f(2))=g(a)=3$

(3) $(g \circ f)(3)=g(f(3))=g(c)=4$

(4) $(g \circ f)(4)=g(f(4))=g(d)=1$

02 (1) $(g \circ f)(1)=g(f(1))=g(c)=2$

(2) $(g \circ f)(2)=g(f(2))=g(d)=3$

(3) $(g \circ f)(3)=g(f(3))=g(a)=4$

(4) $(g \circ f)(4)=g(f(4))=g(a)=4$

(5) $(f \circ g)(a)=f(g(a))=f(4)=a$

(6) $(f \circ g)(b)=f(g(b))=f(1)=c$

(7) $(f \circ g)(c)=f(g(c))=f(2)=d$

(8) $(f \circ g)(d)=f(g(d))=f(3)=a$

04 $f(-4)=2 \cdot (-4)+5=-3$이므로

$(g \circ f)(-4)=g(f(-4))=g(-3)$

$=3 \cdot (-3)-7=-16$

05 $g(0)=3 \cdot 0-7=-7$이므로

$(f \circ g)(0)=f(g(0))=f(-7)$

$=2 \cdot (-7)+5=-9$

06 $g\left(\frac{1}{2}\right)=3 \cdot \frac{1}{2}-7=-\frac{11}{2}$이므로

$(f \circ g)\left(\frac{1}{2}\right)=f\left(g\left(\frac{1}{2}\right)\right)=f\left(-\frac{11}{2}\right)$

$=2 \cdot \left(-\frac{11}{2}\right)+5=-6$

07 $f(-3)=2 \cdot (-3)+5=-1$이므로

$(f \circ f)(-3)=f(f(-3))=f(-1)$

$=2 \cdot (-1)+5=3$

08 $g\left(-\frac{2}{3}\right)=3 \cdot \left(-\frac{2}{3}\right)-7=-9$이므로

$(g \circ g)\left(-\frac{2}{3}\right)=g\left(g\left(-\frac{2}{3}\right)\right)=g(-9)$

$=3 \cdot (-9)-7=-34$

10 $(f \circ g)(x)=f(g(x))=f(x^2+1)$

$=(x^2+1)-2=x^2-1$

11 $(f \circ f)(x)=f(f(x))=f(x-2)$

$=(x-2)-2=x-4$

12 $(g\circ g)(x)=g(g(x))=g(x^2+1)$
$=(x^2+1)^2+1=x^4+2x^2+2$

13 $(f\circ g)(x)=f(g(x))=f(ax+2)$
$=4(ax+2)-3=4ax+5$
이므로 $(f\circ g)(3)=4a\cdot3+5=17$
$12a=12$ $\therefore a=1$

14 $f(\sqrt{2})=(\sqrt{2})^2=2$이므로
$(f\circ f)(\sqrt{2})=f(f(\sqrt{2}))=f(2)=3\cdot2-2=4$

15 $f(-\sqrt{3})=(-\sqrt{3})^2=3$이므로
$(f\circ f)(-\sqrt{3})=f(f(-\sqrt{3}))=f(3)=3\cdot3-2=7$

16 $g(-3)=10-(-3)^2=1$이므로
$(f\circ g)(-3)=f(g(-3))=f(1)=9-2\cdot1=7$

17 $f(-3)=-3+5=2$이므로
$(g\circ f)(-3)=g(f(-3))=g(2)=10-2^2=6$

18 $(f\circ g)(-3)+(g\circ f)(-3)=7+6=13$

19 $(f\circ g)(1)+(g\circ f)(4)=f(g(1))+g(f(4))$
$=f(6)+g(-4)$
$=(-10)+(-4)=-14$

20 $(f\circ g)(-2)+(g\circ f)(3)=f(g(-2))+g(f(3))$
$=f(0)+g(-1)$
$=8+2=10$

21 $(f\circ g)(2)-(g\circ f)(6)=f(g(2))-g(f(6))$
$=f(8)-g(-10)$
$=(-16)-(-16)=0$

22 $(f\circ g)(4)-(g\circ f)(-3)=f(g(4))-g(f(-3))$
$=f(12)-g(17)$
$=(-28)-38=-66$

23 $(f\circ g)(-5)-(g\circ f)(-1)=f(g(-5))-g(f(-1))$
$=f(-6)-g(11)$
$=26-26=0$

07 합성함수의 성질 본문 69쪽

01 (1) $(f\circ g)(2)=f(g(2))=f(3)=7$
(2) $(g\circ f)(2)=g(f(2))=g(4)=-1$

02 (1) $(f\circ g)(-3)=f(g(-3))=f(3)=9$
(2) $(g\circ f)(-3)=g(f(-3))=g(-3)=3$

04 $(f\circ g)(x)=f(g(x))=f(2x-1)$
$=a(2x-1)+3=2ax-a+3$
$(g\circ f)(x)=g(f(x))=g(ax+3)$
$=2(ax+3)-1=2ax+5$
$(g\circ f)(x)=(f\circ g)(x)$이므로
$2ax+5=2ax-a+3$에서
$-a+3=5$ $\therefore a=-2$

05 $(f\circ g)(x)=f(g(x))=f(4x+2)$
$=(4x+2)+a=4x+a+2$
$(g\circ f)(x)=g(f(x))=g(x+a)$
$=4(x+a)+2=4x+4a+2$
$(g\circ f)(x)=(f\circ g)(x)$이므로
$4x+4a+2=4x+a+2$에서
$a+2=4a+2$ $\therefore a=0$

07 $(f\circ(g\circ h))(4)=((f\circ g)\circ h)(4)$
$=(f\circ g)(h(4))$
$=(f\circ g)(9)=-11$

08 $((f\circ g)\circ h)(-3)=(f\circ(g\circ h))(-3)$
$=f((g\circ h)(-3))$
$=f(-5)=12$

10 $f(2)=3\cdot2-2=4$

11 $f(-2)=3\cdot(-2)-2=-8$

12 $(f\circ f)(x)=f(f(x))=f(x^2-3)$
$=(x^2-3)^2-3=x^4-6x^2+6$
$(f\circ f)(k)=k^4-6k^2+6=-2$이므로 $k^4-6k^2+8=0$
$k^2=t$로 치환하면 $t^2-6t+8=0$
$(t-2)(t-4)=0$ $\therefore t=2$ 또는 $t=4$
즉, $k^2=2$ 또는 $k^2=4$이므로 $k=\pm\sqrt{2}$ 또는 $k=\pm2$
따라서 모든 실수 k의 값의 곱은
$(-\sqrt{2})\cdot\sqrt{2}\cdot(-2)\cdot2=8$

14 $(f\circ h)(x)=f(h(x))=3h(x)+4$이므로
$3h(x)+4=x^2-5$
$\therefore h(x)=\frac{1}{3}x^2-3$

15 $(h\circ f)(x)=g(x)$에서
$h(f(x))=g(x)$, $h(2x-1)=x+4$
$2x-1=t$로 놓으면 $x=\frac{t+1}{2}$이므로
$h(t)=\frac{t+1}{2}+4=\frac{t+9}{2}$
$\therefore h(x)=\frac{x+9}{2}$

16 $(h\circ f)(x)=g(x)$에서
$h(f(x))=g(x)$, $h(x+5)=x^2-15$
$x+5=t$로 놓으면 $x=t-5$이므로
$h(t)=(t-5)^2-15=t^2-10t+10$
$\therefore h(x)=x^2-10x+10$

17 $(f\circ g\circ h)(x)=2x^2+6$에서
$(f\circ g)(h(x))=2x^2+6$, $4h(x)-2=2x^2+6$
$\therefore h(x)=\frac{1}{2}x^2+2$

18 $(f\circ(g\circ h))(x)=((f\circ g)\circ h)(x)$
$=(f\circ g)(h(x))$
이므로 $2h(x)+5=6x-3$
$\therefore h(x)=3x-4$

19 $((h\circ f)\circ g)(x)=(h\circ(f\circ g))(x)$
$=h((f\circ g)(x))$
$=h(3x-2)$
이므로 $h(3x-2)=3x+4=(3x-2)+6$
$3x-2=t$로 놓으면 $h(t)=t+6$
$\therefore h(x)=x+6$

20 $(h\circ f)(x)=g(x)$에서 $h(f(x))=g(x)$
$h(2x-4)=x^2-4x+6$ …… ㉠
이때 $2x-4=0$에서 $x=2$이므로 ㉠에 $x=2$를 대입하면
$h(0)=2^2-4\cdot2+6=2$

21 (1) $f^2(x)=(f\circ f)(x)=f(f(x))=f(x+1)$
$=(x+1)+1=x+2$

(2) $f^3(x)=(f\circ f^2)(x)=f(f^2(x))=f(x+2)$
$=(x+2)+1=x+3$
(3) $f^4(x)=(f\circ f^3)(x)=f(f^3(x))=f(x+3)$
$=(x+3)+1=x+4$
(4) $f^n(x)=x+n$
(5) $f^{15}(x)=x+15$이므로
$f^{15}(3)=3+15=18$

22 (1) $f^2(x)=(f\circ f)(x)=f(f(x))=f(-x+1)$
$=-(-x+1)+1=x$
(2) $f^3(x)=(f\circ f^2)(x)=f(f^2(x))$
$=f(x)=-x+1$
(3) $f^4(x)=(f\circ f^3)(x)=f(f^3(x))=f(-x+1)$
$=-(-x+1)+1=x$
(4) $f^5(x)=(f\circ f^4)(x)=f(f^4(x))=f(x)$
$=-x+1$

23 (1) $f\left(\frac{1}{2}\right)=-1$이므로
$f^2\left(\frac{1}{2}\right)=(f\circ f)\left(\frac{1}{2}\right)=f\left(f\left(\frac{1}{2}\right)\right)=f(-1)=\frac{1}{2}$
(2) $f^3\left(\frac{1}{2}\right)=(f\circ f^2)\left(\frac{1}{2}\right)=f\left(f^2\left(\frac{1}{2}\right)\right)=f\left(\frac{1}{2}\right)=-1$
(3) $f^4\left(\frac{1}{2}\right)=(f\circ f^3)\left(\frac{1}{2}\right)=f\left(f^3\left(\frac{1}{2}\right)\right)=f(-1)=\frac{1}{2}$
(4) $f^n\left(\frac{1}{2}\right)$에서 n이 홀수이면 -1, n이 짝수이면 $\frac{1}{2}$이다.
따라서 $f^{2016}\left(\frac{1}{2}\right)=\frac{1}{2}$
(5) $f^{2017}\left(\frac{1}{2}\right)=-1$

24 $f(a)=2a$, $f^2(a)=f(f(a))=2^2a$,
$f^3(a)=f(f^2(a))=f(2^2a)=2^3a$, $\cdots$, $f^{10}(a)=2^{10}a$
즉, $2^{10}a=64=2^6$
$\therefore a=\frac{1}{2^4}=\frac{1}{16}$

08 역함수 본문 73쪽

06 $f^{-1}(a)=6$에서 $f(6)=a$이므로
$a=4\cdot6+3=27$

07 $f^{-1}(3)=2a+4$에서 $f(2a+4)=3$이므로
$4(2a+4)+3=3$ $\therefore a=-2$

08 $f^{-1}(7)=3a-2$에서 $f(3a-2)=7$이므로
$4(3a-2)+3=7$ $\therefore a=1$

09 $f^{-1}(-1)=3$에서 $f(3)=-1$이므로
$3a+b=-1$ …… ㉠
$f^{-1}(14)=-2$에서 $f(-2)=14$이므로
$-2a+b=14$ …… ㉡
㉠, ㉡을 연립하여 풀면 $a=-3$, $b=8$
$\therefore ab=-24$

10 일대일대응이 아니다.

12 공역과 치역이 같지 않다.

15 역함수가 존재하려면 일대일대응이어야 하므로
$x=2$에서 함숫값이 같아야 한다.
$2-a=2\cdot2+a$ $\therefore a=-1$

16 역함수가 존재하려면 일대일대응이어야 하므로
$x=4$에서 함숫값이 같아야 한다.
$-3\cdot4+a=-4-(2a+3)$ $\therefore a=\frac{5}{3}$

18 역함수가 존재하려면 증가함수 또는 감소함수이어야 하므로
기울기의 곱이 양수이고 $x=0$에서 함숫값이 같아야 한다.
$(a+3)(5-a)>0$, $(a+3)(a-5)<0$
$\therefore -3<a<5$

20 역함수가 존재하려면 일대일대응이어야 하므로
$f(-1)=a$, $f(2)=b$에서
$a=f(-1)=3\cdot(-1)+5=2$
$b=f(2)=3\cdot2+5=11$

21 역함수가 존재하려면 일대일대응이어야 하므로
$f(-1)=b$, $f(2)=a$에서
$a=f(2)=-2+6=4$
$b=f(-1)=-(-1)+6=7$

22 역함수가 존재하려면 일대일대응이어야 하므로
$f(-2)=15$, $f(5)=a$에서
$(-3)\cdot(-2)+b=15$, $b=9$
$a=-3\cdot5+9=-6$
$\therefore a+b=(-6)+9=3$

24 $f(x)=x^2+6x-6=(x+3)^2-15$이므로
일대일대응이려면 $a\geq-3$
또, 정의역과 치역이 같으므로 $f(a)=a$에서
$a^2+6a-6=a$, $a^2+5a-6=0$
$(a+6)(a-1)=0$ $\therefore a=1$ $(\because a\geq-3)$

25 $f(x)=x^2-4x-24=(x-2)^2-28$이므로
일대일대응이려면 $a\geq2$
또, 정의역과 치역이 같으므로 $f(a)=a$에서
$a^2-4a-24=a$, $a^2-5a-24=0$
$(a+3)(a-8)=0$ $\therefore a=8$ $(\because a\geq2)$

26 $f(x)=x^2-3x-5=\left(x-\frac{3}{2}\right)^2-\frac{29}{4}$이므로
일대일대응이려면 $a\geq\frac{3}{2}$
또, 정의역과 치역이 같으므로 $f(a)=a$에서
$a^2-3a-5=a$, $a^2-4a-5=0$
$(a-5)(a+1)=0$ $\therefore a=5$ $\left(\because a\geq\frac{3}{2}\right)$

09 역함수 구하기 본문 76쪽

02 $y=2x+4$를 x에 관하여 풀면
$2x=y-4$ $\therefore x=\frac{1}{2}y-2$
x와 y를 바꾸면 $y=\frac{1}{2}x-2$

03 $y=\frac{x+3}{2}$을 x에 관하여 풀면
$x+3=2y$ $\therefore x=2y-3$
x와 y를 바꾸면 $y=2x-3$

04 $y=\frac{2}{3}x+2$를 x에 관하여 풀면

$\frac{2}{3}x=y-2$ $\therefore x=\frac{3}{2}y-3$

x와 y를 바꾸면 $y=\frac{3}{2}x-3$

05 $y=ax-3$이라 하면

$ax=y+3$, $x=\frac{1}{a}y+\frac{3}{a}$

$\therefore y=\frac{1}{a}x+\frac{3}{a}$

$f=f^{-1}$이므로 $ax-3=\frac{1}{a}x+\frac{3}{a}$에서

$a=\frac{1}{a}$, $\frac{3}{a}=-3$이다.

$a^2=1$, $-3a=3$ $\therefore a=-1$

06 $y=2ax+4$라 하면

$2ax=y-4$, $x=\frac{1}{2a}y-\frac{2}{a}$

$\therefore y=\frac{1}{2a}x-\frac{2}{a}$

$f=f^{-1}$이므로 $2ax+4=\frac{1}{2a}x-\frac{2}{a}$에서

$2a=\frac{1}{2a}$, $-\frac{2}{a}=4$이다.

$4a^2=1$, $-4a=2$ $\therefore a=-\frac{1}{2}$

07 $y=-ax+1$이라 하면

$ax=-y+1$, $x=-\frac{1}{a}y+\frac{1}{a}$

$\therefore y=-\frac{1}{a}x+\frac{1}{a}$

$f=f^{-1}$이므로 $-ax+1=-\frac{1}{a}x+\frac{1}{a}$에서

$-a=-\frac{1}{a}$, $\frac{1}{a}=1$이다.

$a^2=1$, $a=1$ $\therefore a=1$

10 역함수의 성질 본문 77쪽

02 $(f\circ(f\circ g)^{-1}\circ f)(2)=(f\circ g^{-1}\circ f^{-1}\circ f)(2)$
$=(f\circ g^{-1})(2)$
$=f(g^{-1}(2))$

이때 $g^{-1}(2)=k$라 하면 $g(k)=2$이므로

$3k-5=2$ $\therefore k=\frac{7}{3}$

$\therefore$ (구하는 값)$=f\left(\frac{7}{3}\right)=6\cdot\frac{7}{3}+2=16$

03 $(f\circ(f\circ g)^{-1}\circ f)(2)=(f\circ g^{-1}\circ f^{-1}\circ f)(2)$
$=(f\circ g^{-1})(2)$
$=f(g^{-1}(2))$

이때 $g^{-1}(2)=k$라 하면 $g(k)=2$이므로

$k^2-7=2$ $\therefore k=3$

$\therefore$ (구하는 값)$=f(3)=2\cdot3-6=0$

05 $(f^{-1}\circ g^{-1}\circ h)(x)=f(x)$에서

$((g\circ f)^{-1}\circ h)(x)=f(x)$, $(g\circ f)(f(x))=h(x)$

$\therefore h(x)=g(f(3x))=g(9x)=x-4$

06 $(f^{-1}\circ g^{-1})(x)=x-5$에서

$(g\circ f)^{-1}(x)=x-5$, $(g\circ f)(x-5)=x$

$\therefore (g\circ f)(x)=x+5$

$((h\circ g)\circ f)(x)=4x+3$에서

$(h\circ(g\circ f))(x)=4x+3$, $h(x+5)=4x+3$

$\therefore h(x)=4(x-5)+3=4x-17$

08 $f^{-1}(a)=k$라 하면 $f(k)=a$

$2k-4=a$ $\therefore k=\frac{a+4}{2}$

$(g\circ f^{-1})(a)=g(f^{-1}(a))=g\left(\frac{a+4}{2}\right)$
$=5-\frac{a+4}{2}=\frac{6-a}{2}$

따라서 $\frac{6-a}{2}=6$, $6-a=12$ $\therefore a=-6$

09 $(f\circ g^{-1})^{-1}(a)=4$에서 $(f\circ g^{-1})(4)=a$

$g^{-1}(4)=k$라 하면 $g(k)=4$이므로

$5-k=4$ $\therefore k=1$

$\therefore a=(f\circ g^{-1})(4)=f(1)=2\cdot1-4=-2$

10 $(g\circ f^{-1})^{-1}(a)=-2$에서 $(g\circ f^{-1})(-2)=a$

$f^{-1}(-2)=k$라 하면 $f(k)=-2$이므로

$2k-4=-2$ $\therefore k=1$

$\therefore a=(g\circ f^{-1})(-2)=g(1)=5-1=4$

12 $(f\circ g^{-1}\circ f^{-1})(3)=(f\circ g^{-1}\circ g)(3)$
$=f(3)=3\cdot3-6=3$

13 $(g^{-1}\circ f^{-1}\circ g)(-1)=(g^{-1}\circ g\circ g)(-1)$
$=g(-1)$

$g(-1)=k$라 하면 $f(k)=-1$이므로

$3k-6=-1$ $\therefore k=\frac{5}{3}$

14 $(g\circ f^{-1}\circ g^{-1})(9)=(g\circ g\circ g^{-1})(9)$
$=g(9)$

$g(9)=k$라 하면 $f(k)=9$이므로

$3k-6=9$ $\therefore k=5$

15 $(g\circ f)(x)=x$에서 g는 f의 역함수이므로

$(f\circ g^{-1}\circ f^{-1})(2)=(f\circ g^{-1}\circ g)(2)=f(2)$

즉, $2a-5=3$이므로 $a=4$

11 역함수의 그래프 본문 79쪽

02 $(f^{-1}\circ f^{-1})(c)=f^{-1}(f^{-1}(c))=f^{-1}(b)=a$

03 $(f^{-1}\circ f^{-1}\circ f^{-1})(d)=f^{-1}(f^{-1}(f^{-1}(d)))$
$=f^{-1}(f^{-1}(c))=f^{-1}(b)=a$

04 $(f\circ f)(e)=f(f(e))=f(d)=c$

05 $(f\circ f)^{-1}(b)=f^{-1}(f^{-1}(b))=f^{-1}(c)=d$

06 $(f^{-1}\circ f^{-1}\circ f^{-1})(a)=f^{-1}(f^{-1}(f^{-1}(a)))$
$=f^{-1}(f^{-1}(b))=f^{-1}(c)=d$

07 $(f^{-1}\circ f^{-1})(c)=f^{-1}(f^{-1}(c))=f^{-1}(d)=e$

09 함수 $f(x)=ax+b$의 그래프가 점 $(3, 1)$을 지나므로

$3a+b=1$ ...... ㉠

함수 $f(x)=ax+b$의 역함수의 그래프가 점 $(6,\ -2)$를 지나므로 함수 $f(x)=ax+b$의 그래프는 점 $(-2,\ 6)$을 지난다.

$-2a+b=6$ ...... ㉡

㉠, ㉡을 연립하여 풀면 $a=-1$, $b=4$

$\therefore f(x)=-x+4$

10 함수 $f(x)=ax+b$의 그래프가 점 $(-4,\ -8)$을 지나므로

$-4a+b=-8$ ...... ㉠

함수 $f(x)=ax+b$의 역함수의 그래프가 점 $(-9,\ -6)$을 지나므로 함수 $f(x)=ax+b$의 그래프는 점 $(-6,\ -9)$를 지난다.

$-6a+b=-9$ ...... ㉡

㉠, ㉡을 연립하여 풀면 $a=\frac{1}{2}$, $b=-6$

$\therefore f(x)=\frac{1}{2}x-6$

11 함수 $f(x)=ax+b$의 그래프가 점 $(2,\ 0)$을 지나므로

$2a+b=0$ ...... ㉠

함수 $f(x)=ax+b$의 역함수의 그래프가 점 $(4,\ 4)$를 지나므로 함수 $f(x)=ax+b$의 그래프는 점 $(4,\ 4)$를 지난다.

$4a+b=4$ ...... ㉡

㉠, ㉡을 연립하여 풀면 $a=2$, $b=-4$

$\therefore f(x)=2x-4$

13 $\frac{1}{2}x+2=x$에서 $-\frac{1}{2}x=-2 \quad \therefore x=4$

따라서 교점의 좌표는 $(4,\ 4)$이다.

14 $3x+4=x$에서 $2x=-4 \quad \therefore x=-2$

따라서 교점의 좌표는 $(-2,\ -2)$이다.

15 $\frac{x+2}{2}=x$에서 $x+2=2x \quad \therefore x=2$

따라서 교점의 좌표는 $(2,\ 2)$이다.

16 $4x-9=x$에서 $3x=9 \quad \therefore x=3$

따라서 교점의 좌표는 $(3,\ 3)$이다.

17 $-2x-6=x$에서 $3x=-6 \quad \therefore x=-2$

따라서 교점의 좌표는 $(-2,\ -2)$이다.

13 유리식의 계산 본문 82쪽

01 $\frac{(x-1)+(x+1)}{(x+1)(x-1)}=\frac{2x}{(x+1)(x-1)}$

02 $\frac{3(x+5)-2(2x-3)}{(2x-3)(x+5)}=\frac{-x+21}{(2x-3)(x+5)}$

03 $\frac{(x+1)(2x+5)+(2x+1)}{(2x+1)(2x+3)(2x+5)}=\frac{2x^2+9x+6}{(2x+1)(2x+3)(2x+5)}$

04 $\frac{(2x+1)(x-5)-4(x^2+3)}{(x^2+3)(x-5)}=\frac{-2x^2-9x-17}{(x^2+3)(x-5)}$

$=-\frac{2x^2+9x+17}{(x^2+3)(x-5)}$

05 $\frac{x+3}{x^2-4}\times\frac{x-2}{x+3}=\frac{x+3}{(x+2)(x-2)}\times\frac{x-2}{x+3}=\frac{1}{x+2}$

06 $\frac{4}{x-1}\times\frac{x^2-x}{2x-1}=\frac{4}{x-1}\times\frac{x(x-1)}{2x-1}=\frac{4x}{2x-1}$

07 $\frac{x^2+2x}{3x-2}\div\frac{x+2}{x}=\frac{x(x+2)}{3x-2}\times\frac{x}{x+2}=\frac{x^2}{3x-2}$

08 $\frac{x-1}{x^2-4}\div\frac{x^2-x}{x-2}=\frac{x-1}{(x+2)(x-2)}\times\frac{x-2}{x(x-1)}$

$=\frac{1}{x(x+2)}$

10 $\frac{1}{(x-1)(x+1)}=\frac{1}{(x+1)-(x-1)}\left(\frac{1}{x-1}-\frac{1}{x+1}\right)$

$=\frac{1}{2}\left(\frac{1}{x-1}-\frac{1}{x+1}\right)$

11 $\frac{3}{x(x+3)}=\frac{3}{(x+3)-x}\left(\frac{1}{x}-\frac{1}{x+3}\right)$

$=\frac{1}{x}-\frac{1}{x+3}$

12 $\frac{2}{(x+1)(x+2)}=\frac{2}{(x+2)-(x+1)}\left(\frac{1}{x+1}-\frac{1}{x+2}\right)$

$=2\left(\frac{1}{x+1}-\frac{1}{x+2}\right)$

13 $\frac{1}{x(x+1)}+\frac{1}{(x+1)(x+2)}+\frac{1}{(x+2)(x+3)}$

$=\left(\frac{1}{x}-\frac{1}{x+1}\right)+\left(\frac{1}{x+1}-\frac{1}{x+2}\right)+\left(\frac{1}{x+2}-\frac{1}{x+3}\right)$

$=\frac{1}{x}-\frac{1}{x+3}=\frac{3}{x(x+3)}$

14 $\frac{2}{(x+2)(x+4)}+\frac{4}{(x+4)(x+8)}$

$=\left(\frac{1}{x+2}-\frac{1}{x+4}\right)+\left(\frac{1}{x+4}-\frac{1}{x+8}\right)$

$=\frac{1}{x+2}-\frac{1}{x+8}=\frac{6}{(x+2)(x+8)}$

15 (주어진 식)

$=\left(\frac{1}{1}-\frac{1}{2}\right)+\left(\frac{1}{2}-\frac{1}{3}\right)+\left(\frac{1}{3}-\frac{1}{4}\right)+\cdots+\left(\frac{1}{19}-\frac{1}{20}\right)$

$=1-\frac{1}{20}=\frac{19}{20}$

16 $f(x)=\frac{2}{(2x-1)(2x+1)}=\frac{1}{2x-1}-\frac{1}{2x+1}$이므로

$f(1)+f(2)+\cdots+f(99)$

$=\left(1-\frac{1}{3}\right)+\left(\frac{1}{3}-\frac{1}{5}\right)+\cdots+\left(\frac{1}{197}-\frac{1}{199}\right)$

$=1-\frac{1}{199}=\frac{198}{199}$

15 유리함수 $y=\frac{k}{x}$의 그래프 본문 85쪽

01

x	$\cdots$	-4	-2	-1	1	2	4	$\cdots$
y	$\cdots$	-1	-2	-4	4	2	1	$\cdots$

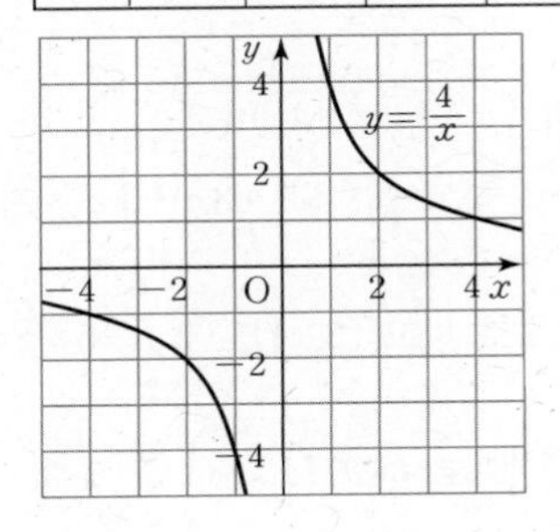

02

x	$\cdots$	-2	-1	1	2	$\cdots$
y	$\cdots$	-1	-2	2	1	$\cdots$

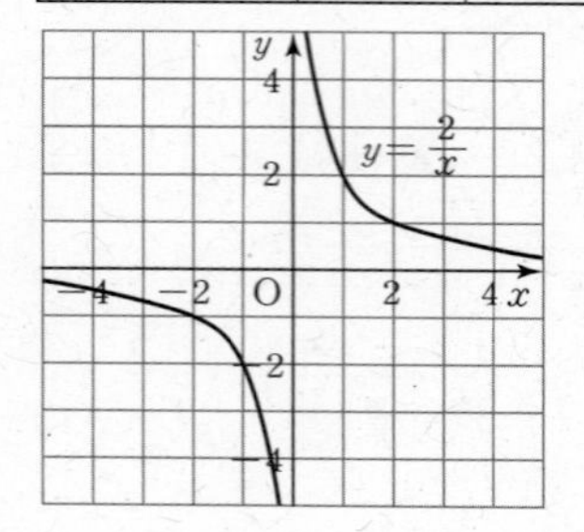

03

x	$\cdots$	-3	-2	-1	1	2	3	$\cdots$
y	$\cdots$	2	3	6	-6	-3	-2	$\cdots$

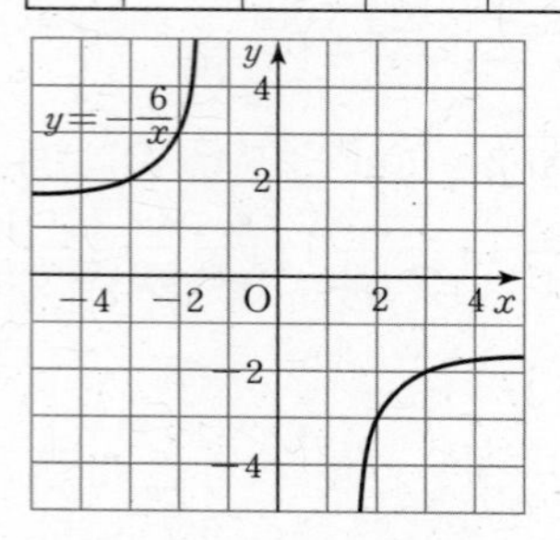

04

x	$\cdots$	-3	-1	1	3	$\cdots$
y	$\cdots$	1	3	-3	-1	$\cdots$

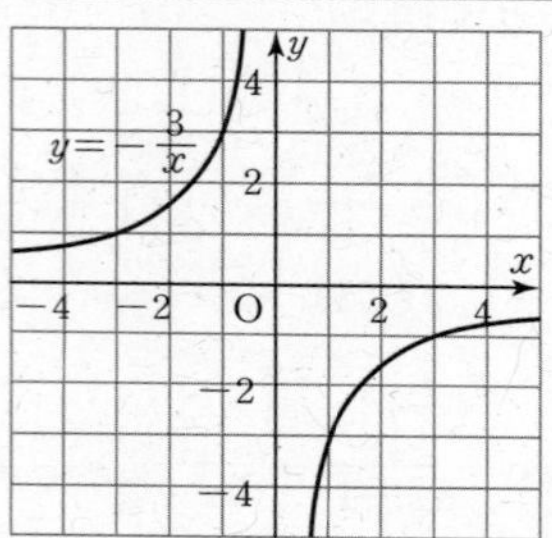

05 $y=\dfrac{k}{x}$의 그래프에서 $|k|$의 값이 클수록 원점에서 멀어진다.

16 유리함수 $y=\dfrac{k}{x-p}+q$의 그래프 본문 86쪽

02 $y-1=\dfrac{2}{x-(-5)}$ $\therefore y=\dfrac{2}{x+5}+1$

03 $y-(-6)=-\dfrac{4}{x-2}$ $\therefore y=-\dfrac{4}{x-2}-6$

04 $y-(-3)=-\dfrac{5}{x-(-4)}$ $\therefore y=-\dfrac{5}{x+4}-3$

08 $x=3$, $y=0$을 점근선으로 하고 $(4,\ 1)$, $(2,\ -1)$을 지나는 그래프를 그린다.

09 $x=1$, $y=-1$을 점근선으로 하고 $(2,\ 4)$, $(0,\ -6)$을 지나는 그래프를 그린다.

10 $x=-2$, $y=-2$를 점근선으로 하고 $(1,\ -1)$, $(-3,\ -5)$를 지나는 그래프를 그린다.

11 $x=0$, $y=-1$을 점근선으로 하고 $(2,\ -4)$, $(-2,\ 2)$를 지나는 그래프를 그린다.

12 $x=2$, $y=1$을 점근선으로 하고 $(3,\ -1)$, $(1,\ 3)$을 지나는 그래프를 그린다.

13 $x=-1$, $y=2$를 점근선으로 하고 $(1,\ 0)$, $(-3,\ 4)$를 지나는 그래프를 그린다.

14

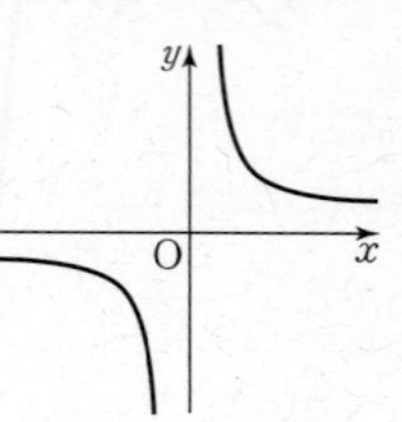

15

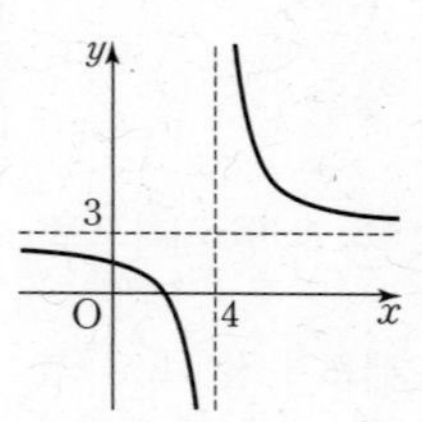

16

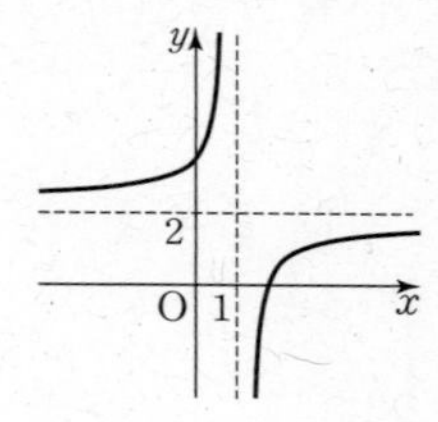

17

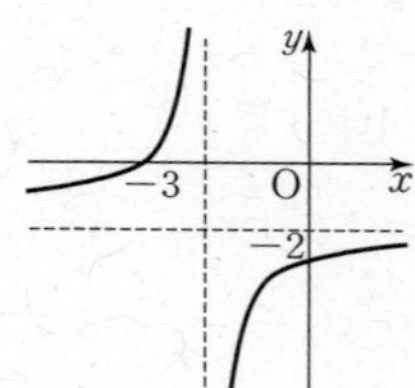

20 함수 $y=\dfrac{5}{2x-4}-3$의 점근선의 방정식이 $x=2$, $y=-3$이므로 직선 $y=-x+k$는 점 $(2,\ -3)$을 지난다.
즉, $-3=-2+k$이므로 $k=-1$

21 함수 $y=-\dfrac{8}{x-5}+8$의 점근선의 방정식이 $x=5$, $y=8$이므로 직선 $y=x+k$는 점 $(5,\ 8)$을 지난다.
즉, $8=5+k$이므로 $k=3$

22 함수 $y=-\dfrac{1}{3x-3}+2$의 점근선의 방정식이 $x=1$, $y=2$이므로 직선 $y=-x+k$는 점 $(1,\ 2)$를 지난다.
즉, $2=-1+k$이므로 $k=3$

24 $y=\dfrac{4x-2}{x+2}=\dfrac{4(x+2)-10}{x+2}=-\dfrac{10}{x+2}+4$

25 $y=\dfrac{x}{x-3}=\dfrac{(x-3)+3}{x-3}=\dfrac{3}{x-3}+1$

26 $y=\dfrac{-2x+5}{x+5}=\dfrac{-2(x+5)+15}{x+5}=\dfrac{15}{x+5}-2$

27 $y=\dfrac{-x-5}{x-6}=\dfrac{-(x-6)-11}{x-6}=-\dfrac{11}{x-6}-1$

28 $y=\dfrac{4x-5}{2x-1}=\dfrac{2(2x-1)-3}{2x-1}=-\dfrac{3}{2x-1}+2$

29 $y=\frac{2x-1}{x-2}=\frac{2(x-2)+3}{x-2}=\frac{3}{x-2}+2$

30 $y=\frac{3x+15}{x+3}=\frac{3(x+3)+6}{x+3}=\frac{6}{x+3}+3$

31 $y=\frac{3x-5}{x-3}=\frac{3(x-3)+4}{x-3}=\frac{4}{x-3}+3$

32 $y=\frac{-2x-5}{x+1}=\frac{-2(x+1)-3}{x+1}=-\frac{3}{x+1}-2$

33 $y=\frac{-3x+8}{x-3}=\frac{-3(x-3)-1}{x-3}=-\frac{1}{x-3}-3$

34 $y=\frac{2x+3}{x+3}=\frac{2(x+3)-3}{x+3}=-\frac{3}{x+3}+2$

35 $y=\frac{-x-2}{x+1}=\frac{-(x+1)-1}{x+1}=-\frac{1}{x+1}-1$이므로 평행이동하여 겹칠 수 있다.

36 $y=\frac{2x-7}{x-4}=\frac{2(x-4)+1}{x-4}=\frac{1}{x-4}+2$

37 $y=\frac{-5x+4}{x-1}=\frac{-5(x-1)-1}{x-1}=-\frac{1}{x-1}-5$

38 $y=\frac{-4x+5}{2x-1}=\frac{-2(2x-1)+3}{2x-1}=\frac{3}{2x-1}-2$

39 $y=\frac{2x+1}{2x+3}=\frac{(2x+3)-2}{2x+3}=-\frac{1}{x+\frac{3}{2}}+1$

40 $y=\frac{4x-8}{x-3}=\frac{4(x-3)+4}{x-3}=\frac{4}{x-3}+4$

41 정의역은 $\{x|x\neq3$인 실수$\}$이다.

42 그래프는 오른쪽 그림과 같으므로 그래프는 제3사분면을 지나지 않는다.

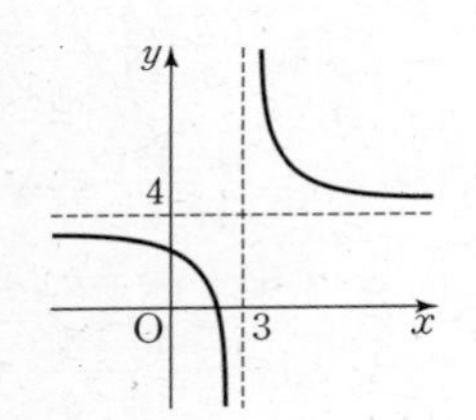

43 $y=\frac{4}{x}$의 그래프를 x축의 방향으로 3만큼, y축의 방향으로 4만큼 평행이동한 그래프이다.

44 $y=\frac{2x}{3-x}=\frac{2(x-3)+6}{-(x-3)}=-\frac{6}{x-3}-2$

17 유리함수의 식 구하기 본문 92쪽

02 주어진 그래프의 점근선의 방정식이 $x=3$, $y=1$이므로

$y=\frac{k}{x-3}+1$로 놓으면

이 그래프가 점 $(2,\ 0)$을 지나므로

$0=\frac{k}{2-3}+1\ \ \therefore k=1$

따라서 그래프의 식은 $y=\frac{1}{x-3}+1$이므로

$k=1,\ p=3,\ q=1$

03 주어진 그래프의 점근선의 방정식이 $x=-4$, $y=3$이므로

$y=\frac{k}{x+4}+3$으로 놓으면

이 그래프가 점 $(-3,\ 0)$을 지나므로

$0=\frac{k}{-3+4}+3\ \ \therefore k=-3$

따라서 그래프의 식은 $y=-\frac{3}{x+4}+3$이므로

$k=-3,\ p=-4,\ q=3$

04 주어진 그래프의 점근선의 방정식이 $x=2$, $y=-1$이므로

$y=\frac{k}{x-2}-1$로 놓으면

이 그래프가 점 $(0,\ 0)$을 지나므로

$0=\frac{k}{0-2}-1\ \ \therefore k=-2$

따라서 그래프의 식은 $y=-\frac{2}{x-2}-1$이므로

$k=-2,\ p=2,\ q=-1$

06 주어진 그래프의 점근선의 방정식이 $x=2$, $y=3$이므로

$y=\frac{k}{x-2}+3$으로 놓으면

이 그래프가 점 $(3,\ 0)$을 지나므로

$0=\frac{k}{3-2}+3\ \ \therefore k=-3$

따라서 그래프의 식은 $y=\frac{-3}{x-2}+3=\frac{3x-9}{x-2}$이므로

$a=3,\ b=-9,\ c=-2$

07 주어진 그래프의 점근선의 방정식이 $x=-2$, $y=-1$이므로

$y=\frac{k}{x+2}-1$로 놓으면

이 그래프가 점 $(0,\ -4)$를 지나므로

$-4=\frac{k}{0+2}-1\ \ \therefore k=-6$

따라서 그래프의 식은 $y=\frac{-6}{x+2}-1=\frac{-x-8}{x+2}$이므로

$a=-1,\ b=-8,\ c=2$

08 주어진 유리함수의 그래프의 점근선의 방정식이 $x=-2$, $y=1$이므로

$y=\frac{k}{x+2}+1$로 놓으면

이 그래프가 점 $(-3,\ 0)$을 지나므로

$0=\frac{k}{-3+2}+1\ \ \therefore k=1$

따라서 그래프의 식은 $y=\frac{1}{x+2}+1=\frac{x+3}{x+2}$이므로

$a=1,\ b=3,\ c=-2\ \ \therefore abc=-6$

10 $y=\frac{x+3}{x+1}=\frac{(x+1)+2}{x+1}=\frac{2}{x+1}+1$

이므로 주어진 함수의 그래프는 $y=\frac{2}{x}$의 그래프를 x축의 방향으로 -1만큼, y축의 방향으로 1만큼 평행이동한 그래프이다.

$0\le x\le5$에서의 그래프는 오른쪽 그림과 같으므로

$x=0$일 때, 최댓값 3

$x=5$일 때, 최솟값 $\frac{4}{3}$

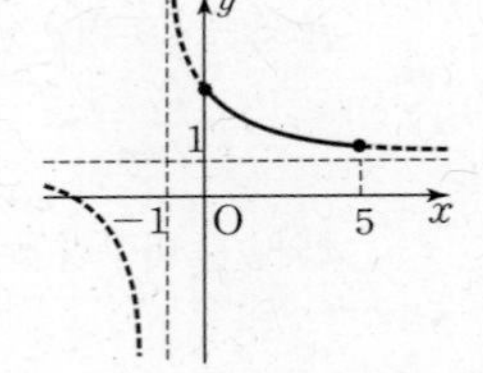

11 $y=\dfrac{2x}{x-2}=\dfrac{2(x-2)+4}{x-2}=\dfrac{4}{x-2}+2$

이므로 주어진 함수의 그래프는 $y=\dfrac{4}{x}$의 그래프를 x축의 방향으로 2만큼, y축의 방향으로 2만큼 평행이동한 그래프이다.

$-3\le x\le 1$에서의 그래프는 오른쪽 그림과 같으므로

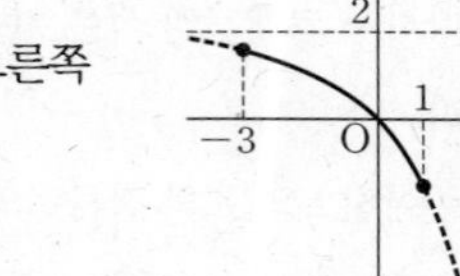

$x=-3$일 때, 최댓값 $\dfrac{6}{5}$

$x=1$일 때, 최솟값 -2

12 $y=\dfrac{-x-2}{x-1}=\dfrac{-(x-1)-3}{x-1}=-\dfrac{3}{x-1}-1$

이므로 주어진 함수의 그래프는 $y=-\dfrac{3}{x}$의 그래프를 x축의 방향으로 1만큼, y축의 방향으로 -1만큼 평행이동한 그래프이다.

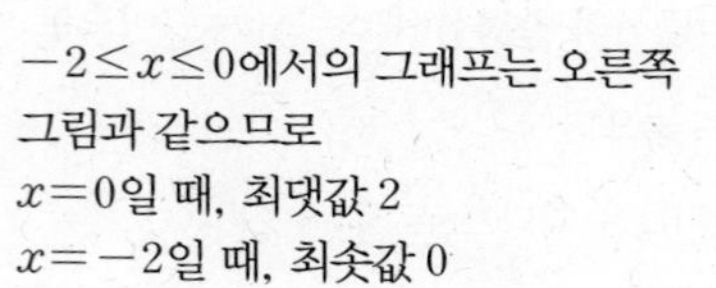

$-2\le x\le 0$에서의 그래프는 오른쪽 그림과 같으므로

$x=0$일 때, 최댓값 2

$x=-2$일 때, 최솟값 0

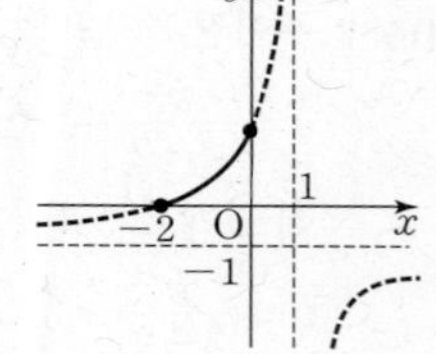

13 $y=\dfrac{-2x+2}{x+2}=\dfrac{-2(x+2)+6}{x+2}=\dfrac{6}{x+2}-2$

이므로 주어진 함수의 그래프는 $y=\dfrac{6}{x}$의 그래프를 x축의 방향으로 -2만큼, y축의 방향으로 -2만큼 평행이동한 그래프이다.

$a\le x\le 2$에서의 그래프는 오른쪽 그림과 같으므로 최솟값은 $x=2$일 때, $-\dfrac{1}{2}$이다.

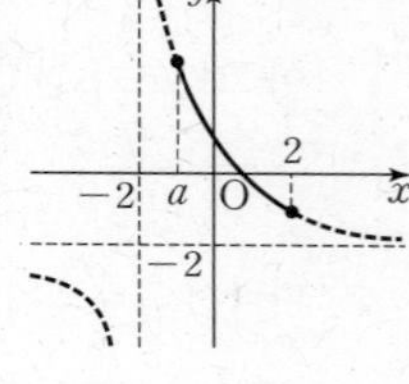

18 유리함수의 역함수 본문 95쪽

02 주어진 함수를 x에 대하여 풀면

$y(x+2)=-x+4$, $(y+1)x=-2y+4$

$\therefore x=\dfrac{-2y+4}{y+1}$

x와 y를 바꾸면 $y=\dfrac{-2x+4}{x+1}$

03 주어진 함수를 x에 대하여 풀면

$y(-x+1)=x-3$, $(y+1)x=y+3$

$\therefore x=\dfrac{y+3}{y+1}$

x와 y를 바꾸면 $y=\dfrac{x+3}{x+1}$

04 주어진 함수를 x에 대하여 풀면

$y(2x-4)=3x-2$, $(2y-3)x=4y-2$

$\therefore x=\dfrac{4y-2}{2y-3}$

x와 y를 바꾸면 $y=\dfrac{4x-2}{2x-3}$

05 주어진 함수를 x에 대하여 풀면

$y(3x-1)=-2x-5$, $(3y+2)x=y-5$

$\therefore x=\dfrac{y-5}{3y+2}$

x와 y를 바꾸면 $y=\dfrac{x-5}{3x+2}$

06 주어진 함수를 x에 대하여 풀면

$y(-2x-3)=x-2$, $(2y+1)x=-3y+2$

$\therefore x=\dfrac{-3y+2}{2y+1}$

x와 y를 바꾸면 $y=\dfrac{-3x+2}{2x+1}$

07 $y=\dfrac{2x-1}{x-a}$로 놓고 x에 대하여 풀면

$y(x-a)=2x-1$, $(y-2)x=ay-1$

$\therefore x=\dfrac{ay-1}{y-2}$

x와 y를 바꾸면 $y=\dfrac{ax-1}{x-2}$

즉, $\dfrac{ax-1}{x-2}=\dfrac{3x-1}{bx+c}$이므로 $a=3$, $b=1$, $c=-2$

08 $y=\dfrac{4x+a}{3x-2}$로 놓고 x에 대하여 풀면

$y(3x-2)=4x+a$, $(3y-4)x=2y+a$

$\therefore x=\dfrac{2y+a}{3y-4}$

x와 y를 바꾸면 $y=\dfrac{2x+a}{3x-4}$

즉, $\dfrac{2x+a}{3x-4}=\dfrac{2x+4}{bx+c}$이므로 $a=4$, $b=3$, $c=-4$

09 $y=\dfrac{ax+4}{3x-b}$로 놓고 x에 대하여 풀면

$y(3x-b)=ax+4$, $(3y-a)x=by+4$

$\therefore x=\dfrac{by+4}{3y-a}$

x와 y를 바꾸면 $y=\dfrac{bx+4}{3x-a}$

즉, $\dfrac{bx+4}{3x-a}=\dfrac{5x+4}{cx+1}$이므로 $a=-1$, $b=5$, $c=3$

10 $y=\dfrac{-x+3}{2x+a}$으로 놓고 x에 대하여 풀면

$y(2x+a)=-x+3$, $(2y+1)x=-ay+3$

$\therefore x=\dfrac{-ay+3}{2y+1}$

x와 y를 바꾸면 $y=\dfrac{-ax+3}{2x+1}$

$f=f^{-1}$이므로 $\dfrac{-x+3}{2x+a}=\dfrac{-ax+3}{2x+1}$

$\therefore a=1$

11 $y=\dfrac{ax-4}{3x+5}$로 놓고 x에 대하여 풀면

$y(3x+5)=ax-4$, $(3y-a)x=-5y-4$

$\therefore x=\dfrac{-5y-4}{3y-a}$

x와 y를 바꾸면 $y=\dfrac{-5x-4}{3x-a}$

$f=f^{-1}$이므로 $\frac{ax-4}{3x+5}=\frac{-5x-4}{3x-a}$

$\therefore a=-5$

12 $y=\frac{2x-1}{ax+1}$을 x에 대하여 풀면

$y(ax+1)=2x-1$, $(ay-2)x=-y-1$

$\therefore x=\frac{-y-1}{ay-2}$

x와 y를 바꾸면 $y=\frac{-x-1}{ax-2}$

즉, $\frac{-x-1}{ax-2}=\frac{bx-1}{-3x+c}$이므로 $a=-3$, $b=-1$, $c=-2$

$\therefore abc=-6$

19 무리식과 무리함수 본문 97쪽

07 $2x+4\geq 0 \quad \therefore x\geq -2$

08 $3x-6>0 \quad \therefore x>2$

09 $x+1\geq 0$이고 $5-x\geq 0$이므로 $-1\leq x\leq 5$

10 $x^2-2kx+3k-2\geq 0$에서

방정식 $x^2-2kx+3k-2=0$의 판별식을 D라 하면 $D\leq 0$이어야 하므로

$\frac{D}{4}=k^2-(3k-2)\leq 0$, $k^2-3k+2\leq 0$

$(k-1)(k-2)\leq 0 \quad \therefore 1\leq k\leq 2$

따라서 구하는 정수 k는 1, 2의 2개이다.

11 $\frac{\sqrt{x}-\sqrt{y}}{\sqrt{x}+\sqrt{y}}=\frac{(\sqrt{x}-\sqrt{y})^2}{(\sqrt{x}+\sqrt{y})(\sqrt{x}-\sqrt{y})}=\frac{x+y-2\sqrt{xy}}{x-y}$

12 $\frac{\sqrt{x+1}+\sqrt{x}}{\sqrt{x+1}-\sqrt{x}}=\frac{(\sqrt{x+1}+\sqrt{x})^2}{(\sqrt{x+1}-\sqrt{x})(\sqrt{x+1}+\sqrt{x})}$

$=2x+1+2\sqrt{x^2+x}$

13 $\frac{1}{\sqrt{x}+\sqrt{y}}+\frac{1}{\sqrt{x}-\sqrt{y}}$

$=\frac{\sqrt{x}-\sqrt{y}+\sqrt{x}+\sqrt{y}}{(\sqrt{x}+\sqrt{y})(\sqrt{x}-\sqrt{y})}=\frac{2\sqrt{x}}{x-y}$

14 $\frac{\sqrt{x}-1}{\sqrt{x}+1}-\frac{\sqrt{x}+1}{\sqrt{x}-1}$

$=\frac{(\sqrt{x}-1)^2-(\sqrt{x}+1)^2}{(\sqrt{x}+1)(\sqrt{x}-1)}=-\frac{4\sqrt{x}}{x-1}$

15 $\frac{x}{1+\sqrt{x+1}}+\frac{x}{1-\sqrt{x+1}}$

$=\frac{x(1-\sqrt{x+1})+x(1+\sqrt{x+1})}{(1+\sqrt{x+1})(1-\sqrt{x+1})}=\frac{2x}{-x}=-2$

16 $\frac{\sqrt{x+1}-\sqrt{x-1}}{\sqrt{x+1}+\sqrt{x-1}}=x-\sqrt{x^2-1}$

$x=\sqrt{2}$를 대입하면 $\sqrt{2}-\sqrt{(\sqrt{2})^2-1}=\sqrt{2}-1$

17 $\frac{1}{1+\sqrt{x}}+\frac{1}{1-\sqrt{x}}=\frac{2}{1-x}$

$x=\frac{\sqrt{3}}{2}$을 대입하면 $\frac{4}{2-\sqrt{3}}=8+4\sqrt{3}$

18 $x+y=4$, $xy=1$이므로

$x^2+y^2+x+y=(x+y)^2-2xy+(x+y)$

$=4^2-2\cdot 1+4=18$

19 $x=3-\sqrt{3}$에서 $x-3=-\sqrt{3}$

양변을 제곱하여 정리하면 $x^2-6x=-6$

$\therefore x^2-6x+10=-6+10=4$

20 $x=\frac{1}{2-\sqrt{3}}=2+\sqrt{3}$에서 $x-2=\sqrt{3}$

양변을 제곱하여 정리하면 $x^2-4x+1=0$

$\therefore x^3-5x^2+5x+1=x(x^2-4x+1)-(x^2-4x+1)+2$

$=2$

29 $x+5\geq 0$, $x\geq -5$

30 $2x+3\geq 0$, $x\geq -\frac{3}{2}$

31 $4-x\geq 0$, $x\leq 4$

32 $7-3x\geq 0$, $x\leq \frac{7}{3}$

33 $3x-6\geq 0$, $x\geq 2$

34 $-2x+4\geq 0$, $x\leq 2$

35 $-4x-5\geq 0$, $x\leq -\frac{5}{4}$

20 무리함수 $y=\pm\sqrt{ax}$의 그래프 본문 100쪽

01

x	$\cdots$	1	2	3	4	$\cdots$
y	$\cdots$	1	$\sqrt{2}$	$\sqrt{3}$	2	$\cdots$

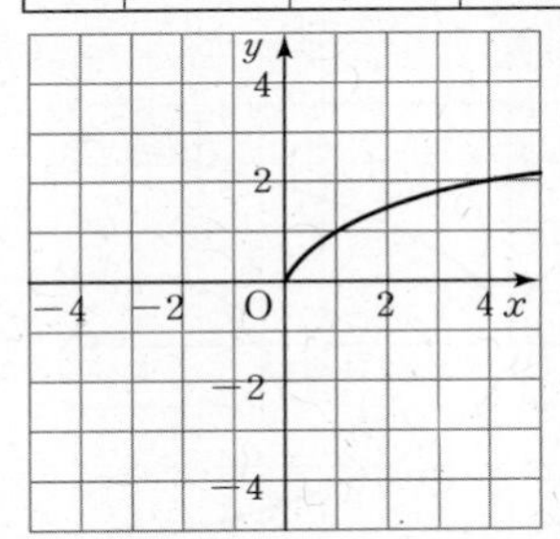

02

x	$\cdots$	-1	-2	-3	-4	$\cdots$
y	$\cdots$	1	$\sqrt{2}$	$\sqrt{3}$	2	$\cdots$

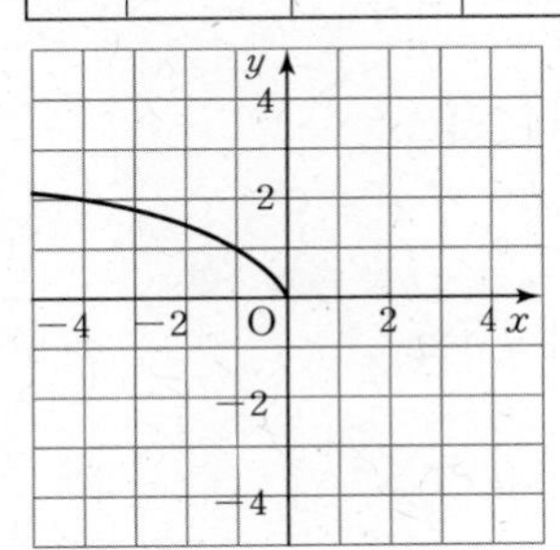

03

x	$\cdots$	1	2	3	4	$\cdots$
y	$\cdots$	-1	$-\sqrt{2}$	$-\sqrt{3}$	-2	$\cdots$

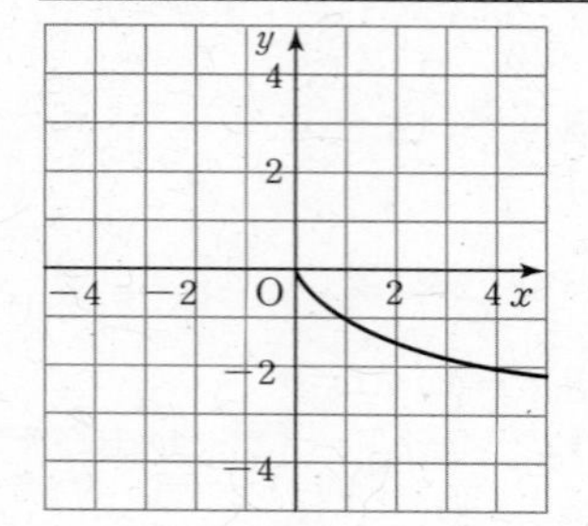

04

x	$\cdots$	-1	-2	-3	-4	$\cdots$
y	$\cdots$	-1	$-\sqrt{2}$	$-\sqrt{3}$	-2	$\cdots$

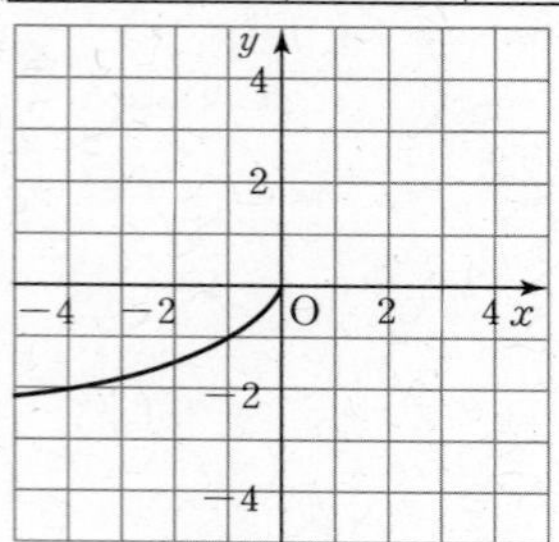

21 $y=\sqrt{ax}$의 그래프의 평행이동과 대칭이동 본문 101쪽

02 $y-2=\sqrt{2(x+6)}$ $\therefore y=\sqrt{2(x+6)}+2$

03 $y-4=\sqrt{-4(x-3)}$ $\therefore y=\sqrt{-4(x-3)}+4$

04 $y+5=-\sqrt{-2(x-2)}$ $\therefore y=-\sqrt{-2(x-2)}-5$

05 $y+1=-\sqrt{5(x+4)}$ $\therefore y=-\sqrt{5(x+4)}-1$

06~08

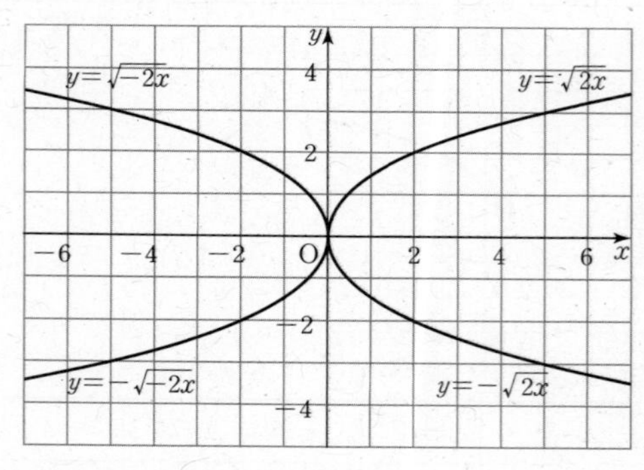

06 $y=\sqrt{2x}$에 y 대신 $-y$를 대입하면
$-y=\sqrt{2x}$ $\therefore y=-\sqrt{2x}$

07 $y=\sqrt{2x}$에 x 대신 $-x$를 대입하면
$y=\sqrt{2\cdot(-x)}$ $\therefore y=\sqrt{-2x}$

08 $y=\sqrt{2x}$에 x 대신 $-x$, y 대신 $-y$를 대입하면
$-y=\sqrt{2\cdot(-x)}$ $\therefore y=-\sqrt{-2x}$

22 무리함수 $y=\sqrt{a(x-p)}+q$, $y=\sqrt{ax+b}+c$의 그래프 본문 102쪽

01 $y=\sqrt{(x-3)}+2$의 그래프는 $y=\sqrt{x}$의 그래프를 x축의 방향으로 3만큼, y축의 방향으로 2만큼 평행이동한 그래프이므로 오른쪽 그림과 같다.

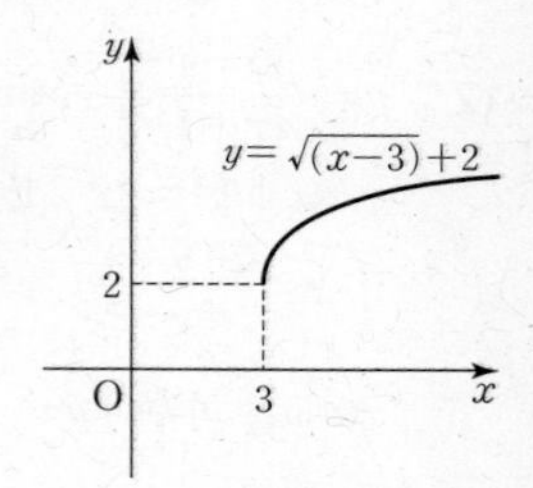

02 $y=\sqrt{-3(x+1)}+2$의 그래프는 $y=\sqrt{-3x}$의 그래프를 x축의 방향으로 -1만큼, y축의 방향으로 2만큼 평행이동한 그래프이므로 오른쪽 그림과 같다.

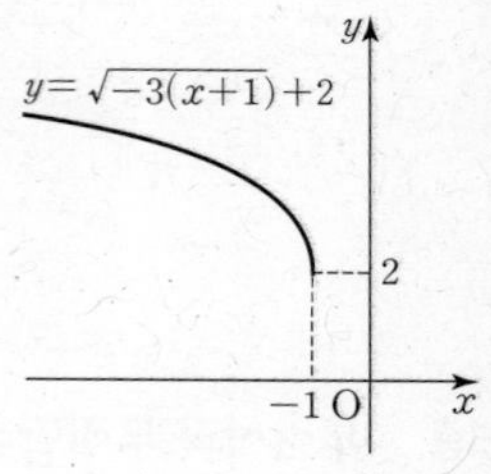

03 $y=-\sqrt{3(x+4)}+3$의 그래프는 $y=-\sqrt{3x}$의 그래프를 x축의 방향으로 -4만큼, y축의 방향으로 3만큼 평행이동한 그래프이므로 오른쪽 그림과 같다.

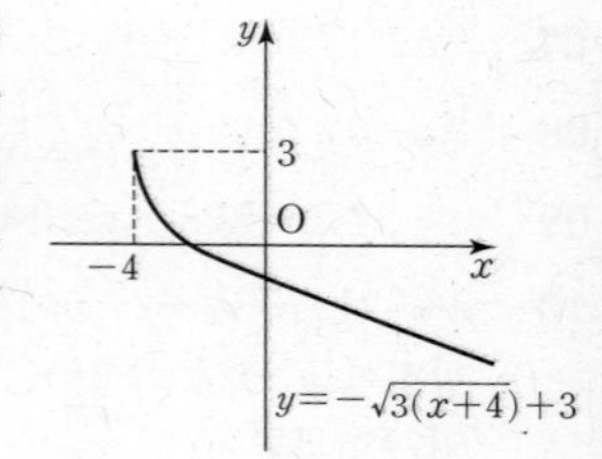

04 $y=-\sqrt{-4(x-2)}-1$의 그래프는 $y=-\sqrt{-4x}$의 그래프를 x축의 방향으로 2만큼, y축의 방향으로 -1만큼 평행이동한 그래프이므로 오른쪽 그림과 같다.

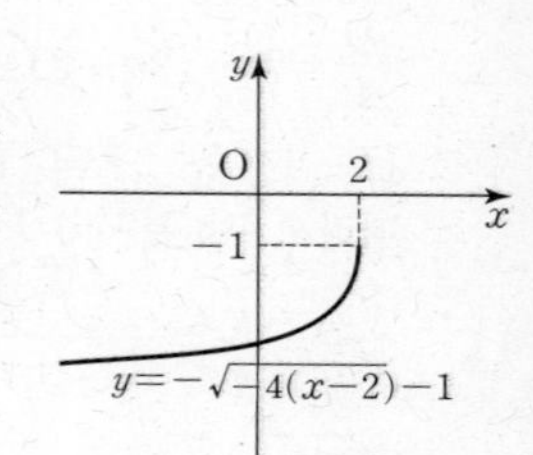

05 $y=\sqrt{2x+6}-1=\sqrt{2(x+3)}-1$의 그래프는 $y=\sqrt{2x}$의 그래프를 x축의 방향으로 -3만큼, y축의 방향으로 -1만큼 평행이동한 그래프이므로 오른쪽 그림과 같다.

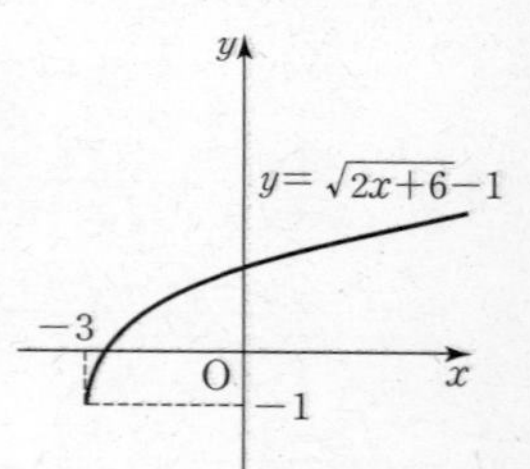

06 $y=\sqrt{4x-2}-1=\sqrt{4\left(x-\frac{1}{2}\right)}-1$의 그래프는 $y=\sqrt{4x}$의 그래프를 x축의 방향으로 $\frac{1}{2}$만큼, y축의 방향으로 -1만큼 평행이동한 그래프이므로 오른쪽 그림과 같다.

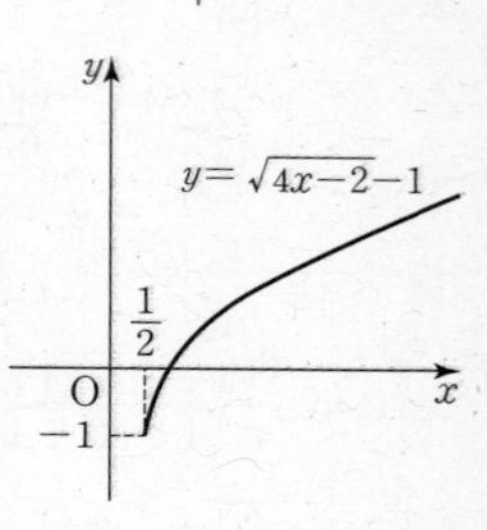

07 $y=\sqrt{-3x+6}-3$
$=\sqrt{-3(x-2)}-3$
의 그래프는 $y=\sqrt{-3x}$의 그래프를 x축의 방향으로 2만큼, y축의 방향으로 -3만큼 평행이동한 그래프이므로 오른쪽 그림과 같다.

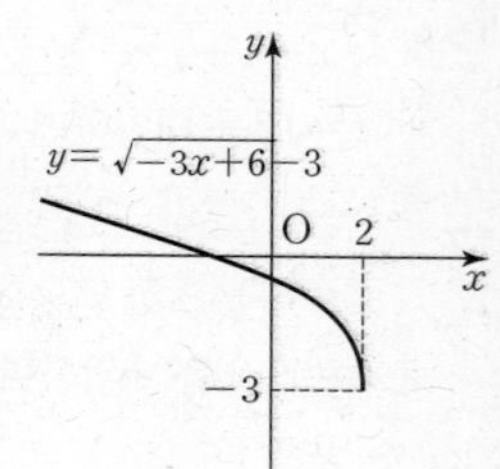

08 $y=-\sqrt{5x+10}-1$
$=-\sqrt{5(x+2)}-1$
의 그래프는 $y=-\sqrt{5x}$의 그래프를 x축의 방향으로 -2만큼, y축의 방향으로 -1만큼 평행이동한 그래프이므로 오른쪽 그림과 같다.

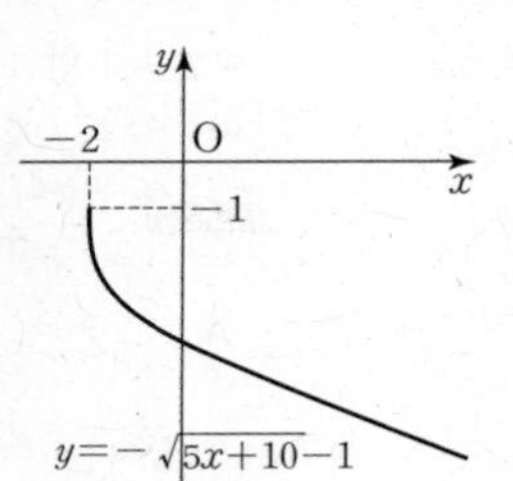

09 $y=-\sqrt{-x+4}+2$
$=-\sqrt{-(x-4)}+2$
의 그래프는 $y=-\sqrt{-x}$의 그래프를 x축의 방향으로 4만큼, y축의 방향으로 2만큼 평행이동한 그래프이므로 오른쪽 그림과 같다.

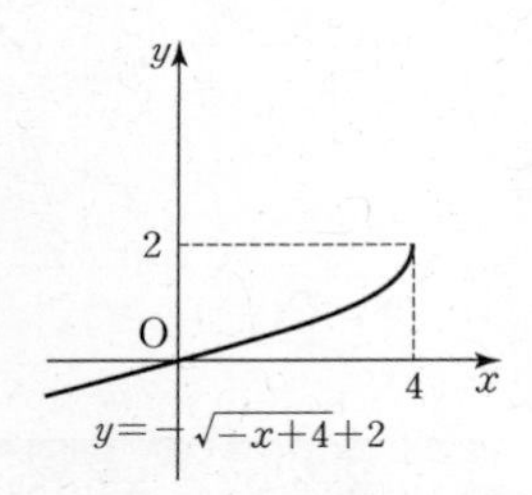

10 $y=-\sqrt{-2x-2}-2$
$=-\sqrt{2(x+1)}-2$
의 그래프는 $y=-\sqrt{-2x}$의 그래프를 x축의 방향으로 -1만큼, y축의 방향으로 -2만큼 평행이동한 그래프이므로 오른쪽 그림과 같다.

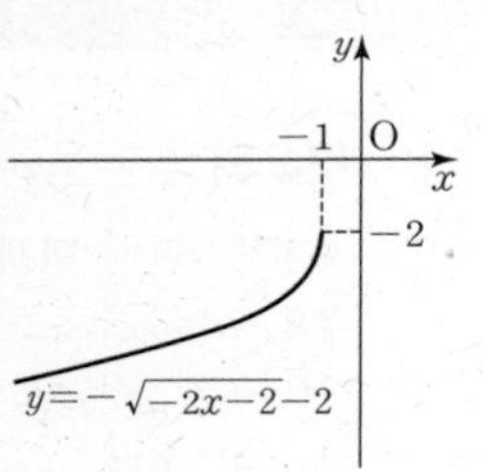

12 $y=-\sqrt{2x+6}-1$
$=-\sqrt{2(x+3)}-1$
$x=3$일 때,
$y=-\sqrt{2\cdot3+6}-1=-1-2\sqrt{3}$
$x=5$일 때,
$y=-\sqrt{2\cdot5+6}-1=-5$
따라서 치역은
$\{y\,|\,-5\leq y\leq-1-2\sqrt{3}\}$

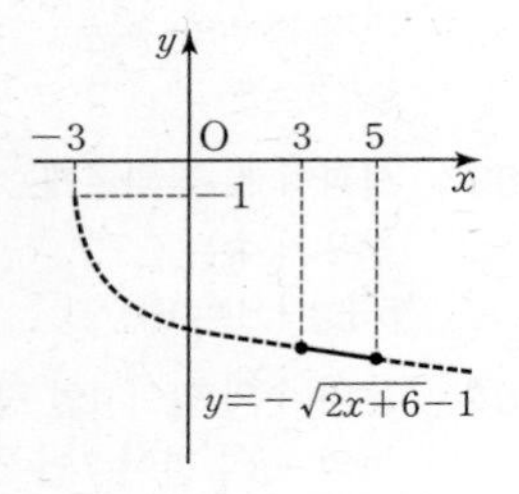

13 $y=\sqrt{-x+2}-1=\sqrt{-(x-2)}-1$이므로 $y=\sqrt{-x}$의 그래프를 x축의 방향으로 2만큼, y축의 방향으로 -1만큼 평행이동한 것이다.

14 그래프는 오른쪽과 같으므로 제3사분면을 지나지 않는다.

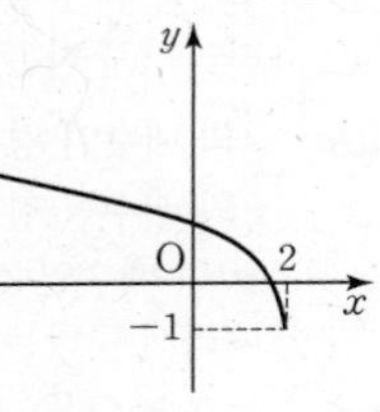

15 정의역은 $\{x\,|\,x\leq2\}$이다.

16 치역은 $\{y\,|\,y\geq-1\}$ 이다.

17 $y=-\sqrt{4x-4}+2$
$=-\sqrt{4(x-1)}+2$

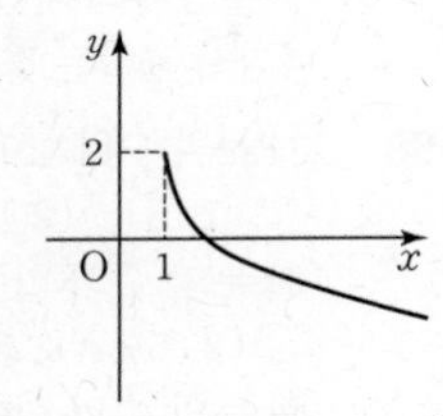

23 무리함수의 식 구하기 본문 105쪽

02 주어진 함수의 그래프는 $y=\sqrt{ax}$의 그래프를 x축의 방향으로 2만큼, y축의 방향으로 3만큼 평행이동한 그래프이므로
$y=\sqrt{a(x-2)}+3$ …… ㉠
㉠의 그래프가 점 $(0,\ 5)$를 지나므로
$5=\sqrt{-2a}+3$, $\sqrt{-2a}=2$ $\therefore a=-2$
$a=-2$를 ㉠에 대입하면
$y=\sqrt{-2(x-2)}+3=\sqrt{-2x+4}+3$ $\therefore b=4,\ c=3$

03 주어진 함수의 그래프는 $y=-\sqrt{ax}$의 그래프를 x축의 방향으로 -3만큼, y축의 방향으로 1만큼 평행이동한 그래프이므로
$y=-\sqrt{a(x+3)}+1$ …… ㉠
㉠의 그래프가 점 $(-2,\ 0)$을 지나므로
$0=-\sqrt{a}+1$ $\therefore a=1$
$a=1$을 ㉠에 대입하면
$y=-\sqrt{x+3}+1$ $\therefore b=3,\ c=1$

04 주어진 함수의 그래프는 $y=-\sqrt{ax}$의 그래프를 x축의 방향으로 1만큼, y축의 방향으로 1만큼 평행이동한 그래프이므로
$y=-\sqrt{a(x-1)}+1$ …… ㉠
㉠의 그래프가 점 $(-2,\ -2)$를 지나므로
$-2=-\sqrt{-3a}+1$, $\sqrt{-3a}=3$
$\therefore a=-3$
$a=-3$을 ㉠에 대입하면
$y=-\sqrt{-3(x-1)}+1=-\sqrt{-3x+3}+1$
$\therefore b=3,\ c=1$

24 무리함수의 최대 · 최소 본문 106쪽

02 $y=\sqrt{x+1}+1$의 그래프는 $y=\sqrt{x}$의 그래프를 x축의 방향으로 -1만큼, y축의 방향으로 1만큼 평행이동한 것이므로 그래프는 오른쪽 그림과 같다.
$x=8$일 때, 최댓값 $y=\sqrt{8+1}+1=4$
$x=3$일 때, 최솟값 $y=\sqrt{3+1}+1=3$

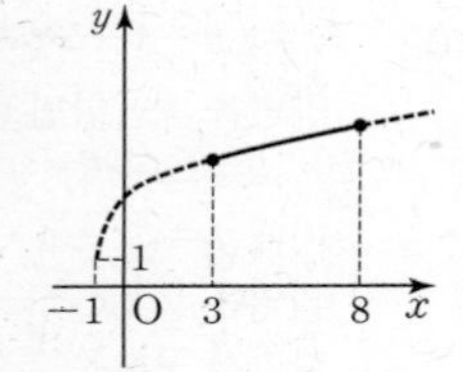

03 $y=\sqrt{-x-2}+2=\sqrt{-(x+2)}+2$의 그래프는 $y=\sqrt{-x}$의 그래프를 x축의 방향으로 -2만큼, y축의 방향으로 2만큼 평행이동한 것이므로 그래프는 오른쪽 그림과 같다.
$x=-6$일 때,
최댓값 $y=\sqrt{6-2}+2=4$
$x=-3$일 때, 최솟값 $y=\sqrt{3-2}+2=3$

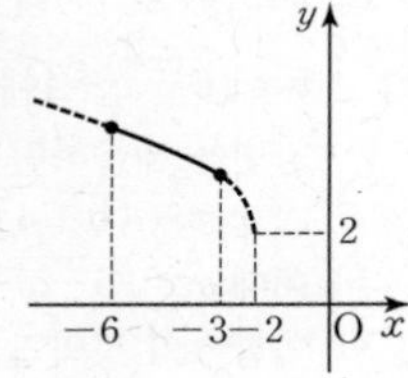

04 $y=\sqrt{-2x+4}+1=\sqrt{-2(x-2)}+1$
의 그래프는 $y=\sqrt{-2x}$의 그래프를 x축의 방향으로 2만큼, y축의 방향으로 1만큼 평행이동한 것이므로 그래프는 오른쪽 그림과 같다.
$x=-6$일 때,
최댓값 $y=\sqrt{-2\cdot(-6)+4}+1=5$
$x=0$일 때, 최솟값 $y=\sqrt{4}+1=3$

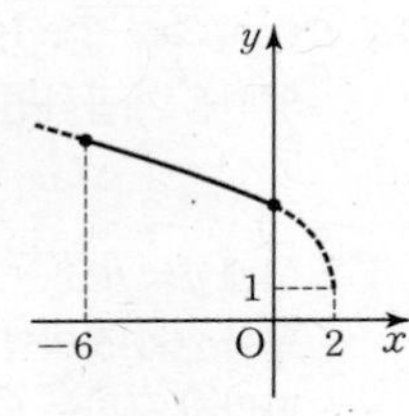

05 $y=\sqrt{3x+a}-2$의 그래프는 증가함수이므로 $x=4$일 때, 최솟값을 갖는다.
즉, $x=4$일 때, 최솟값 $y=\sqrt{3\cdot4+a}-2=2$이므로
$\sqrt{12+a}=4$, $12+a=16$ $\therefore a=4$
따라서 $y=\sqrt{3x+4}-2$이므로
$x=7$일 때, 최댓값 $y=\sqrt{3\cdot7+4}-2=3$

25 무리함수의 그래프와 직선의 위치 관계 본문 107쪽

02 $y=\sqrt{2-x}=\sqrt{-(x-2)}$의 그래프는 $y=\sqrt{-x}$의 그래프를 x축의 방향으로 2만큼 평행이동한 것이므로 그래프는 다음 그림과 같다.

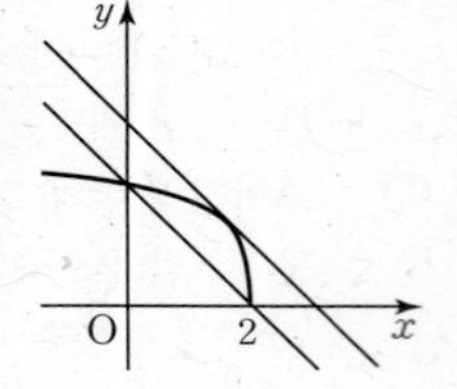

(i) 직선 $y=-x+k$가 점 $(2,\ 0)$을 지날 때,
$0=-2+k\quad \therefore k=2$

(ii) $y=\sqrt{2-x}$와 $y=-x+k$가 접할 때,
$\sqrt{2-x}=-x+k$의 양변을 제곱하면
$2-x=x^2-2kx+k^2$
$\therefore x^2-(2k-1)x+k^2-2=0$
이차방정식의 판별식을 D라 하면
$D=(2k-1)^2-4(k^2-2)=0$
$-4k+9=0\quad \therefore k=\frac{9}{4}$

따라서 두 그래프가 만나지 않으려면 $k>\frac{9}{4}$
두 그래프가 한 점에서 만나려면 $k<2$ 또는 $k=\frac{9}{4}$
두 그래프가 서로 다른 두 점에서 만나려면 $2\le k<\frac{9}{4}$

26 무리함수의 역함수 본문 108쪽

02 $y=\sqrt{x+4}-5$에서 $y+5=\sqrt{x+4}$
양변을 제곱하면 $(y+5)^2=x+4$
$\therefore x=(y+5)^2-4$
이때 $y=\sqrt{x+4}-5$의 치역이 $\{y\,|\,y\ge-5\}$이므로 역함수의 정의역은 $\{x\,|\,x\ge-5\}$이다.
따라서 구하는 역함수는
$y=(x+5)^2-4\ \ (x\ge-5)$

03 $y=\sqrt{6-x}-4$에서 $y+4=\sqrt{6-x}$
양변을 제곱하면 $(y+4)^2=6-x$
$\therefore x=-(y+4)^2+6$
이때 $y=\sqrt{6-x}-4$의 치역이 $\{y\,|\,y\ge-4\}$이므로 역함수의 정의역은 $\{x\,|\,x\ge-4\}$이다.
따라서 구하는 역함수는
$y=-(x+4)^2+6\ \ (x\ge-4)$

04 $y=\sqrt{2x-2}-1$에서 $y+1=\sqrt{2x-2}$
양변을 제곱하면 $(y+1)^2=2x-2$
$\therefore x=\frac{1}{2}(y+1)^2+1$
이때 $y=\sqrt{2x-2}-1$의 치역이 $\{y\,|\,y\ge-1\}$이므로 역함수의 정의역은 $\{x\,|\,x\ge-1\}$이다.
따라서 구하는 역함수는
$y=\frac{1}{2}(x+1)^2+1\ \ (x\ge-1)$

05 $y=\sqrt{3x-6}-4$에서 $y+4=\sqrt{3x-6}$
양변을 제곱하면 $(y+4)^2=3x-6$
$\therefore x=\frac{1}{3}(y+4)^2+2$
이때 $y=\sqrt{3x-6}-4$의 치역이 $\{y\,|\,y\ge-4\}$이므로 역함수의 정의역은 $\{x\,|\,x\ge-4\}$이다.
따라서 구하는 역함수는
$y=\frac{1}{3}(x+4)^2+2\ \ (x\ge-4)$

06 $y=\sqrt{2x+a}$의 역함수의 그래프가 점 $(4,\ 6)$을 지나므로 $y=\sqrt{2x+a}$의 그래프는 점 $(6,\ 4)$를 지난다.
즉, $4=\sqrt{2\cdot6+a}$이므로 $a=4$
$y=\sqrt{2x+4}$의 양변을 제곱하면 $y^2=2x+4$
$\therefore x=\frac{1}{2}y^2-2$
따라서 역함수는 $y=\frac{1}{2}x^2-2\ \ (x\ge0)$

Ⅲ. 순열과 조합

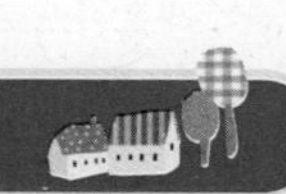

01 경우의 수 본문 114쪽

01 소설책 3권, 수필책 4권 중에서 한 권을 골라 읽는 것이므로 경우의 수는
$3+4=7$

02 햄버거 5종류, 샌드위치 3종류 중에서 한 개를 골라 먹는 것이므로 경우의 수는
$5+3=8$

03 사과 5개, 참외 4개, 배 4개 중에서 1개를 골라 먹는 것이므로 경우의 수는
$5+4+4=13$

04 눈의 수의 합이 4인 경우는 $(1,\ 3),\ (2,\ 2),\ (3,\ 1)$의 3가지
눈의 수의 합이 7인 경우는 $(1,\ 6),\ (2,\ 5),\ (3,\ 4),\ (4,\ 3),\ (5,\ 2),\ (6,\ 1)$의 6가지
따라서 구하는 경우의 수는 $3+6=9$

05 3의 배수인 경우는 3, 6, 9의 3가지
4의 배수인 경우는 4, 8의 2가지
따라서 구하는 경우의 수는 $3+2=5$

06 2의 배수인 경우는 2, 4, 6, …, 20의 10가지
5의 배수인 경우는 5, 10, 15, 20의 4가지
10의 배수인 경우는 10, 20의 2가지
따라서 구하는 경우의 수는 $10+4-2=12$

07 두 눈의 수의 차가 4가 되는 경우는
$(1,\ 5),\ (2,\ 6),\ (5,\ 1),\ (6,\ 2)$의 4가지
두 눈의 수의 차가 5가 되는 경우는 $(1,\ 6),\ (6,\ 1)$의 2가지
따라서 구하는 경우의 수는 $4+2=6$

08 (i) 눈의 수의 합이 4가 되는 경우
$(1,\ 3),\ (2,\ 2),\ (3,\ 1)$의 3가지
(ii) 눈의 수의 합이 8이 되는 경우
$(2,\ 6),\ (3,\ 5),\ (4,\ 4),\ (5,\ 3),\ (6,\ 2)$의 5가지
(iii) 눈의 수의 합이 12가 되는 경우
$(6,\ 6)$의 1가지
(i), (ii), (iii)은 동시에 일어날 수 없으므로 구하는 경우의 수는 $3+5+1=9$

09 1에서 100까지의 자연수 중에서 3의 배수의 개수는 33
5의 배수의 개수는 20
15의 배수의 개수는 6

따라서 구하는 자연수의 개수는
$100-(33+20-6)=53$

10 공을 두 개 꺼낼 때, 나오는 수를 각각 a, b라고 하면
(i) $|a-b|=0$인 경우
$(1, 1), (2, 2), (3, 3), (4, 4), (5, 5), (6, 6), (7, 7), (8, 8)$의 8가지
(ii) $|a-b|=1$인 경우
$(1, 2), (2, 3), (3, 4), (4, 5), (5, 6), (6, 7), (7, 8)$
$(2, 1), (3, 2), (4, 3), (5, 4), (6, 5), (7, 6), (8, 7)$의 14가지
(iii) $|a-b|=2$인 경우
$(1, 3), (2, 4), (3, 5), (4, 6), (5, 7), (6, 8), (3, 1), (4, 2), (5, 3), (6, 4), (7, 5), (8, 6)$의 12가지
(i), (ii), (iii)은 동시에 일어날 수 없으므로 구하는 경우의 수는 $8+14+12=34$

11 (i) $a=1$일 때, $b\le 9$이므로
$b=1, 2, 3, 4, 5, 6$의 6개
(ii) $a=2$일 때, $b\le \frac{9}{2}$이므로
$b=1, 2, 3, 4$의 4개
(iii) $a=3$일 때, $b\le 3$이므로
$b=1, 2, 3$의 3개
(i), (ii), (iii)은 동시에 일어날 수 없으므로 구하는 순서쌍의 개수는 $6+4+3=13$

12 햄버거를 고르는 방법은 6가지이고, 그 각각에 대하여 탄산음료를 고르는 방법이 4가지이므로 구하는 방법의 수는
$6\times 4=24$

13 남학생 5명 중에서 1명을 뽑는 사건과 여학생 4명 중에서 1명을 뽑는 사건은 동시에 일어나므로 구하는 방법의 수는
$5\times 4=20$

14 A지점에서 B지점까지 가는 방법이 3가지이고, 각각에 대해서 B지점에서 C지점까지 가는 길이 2가지이므로 A지점에서 B지점을 거쳐 C지점으로 가는 방법의 수는
$3\times 2=6$

15 상의, 하의, 신발을 각각 1개씩 고르는 사건은 동시에 일어나므로 구하는 방법의 수는
$3\times 4\times 2=24$

16 전개하면 x, y, z 각각에 대하여 a, b를 곱하여 항이 만들어지므로 구하는 항의 개수는
$3\times 2=6$

17 일의 자리에 올 수 있는 수는 0, 5의 2가지
십의 자리에 올 수 있는 수는 1, 2, 3, 4, 5의 5가지
따라서 5의 배수의 개수는 $2\times 5=10$

18 72를 소인수분해하면 $72=2^3\times 3^2$
2^3의 약수는 $1, 2, 2^2, 2^3$의 4개
3^2의 약수는 $1, 3, 3^2$의 3개
따라서 2^3, 3^2의 약수에서 각각 하나씩 택하여 곱한 것이 72의 약수이므로 구하는 약수의 개수는
$4\times 3=12$

19 140과 280의 최대공약수는 140이므로 140과 280의 양의 공약수의 개수는 140의 양의 약수의 개수와 같다.
$140=2^2\times 5\times 7$이므로 양의 약수의 개수는
$3\times 2\times 2=12$

20 일의 자리에 올 수 있는 수는 2, 3, 5, 7의 4가지
십의 자리에 올 수 있는 수는 2, 4, 6, 8의 4가지
따라서 구하는 자연수의 개수는 $4\times 4=16$

21 5종류의 수학 참고서와 4종류의 영어 참고서에서 동시에 하나씩 택하여 구입하는 방법의 수는 곱의 법칙에 의하여
$5\times 4=20$

22 스프 3종류, 메인메뉴 4종류, 음료수 3종류에서 동시에 하나씩 주문하는 방법의 수는 곱의 법칙에 의하여
$3\times 4\times 3=36$

23 (i) A 또는 B로 들어오는 경우
$2\times 6=12$
(ii) A, B 이외의 출입문으로 들어오는 경우
$6\times 5=30$
(i), (ii)는 동시에 일어날 수 없으므로 구하는 방법의 수는
$12+30=42$

24 세 주사위 A, B, C를 동시에 던졌을 때, 나오는 눈의 수의 곱이 짝수인 경우의 수는 전체의 경우의 수에서 눈의 수의 곱이 홀수인 경우의 수를 뺀 것과 같다.
전체의 경우의 수는 $6\times 6\times 6=216$
눈의 수의 곱이 홀수인 경우의 수는 $3\times 3\times 3=27$
따라서 구하는 경우의 수는 $216-27=189$

25 500원짜리 동전을 지불하는 방법의 수는
0, 1, 2의 3가지
100원짜리 동전을 지불하는 방법의 수는
0, 1, 2, 3의 4가지
10원짜리 동전을 지불하는 방법의 수는
0, 1, 2, 3, 4의 5가지
이때 0원을 지불하는 경우가 1가지이므로 구하는 방법의 수는
$3\times 4\times 5-1=59$

26 $10=2\times 5$이므로 $10^n=2^n\times 5^n$ (n은 자연수)
따라서 10^n의 양의 약수의 개수는
$(n+1)(n+1)=(n+1)^2$
그런데 양의 약수의 개수가 100이므로
$(n+1)^2=100=10^2$, $n+1=10$ $\quad\therefore n=9$
그러므로 10의 거듭제곱 중 양의 약수가 100개인 수는 10^9이다.

27 x, y가 자연수이므로 $x+3y\le 8$을 만족하는 경우는
$x+3y=4$, $x+3y=5$, $x+3y=6$, $x+3y=7$, $x+3y=8$
(i) $x+3y=4$일 때,
순서쌍 (x, y)는 $(1, 1)$의 1가지
(ii) $x+3y=5$일 때,
순서쌍 (x, y)는 $(2, 1)$의 1가지
(iii) $x+3y=6$일 때,
순서쌍 (x, y)는 $(3, 1)$의 1가지
(iv) $x+3y=7$일 때,
순서쌍 (x, y)는 $(4, 1)$, $(1, 2)$의 2가지
(v) $x+3y=8$일 때,
순서쌍 (x, y)는 $(5, 1)$, $(2, 2)$의 2가지
따라서 구하는 순서쌍의 개수는 $1+1+1+2+2=7$

28 A에 칠할 수 있는 색은 4가지
B에 칠할 수 있는 색은 A에 칠한 색을 제외한 3가지
C에 칠할 수 있는 색은 A와 B에 칠한 색을 제외한 2가지
D에 칠할 수 있는 색은 A와 C에 칠한 색을 제외한 2가지

따라서 구하는 방법의 수는 $4\times3\times2\times2=48$

29 A에 칠할 수 있는 색은 5가지
C에 칠할 수 있는 색은 A에 칠한 색을 제외한 4가지
D에 칠할 수 있는 색은 A와 C에 칠한 색을 제외한 3가지
B에 칠할 수 있는 색은 C에 칠한 색을 제외한 4가지
E에 칠할 수 있는 색은 D에 칠한 색을 제외한 4가지
따라서 구하는 경우의 수는 $5\times4\times3\times4\times4=960$

30 (i) A, C가 같은 색인 경우
A, C에 칠할 수 있는 색은 4가지
B에 칠할 수 있는 색은 A, C에 칠한 색을 제외한 3가지
D에 칠할 수 있는 색은 A, C에 칠한 색을 제외한 3가지
이므로 경우의 수는 $4\times3\times3=36$
(ii) A, C가 다른 색인 경우
A에 칠할 수 있는 색은 4가지
C에 칠할 수 있는 색은 A에 칠한 색을 제외한 3가지
B, D에 칠할 수 있는 색은 각각 A, C에 칠한 색을 제외한 2가지이므로 경우의 수는 $4\times3\times2\times2=48$
(i), (ii)에서 구하는 경우의 수는 $36+48=84$

31 (i) B, D가 같은 색인 경우
B, D에 칠할 수 있는 색은 5가지
A에 칠할 수 있는 색은 B, D에 칠한 색을 제외한 4가지
C, E에 칠할 수 있는 색은 각각 A, B, D에 칠한 색을 제외한 3가지이므로 경우의 수는 $5\times4\times3\times3=180$
(ii) B, D가 다른 색인 경우
B에 칠할 수 있는 색은 5가지
D에 칠할 수 있는 색은 B에 칠한 색을 제외한 4가지
A에 칠할 수 있는 색은 B, D에 칠한 색을 제외한 3가지
C, E에 칠할 수 있는 색은 각각 A, B, D에 칠한 색을 제외한 2가지이므로 경우의 수는 $5\times4\times3\times2\times2=240$
(i), (ii)에서 구하는 경우의 수는 $180+240=420$

02 순열 본문 118쪽

01 ${}_5P_2=5\times4=20$

02 ${}_4P_4=4\times3\times2\times1=24$

03 ${}_6P_0=1$

04 $5!=5\times4\times3\times2\times1=120$

05 ${}_nP_2=n(n-1)$이므로
$n(n-1)=90=10\times9$ $\therefore n=10$

06 ${}_5P_r=60$에서 60을 5부터 시작하여 1씩 작아지는 수의 곱으로 표현하면
$60=5\times4\times3={}_5P_3$ $\therefore r=3$

07 ${}_nP_n=n!$, $120=5\times4\times3\times2\times1$이므로
$n!=5\times4\times3\times2\times1$ $\therefore n=5$

08 ${}_nP_4=6\times{}_nP_2$에서
$n(n-1)(n-2)(n-3)=6n(n-1)$
$(n-2)(n-3)=6$, $n^2-5n=0$
$n(n-5)=0$ $\therefore n=5$ ($\because n\geq4$)

09 주어진 식에서 ${}_6P_r=\frac{2880}{4!}=\frac{2880}{4\times3\times2\times1}=120$
$120=6\times5\times4$에서 $r=3$

10 주어진 식에서 ${}_nP_2=\frac{10800}{5!}=\frac{10800}{5\times4\times3\times2\times1}=90$
$90=10\times9$에서 $n=10$

11 ${}_5P_r=\frac{7200}{5!}=\frac{7200}{5\times4\times3\times2\times1}=60$
$60=5\times4\times3$에서 $r=3$

12 ${}_nP_2=\frac{180}{3!}=\frac{180}{3\times2\times1}=30$
$30=6\times5$에서 $n=6$

13 주어진 식을 전개하면
$n(n-1)(n-2)(n-3)=20n(n-1)$
$(n-2)(n-3)=20$
$n^2-5n-14=0$, $(n-7)(n+2)=0$
$\therefore n=7$ 또는 $n=-2$
이때 ${}_nP_4$에서 $n\geq4$이므로 $n=7$

14 주어진 식을 전개하면
$n(n-1)(n-2)(n-3)(n-4)=30n(n-1)(n-2)$에서
$(n-3)(n-4)=30$
$n^2-7n-18=0$, $(n-9)(n+2)=0$
$\therefore n=9$ 또는 $n=-2$
이때 ${}_nP_5$에서 $n\geq5$이므로 $n=9$

15 ${}_nP_3:5{}_nP_2=3:1$에서 ${}_nP_3=15{}_nP_2$
$n(n-1)(n-2)=15n(n-1)$
$n-2=15$ $\therefore n=17$

16 ${}_nP_2+4{}_nP_1=28$에서 $n(n-1)+4n=28$
$n^2+3n-28=0$, $(n+7)(n-4)=0$
$\therefore n=-7$ 또는 $n=4$
그런데 n은 자연수이므로 $n=4$

17 10명 중 순서를 고려해서 2명을 뽑아 나열하는 경우의 수와 같으므로
${}_{10}P_2=10\times9=90$

18 7명 중 순서를 고려해서 4명을 뽑아 나열하는 경우의 수와 같으므로
${}_7P_4=7\times6\times5\times4=840$

19 4개 중 순서를 고려해서 3개를 뽑아 나열하는 경우의 수와 같으므로
${}_4P_3=4\times3\times2=24$

20 4권 중 순서를 고려해서 4권을 뽑아 나열하는 경우의 수와 같으므로
${}_4P_4=4\times3\times2\times1=24$

21 12명에서 3명을 택하는 순열의 수이므로
${}_{12}P_3=12\times11\times10=1320$

22 n명의 축구 선수를 일렬로 세우는 방법의 수와 같으므로
$n!=120=5!$ $\therefore n=5$

23 n명의 학생 중에서 2명을 택하는 순열의 수이므로
${}_nP_2=210$에서 $n(n-1)=210=15\times14$
$\therefore n=15$

24 주어진 조건을 식으로 나타내면 ${}_{10}P_n=90$
${}_{10}P_n$은 10부터 1씩 줄여가며 n개를 곱한 것이므로
$90=10\times9$에서 $n=2$

03 특정 조건이 있는 순열 본문 121쪽

01 1학년 학생 3명을 한 사람으로 생각하여 5명을 일렬로 세우는 방법의 수는 $5!=120$
1학년 학생 3명이 자리를 바꾸는 방법의 수는 $3!=6$
따라서 구하는 방법의 수는 $120\times6=720$

02 2학년 학생 4명을 한 사람으로 생각하여 4명을 일렬로 세우는 방법의 수는 $4!=24$
2학년 학생 4명이 자리를 바꾸는 방법의 수는 $4!=24$
따라서 구하는 방법의 수는 $24\times24=576$

03 1학년 학생 3명을 한 사람, 2학년 학생 4명을 한 사람으로 생각하여 2명을 일렬로 세우는 방법의 수는 $2!=2$
1학년 학생 3명이 자리를 바꾸는 방법의 수는 $3!=6$
2학년 학생 4명이 자리를 바꾸는 방법의 수는 $4!=24$
따라서 구하는 방법의 수는 $2\times6\times24=288$

04 A와 E를 한 문자로 생각하여 5개의 문자를 일렬로 나열하는 방법의 수는 $5!=120$
A와 E의 자리를 바꾸는 방법의 수는 $2!=2$
따라서 구하는 방법의 수는 $120\times2=240$

05 남학생 2명을 한 사람, 여학생 3명을 한 사람으로 생각하여 2명을 일렬로 세우는 방법의 수는 $2!=2$
남학생 2명이 자리를 바꾸는 방법의 수는 $2!=2$
여학생 3명이 자리를 바꾸는 방법의 수는 $3!=6$
따라서 구하는 방법의 수는 $2\times2\times6=24$

06 a와 g를 한 문자로 생각하여 6개의 문자를 일렬로 배열하는 방법의 수는 $6!=720$
a와 g의 자리를 바꾸는 방법의 수는 $2!=2$
따라서 구하는 경우의 수는 $720\times2=1440$

07 부부를 각각 한 사람으로 생각하여 세 사람을 일렬로 앉히는 방법의 수는 $3!=6$
각각의 부부가 부부끼리 자리를 바꾸는 방법의 수는
$2!\times2!\times2!=8$
따라서 구하는 방법의 수는 $6\times8=48$

08 여자 3명을 일렬로 세우는 방법의 수는 $3!=6$
여자 사이사이와 양 끝의 4개의 자리에 남자 4명을 세우는 방법의 수는 $4!=24$
따라서 구하는 방법의 수는 $6\times24=144$

09 남자 4명을 일렬로 세우는 방법의 수는 $4!=24$
남자 사이사이와 양 끝의 5개의 자리에 여자 3명을 세우는 방법의 수는 ${}_5P_3=60$
따라서 구하는 방법의 수는 $24\times60=1440$

10 d, e, f를 일렬로 배열하는 방법의 수는 $3!=6$
그 사이사이와 양 끝의 4개의 자리 중 3개의 자리에 a, b, c를 배열하는 방법의 수는 ${}_4P_3=24$
따라서 구하는 방법의 수는 $6\times24=144$

11 의자 3개에만 학생이 앉으므로 빈 의자는 4개이다.
빈 의자들 사이사이 및 양 끝의 5개의 자리에 학생이 앉은 의자 3개를 놓으면 되므로 구하는 방법의 수는
${}_5P_3=60$

12 이웃하지 않게 앉는 경우는 남학생이 먼저 앉고 남학생의 양 끝 및 사이사이에 여학생이 앉는 방법을 생각한다.
∨[남]∨[남]∨[남]∨[남]∨
남학생 4명이 일렬로 앉는 방법의 수는 $4!=24$
∨의 5개의 자리에서 3개를 택하여 여학생이 앉는 방법의 수는
${}_5P_3=60$
따라서 구하는 방법의 수는 $24\times60=1440$

13 수학책을 제외한 나머지 3권을 꽂는 방법의 수는
$3!=6$
∨○∨○∨○∨
∨의 4개의 자리에 수학책 3권을 꽂는 방법의 수는
${}_4P_3=24$
따라서 구하는 방법의 수는 $6\times24=144$

14 모음이 a, e, i의 3개이므로 t, r, n, g, l을 일렬로 나열하고 양 끝과 그 사이사이의 6개의 자리 중 3개의 자리에 모음 a, e, i를 나열하면 된다.
∨[t]∨[r]∨[n]∨[g]∨[l]∨
따라서 구하는 경우의 수는
$5!\times{}_6P_3=120\times120=14400$

15 모□□□모 꼴이므로 먼저 양 끝에 모음을 둔 후 나머지 3개를 가운데 끼운다.
모음 e, o, u중 2개를 양 끝에 놓는 방법은 ${}_3P_2$
나머지 3개를 가운데 끼우는 방법은 $3!$
따라서 구하는 경우의 수는 ${}_3P_2\times3!=6\times6=36$

16 10명의 학생 중에서 2명을 뽑아 일렬로 나열하는 방법의 수와 같으므로
${}_{10}P_2=90$

17 남학생 4명 중에서 반장, 부반장을 뽑으면 되므로
${}_4P_2=12$

18 모든 방법의 수에서 반장, 부반장 모두 남학생이 뽑히는 방법의 수를 뺀 것과 같으므로
$90-12=78$

19 K를 맨 앞에, D를 맨 끝에 고정시키고 그 사이에 나머지 E, Y, B, O, A, R의 6개의 문자를 일렬로 배열하면 되므로
$6!=720$

20 5개의 문자를 일렬로 나열하는 방법의 수는 $5!=120$
A, B, C의 3개의 문자 중에서 어느 것도 이웃하지 않도록 나열하는 방법의 수는 D, E를 일렬로 나열하고 D와 E 사이와 양 끝에 A, B, C를 나열하는 방법의 수와 같으므로
$2!\times3!=12$
따라서 구하는 방법의 수는 $120-12=108$

21 s□□□□r를 한 문자로 생각하여 모두 4개의 문자를 일렬로 나열하는 경우의 수는
$4!=24$
s와 r 사이에 3개의 문자를 나열하는 경우의 수는
${}_6P_3=120$
s와 r의 자리를 바꾸는 경우의 수는 $2!=2$
따라서 구하는 경우의 수는 $24\times120\times2=5760$

22 picture에서 모음은 i, u, e, 자음은 p, c, t, r이다.
picture의 7개의 문자를 일렬로 나열하는 경우의 수는
$7!=5040$
양쪽 끝에 모두 자음이 오는 경우의 수는
${}_4P_2\times5!=1440$
적어도 한쪽 끝에 모음이 오는 경우의 수는
$5040-1440=3600$

23 mailbox의 7개의 문자를 일렬로 나열하는 경우의 수는
$7!=5040$

모음 a, i, o 중 어느 것도 이웃하지 않는 경우의 수는 자음 m, l, b, x의 4개의 문자를 일렬로 나열한 다음 양 끝과 그 사이사이의 5개의 자리 중 3개의 자리에 모음 3개를 일렬로 나열하는 경우의 수이므로
$4!\times{}_5P_3=1440$ (∨ 자 ∨ 자 ∨ 자 ∨ 자 ∨)
적어도 두 개의 모음이 이웃하는 경우의 수는
$5040-1440=3600$

24 남자 2명, 여자 3명, 즉 5명을 일렬로 세우는 방법의 수 a는
$a=5!=120$
또, 여자 3명 중 2명을 양 끝에 세우는 방법의 수는
${}_3P_2=6$이고, 그 각각에 대하여 나머지 3명을 일렬로 세우는 방법의 수는 $3!=6$이므로
$b=6\times6=36$
$\therefore a+b=120+36=156$

26 천의 자리에는 0이 올 수 없으므로 천의 자리에 올 수 있는 숫자는 1, 2, 3, 4의 4가지이다.
나머지 자리에는 천의 자리에 온 숫자를 제외한 4개의 숫자 중에서 3개를 택하여 일렬로 배열하면 되므로 그 방법의 수는
${}_4P_3=24$
따라서 구하는 자연수의 개수는 $4\times24=96$

27 일의 자리에는 1, 3 중 어느 하나가 오면 되므로 방법의 수는 2가지, 백의 자리에는 0과 일의 자리에 온 숫자를 제외한 2가지, 십의 자리에는 백의 자리, 일의 자리에 온 숫자를 제외한 2가지가 올 수 있다.
따라서 구하는 홀수의 개수는 $2\times2\times2=8$

28 5의 배수이려면 일의 자리의 숫자가 0 또는 5이어야 한다.
(i) 일의 자리의 숫자가 0인 경우
0을 제외한 5개의 숫자 중에서 3개를 택하여 일렬로 나열하는 방법의 수와 같으므로 ${}_5P_3=60$
(ii) 일의 자리의 숫자가 5인 경우
천의 자리에는 0을 제외한 1, 2, 3, 4의 4가지, 백의 자리와 십의 자리는 천의 자리와 일의 자리에 오는 숫자를 제외한 4개의 숫자 중에서 2개를 택하여 일렬로 나열하는 방법의 수와 같으므로 ${}_4P_2=12$
$\therefore 4\times12=48$
(i), (ii)에서 5의 배수의 개수는 $60+48=108$

29 천의 자리와 일의 자리에 홀수가 오는 방법의 수는 ${}_2P_2$가지이고, 백의 자리와 십의 자리에는 남은 3개의 숫자에서 2개를 택하여 나열하면 된다.
따라서 구하는 네 자리의 자연수의 개수는
${}_2P_2\times{}_3P_2=2\times6=12$

30 세 자리의 자연수가 3의 배수이려면 각 자리의 수의 합이 3의 배수이어야 한다.
1, 2, 3, 4, 5, 6에서 서로 다른 3개의 수를 택할 때, 그 수의 합이 3의 배수인 경우는 다음과 같다.
(1, 2, 3), (1, 2, 6), (1, 3, 5), (1, 5, 6), (2, 3, 4),
(2, 4, 6), (3, 4, 5), (4, 5, 6)
따라서 구하는 3의 배수의 개수는 각각을 일렬로 나열하는 경우의 수이므로
$8\times{}_3P_3=8\times3!=48$

31 어떤 수가 4의 배수가 되려면 끝의 두 자리의 수가 4의 배수이어야 한다.
(i) 끝의 두 자리의 수가 04, 20, 40인 경우
나머지 4개의 수에서 2개를 택하여 앞의 두 자리에 나열하면 되므로 $3\times{}_4P_2=36$
(ii) 끝의 두 자리의 수가 12, 24, 32, 52인 경우
천의 자리에는 나머지 4개의 숫자 중 0을 제외한 3개의 숫자가 올 수 있고, 백의 자리에는 천의 자리에 온 숫자를 제외하고, 0을 포함한 3개의 숫자가 올 수 있으므로
$4\times3\times3=36$
(i), (ii)에서 구하는 경우의 수는 $36+36=72$

32 (i) 백의 자리에는 0이 올 수 없으므로 1, 2, 3, 4, 5의 5가지이고, 십의 자리와 일의 자리에는 남은 5개의 숫자에서 2개의 숫자가 올 수 있으므로 ${}_5P_2=20$
따라서 세 자리의 자연수의 개수는 $5\times20=100$
(ii) 양쪽 끝에 홀수가 오는 방법의 수는 ${}_3P_2=6$이고, 가운데 숫자는 양쪽 끝에 온 홀수를 제외한 숫자가 올 수 있으므로 4가지이다.
따라서 양쪽 끝이 홀수인 세 자리의 자연수의 개수는
$6\times4=24$
(i), (ii)에서 적어도 한쪽 끝이 짝수인 자연수의 개수는
$100-24=76$

34 A□□□□ 꼴인 단어의 개수는 $4!=24$
B□□□□ 꼴인 단어의 개수는 $4!=24$
CAB□□ 꼴인 단어의 개수는 $2!=2$
CAD□□ 꼴인 단어의 개수는 $2!=2$
CAE□□ 꼴인 단어에서 CAEDB의 순서는
CAEBD, CAEDB의 두 번째
따라서 CAEDB가 나타나는 순서는
$24+24+2+2+2=54$

35 1□□□□ 꼴인 자연수의 개수는 $4!=24$
2□□□□ 꼴인 자연수의 개수는 $4!=24$
3□□□□ 꼴인 자연수의 개수는 $4!=24$
4□□□□ 꼴인 자연수의 개수는 $4!=24$
즉, 1 또는 2 또는 3 또는 4를 시작으로 하여 만든 다섯 자리의 자연수는 모두 96개이므로 97번째 자연수부터 차례로 구해보면
51234, 51243, 51324, 51342
따라서 100번째 수는 51342이다.

36 24□□ 꼴인 정수의 개수는 $2!=2$
3□□□ 꼴인 정수의 개수는 $3!=6$
4□□□ 꼴인 정수의 개수는 $3!=6$
따라서 구하는 정수의 개수는 $2+6+6=14$

37 250보다 큰 세 자리의 자연수는
25□, 26□, 3□□, 4□□, 5□□, 6□□ 꼴의 수이다.
(i) 25□일 때, □ 안에 들어갈 수는 1, 3, 4, 6의 4가지
(ii) 26□일 때, □ 안에 들어갈 수는 0, 1, 3, 4, 5의 5가지
(iii) 3□□, 4□□, 5□□, 6□□일 때, 백의 자리에 오는 수를 제외한 6개의 숫자 중 2개를 택하여 나열하는 방법의 수와 같으므로 $4\times{}_6P_2=120$
(i), (ii), (iii)에서 구하는 개수는 $4+5+120=129$

38 (i) a□□□□, b□□□□, c□□□□, d□□□□의 꼴인 문자열의 개수는 $4\times4!=96$
(ii) eab□□, eac□□의 꼴인 문자열의 개수는 $2\times2!=4$
(i), (ii)에서 100번째의 문자열은 $eacdb$이다.

39 (i) a□□□□의 꼴인 문자열의 개수는 $4!=24$
(ii) ba□□□, bc□□□, bd□□□의 꼴인 문자열의 개수는 $3\times3!=18$

(iii) $bea\square\square$, $bec\square\square$의 꼴인 문자열의 개수는 $2\times2!=4$
따라서 $bedac$는 (i), (ii), (iii)의 다음에 오는 문자열이므로
$24+18+4+1=47$(번째)

40 $1\square\square\square\square$의 꼴인 정수의 개수는 $4!=24$
$20\square\square\square$, $21\square\square\square$의 꼴인 정수의 개수는 $2\times3!=12$
따라서 구하는 수는 $23\square\square\square$의 꼴의 네 번째 수이다.
즉, 23014, 23041, 23104, 23140에서 23140이다.

04 조합 본문 126쪽

01 ${}_4C_2=\frac{{}_4P_2}{2!}=\frac{4\times3}{2\times1}=6$

02 ${}_5C_3=\frac{{}_5P_3}{3!}=\frac{5\times4\times3}{3\times2\times1}=10$

03 ${}_9C_7={}_9C_2=\frac{{}_9P_2}{2!}=\frac{9\times8}{2\times1}=36$

04 ${}_6C_6=1$

05 ${}_8C_0=1$

06 ${}_{15}C_{13}={}_{15}C_2=\frac{15\times14}{2\times1}=105$

07 ${}_{20}C_{18}={}_{20}C_2=\frac{20\times19}{2\times1}=190$

08 ${}_nC_2=28$에서 $\frac{n(n-1)}{2\times1}=28$
$n(n-1)=56=8\times7 \quad \therefore n=8$

09 ${}_nC_3=10$에서 $\frac{n(n-1)(n-2)}{3\times2\times1}=10$
$n(n-1)(n-2)=60=5\times4\times3 \quad \therefore n=5$

10 ${}_{2n+1}C_2=78$에서 $\frac{(2n+1)\times2n}{2\times1}=78$
$2n^2+n-78=0$, $(2n+13)(n-6)=0$
$\therefore n=6 \left(\because n\geq\frac{1}{2}\right)$

11 ${}_nC_3={}_nC_7$에서 $7=n-3 \quad \therefore n=10$

12 ${}_8C_r={}_8C_{r-2}$에서 $r-2=8-r$
$2r=10 \quad \therefore r=5$

13 ${}_{10}C_r={}_{10}C_3={}_{10}C_7$에서 $r=7$

14 ${}_{20}C_r={}_{20}C_5={}_{20}C_{15}$에서 $r=15$

15 ${}_{12}C_{r-3}={}_{12}C_{3r-1}$에서
$r-3=3r-1$이면 $r=-1$이므로 모순이다.
따라서 ${}_{12}C_{r-3}={}_{12}C_{12-(r-3)}={}_{12}C_{15-r}$이므로
${}_{12}C_{15-r}={}_{12}C_{3r-1}$에서 $15-r=3r-1$
$\therefore r=4$

16 ${}_5C_3={}_nC_3+{}_4C_2$에서
${}_nC_3={}_5C_3-{}_4C_2=\frac{5\times4\times3}{3\times2\times1}-\frac{4\times3}{2\times1}=4$
즉, $\frac{n(n-1)(n-2)}{3\times2\times1}=4$
$n(n-1)(n-2)=4\times3\times2$
$\therefore n=4$

17 ${}_{2n}P_5=10k\times{}_{2n}C_5$에서
${}_{2n}P_5=10k\times\frac{{}_{2n}P_5}{5!}$
$10k=5!=5\times4\times3\times2\times1$
$\therefore k=12$

18 ${}_nP_3=120$에서 $n(n-1)(n-2)=120$ …… ㉠
${}_nC_4=15$에서 $\frac{n(n-1)(n-2)(n-3)}{4\times3\times2\times1}=15$ …… ㉡
㉠을 ㉡에 대입하면 $120(n-3)=360$
$n-3=3 \quad \therefore n=6$
$\therefore {}_nC_3+{}_nP_4={}_6C_3+{}_6P_4=\frac{6\times5\times4}{3\times2\times1}+6\times5\times4\times3$
$=20+360=380$

19 서로 다른 아이스크림 10개 중에서 3개를 뽑는 방법의 수는
${}_{10}C_3=\frac{10\times9\times8}{3\times2\times1}=120$

20 7명의 학생 중에서 2명을 뽑는 방법의 수는
${}_7C_2=\frac{7\times6}{2\times1}=21$

21 2개의 팀을 택하면 한 경기가 이루어지므로 총 경기 수는
${}_8C_2=\frac{8\times7}{2\times1}=28$

22 축구 선수 5명 중에서 2명을 뽑는 방법의 수는
${}_5C_2=\frac{5\times4}{2\times1}=10$
농구 선수 3명 중에서 2명을 뽑는 방법의 수는 ${}_3C_2=3$
따라서 구하는 방법의 수는 $10\times3=30$

23 남학생 8명 중에서 2명을 뽑는 방법의 수는 ${}_8C_2=\frac{8\times7}{2\times1}=28$
여학생 7명 중에서 3명을 뽑는 방법의 수는
${}_7C_3=\frac{7\times6\times5}{3\times2\times1}=35$
따라서 구하는 방법의 수는 $28\times35=980$

24 n개의 팀이 참가했다고 하면 n개의 팀이 서로 다른 팀과 1번씩 경기를 치르는 경우의 수는 ${}_nC_2$
그런데 5번의 리그전을 치루었으므로
${}_nC_2\times5=140$, ${}_nC_2=28$
$\frac{n(n-1)}{2\times1}=28$, $n(n-1)=56=8\times7$
$\therefore n=8$

25 남학생 6명 중 남자 대표 2명을 뽑는 방법의 수는
${}_6C_2=\frac{6\times5}{2\times1}=15$
여학생 4명 중 여자 대표 1명을 뽑는 방법의 수는
${}_4C_1=4$
따라서 구하는 방법의 수는 $15\times4=60$

26 원소의 개수가 0개인 부분집합의 개수는 ${}_6C_0=1$
원소의 개수가 1개인 부분집합의 개수는 ${}_6C_1=6$
원소의 개수가 2개인 부분집합의 개수는
${}_6C_2=\frac{6\times5}{2\times1}=15$
따라서 구하는 부분집합의 개수는 $1+6+15=22$

27 두 수의 합이 짝수가 되는 경우는

(홀수)+(홀수) 또는 (짝수)+(짝수)

(i) (홀수)+(홀수)인 경우

5개의 홀수 중 2개를 뽑는 경우의 수는

$_5C_2=\frac{5\times4}{2\times1}=10$

(ii) (짝수)+(짝수)인 경우

4개의 짝수 중 2개를 뽑는 경우의 수는

$_4C_2=\frac{4\times3}{2\times1}=6$

(i), (ii)에서 구하는 경우의 수는 $10+6=16$

05 특정 조건이 있는 조합 본문 129쪽

01 B를 제외한 6개의 문자 중에서 3개를 뽑은 후, 각각의 경우에 B를 포함하면 되므로 구하는 방법의 수는

$_6C_3=\frac{6\times5\times4}{3\times2\times1}=20$

02 F를 제외한 6개의 문자 중에서 4개를 뽑으면 되므로 구하는 방법의 수는

$_6C_4={}_6C_2=\frac{6\times5}{2\times1}=15$

03 A와 D를 제외한 5개의 문자 중에서 3개를 뽑은 후, 각각의 경우에 A를 포함하면 되므로 구하는 방법의 수는

$_5C_3={}_5C_2=\frac{5\times4}{2\times1}=10$

04 찬호와 주미를 제외한 7명의 학생 중에서 2명을 선발한 후, 각각의 경우에 찬호와 주미를 포함하면 되므로 구하는 방법의 수는

$_7C_2=\frac{7\times6}{2\times1}=21$

05 특정한 2가지의 색이 칠해진 공을 꺼내고 나머지 8개의 공 중에서 3개의 공을 꺼내면 되므로

$_8C_3=\frac{8\times7\times6}{3\times2\times1}=56$

06 A는 선출되지 않고 B, C는 함께 선출되어야 하므로 남은 5명 중 2명을 뽑는 경우의 수는

$_5C_2=\frac{5\times4}{2\times1}=10$

07 3과 9가 적힌 공을 제외한 8개의 공 중에서 4개를 꺼낸 후, 각각의 경우에 3이 적힌 공을 포함하면 되므로 구하는 방법의 수는

$_8C_4=\frac{8\times7\times6\times5}{4\times3\times2\times1}=70$

08 빨간색 볼펜 6개 중에서 2개를 뽑는 방법의 수는

$_6C_2=\frac{6\times5}{2\times1}=15$

빨간색 볼펜 4개, 파란색 볼펜 3개, 즉 7개 중에서 2개를 뽑는 방법의 수는 $_7C_2=\frac{7\times6}{2\times1}=21$

따라서 구하는 방법의 수는 $15\times21=315$

09 전체 9명 중에서 3명을 뽑는 방법의 수는

$_9C_3=\frac{9\times8\times7}{3\times2\times1}=84$

여자만 3명을 뽑는 방법의 수는 $_4C_3={}_4C_1=4$

따라서 적어도 남자 1명이 포함되도록 뽑는 방법의 수는

$84-4=80$

10 A를 뽑고 B를 뽑지 않는 방법의 수는 A, B를 제외한 8명의 학생 중에서 3명을 뽑는 방법의 수와 같으므로

$_8C_3=\frac{8\times7\times6}{3\times2\times1}=56$

B를 뽑고 A를 뽑지 않는 방법의 수는 A, B를 제외한 8명의 학생 중에서 3명을 뽑는 방법의 수와 같으므로

$_8C_3=\frac{8\times7\times6}{3\times2\times1}=56$

따라서 구하는 방법의 수는 $56+56=112$

11 가장 큰 원소가 8이고 $n(A)=4$이므로 7 이하의 자연수 중에서 3개의 원소를 택하면 된다.

$\therefore {}_7C_3=\frac{7\times6\times5}{3\times2\times1}=35$

12 6장의 카드 중에서 2장의 카드를 뽑는 경우의 수는

$_6C_2=\frac{6\times5}{2\times1}=15$

홀수 1, 3, 5의 숫자가 쓰여 있는 3장의 카드에서 2장의 카드를 뽑는 경우의 수는 $_3C_2=3$

따라서 구하는 경우의 수는 $15-3=12$

13 전체 14명의 사원 중에서 3명의 영업사원을 뽑는 방법의 수는

$_{14}C_3=\frac{14\times13\times12}{3\times2\times1}=364$

9명의 남자 사원 중에서 3명의 영업사원을 뽑는 방법의 수는

$_9C_3=\frac{9\times8\times7}{3\times2\times1}=84$

5명의 여자 사원 중에서 3명의 영업사원을 뽑는 방법의 수는

$_5C_3=\frac{5\times4\times3}{3\times2\times1}=10$

따라서 구하는 방법의 수는 $364-(84+10)=270$

14 남자와 여자를 각각 적어도 2명 뽑는 경우의 남자, 여자의 수를 순서쌍으로 나타내면

(남자, 여자)$=(2, 4), (3, 3), (4, 2)$

(i) 남자 2명, 여자 4명을 뽑는 경우의 수는

$_{10}C_2\times{}_{10}C_4=\frac{10\times9}{2\times1}\times\frac{10\times9\times8\times7}{4\times3\times2\times1}=45\times210=9450$

(ii) 남자 3명, 여자 3명을 뽑는 경우의 수는

$_{10}C_3\times{}_{10}C_3=\frac{10\times9\times8}{3\times2\times1}\times\frac{10\times9\times8}{3\times2\times1}=120^2=14400$

(iii) 남자 4명, 여자 2명을 뽑는 경우의 수는

$_{10}C_4\times{}_{10}C_2=\frac{10\times9\times8\times7}{4\times3\times2\times1}\times\frac{10\times9}{2\times1}=210\times45=9450$

(i), (ii), (iii)에서 구하는 경우의 수는

$9450+14400+9450=33300$

15 부모를 제외한 4명 중에서 2명을 뽑는 방법의 수는

$_4C_2=\frac{4\times3}{2\times1}=6$

4명을 일렬로 세우는 방법의 수는 $4!=24$

따라서 구하는 방법의 수는 $6\times24=144$

16 남학생 4명 중에서 2명을 뽑는 방법의 수는 $_4C_2=\frac{4\times3}{2\times1}=6$

여학생 5명 중에서 2명을 뽑는 방법의 수는 ${}_5C_2=\frac{5\times4}{2\times1}=10$

4명을 일렬로 세우는 방법의 수는 $4!=24$

따라서 구하는 방법의 수는 $6\times10\times24=1440$

17 7명 중에서 5명을 뽑는 방법의 수는 ${}_7C_5={}_7C_2=\frac{7\times6}{2\times1}=21$

5명을 일렬로 세우는 방법의 수는 $5!=120$

따라서 구하는 방법의 수는 $21\times120=2520$

18 2와 4를 제외한 3개의 숫자 중에서 2개를 뽑는 방법의 수는

${}_3C_2=3$

3개를 일렬로 배열하는 방법의 수는 $3!=6$

따라서 구하는 방법의 수는 $3\times6=18$

19 8명 중 특정한 2명을 포함하여 4명을 뽑는 방법의 수는 나머지 6명 중에서 2명만 뽑으면 되므로

${}_6C_2=\frac{6\times5}{2\times1}=15$

또한, 뽑힌 4명을 일렬로 세울 때, 특정한 2명이 이웃하도록 세우는 방법의 수는 $3!\times2!=12$

따라서 구하는 방법의 수는 $15\times12=180$

20 5개의 과일 중에서 3개를 택하는 방법의 수는

${}_5C_3=\frac{5\times4\times3}{3\times2\times1}=10$

3개의 야채 중에서 2개를 택하는 방법의 수는

${}_3C_2=3$

택한 5개의 과일과 야채를 일렬로 진열하는 방법의 수는

$5!=120$

따라서 구하는 방법의 수는 $10\times3\times120=3600$

21 흰 바둑돌 5개와 검은 바둑돌 4개를 일렬로 나열할 때, 가운데 놓인 바둑돌을 중심으로 대칭인 형태로 바둑돌이 놓이려면 다음 그림과 같이 가운데에는 반드시 흰 바둑돌이 놓여야 한다.

○○●●○●●○○

따라서 구하는 방법의 수는 가운데 놓인 흰 바둑돌을 중심으로 왼쪽의 4군데에 흰 바둑돌을 놓을 2곳을 정하는 방법의 수이므로

${}_4C_2=\frac{4\times3}{2\times1}=6$

22 동호회의 총 회원 수를 n명이라고 하면 특정한 2명을 포함하여 4명을 뽑는 방법의 수는 특정한 2명을 제외한 나머지 $(n-2)$명에서 2명을 뽑는 방법의 수이므로

${}_{n-2}C_2=\frac{(n-2)(n-3)}{2\times1}$

또, 뽑은 4명을 일렬로 세우는 방법의 수는 $4!=24$

따라서 특정한 2명을 포함한 4명을 뽑아 일렬로 세우는 방법의 수가 240이므로

$\frac{(n-2)(n-3)}{2\times1}\times24=240$

$(n-2)(n-3)=20=5\times4$

$n-2=5 \quad \therefore n=7$

23 6개의 점 중에서 어느 세 점도 한 직선 위에 있지 않으므로 구하는 직선의 개수는

${}_6C_2=\frac{6\times5}{2\times1}=15$

24 8개의 점 중에서 2개를 택하는 방법의 수는 ${}_8C_2=\frac{8\times7}{2\times1}=28$

일직선 위에 있는 3개의 점 중에서 2개를 택하는 방법의 수는

${}_3C_2=3$

일직선 위에 있는 5개의 점 중에서 2개를 택하는 방법의 수는

${}_5C_2=\frac{5\times4}{2\times1}=10$

주어진 평행선 2개를 포함하면 구하는 직선의 개수는

$28-3-10+2=17$

25 구하는 대각선의 개수는 6개의 꼭짓점 중에서 2개를 택하는 방법의 수에서 변의 개수인 6을 뺀 값과 같으므로

${}_6C_2-6=\frac{6\times5}{2\times1}-6=15-6=9$

26 9개의 점 중에서 3개를 택하는 방법의 수는

${}_9C_3=\frac{9\times8\times7}{3\times2\times1}=84$

이 중 일직선 위에 있는 4개의 점 중에서 3개를 택하는 경우는 삼각형을 만들 수 없고, 삼각형을 만들 수 없는 직선이 3개가 있으므로 $3\times{}_4C_3=3\times4=12$

따라서 구하는 삼각형의 개수는 $84-12=72$

27 7개의 점 중에서 3개를 택하는 방법의 수는

${}_7C_3=\frac{7\times6\times5}{3\times2\times1}=35$

이 중 일직선 위에 있는 4개의 점 중에서 3개를 택하는 경우는 삼각형을 만들 수 없으므로 ${}_4C_3=4$

따라서 구하는 삼각형의 개수는

$35-4=31$

28 8개의 점 중에서 어느 네 점도 한 직선 위에 있지 않으므로 구하는 사각형의 개수는

${}_8C_4=\frac{8\times7\times6\times5}{4\times3\times2\times1}=70$

29 가로로 나열된 4개의 평행선 중에서 2개, 세로로 나열된 6개의 평행선 중에서 2개를 택하면 한 개의 평행사변형이 결정되므로 개수는

${}_4C_2\times{}_6C_2=\frac{4\times3}{2\times1}\times\frac{6\times5}{2\times1}=6\times15=90$

30 10개의 점 중에서 3개를 택하는 경우의 수는

${}_{10}C_3=\frac{10\times9\times8}{3\times2\times1}=120$

일직선 위에 있는 4개의 점 중에서 3개를 택하는 경우의 수는

${}_4C_3=4$

일직선 위에 있는 6개의 점 중에서 3개를 택하는 경우의 수는

${}_6C_3=\frac{6\times5\times4}{3\times2\times1}=20$

따라서 구하는 삼각형의 개수는 $120-4-20=96$

06 분할과 분배 본문 133쪽

01 서로 다른 6송이를 1송이, 2송이, 3송이의 세 묶음으로 나누는 방법의 수는

${}_6C_1\times{}_5C_2\times{}_3C_3=6\times10\times1=60$

02 서로 다른 6송이를 2송이, 2송이, 2송이의 세 묶음으로 나누는 방법의 수는

${}_6C_2\times{}_4C_2\times{}_2C_2\times\frac{1}{3!}=15\times6\times1\times\frac{1}{6}=15$

03 8명의 학생을 3명, 3명, 2명의 3개 조로 나누는 방법의 수는

$_8C_3 \times {_5C_3} \times {_2C_2} \times \frac{1}{2!} = 56 \times 10 \times 1 \times \frac{1}{2} = 280$

04 나눈 3개 조를 서로 다른 3곳의 청소 구역에 배정하는 방법의 수는

$\left({_8C_3} \times {_5C_3} \times {_2C_2} \times \frac{1}{2!}\right) \times 3! = 280 \times 6 = 1680$

05 6개의 학급을 4학급, 2학급의 2개 조로 분할하는 방법의 수는

$_6C_4 \times {_2C_2} = 15 \times 1 = 15$

4학급이 포함된 조를 다시 2학급, 2학급의 2개 조로 분할하는 방법의 수는 $_4C_2 \times {_2C_2} \times \frac{1}{2!} = 6 \times 1 \times \frac{1}{2} = 3$

따라서 구하는 방법의 수는 $15 \times 3 = 45$

06 6명의 학생을 3명, 3명의 2개 조로 분할하는 방법의 수는

$_6C_3 \times {_3C_3} \times \frac{1}{2!} = 20 \times 1 \times \frac{1}{2} = 10$

각 조에서 부전승으로 올라가는 1명을 택하는 방법의 수는

$_3C_1 = 3$

따라서 구하는 방법의 수는 $10 \times 3 \times 3 = 90$

07 8개의 팀을 4팀, 4팀의 2개 조로 분할하는 방법의 수는

$_8C_4 \times {_4C_4} \times \frac{1}{2!} = 70 \times 1 \times \frac{1}{2} = 35$

각 조마다 4팀을 다시 2팀, 2팀의 2개 조로 분할하는 방법의 수는

$_4C_2 \times {_2C_2} \times \frac{1}{2!} = 6 \times 1 \times \frac{1}{2} = 3$

따라서 구하는 방법의 수는 $35 \times 3 \times 3 = 315$

MEMO

MEMO

연마 수학

수학(하)

유형No.	유형	총 문항수	틀린 문항수	채점결과
065	일대일 대응이 되도록 하는 상수 의 최솟값과 치역 구하기	6		○△×
066	항등함수와 상수함수	11		○△×
067	여러 가지 함수의 개수	6		○△×
068	합성함수의 함숫값 구하기 (1)	8		○△×
069	합성함수 구하기	5		○△×
070	합성함수의 함숫값 구하기 (2)	10		○△×
071	합성함수의 교환법칙	5		○△×
072	합성함수의 결합법칙	15		○△×
073	합성함수의 추정	4		○△×
074	역함수	9		○△×
075	역함수가 존재하기 위한 조건	17		○△×
076	역함수 구하기	7		○△×
077	역함수의 성질	6		○△×
078	합성함수와 역함수의 성질	9		○△×
079	역함수의 그래프	7		○△×
080	역함수의 그래프의 성질	10		○△×
081	유리식의 구분	6		○△×
082	유리식의 통분과 약분	6		○△×
083	유리식의 계산	8		○△×
084	부분분수로의 변형	8		○△×
085	유리함수의 구분	8		○△×
086	유리함수의 정의역	7		○△×
087	유리함수 $y=\frac{k}{x}$의 그래프 그리기	5		○△×
088	유리함수 $y=\frac{k}{x-p}+q$의 그래프	7		○△×
089	$y=\frac{k}{x-p}+q$의 그래프 그리기	6		○△×
090	유리함수의 그래프가 지나는 사분면	5		○△×
091	유리함수의 그래프의 대칭성	4		○△×
092	유리함수 $y=\frac{ax+b}{cx+d}$의 그래프	12		○△×
093	유리함수의 그래프의 평행이동	5		○△×
094	유리함수의 그래프의 성질	5		○△×
095	유리함수의 식 구하기	8		○△×

유형No.	유형	총 문항수	틀린 문항수	채점결과
096	유리함수의 최대 · 최소	5		○△×
097	유리함수의 역함수	12		○△×
098	유리식와 무리식의 구분	6		○△×
099	무리식의 값이 실수가 되기 위한 조건	4		○△×
100	무리식의 계산	10		○△×
101	무리함수	15		○△×
102	무리함수의 그래프	4		○△×
103	$y=\sqrt{ax}$의 그래프의 평행이동과 대칭이동	8		○△×
104	무리함수 $y=\sqrt{a(x-p)}+q$의 그래프	4		○△×
105	무리함수 $y=\sqrt{ax+b}+c$의 그래프	6		○△×
106	무리함수의 정의역과 치역	7		○△×
107	무리함수의 식 구하기	4		○△×
108	무리함수의 최대 · 최소	5		○△×
109	무리함수의 그래프와 직선의 위치 관계	2		○△×
110	무리함수의 역함수 구하기	6		○△×
111	합의 법칙	11		○△×
112	곱의 법칙	16		○△×
113	도형에 색칠하는 경우의 수	4		○△×
114	순열의 계산	16		○△×
115	순열을 이용한 경우의 수	8		○△×
116	이웃하는 순열의 수	7		○△×
117	이웃하지 않는 순열의 수	8		○△×
118	제한 조건이 있는 순열의 수	9		○△×
119	순열을 이용한 정수의 개수	8		○△×
120	사전식 배열의 순열의 수	8		○△×
121	조합의 계산	18		○△×
122	조합의 수	9		○△×
123	제한 조건이 있을 때의 조합의 수	14		○△×
124	뽑아서 나열하는 조합의 수	8		○△×
125	조합의 도형에의 응용	8		○△×
126	분할과 분배의 수	4		○△×
127	대진표 작성하기	3		○△×

맞춤법 + 받아쓰기 동영상 강의

효과적인 맞춤법과 받아쓰기 학습

무료 스마트 러닝

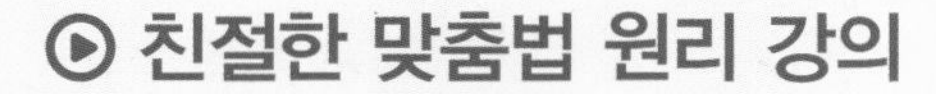

친절한 맞춤법 원리 강의

QR코드를 스캔하여 맞춤법 원리 동영상 강의를 바로 볼 수 있습니다. 초능력쌤의 꼼꼼하고 친절한 강의로 맞춤법 실력을 탄탄하게 다져 보세요.

정확한 소리를 듣는 전체 듣기

QR코드로 전체 내용과 받아쓰기를 들을 수 있습니다. 쓸 때와 들을 때의 소리가 어떻게 다른지를 생각하며 들으면 받아쓰기 실력이 쑥쑥 자라게 됩니다.

고마워! 덕분에 꿀을
많이 모을 수 있었어.
5주
1일
2일
3일
4일
5일
6주
1일
2일
3일
4일
5일
7주
1일
2일
3일
4일
5일
8주
1일
2일
3일
4일
5일

학습 진도표

학습을 마칠 때마다
붙임딱지를 붙여 주세요.

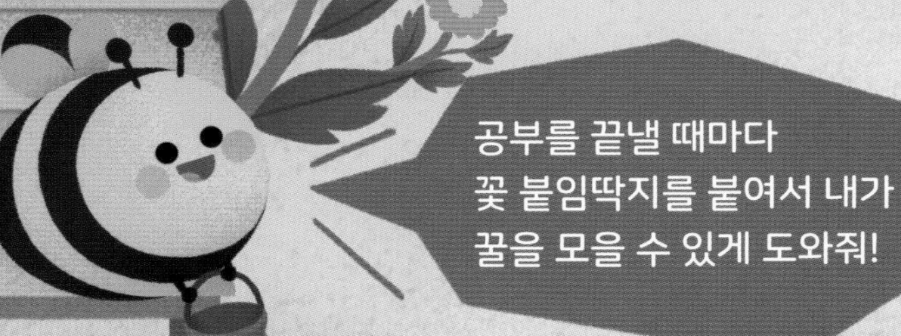

1주
1일
2일
3일
4일
5일

2주
1일
2일
3일
4일
5일

3주
1일
2일
3일
4일
5일

4주
1일
2일
3일
4일
5일

초능력

맞춤법 + 받아쓰기 1·1 진도표 붙임딱지

학습을 마친 후 '학습 진도표'에 붙임딱지를 붙여 주세요.

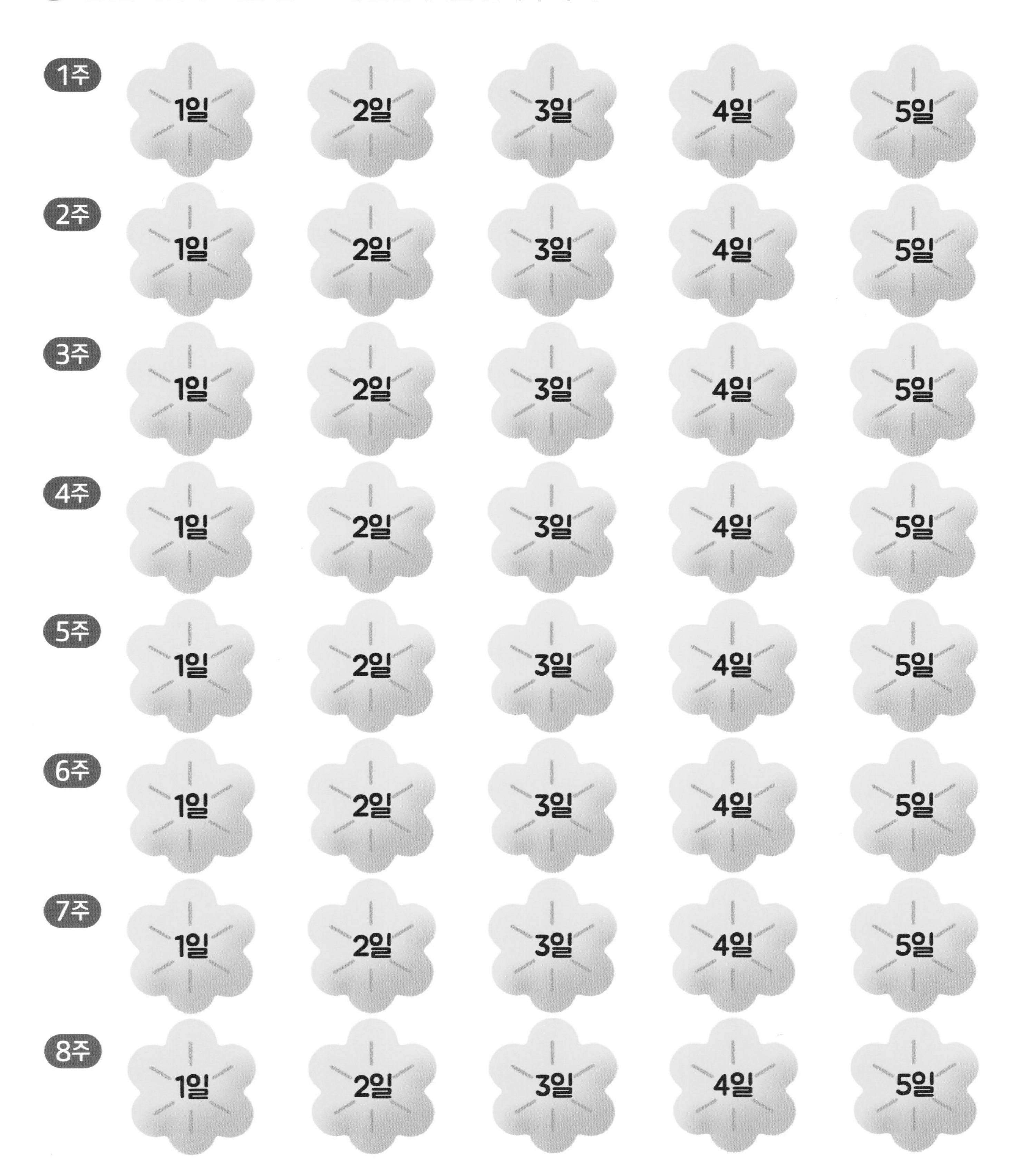

초등 1~2학년
공부 단짝
초능력

맞춤법 + 받아쓰기

초등 국어
1·1

맞춤법+받아쓰기 실력은

1~2학년 때 쌓아야 합니다

1

1~2학년 시기가 가장 중요해요

초등학교 초기에 생긴 학습 격차는 학년이 올라갈수록 더 커지는 특성을 보입니다. 저학년 시기에 학습을 따라가지 못하면 학습에 대한 자신감을 쉽게 잃게 되기 때문입니다. 따라서 저학년 때에는 학습을 잘 따라갈 수 있도록 기초 학습 능력을 키우는 것이 중요합니다.

맞춤법은 국어뿐 아니라 모든 과목 학습의 기초입니다. 낱말과 문장을 맞춤법에 따라 바르게 읽고 쓸 수 있어야 학습 내용을 정확하게 이해할 수 있고, 자신이 이해하고 생각하는 것들을 효과적으로 표현할 수 있습니다.

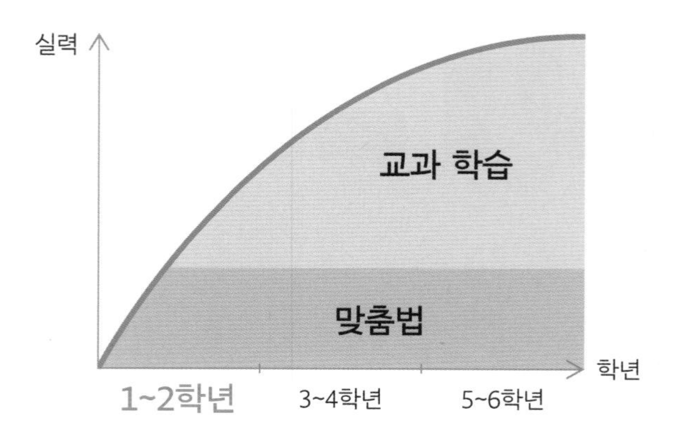

2

교과 어휘와 중요 어휘로 맞춤법을 익혀야 해요

어떤 어휘로 맞춤법을 가르쳐야 할지 고민인 학부모님들이 많습니다. 아이에게는 학년과 학기에 맞춰 꼭 알아 두어야 하는 어휘부터 가르쳐야 합니다. 익혀야 할 기초 교과 어휘를 맞춤법에 따라 정확하게 아는 것이 중요하기 때문입니다. 그리고 일상생활이나 여러 글에서 자주 나오는 어휘를 가르쳐야 합니다. 이러한 어휘들을 바르게 읽고 쓰며 다양한 문장에서 활용할 때 맞춤법 실력과 어휘력이 쑥쑥 자라게 됩니다.

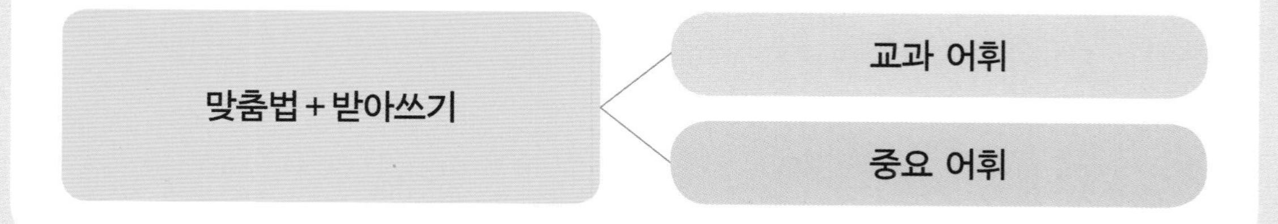

3 꾸준히 반복 연습해야 해요

아이에게 맞춤법에 맞는 낱말을 꾸준히 반복하여 듣고, 읽고, 손으로 직접 쓰며 익히는 기회를 충분히 주는 것이 우직해 보여도 가장 효과적인 방법입니다. 아이들에게는 자주 접하는 낱말이 쉬운 낱말이기 때문입니다.

학교 교육과정은 단순히 읽고 쓰는 것을 넘어 '유창하게 읽고 쓰기' 수준까지 요구하고 있습니다. 따라서 낱말의 뜻을 생각하며 정확하게 듣고, 읽고, 쓰는 연습도 놓치지 말아야 합니다.

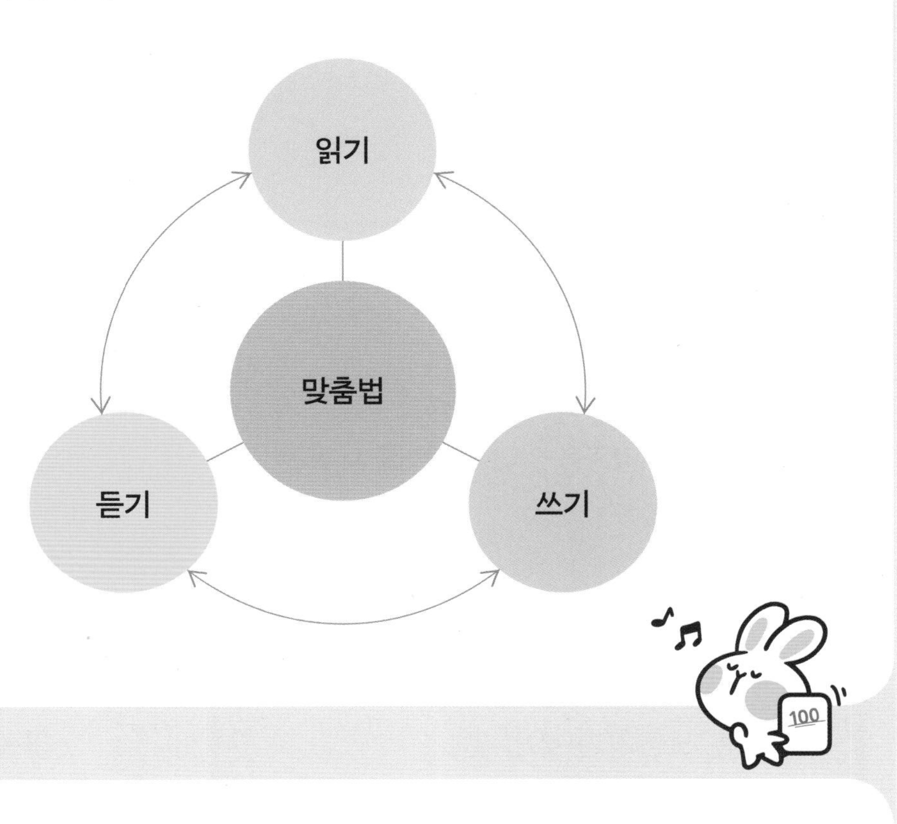

4 초능력 맞춤법 +받아쓰기로 맞춤법 실력을 완성해요

이 책은 학년과 학기에 맞춰 효과적으로 맞춤법을 학습할 수 있게 구성되었습니다. 하루에 한 개씩 맞춤법 원리를 배우고, 배운 원리를 생각하며 낱말을 따라 씁니다. 이때 QR코드를 통해 듣기 자료를 들려 주면 눈과 손과 귀를 통해 여러 감각이 자극되어 학습 효과가 훨씬 커집니다. 그리고 다양한 상황에서의 낱말의 쓰임을 확인하고 정확하게 받아 쓰며 실력을 탄탄하게 쌓을 수 있습니다.

맞춤법 원리 → 따라 쓰기 → 확인하기 → 받아쓰기

맞춤법 실력 완성

초능력 맞춤법+받아쓰기

학습 순서

시작

1·1

✓ 기본 자·모음자부터 받침 소리까지 바르게 읽고 쓰는 법을 배웁니다.

✓ 1학년 1학기 교과 어휘와 중요 어휘에서 틀리기 쉬운 말들을 알맞게 구별해서 쓰는 법을 배웁니다.

소리와 같거나 다르게 쓰는 말

- 기본 모음자가 쓰인 말
- 쌍자음자와 받침이 쓰인 말
- 여러 가지 모음자가 쓰인 말
- 받침이 뒤로 넘어가서 소리 나는 말

틀리기 쉬운 말

- 작다/적다 ~ 가르치다/가리키다
- 바라다/바래다 ~ 낳다/낫다
- 거름/걸음 ~ 엎다/업다
- 우리/저희 ~ ~이었다/~였다

1·2

✓ 대표 소리나 된소리로 소리 나는 말을 바르게 읽고 쓰는 법을 배웁니다.

✓ 1학년 2학기 교과 어휘와 중요 어휘에서 틀리기 쉬운 말들을 알맞게 구별해서 쓰는 법을 배웁니다.

소리와 같거나 다르게 쓰는 말

- 대표 소리 [ㄱ], [ㄷ], [ㅂ]
- ㄱ, ㄲ, ㅋ, ㄷ, ㅌ, ㅂ, ㅍ, ㄴ, ㄹ, ㅁ, ㅇ, ㅅ, ㅆ, ㅈ, ㅊ 받침 뒤에서 된소리가 나는 말

틀리기 쉬운 말

- 아기/창피 ~ 가까이/솔직히
- 찌개/베개 ~ -되/돼
- 새다/세다 ~ 짓/짖다
- 덥다/덮다 ~ 바치다/받치다
- 날다/나르다 ~ 부수다/부시다

2·1

✓ 닮은 소리가 나거나 겹받침이 쓰인 말을 바르게 읽고 쓰는 법을 배웁니다.

✓ 2학년 1학기 교과 어휘와 중요 어휘에서 틀리기 쉬운 말들을 알맞게 구별하여 쓰는 법을 배웁니다.

소리와 다르게 쓰는 말

- [ㄴ], [ㄹ], [ㅁ], [ㅇ]으로 소리 나는 말
- 겹받침 ㄳ, ㄵ, ㅄ, ㄼ, ㄾ, ㄺ, ㄻ, ㄿ, ㄶ, ㅀ이 쓰인 말

틀리기 쉬운 말

- 좀/거꾸로 ~ 금세/요새
- 깁다/깊다 ~ 찢다/찧다
- 껍질/껍데기 ~ 어떻게/어떡해
- -던지/-든지 ~ 윗-/웃-
- 굳다/궂다 ~ 젓다/젖다

2·2

완성

✓ 구개음, 거센소리로 나거나 소리가 덧나는 말, 사이시옷이 붙는 말을 바르게 읽고 쓰는 법을 배웁니다.

✓ 2학년 2학기 교과 어휘와 중요 어휘에서 틀리기 쉬운 말들을 알맞게 구별해서 쓰는 법을 배웁니다.

소리와 다르게 쓰는 말

- [ㅈ], [ㅊ]으로 소리 나는 말
- 거센소리가 나는 말
- [ㄴ], [ㄹ] 소리가 덧나는 말
- 사이시옷이 붙는 말

틀리기 쉬운 말

- 설레다/헤매다 ~ 맞추다/맞히다
- 담그다/잠그다 ~ 너머/넘어
- 벌리다/벌이다 ~ 저리다/절이다
- 좇다/쫓다 ~ 오랜만/오랫동안
- 담다/닮다 ~ 해어지다/헤어지다

이 책의
구성과 공부 방법

1일~4일

맞춤법 원리 학습 그림과 첨삭, 예문을 활용하여 맞춤법 원리를 제시하였습니다. 낱말에 담긴 맞춤법 원리를 쉽고 빠르게 이해할 수 있습니다.

학부모 TIP '맞춤법 강의' QR코드로 접속하여 아이와 강의 영상을 함께 보세요. 선생님의 친절한 맞춤법 강의를 통해 맞춤법 원리를 쉽고 재미있게 이해할 수 있어요.

따라 쓰기 맞춤법 원리에 따라 여러 낱말을 읽어 보고, 정확하게 따라 쓰며 맞춤법을 익힐 수 있습니다.

학부모 TIP '전체 듣기' QR코드로 접속하면 해당 페이지의 활동 낱말과 문장을 모두 들을 수 있어요. 정확하게 발음하는 소리를 들으면서 학습하면 여러 감각이 자극되어 기억에 오래 남아요.

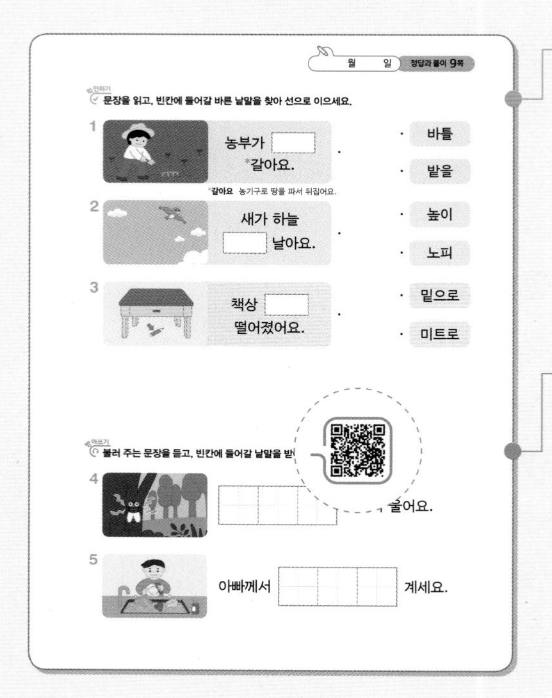

확인하기 앞에서 배운 낱말을 다양한 상황에 적용하고, 바르게 쓰인 낱말을 확인합니다.

받아쓰기 소리를 듣고 맞춤법에 맞게 낱말을 정확하게 받아씁니다. 소리가 비슷하여 헷갈린다면 낱말의 뜻을 생각하여 문장 안에 들어갈 알맞은 낱말로 받아씁니다.

학부모 TIP 활동 옆 QR코드로 접속하여 받아쓰기 음성만 따로 들려 줄 수 있어요. 또는 정답과 풀이 뒷부분에 있는 '듣기 대본'을 부모님께서 직접 읽어 주셔도 좋아요. 듣기 배속을 조절하며 들을 수 있으므로, 빠르게 쓰는 것보다 정확하게 쓸 수 있도록 충분한 기회를 주세요.

☑ **쉽고 빠르게** 맞춤법 원리 학습

☑ **교과 어휘와 중요 어휘**로 어휘력 향상

5일

확인하기 한 주 동안 배운 내용을 다시 확인하며 학습을 마무리합니다.

받아쓰기 한 주 동안 배운 낱말을 떠올리며, 문장을 듣고 짧은 문장부터 긴 문장까지 받아씁니다.

학부모 TIP 문장 전체를 받아써야 하므로 듣기 음성은 여러 차례 들려 주세요. 그리고 자연스럽게 띄어쓰기를 익힐 수 있도록 '이렇게 띄어 쓰세요' 코너를 안내해 주세요.

어휘력 키우기 그림과 뜻풀이를 통해 낱말을 다시 한번 확인하며 어휘력을 쌓을 수 있습니다.

학부모 TIP 한 주의 학습을 마친 후 소리 내어 낱말을 읽고 낱말의 뜻을 확인하세요. 손으로 낱말을 가리고, 그림과 뜻에 맞는 낱말을 맞혀 보게 하는 것도 좋아요.

이 책의
차례

준비 학습

1 자음자

기본 자음자는 14개로, 자음자의 이름은 첫 번째 글자의 첫 자음자와 두 번째 글자의 받침에 그 자음자가 쓰여 만들어져요.

다음 자음자의 이름을 소리 내어 읽고, 쓰는 순서를 생각하며 따라 쓰세요.

기역	니은	디귿	리을	미음	비읍	시옷	이응	지읒	치읓
ㄱ	ㄴ	ㄷ	ㄹ	ㅁ	ㅂ	ㅅ	ㅇ	ㅈ	ㅊ
ㄱ	ㄴ	ㄷ	ㄹ	ㅁ	ㅂ	ㅅ	ㅇ	ㅈ	ㅊ

키읔	티읕	피읖	히읗
ㅋ	ㅌ	ㅍ	ㅎ
ㅋ	ㅌ	ㅍ	ㅎ

'ㄱ, ㄷ, ㅂ, ㅅ, ㅈ'을 각각 두 개씩 모아 만든 자음자는 5개가 있어요. 이 자음자의 이름은 기본 자음자의 이름 앞에 '쌍' 자를 붙여 만들어요.

다음 자음자의 이름을 소리 내어 읽고, 쓰는 순서를 생각하며 따라 쓰세요.

쌍기역	쌍디귿	쌍비읍	쌍시옷	쌍지읒
ㄲ	ㄸ	ㅃ	ㅆ	ㅉ
ㄲ	ㄸ	ㅃ	ㅆ	ㅉ

2 모음자

기본 모음자는 10개로, 모음자의 이름은 모음자 소리와 같아요.

다음 모음자의 이름을 소리 내어 읽고, 쓰는 순서를 생각하며 따라 쓰세요.

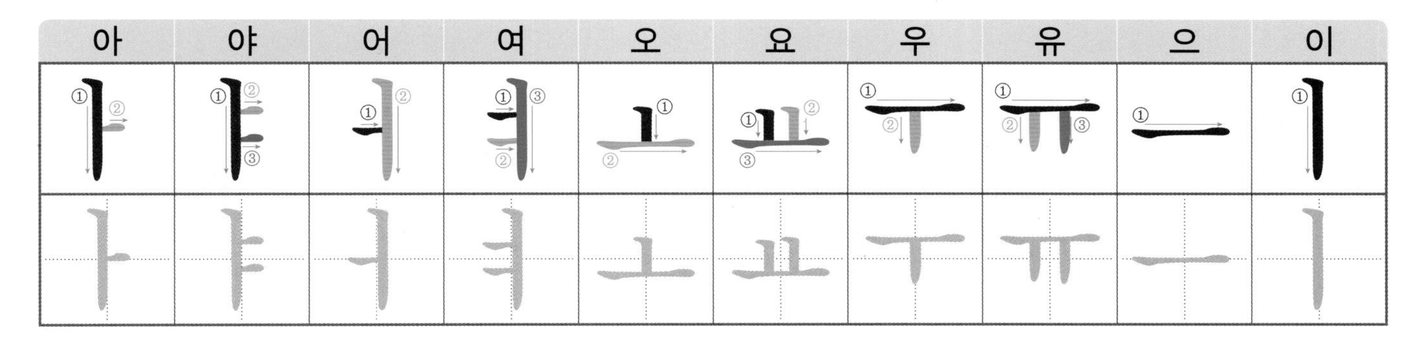

기본 모음자에 다른 모음자가 붙어서 만든 모음자는 11개예요. 이러한 모음자의 이름은 기본 모음자와 같이 모음자에 'ㅇ'을 더한 글자와 같아요.

다음 모음자의 이름을 소리 내어 읽고, 쓰는 순서를 생각하며 따라 쓰세요.

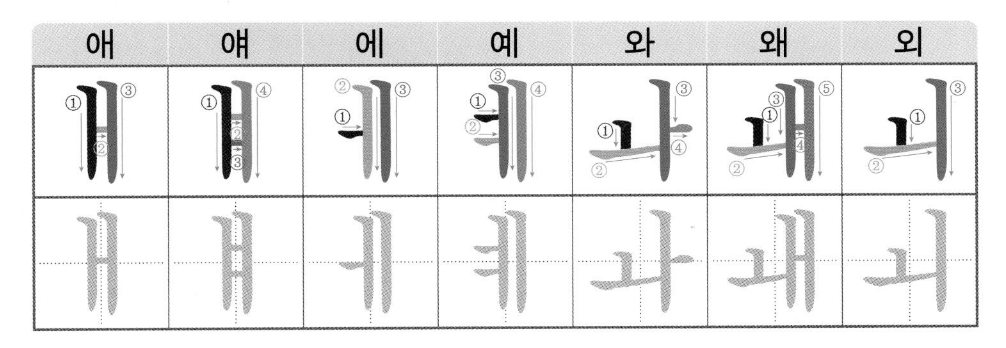

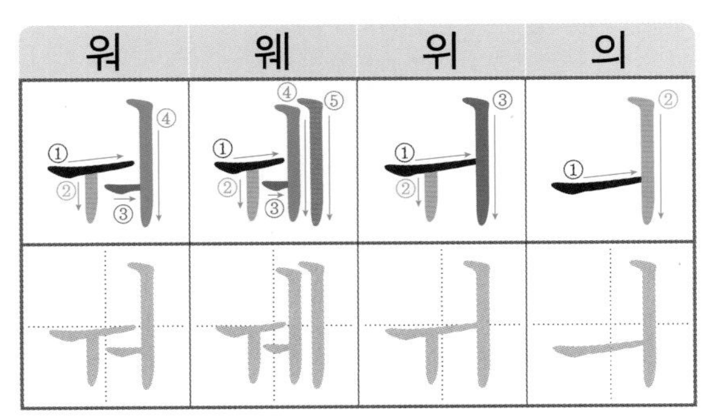

준비 학습

3 문장 부호의 이름과 쓰임

문장 부호는 문장의 뜻을 정확히 전달하고, 읽고 이해하기 쉽게 도와줘요.

문장 부호	이름	쓰임
,	쉼표	부르는 말이나 대답하는 말 뒤에 써요.
.	마침표	설명하는 문장 끝에 써요.
?	물음표	묻는 문장 끝에 써요.
!	느낌표	느낌을 나타내는 문장 끝에 써요.
“ ”	큰따옴표	대화 글이나 남의 말을 가져올 때 써요.
‘ ’	작은따옴표	마음속으로 한 말을 적을 때 써요.
••• •••	줄임표	할 말을 줄이거나 말이 없을 때 써요.

4 문장 부호 바르게 쓰기

문장 부호마다 쓰는 자리가 다르므로 잘 구분하여 따라 쓰도록 해요.

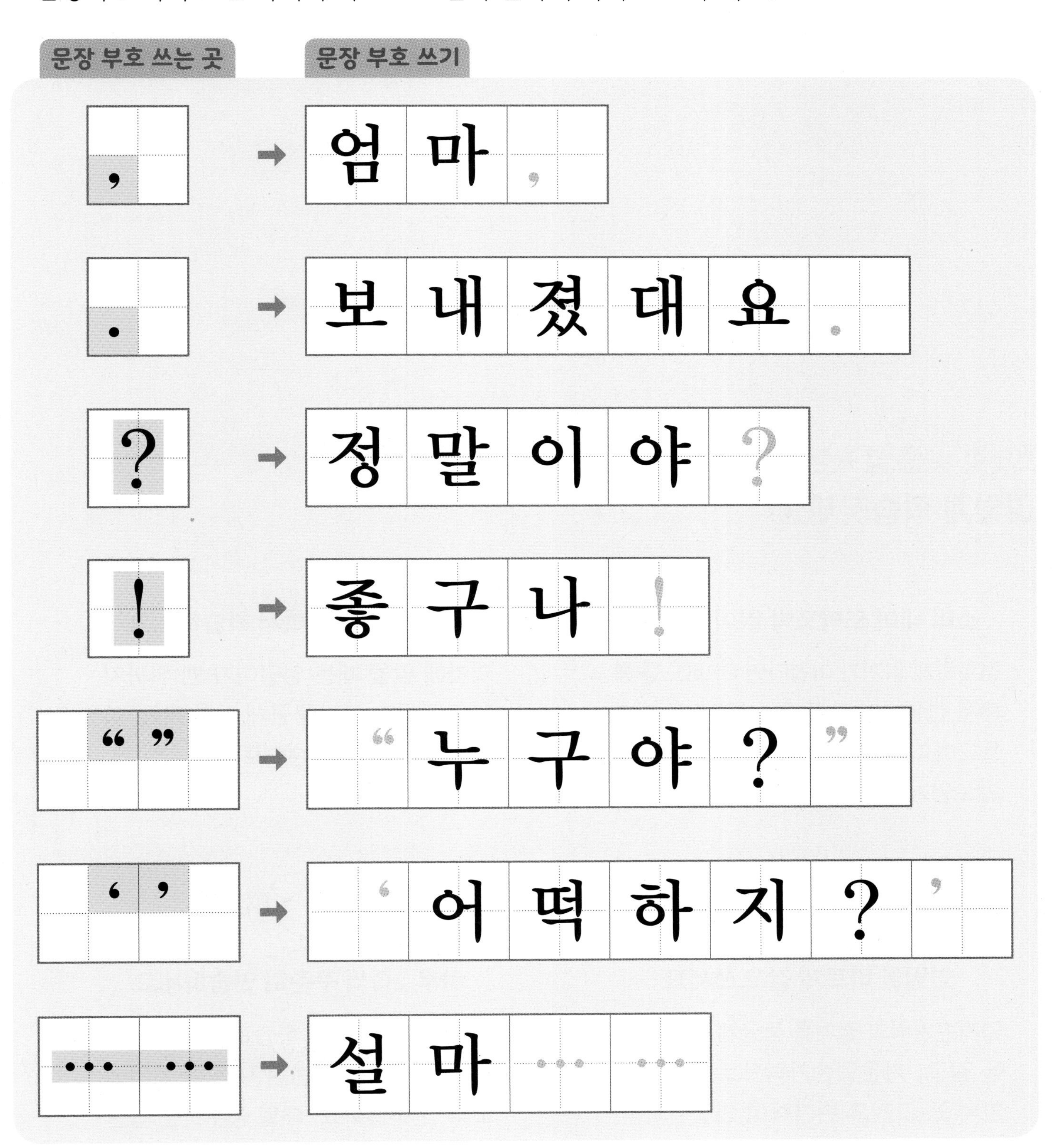

초능력 맞춤법 + 받아쓰기

이렇게 학습하세요!

소리 내어 또박또박 읽어 보세요

정확하게 읽기가 어렵다면 QR코드를 통해서 선생님이 불러 주는 '전체 듣기'를 들으며 따라 읽어 보세요. 읽으면서 글자의 모양과 소리가 어떠한지 살펴보아요.

바른 자세로 앉아서 학습하세요

의자에 앉을 때는 엉덩이가 맨 뒤까지 닿도록 하고 허리를 곧게 펴야 해요. 이때 다리를 꼬거나 손으로 턱을 괴지 않도록 해요.

연필을 바르게 잡고 쓰세요

엄지손가락과 검지를 둥글게 하여 연필을 잡고, 가운뎃손가락으로는 연필을 받쳐요. 그리고 손가락이 연필심과 너무 가깝거나 멀지 않게 해야 해요.

하루 2쪽씩 꾸준히 연습하세요

한 번에 너무 많이 학습하거나 시간에 쫓겨 공부하면 학습한 내용이 기억에 오래 남지 않아요. 매일 공부하는 습관을 기르며 차근차근 실력을 쌓아 가세요.

1주

시작

1일
모음자 ㅏ, ㅑ, ㅓ, ㅕ, ㅣ가 쓰인 말

2일
모음자 ㅗ, ㅛ, ㅜ, ㅠ, ㅡ가 쓰인 말

3일
쌍자음자와 기본 모음자

4일
받침과 기본 모음자

5일
실력 쑥쑥 마무리

1일 모음자 ㅏ, ㅑ, ㅓ, ㅕ, ㅣ가 쓰인 말

나비

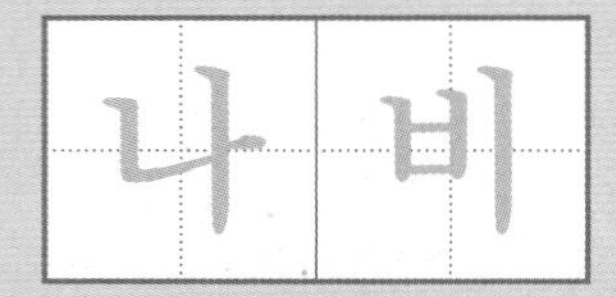

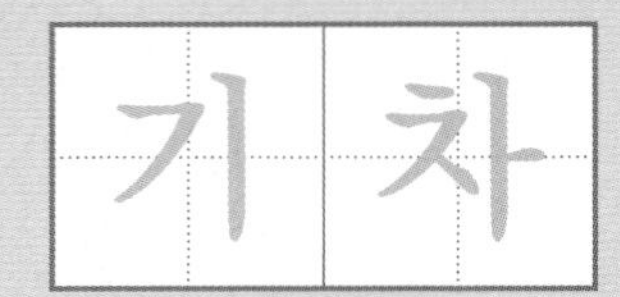

모음자 ㅏ, ㅑ, ㅓ, ㅕ, ㅣ가 어떤 자음자를 만나는지에 따라 글자의 모양과 읽을 때의 소리가 달라져요.

따라쓰기

낱말을 소리 내어 읽고, 바르게 따라 쓰세요.

다리

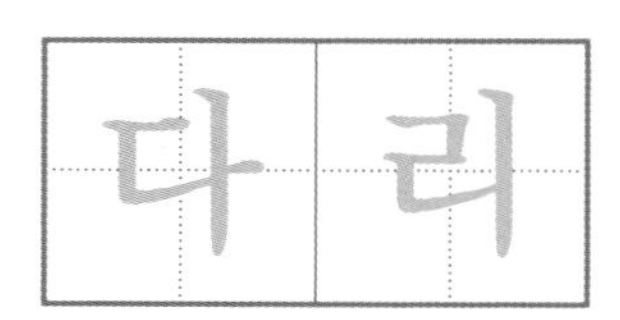

이야기

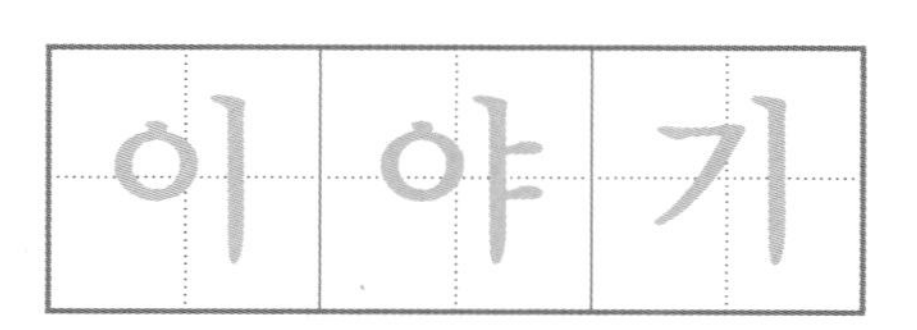

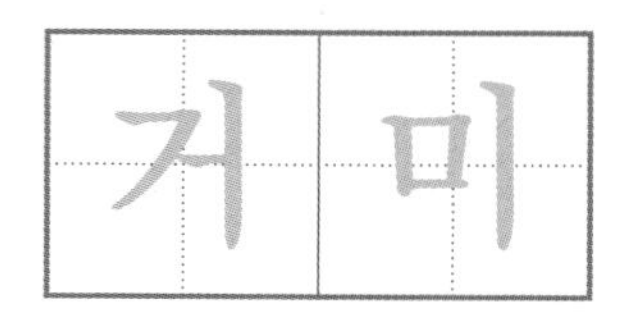

여자

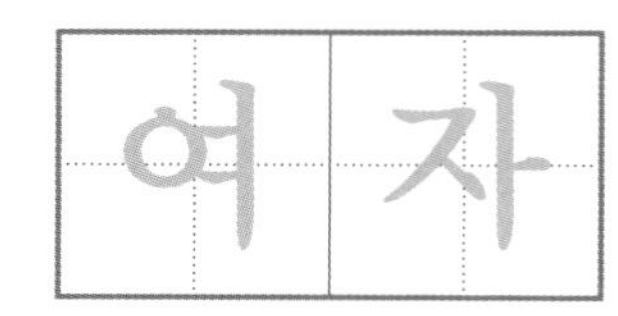

확인하기

문장을 읽고, 빈칸에 들어갈 바른 낱말을 찾아 선으로 이으세요.

1

나는 [　　] 예요. ·

· 야자

· 여자

2

[　　] 가 달려요. ·

· 기차

· 거차

3

[　　] 가 날아요. ·

· 나비

· 너비

받아쓰기

불러 주는 문장을 듣고, 빈칸에 들어갈 낱말을 받아쓰세요.

4

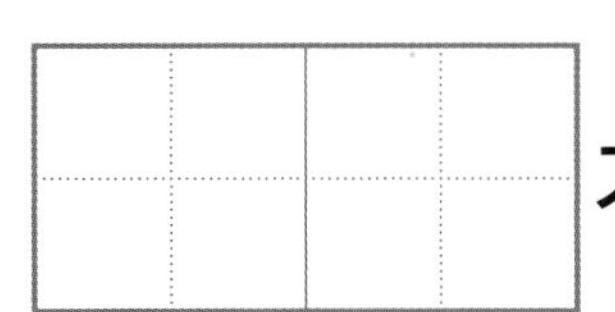

가 줄을 타요.

5

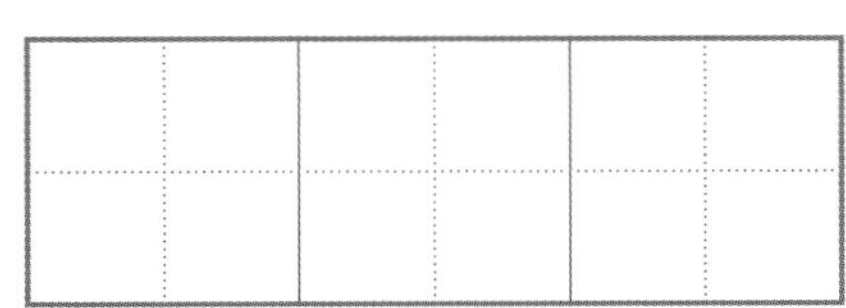

를 들어요.

1주

모음자 ㅗ, ㅛ, ㅜ, ㅠ, ㅡ가 쓰인 말

모자

요리

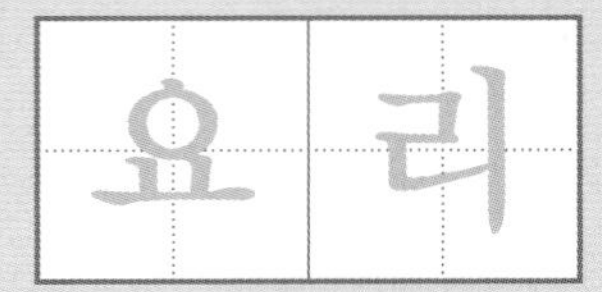

모음자 ㅗ, ㅛ, ㅜ, ㅠ, ㅡ가 어떤 자음자를 만나는지에 따라 글자의 모양과 읽을 때의 소리가 달라져요.

따라쓰기

낱말을 소리 내어 읽고, 바르게 따라 쓰세요.

고추

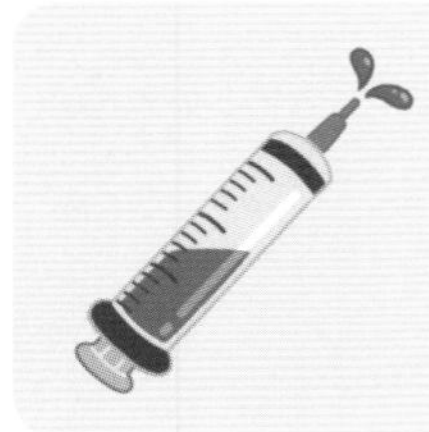

주사

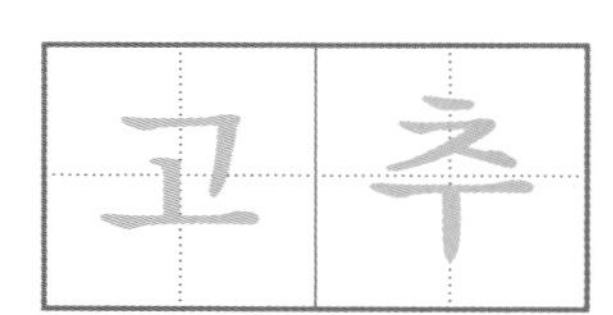

주 사

유리

버스

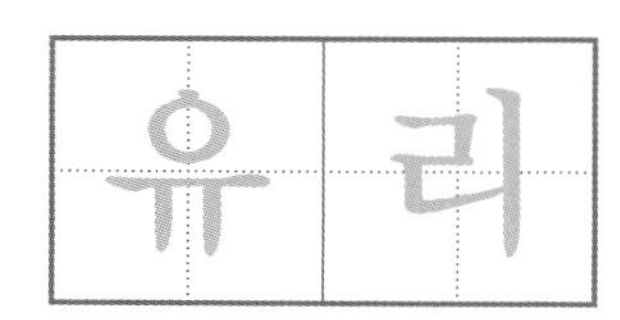

버 스

확인하기
문장을 읽고, 바르게 쓴 낱말에 ○표 하세요.

1

모자	를 써요.
무자	

2

조사	를 맞아요.
주사	

3

우리	가 깨졌어요.
유리	

받아쓰기
불러 주는 문장을 듣고, 빈칸에 들어갈 낱말을 받아쓰세요.

4

□□ 를 타요.

5

□□ 가 매워요.

3일 쌍자음자와 기본 모음자

토끼

짜요

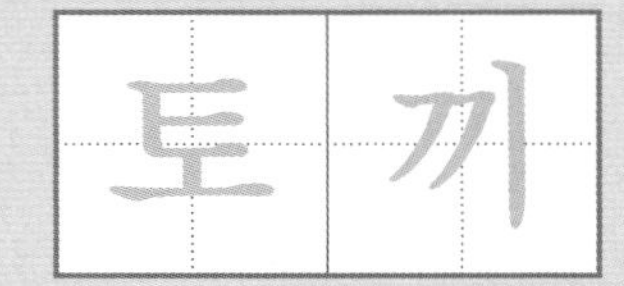

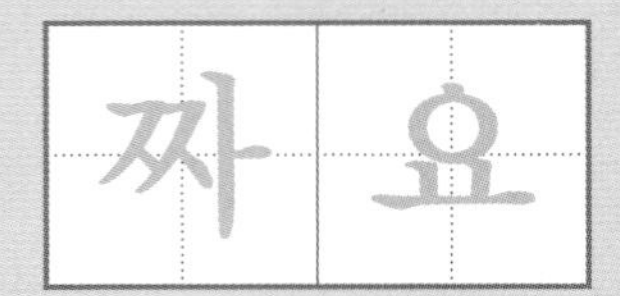

ㄲ, ㄸ, ㅃ, ㅆ, ㅉ은 같은 자음자 두 개를 나란히 붙여 쓰는 쌍자음자예요. 읽을 때는 ㄱ, ㄷ, ㅂ, ㅅ, ㅈ보다 더 강하게 소리 나요.

따라쓰기

낱말을 소리 내어 읽고, 바르게 따라 쓰세요.

꼬리

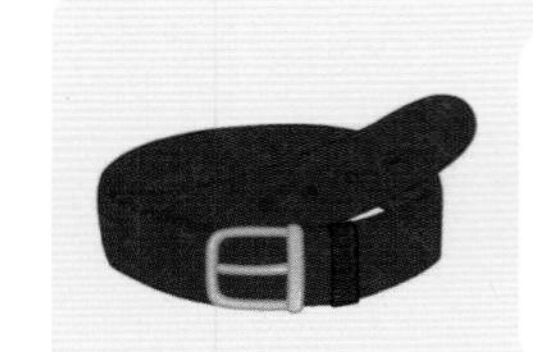

허리띠

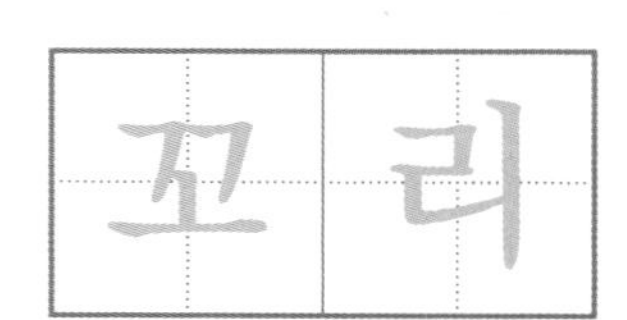

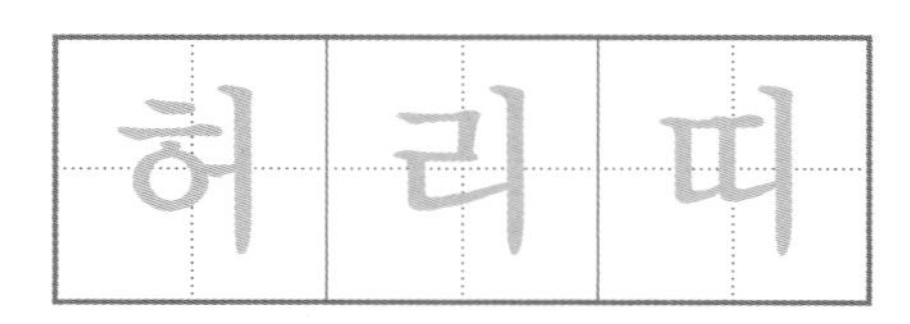

뿌리

아저씨

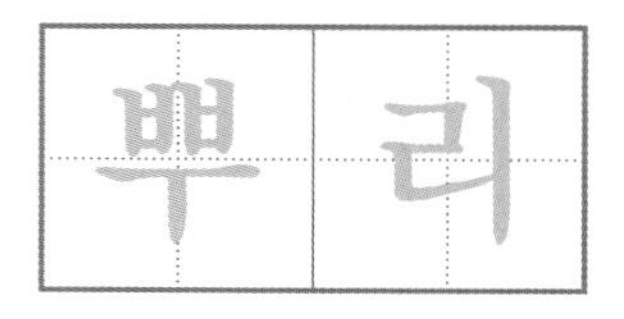

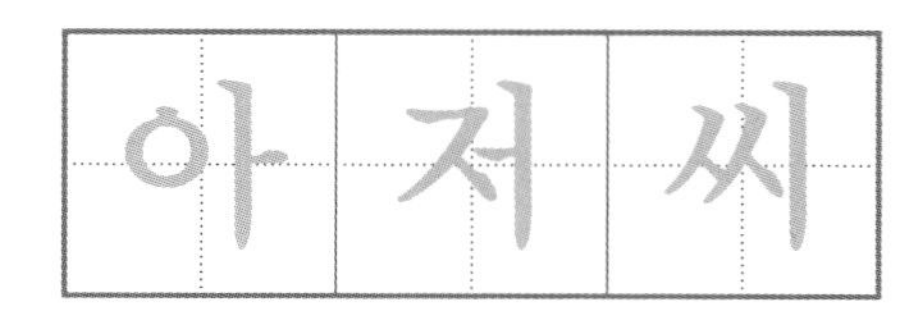

확인하기

문장을 읽고, 밑줄 친 낱말이 바르면 ○표, 틀리면 ×표 하세요.

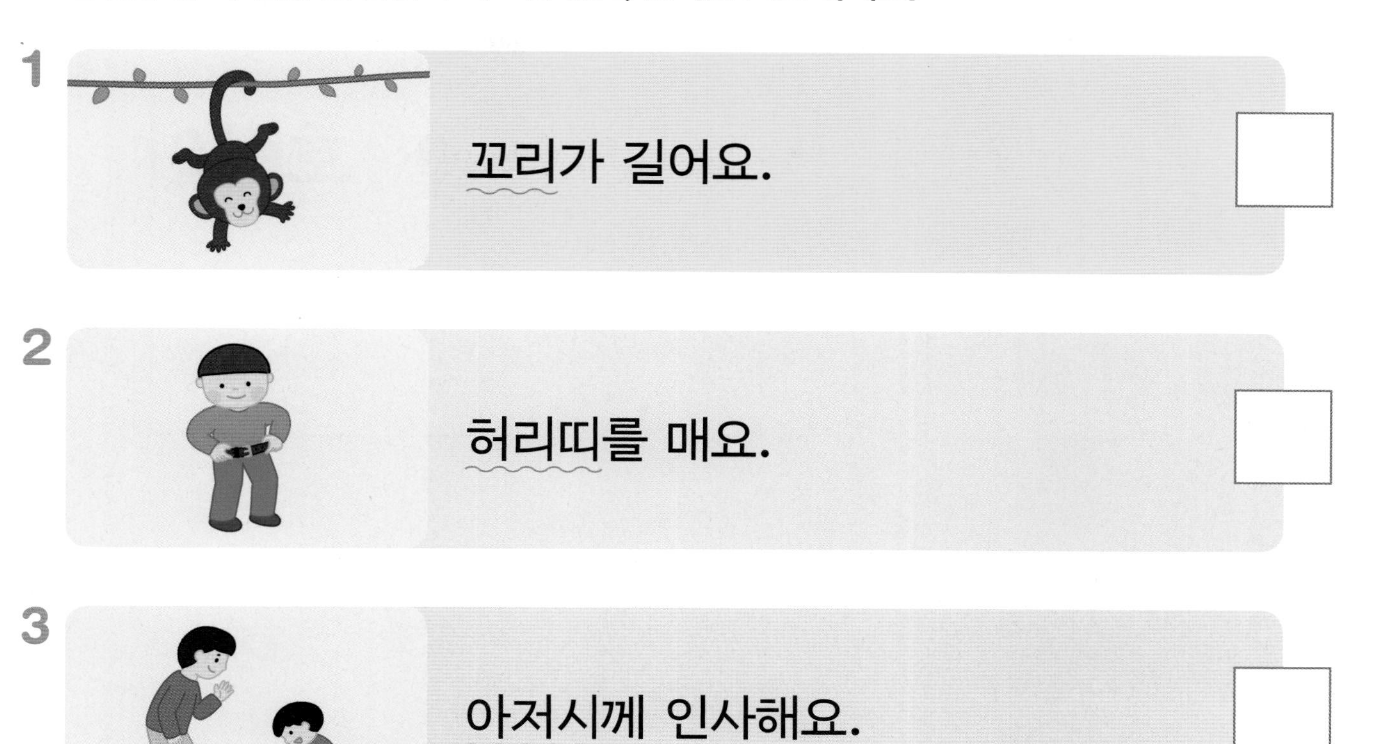

1 꼬리가 길어요. ☐

2 허리띠를 매요. ☐

3 아저시께 인사해요. ☐

받아쓰기

불러 주는 문장을 듣고, 빈칸에 들어갈 낱말을 받아쓰세요.

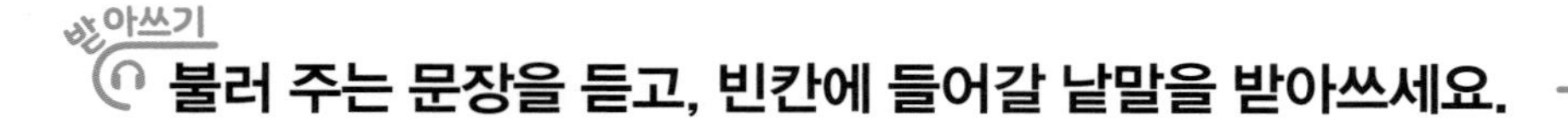

4

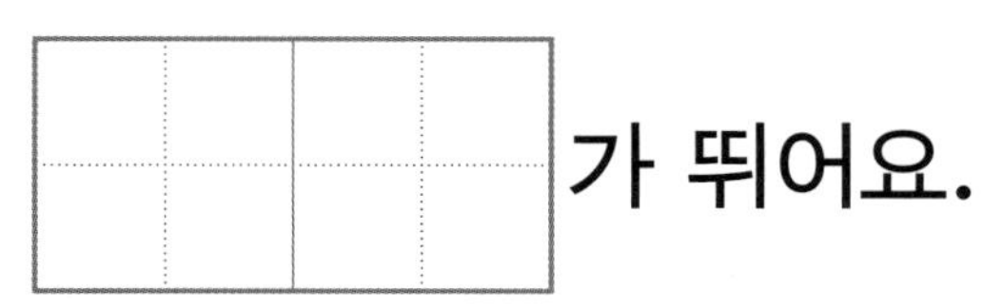

가 뛰어요.

5

가 길게 자랐어요.

받침과 기본 모음자

기린

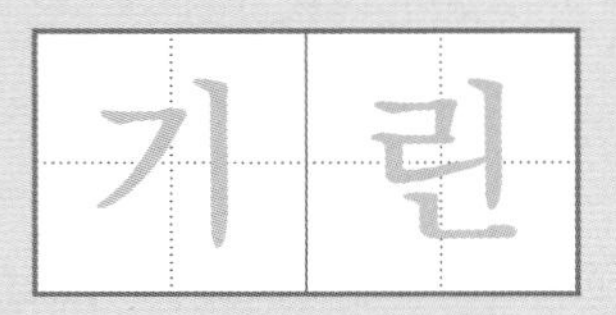

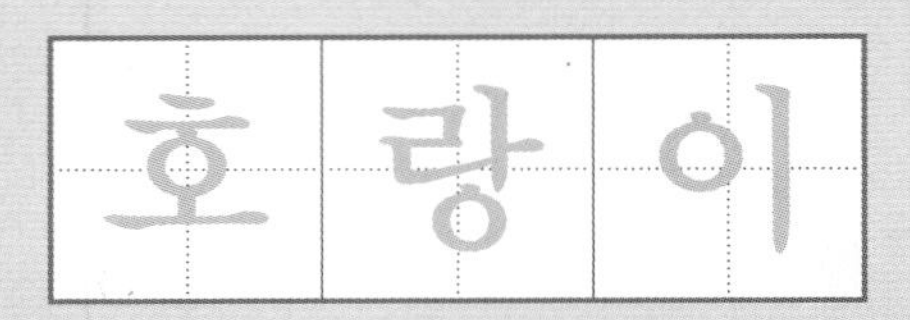

자음자와 모음자를 합하여 만든 글자의 아래에 자음자를 더하면 받침이 있는 글자가 돼요.

따라쓰기

낱말을 소리 내어 읽고, 바르게 따라 쓰세요.

낙타

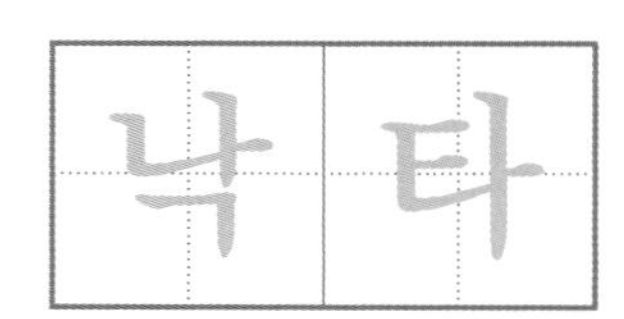

거울

구름

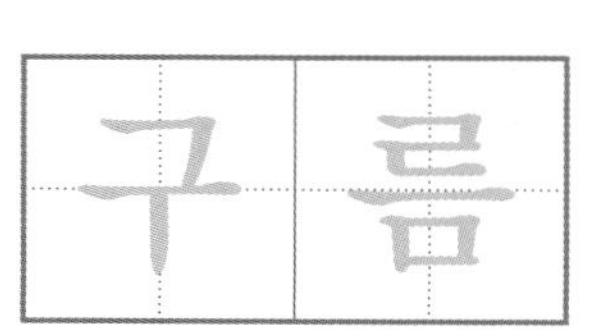

지갑

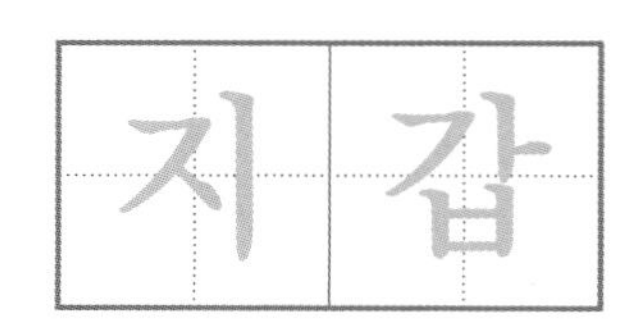

확인하기
문장을 읽고, 바르게 쓴 낱말에 ○표 하세요.

1 기링 / 기린 이 잎을 먹어요.

2 호랑이 / 호람이 가 자고 있어요.

3 하늘에 구름 / 구릉 이 떠 있어요.

받아쓰기
불러 주는 문장을 듣고, 빈칸에 들어갈 낱말을 받아쓰세요.

4 

 에서 동전을 꺼내요.

5 

 가 *사막을 걸어가요.

*사막 물의 양이 모자라서 식물이 거의 자라지 않는, 모래와 돌로 뒤덮인 땅.

5일 실력 쑥쑥 마무리

확인하기
밑줄 친 낱말이 바르게 쓰인 풍선을 모두 골라 ○표 하세요.

1

확인하기
( )에 들어갈 바른 낱말을 찾아 선으로 이으세요.

2

아빠께서 ( )를 하세요.

· 오리
· 요리

3

강아지가 ( )를 흔들어요.

· 꼬리
· 고리

받아쓰기

불러 주는 문장을 잘 듣고, 맞춤법에 주의하며 받아쓰세요.

4

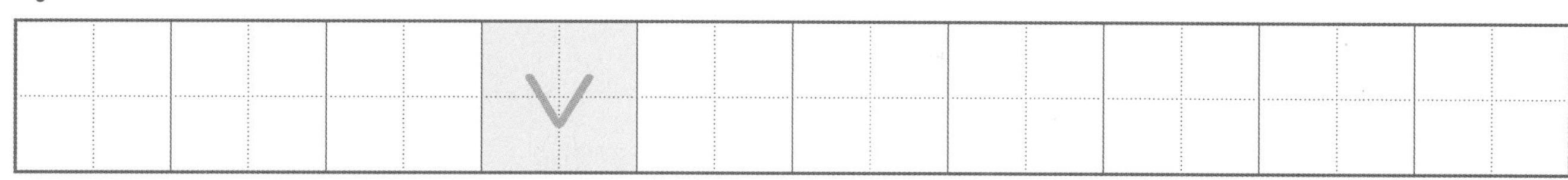

5

6

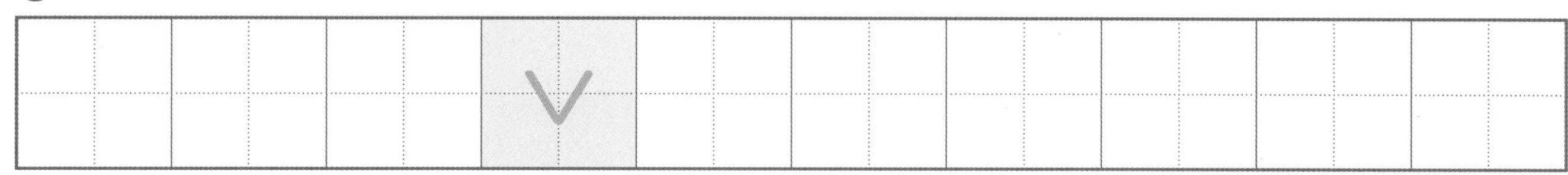

7

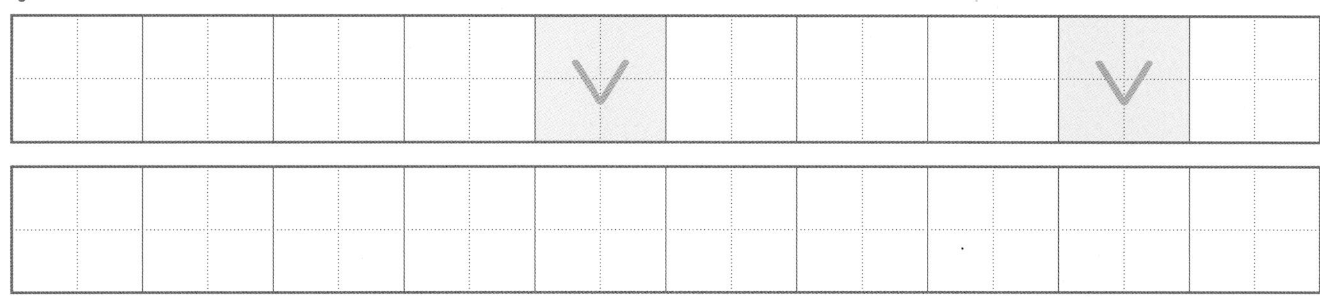

8

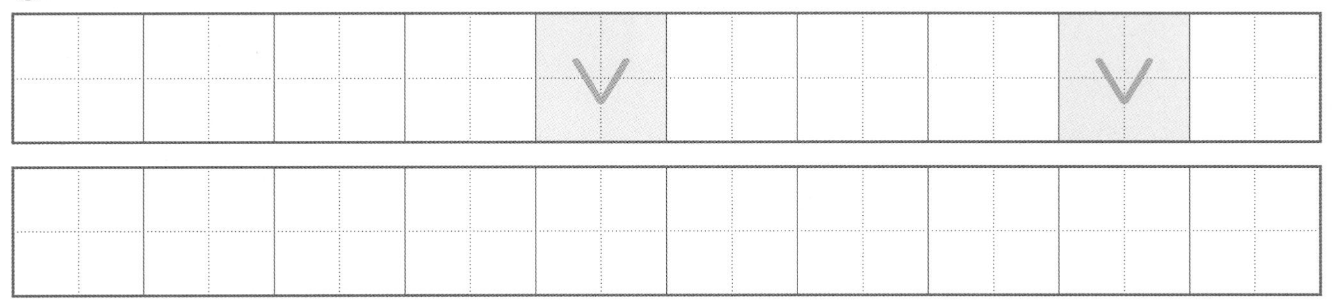

이렇게 띄어 쓰세요

'~을/를'과 같은 말은 앞말에 붙여 쓰고, 뒤에 오는 말과 띄어 써요.

어휘력 키우기

이번 주에 배운 낱말을 다시 읽고, 그 뜻을 익혀 보세요.

이야기

뜻 어떤 것에 대하여 줄거리를 가지고 하는 말이나 글.

여자

뜻 여성으로 태어난 사람.

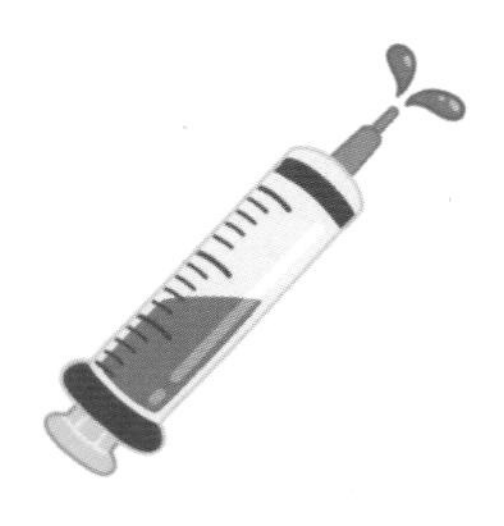

주사

뜻 약물을 몸 안에 넣는 것.

유리

뜻 단단하나 깨지기 쉬운 투명한 물질.

허리띠

뜻 바지 따위가 흘러내리지 않게 옷의 허리 부분에 매는 띠.

뿌리

뜻 땅속으로 뻗어 물과 양분을 빨아올리는 식물의 한 부분.

낙타

뜻 등에 지방을 저장하는 큰 혹이 있는 동물.

지갑

뜻 돈·명함·카드 따위를 넣을 수 있는 물건.

시작

1일
모음자 ㅘ가 쓰인 말

2일
모음자 ㅐ, ㅔ가 쓰인 말

3일
모음자 ㅝ, ㅟ가 쓰인 말

4일
모음자 ㅒ, ㅖ가 쓰인 말

5일
실력 쑥쑥 마무리

1일 모음자 ㅘ가 쓰인 말

사과

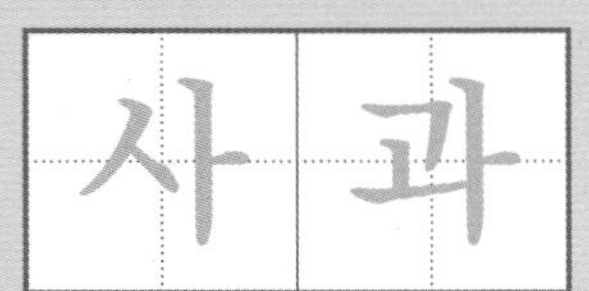

장화

장 화

모음자 ㅘ는 모음자 ㅏ로 잘못 쓰기 쉬워요. 모음자 ㅘ의 모양과 소리에 주의하며 쓰도록 해요.

따라쓰기

낱말을 소리 내어 읽고, 바르게 따라 쓰세요.

과일

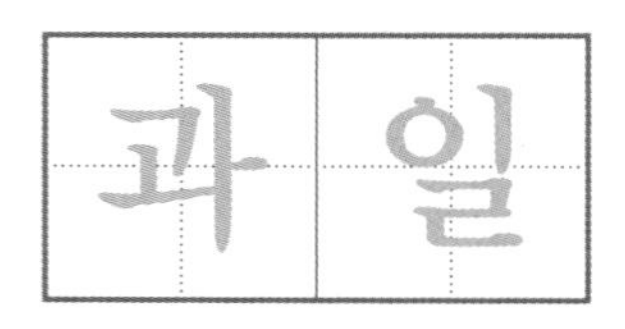

화가

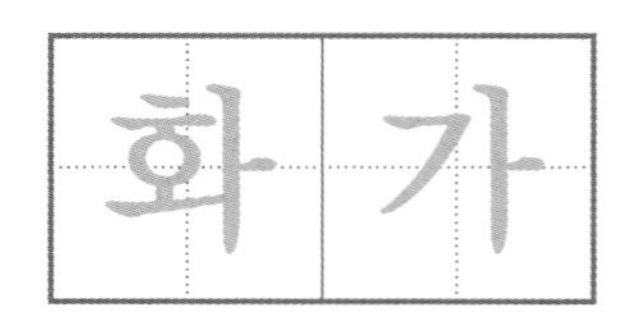

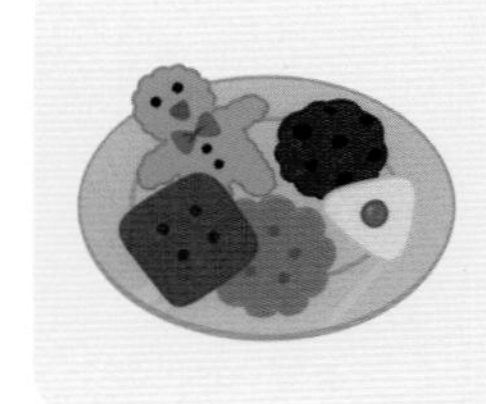

과자

화살

화 살

확인하기

문장을 읽고, [ ] 안의 낱말이 바르면 ○표, 틀리면 ×표 하세요.

1

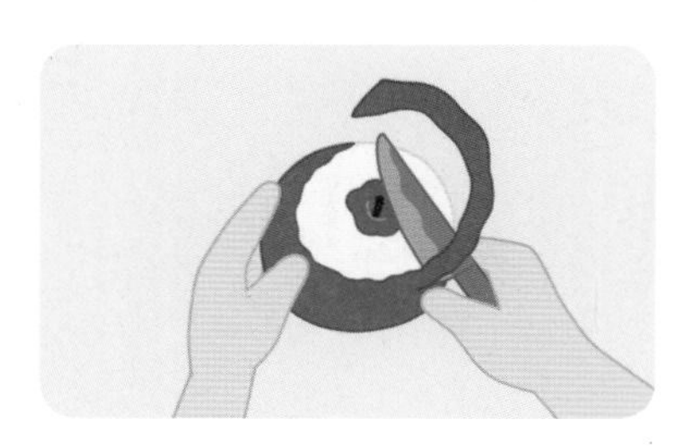

사가 를 깎아요. ( )

2

화살 을 쏘아요. ( )

3

장하 를 신고 있어요. ( )

받아쓰기

불러 주는 문장을 듣고, 빈칸에 들어갈 낱말을 받아쓰세요.

4

[ ] 를 먹어요.

5

나는 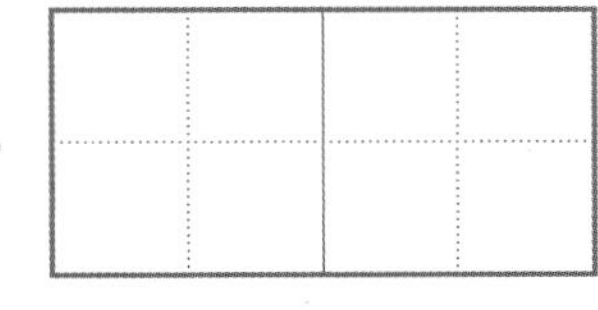 가 되고 싶어요.

모음자 ㅐ, ㅔ가 쓰인 말

개미

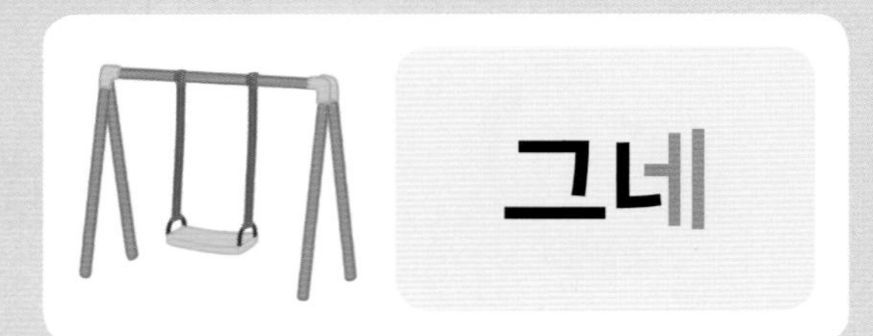

그네

개	미

그	네

모음자 ㅐ와 ㅔ는 소리와 모양이 비슷해서 헷갈리기 쉬워요. 모음자 ㅐ와 ㅔ가 쓰인 낱말을 잘 구별해서 맞춤법에 맞게 쓰도록 해요.

따라쓰기

낱말을 소리 내어 읽고, 바르게 따라 쓰세요.

배추

세수

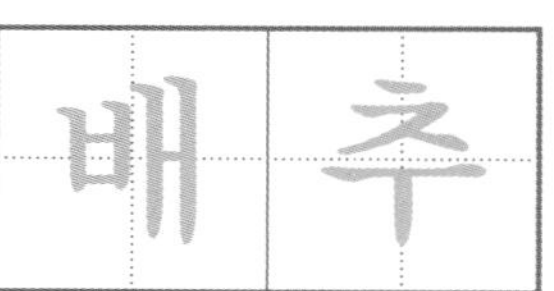
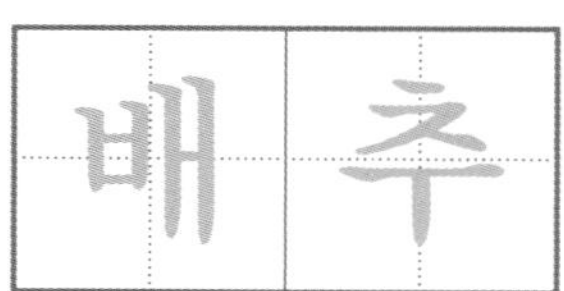

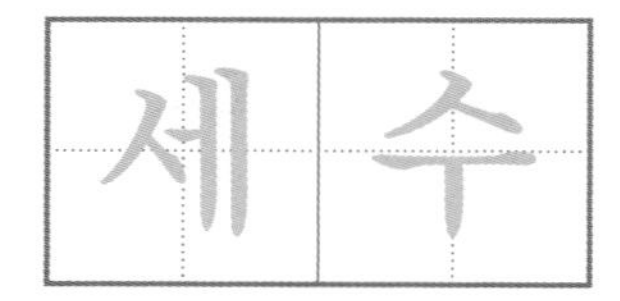

새우

제비

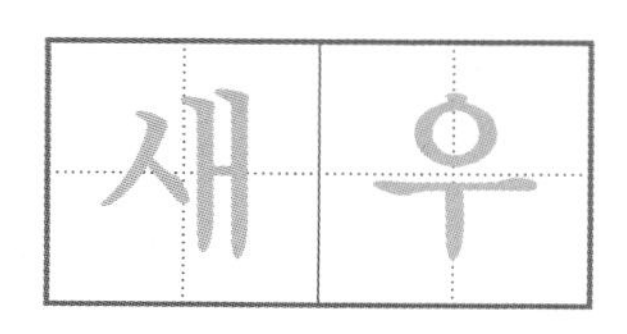

제	비

확인하기

문장을 읽고, 빈칸에 들어갈 알맞은 모음자를 찾아 색칠하세요.

1

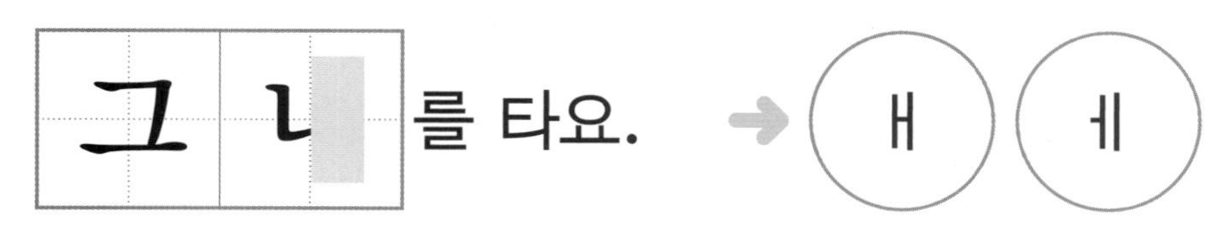

2

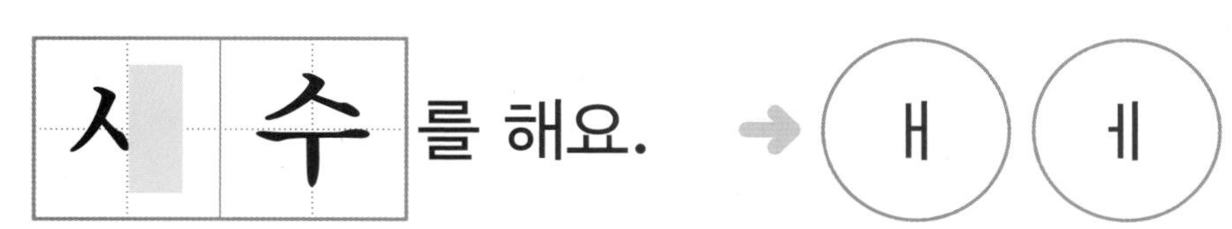

3

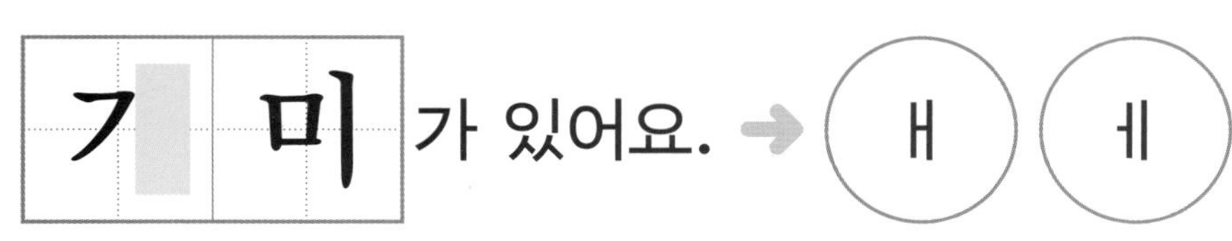

받아쓰기

불러 주는 문장을 듣고, 빈칸에 들어갈 낱말을 받아쓰세요.

4

5

***담가요** 음식을 익히려고 재료들을 뒤섞어 만들어요.

3일 모음자 ㅝ, ㅟ가 쓰인 말

원숭이

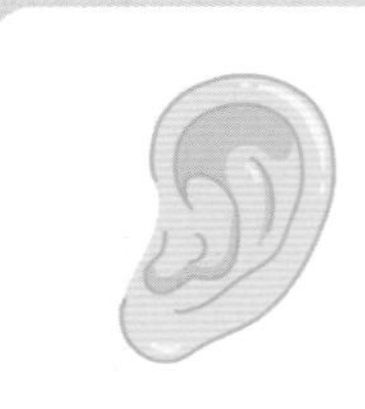

귀

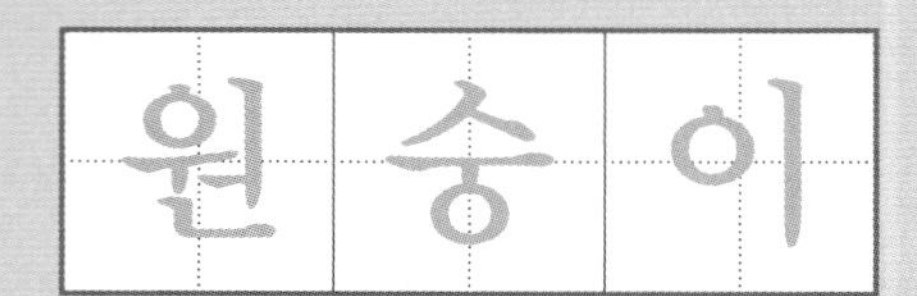

모음자 ㅝ는 ㅓ와, 모음자 ㅟ는 ㅣ와 소리가 비슷해서 헷갈리기 쉬우므로 주의해서 써야 해요.

따라쓰기

낱말을 소리 내어 읽고, 바르게 따라 쓰세요.

공원

가위

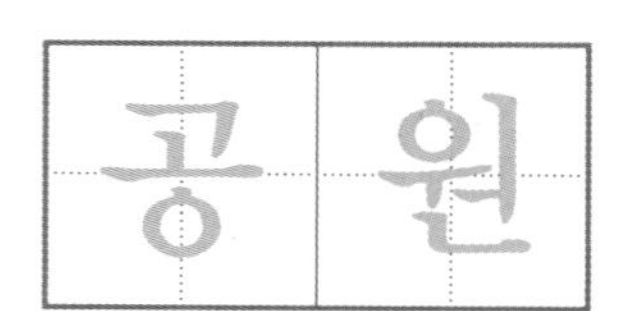

가 위

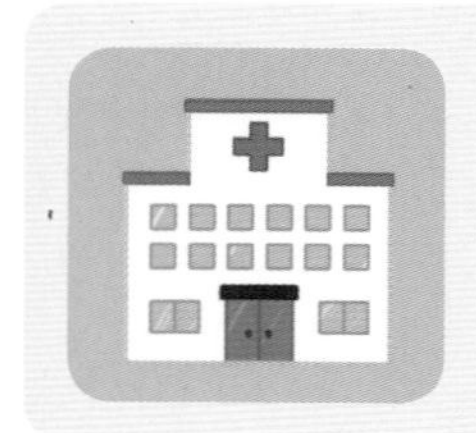

병원

다람쥐

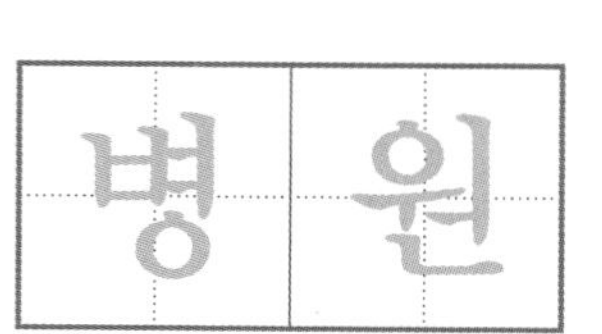

다 람 쥐

확인하기

문장을 읽고, 밑줄 친 낱말이 바르면 ○표, 틀리면 ×표 하세요.

1 나는 귀가 아파요. ( )

2 엄마와 병언에 가요. ( )

3 공원을 지나서 가요. ( )

받아쓰기

불러 주는 문장을 듣고, 빈칸에 들어갈 낱말을 받아쓰세요.

4 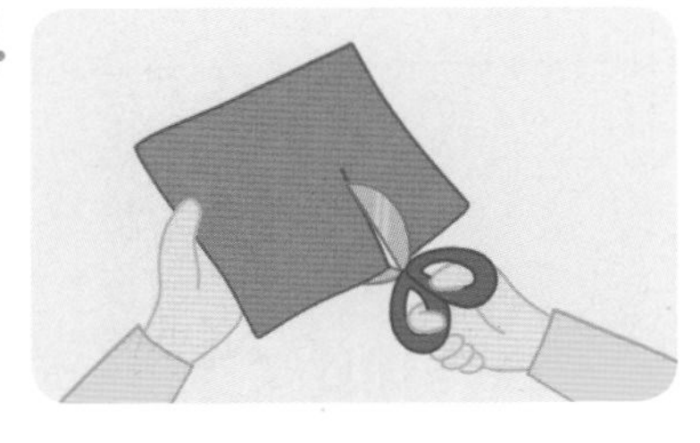

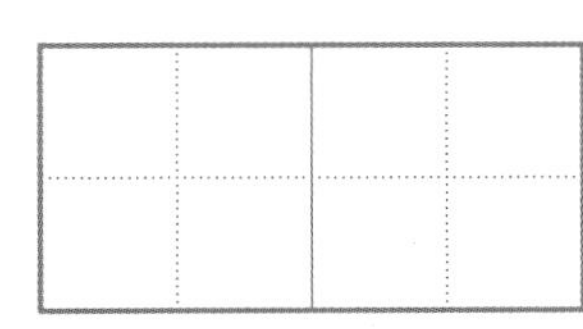 로 종이를 잘라요.

5 

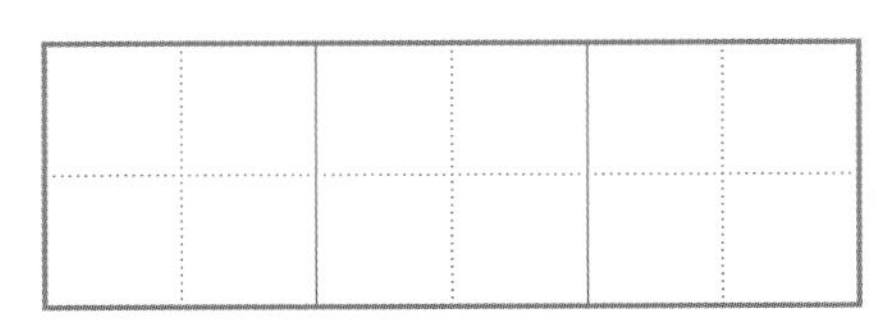 가 바나나를 먹어요.

모음자 ㅒ, ㅖ가 쓰인 말

재

계 단

모음자 ㅒ는 ㅐ와, 모음자 ㅖ는 ㅔ와 소리와 모양이 비슷해서 헷갈리기 쉬우므로 주의해서 써야 해요.

따라쓰기
낱말을 소리 내어 읽고, 바르게 따라 쓰세요.

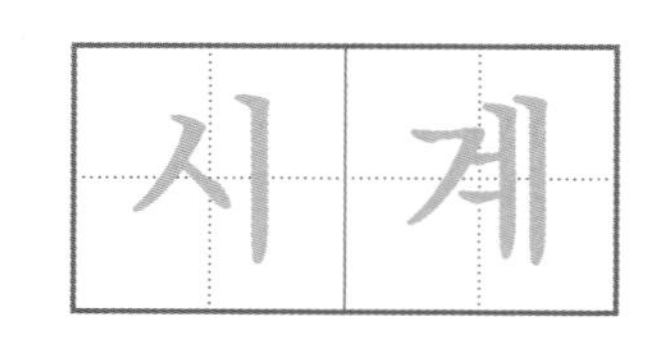

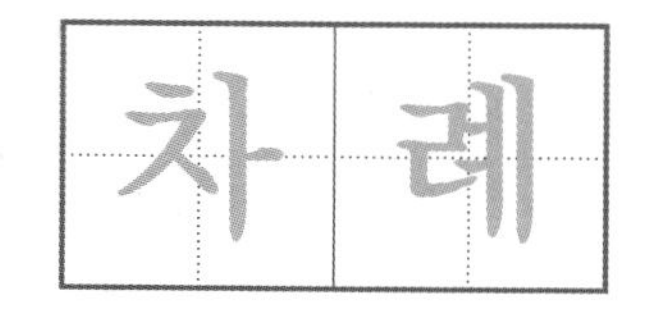

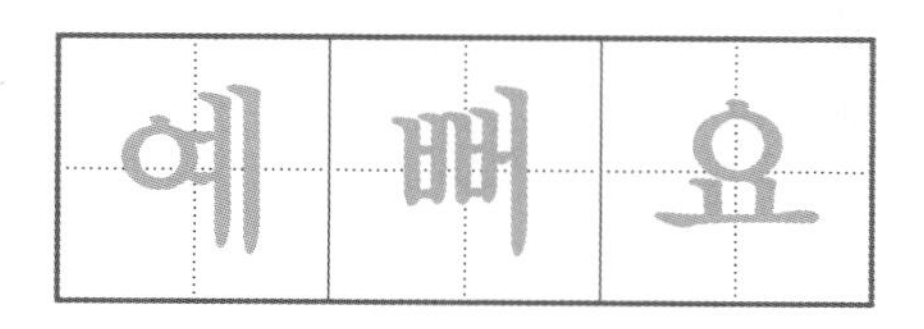

확인하기

문장을 읽고, 바르게 쓴 낱말에 ○표 하세요.

1

신발이 에뻐요. / 예뻐요.

2

시게 / 시계 를 보아요.

3

차례 / 차레 를 지켜요.

받아쓰기

불러 주는 문장을 듣고, 빈칸에 들어갈 낱말을 받아쓰세요.

4

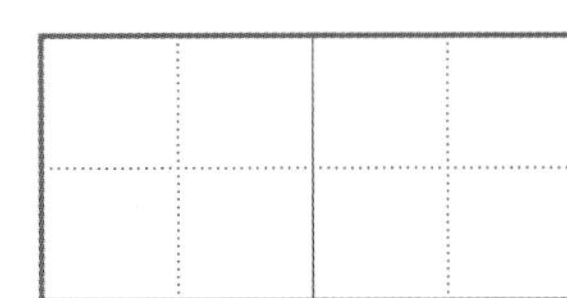 을 올라가요.

5

친구와 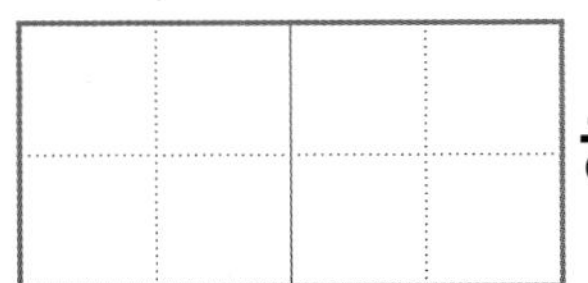 해요.

5일 실력 쑥쑥 마무리

확인하기
토끼가 집에 갈 수 있도록 밑줄 친 낱말이 바르게 쓰인 길을 따라가 보세요.

1

확인하기
(   )에 들어갈 바른 낱말을 찾아 선으로 이으세요.

2

(   )의 맛은 달콤해요. ·

· 사가
· 사과

3

(   ) 엉덩이는 빨개요. ·

· 언숭이
· 원숭이

받아쓰기

불러 주는 문장을 잘 듣고, 맞춤법에 주의하며 받아쓰세요.

4

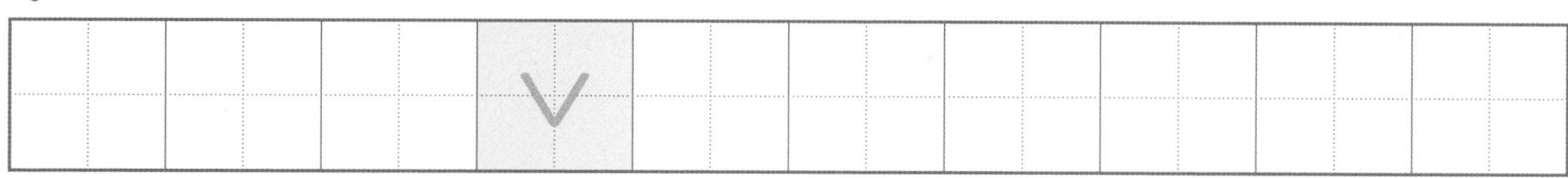

5

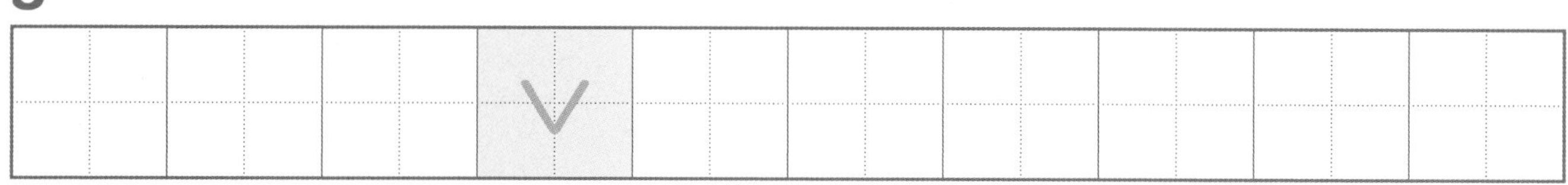

6

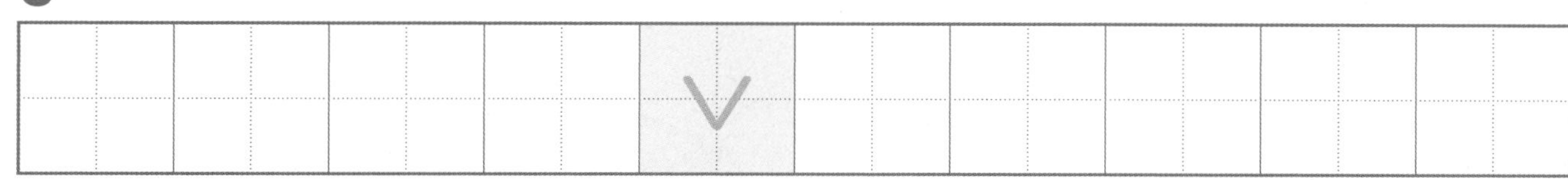

7

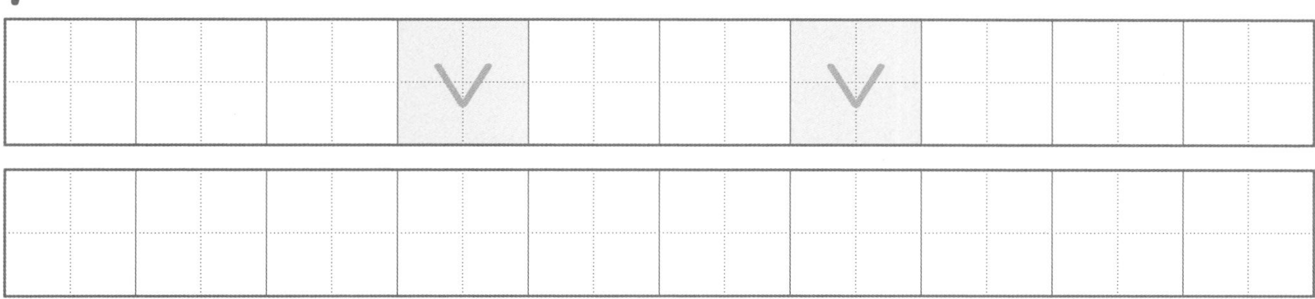

8

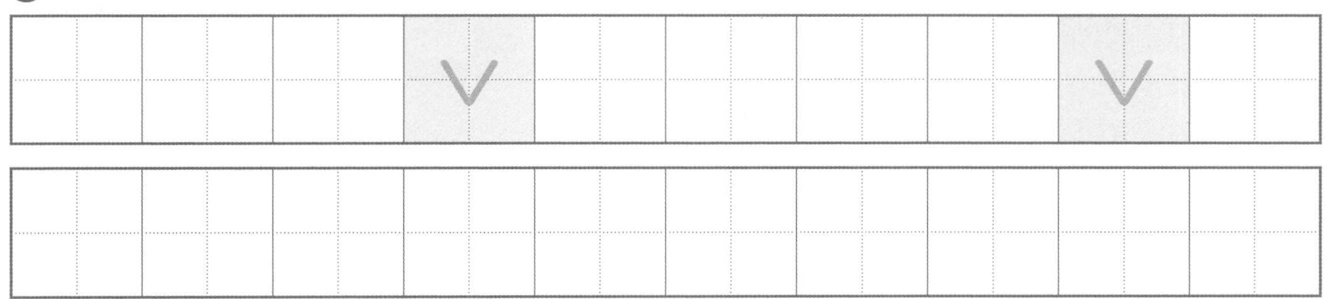

이렇게 띄어 쓰세요

'~은/는'과 같은 말은 앞말에 붙여 쓰고, 뒤에 오는 말과 띄어 써요.

2주 어휘력 키우기

이번 주에 배운 낱말을 다시 읽고, 그 뜻을 익혀 보세요.

화가

뜻 그림을 그리는 것을 직업으로 하는 사람.

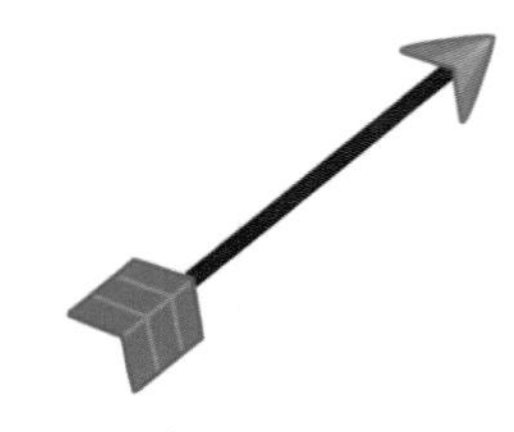

화살

뜻 활로 쏘아 무언가를 맞히도록 만들어진 물건.

새우

뜻 등이 굽어 있고 물에 사는 작은 동물.

제비

뜻 봄에 우리나라에 왔다가 가을에 남쪽으로 날아가는 새.

공원

뜻 사람들이 쉬거나 걷거나 놀 수 있도록 가꾸어 놓은 장소.

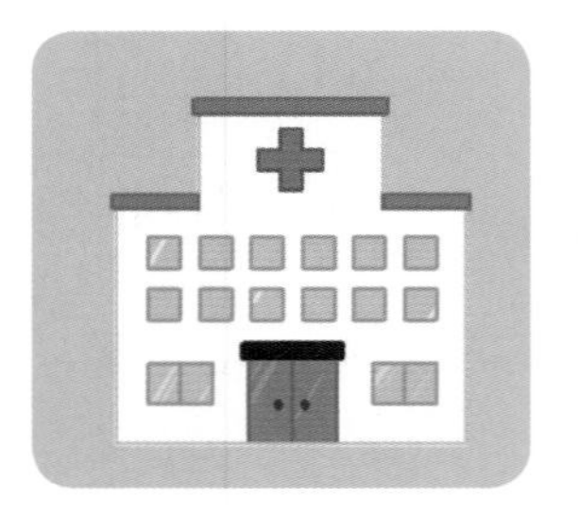

병원

뜻 아픈 사람을 치료하는 곳.

얘기

뜻 어떤 것에 대해 서로 주고받는 말. '이야기'를 줄인 말.

차례

뜻 여럿을 하나씩 순서 있게 놓은 것.

시작

1일 모음자 ㅚ, ㅢ가 쓰인 말

2일 모음자 ㅙ, ㅞ가 쓰인 말

3일 ㄱ, ㄴ 받침이 뒤로 넘어가서 소리 나는 말

4일 ㄷ, ㄹ 받침이 뒤로 넘어가서 소리 나는 말

5일 실력 쑥쑥 마무리

1일 모음자 ㅚ, ㅢ가 쓰인 말

괴물

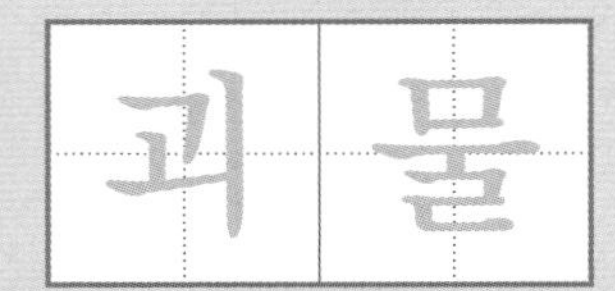

의자

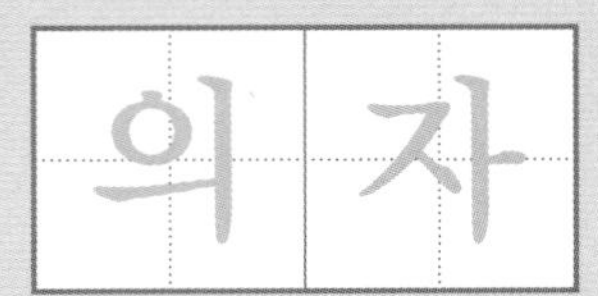

모음자 ㅚ는 ㅙ와, 모음자 ㅢ는 ㅣ와 소리가 비슷해서 헷갈리기 쉬우므로 주의해서 써야 해요.

따라쓰기

낱말을 소리 내어 읽고, 바르게 따라 쓰세요.

열쇠

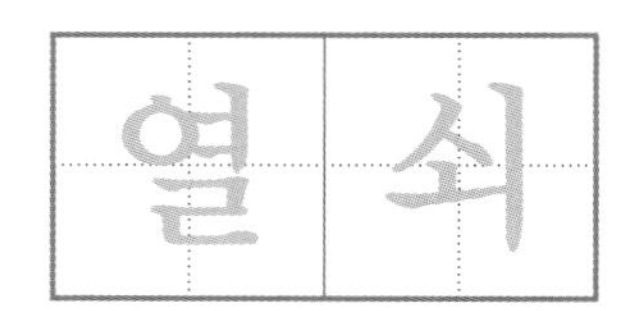

무늬

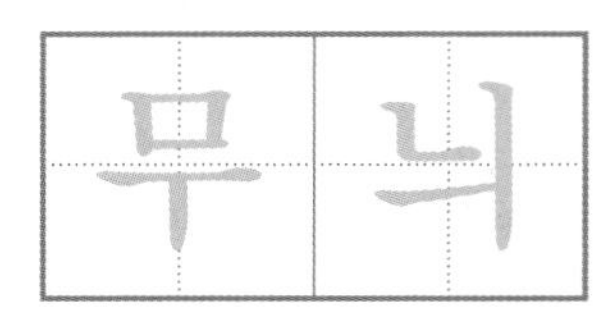

외투

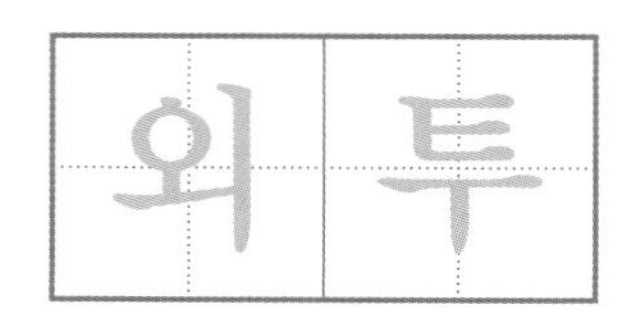

의사

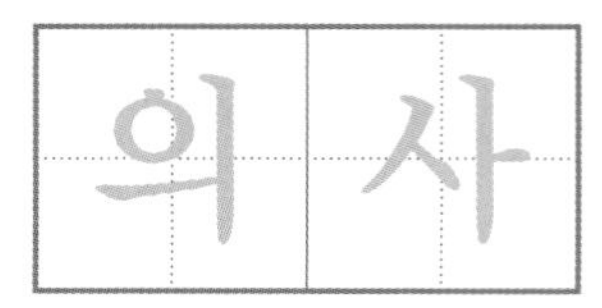

확인하기

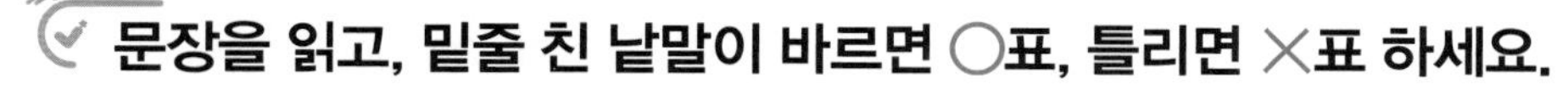
문장을 읽고, 밑줄 친 낱말이 바르면 ○표, 틀리면 ×표 하세요.

1

2

받아쓰기

불러 주는 문장을 듣고, 빈칸에 들어갈 낱말을 받아쓰세요.

3

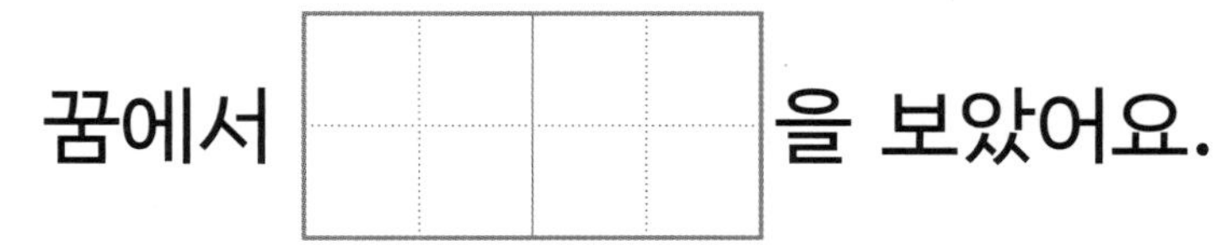
꿈에서 [ ] 을 보았어요.

4

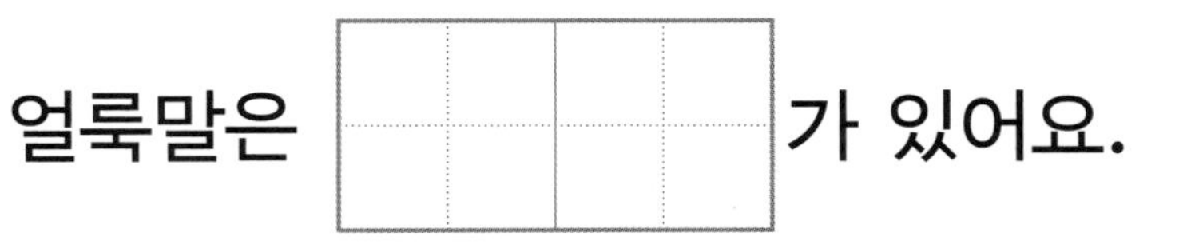
얼룩말은 [ ] 가 있어요.

모음자 ㅙ, ㅞ가 쓰인 말

왜

왜

스	웨	터

모음자 ㅙ와 ㅞ는 소리가 비슷해서 헷갈리기 쉬우므로, 어떤 낱말에 어떤 모음자를 써야 하는지 잘 기억해야 해요.

따라쓰기

낱말을 소리 내어 읽고, 바르게 따라 쓰세요.

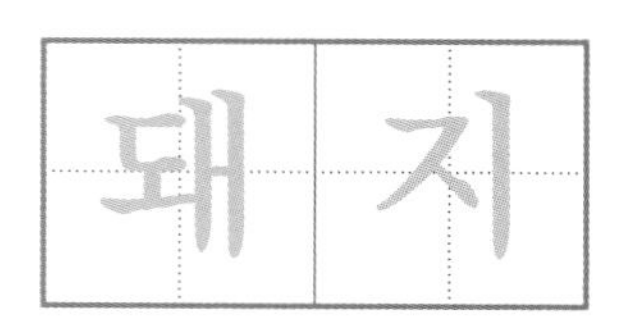

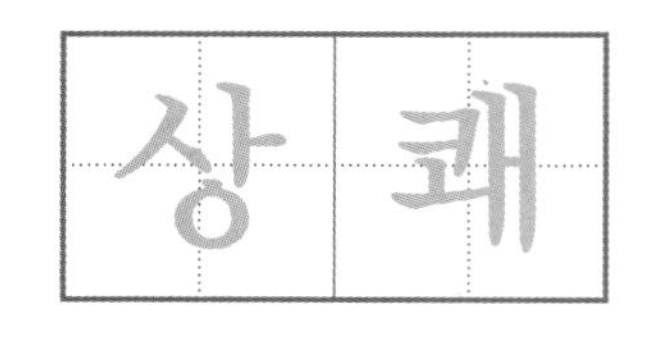

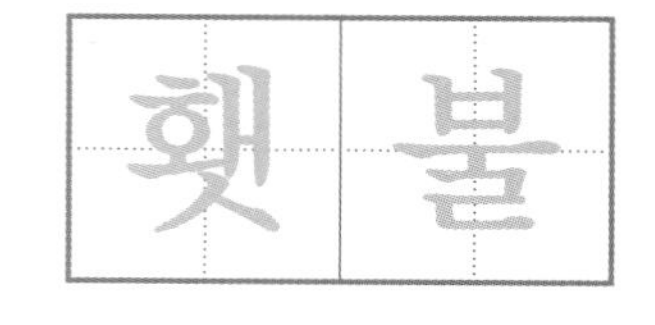

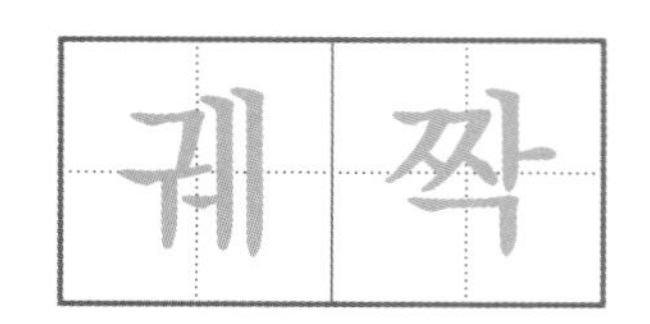

확인하기

문장을 읽고, 낱말을 바르게 쓐 문장에 ✓표 하세요.

1

☐ 친구야, 왜 우니?

☐ 친구야, 웨 우니?

2

☐ 기분이 상쾌해요.

☐ 기분이 상퀘해요.

3

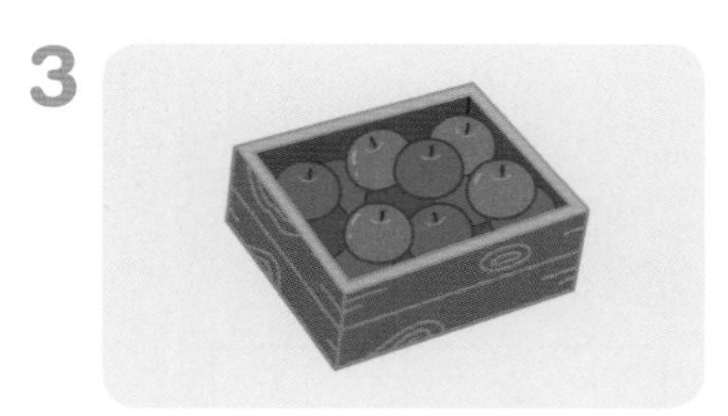

☐ 괘짝 안에 사과가 있어요.

☐ 궤짝 안에 사과가 있어요.

받아쓰기

불러 주는 문장을 듣고, 빈칸에 들어갈 낱말을 받아쓰세요.

4

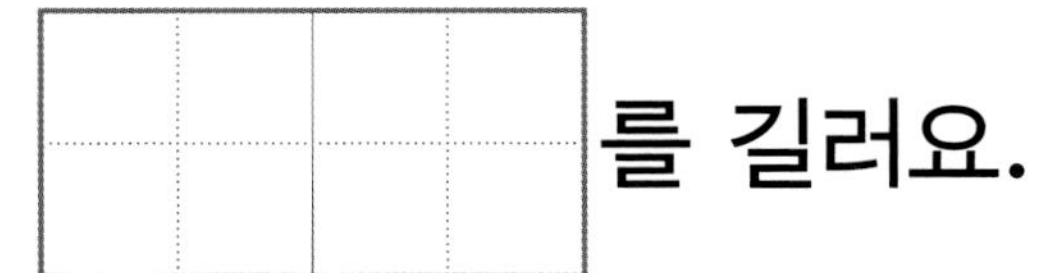를 길러요.

5

추워서 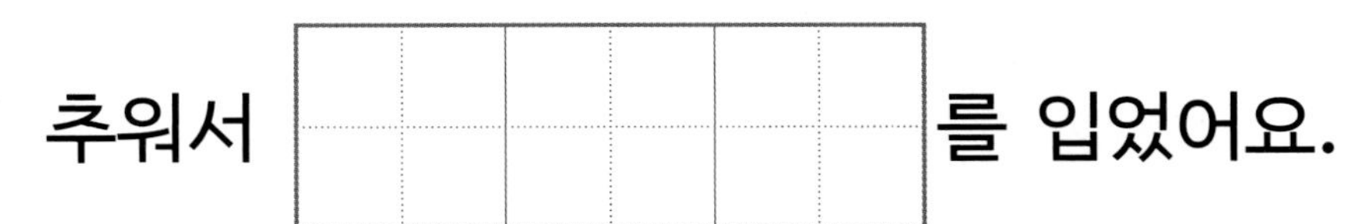를 입었어요.

3일 ㄱ, ㄴ 받침이 뒤로 넘어가서 소리 나는 말

악어

소리 [아거]

쓰기

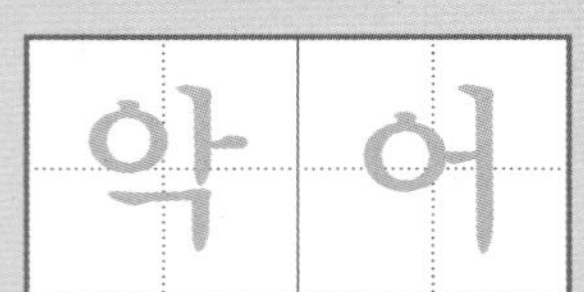

ㄱ, ㄴ 받침이 모음을 만나면 뒤로 넘어가서 소리 나요. 하지만 쓸 때에는 ㄱ, ㄴ 받침을 살려서 써야 해요.

따라쓰기

낱말을 소리 내어 읽고, 바르게 따라 쓰세요.

		소리	쓰기
	낙엽	[나겹]	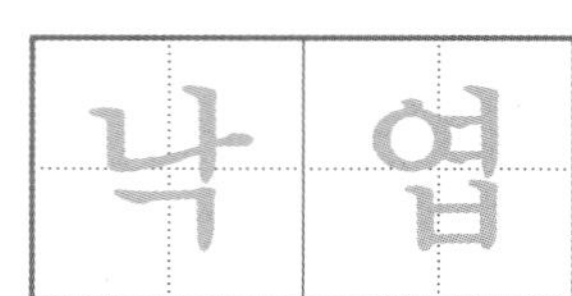
	목욕	[모굑]	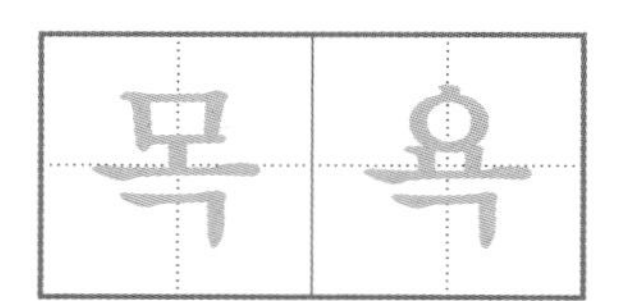
	문어	[무너]	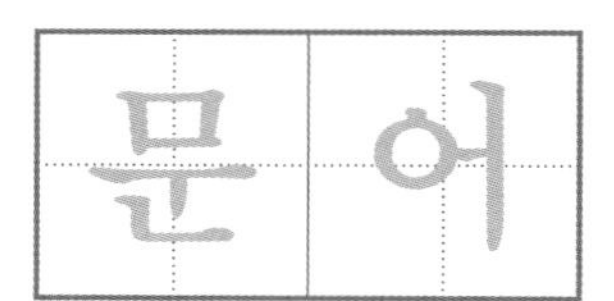
	어린이	[어리니]	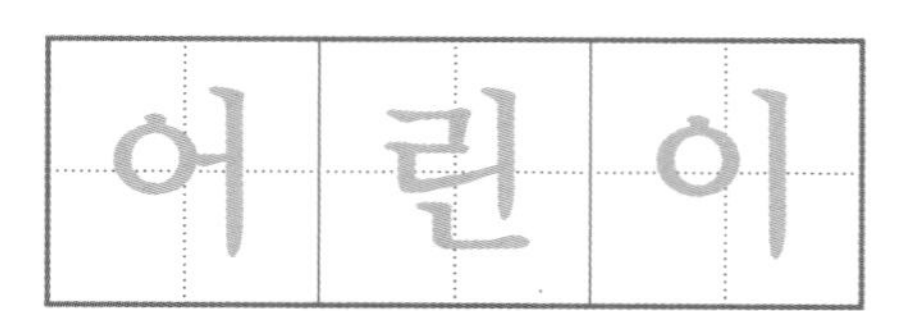

확인하기
문장을 읽고, 바르게 쓴 낱말에 ○표 하세요.

1

목욕 / 모곡 을 해요.

2

아거 / 악어 가 잠을 자요.

3

어리니 / 어린이 들이 책을 읽어요.

받아쓰기
불러 주는 문장을 듣고, 빈칸에 들어갈 낱말을 받아쓰세요.

4

□□□□ 가 먹물을 뿜어요.

5

빨간 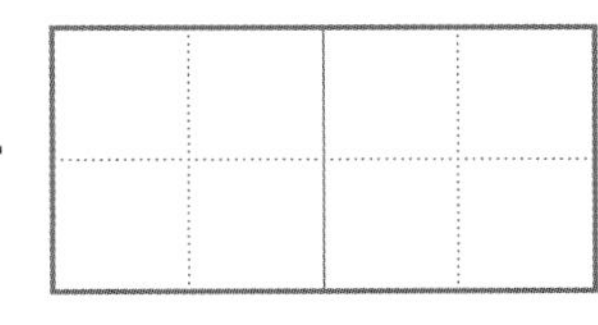 도 주웠어요.

ㄷ, ㄹ 받침이 뒤로 넘어가서 소리 나는 말

얼음

소리 [어름]

쓰기

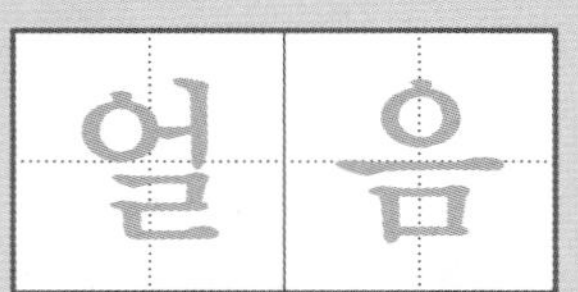

ㄷ, ㄹ 받침이 모음을 만나면 뒤로 넘어가서 소리 나요. 하지만 쓸 때에는 ㄷ, ㄹ 받침을 살려서 써야 해요.

따라쓰기

낱말을 소리 내어 읽고, 바르게 따라 쓰세요.

믿음

소리 [미듬]

쓰기

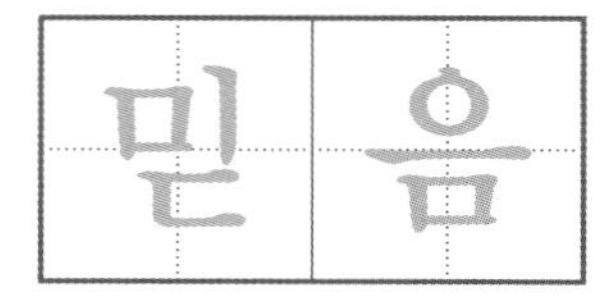

받아요

[바다요]

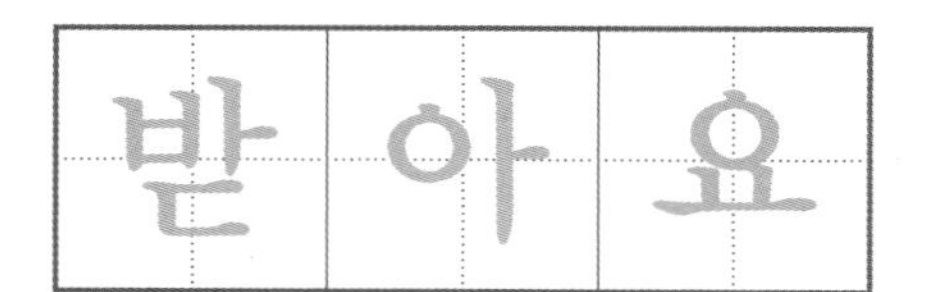

나들이

[나드리]

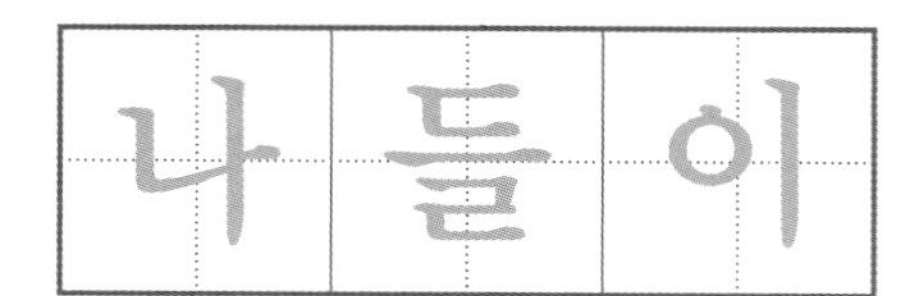

놀이터

[노리터]

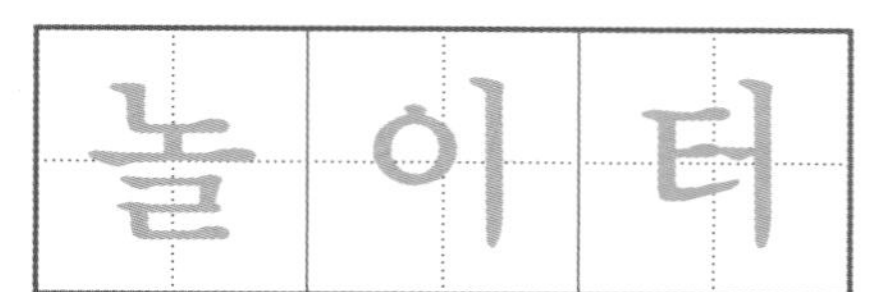

확인하기

문장을 읽고, 빈칸에 들어갈 바른 낱말을 찾아 선으로 이으세요.

1 

□에서 놀아요. ·

· 놀이터

· 노리터

2 

□ 있는 친구예요. ·

· 미듬

· 믿음

3 

가족과 □를 가요. ·

· 나드리

· 나들이

받아쓰기

불러 주는 문장을 듣고, 빈칸에 들어갈 낱말을 받아쓰세요. 

4 

컵에 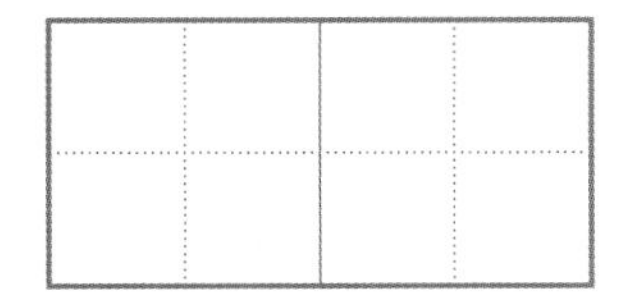 하나를 넣어요.

5 

할머니께 선물을 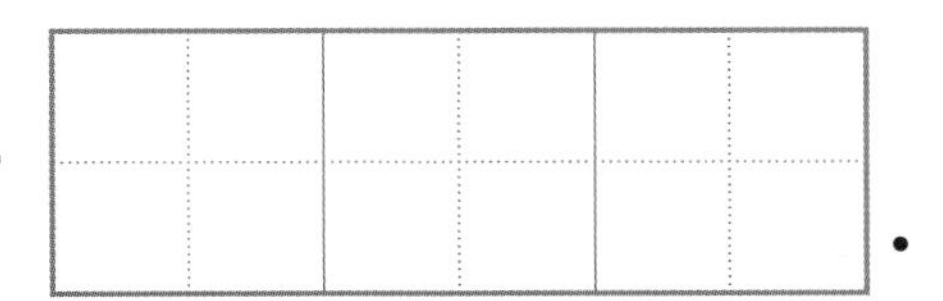.

5일 실력 쑥쑥 마무리

확인하기
밑줄 친 낱말이 바르게 쓰인 자동차를 모두 골라 ○표 하세요.

1

확인하기
[ ]에 들어갈 바른 낱말을 찾아 선으로 이으세요.

2

[ ]가
물속에 있어요.

· 악어
· 아거

3

[ ]에서
그네를 타요.

· 노리터
· 놀이터

받아쓰기

불러 주는 문장을 잘 듣고, 맞춤법에 주의하며 받아쓰세요.

4

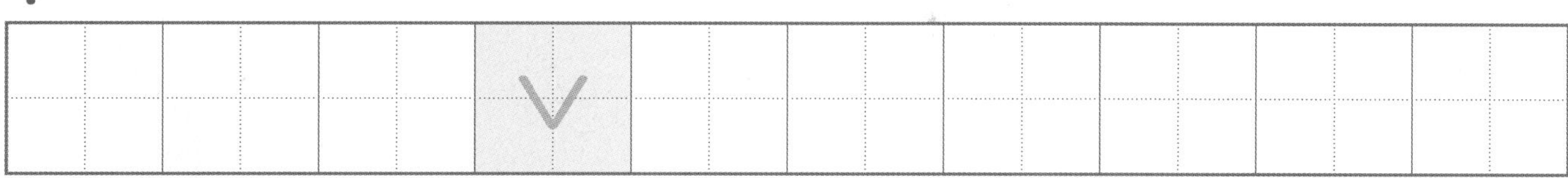

5

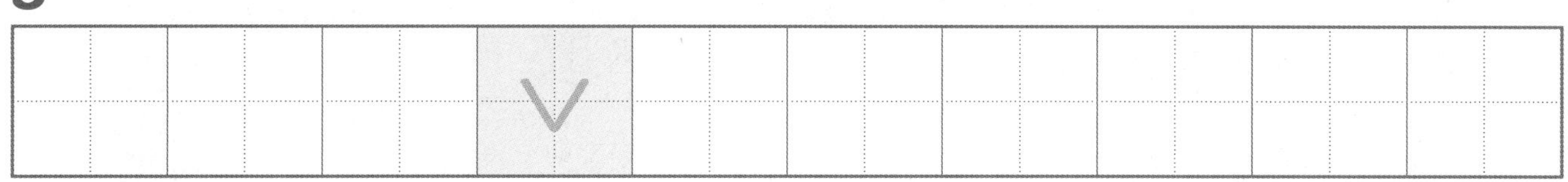

6

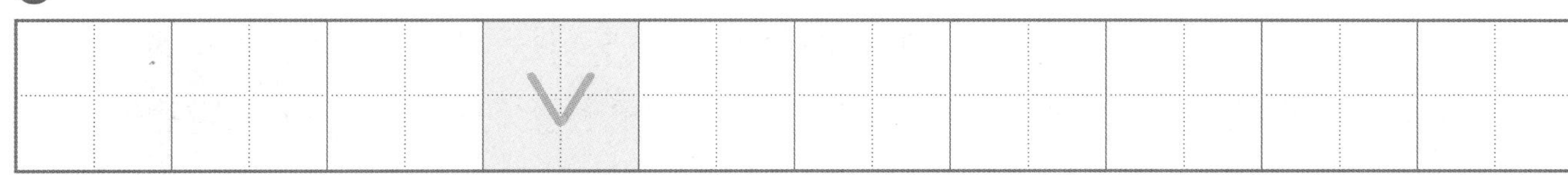

7

8

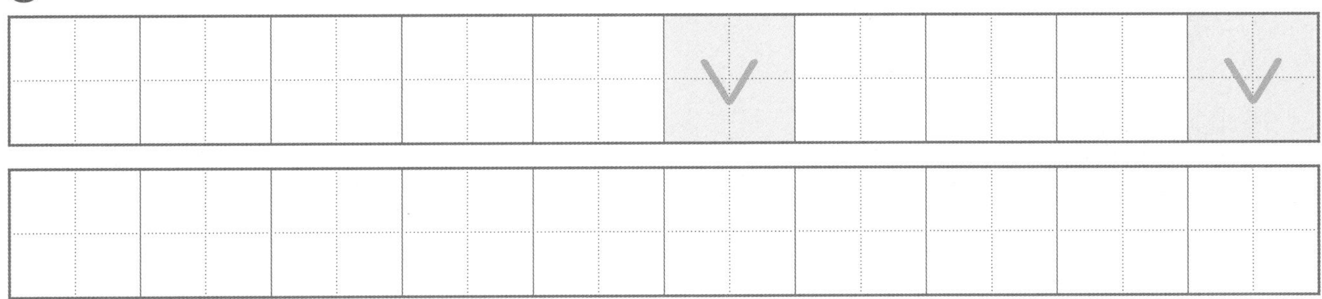

이렇게 띄어 쓰세요

'~에', '~에서'와 같은 말은 앞말에 붙여 쓰고, 뒤에 오는 말과 띄어 써요.

3주 어휘력 키우기

이번 주에 배운 낱말을 다시 읽고, 그 뜻을 익혀 보세요.

열쇠

뜻 자물쇠를 잠그거나 여는 데 사용하는 물건.

무늬

뜻 겉에 색깔과 선으로 나타나 있는 일정한 모양.

상쾌

뜻 기분이 시원하고 산뜻함.

횃불

뜻 어둠을 밝히기 위하여 붙인 불.

궤짝

뜻 나무로 만든 큰 상자.

낙엽

뜻 나무에서 잎이 떨어지는 것. 또는 떨어진 잎.

믿음

뜻 믿는 마음.

나들이

뜻 잠깐 집을 떠나 다른 곳에 갔다 오는 일.

시작

1일
ㅁ, ㅂ 받침이 뒤로 넘어가서 소리 나는 말

2일
ㅅ, ㅈ, ㅊ 받침이 뒤로 넘어가서 소리 나는 말

3일
ㅋ, ㅌ, ㅍ 받침이 뒤로 넘어가서 소리 나는 말

4일
ㄲ, ㅆ 받침이 뒤로 넘어가서 소리 나는 말

5일
실력 쑥쑥 마무리

1일 ㅁ, ㅂ 받침이 뒤로 넘어가서 소리 나는 말

음악

소리: [으막]

쓰기:

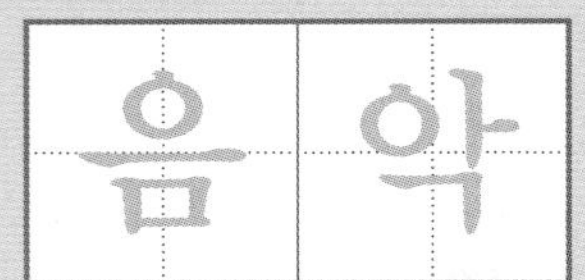

ㅁ, ㅂ 받침이 모음을 만나면 뒤로 넘어가서 소리 나요. 하지만 쓸 때에는 ㅁ, ㅂ 받침을 살려서 써야 해요.

따라쓰기

낱말을 소리 내어 읽고, 바르게 따라 쓰세요.

금요일 | 소리: [그묘일] | 쓰기:

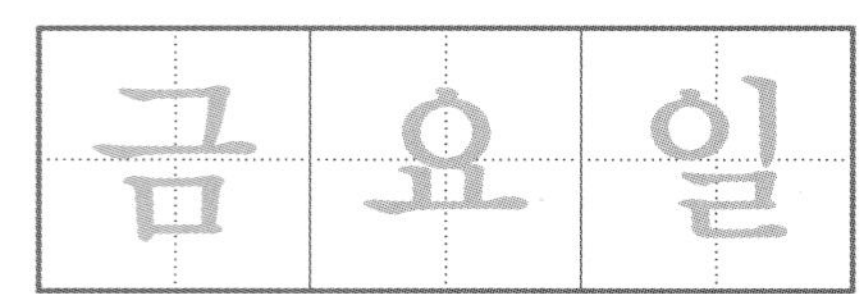

더듬이 | 소리: [더드미] | 쓰기:

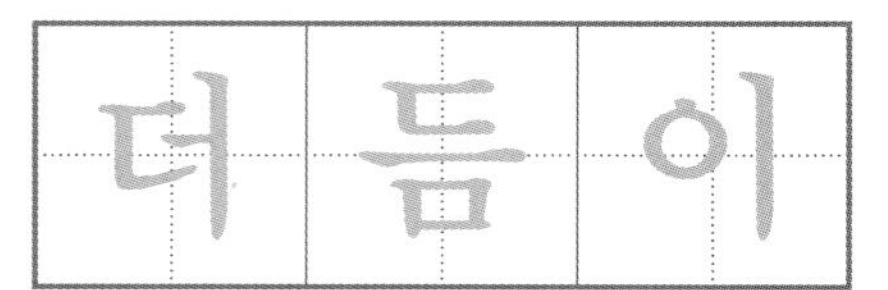

돌잡이 | 소리: [돌자비] | 쓰기:

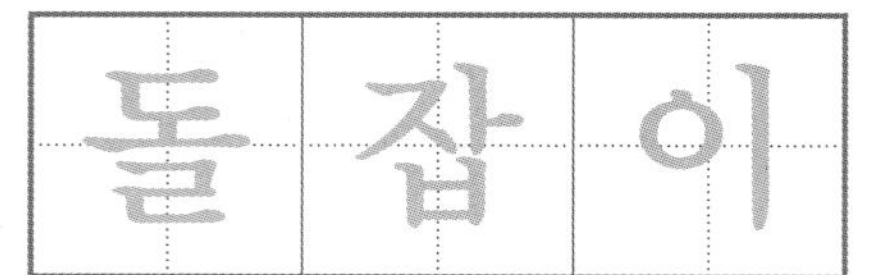

손잡이 | 소리: [손자비] | 쓰기: 손 잡 이

확인하기

문장을 읽고, 밑줄 친 낱말이 바르게 쓰인 것에 ◯표 하세요.

1

금요일이 내 생일이에요. ☐

그묘일이 내 생일이에요. ☐

2

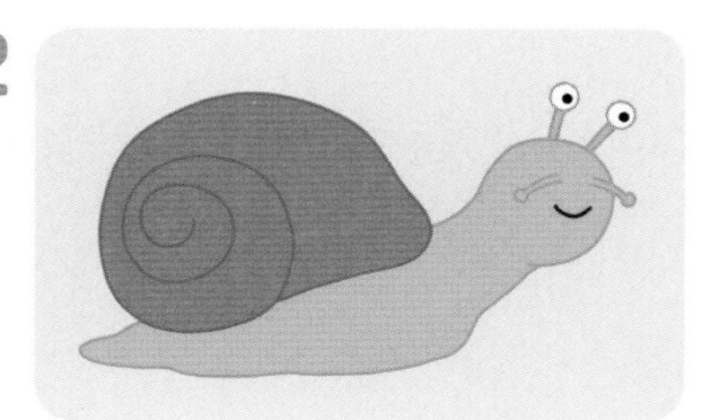

달팽이는 더듬이가 있어요. 

달팽이는 더드미가 있어요. 

3

버스를 타면 손자비를 잡아요. 

버스를 타면 손잡이를 잡아요. 

받아쓰기

불러 주는 문장을 듣고, 빈칸에 들어갈 낱말을 받아쓰세요. 

4

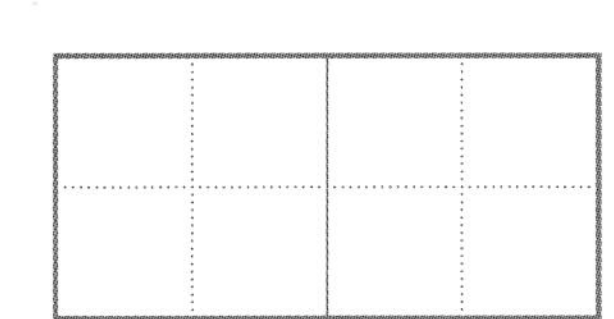 소리가 들려요.

5

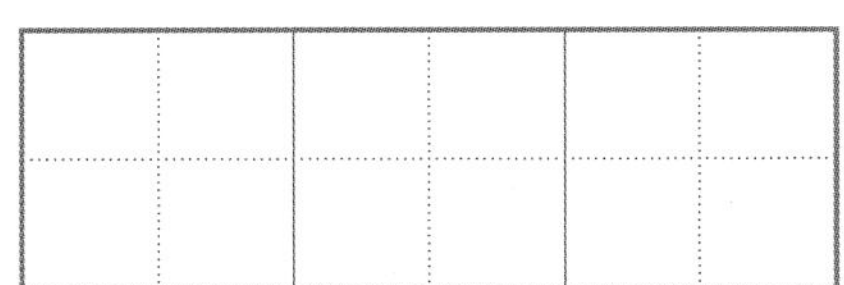 에서 실을 잡았어요.

ㅅ, ㅈ, ㅊ 받침이 뒤로 넘어가서 소리 나는 말

웃음

소리 [우슴]

쓰기

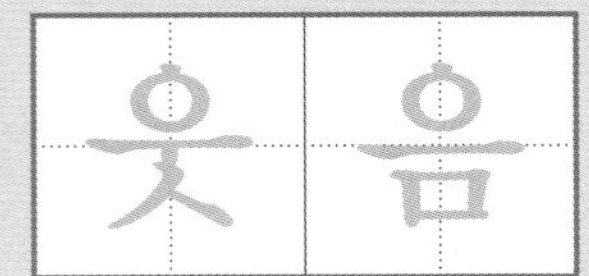

ㅅ, ㅈ, ㅊ 받침이 모음을 만나면 뒤로 넘어가서 소리 나요. 하지만 쓸 때에는 ㅅ, ㅈ, ㅊ 받침을 살려서 써야 해요.

따라쓰기

낱말을 소리 내어 읽고, 바르게 따라 쓰세요.

소리 / 쓰기

씻어요 [씨서요]

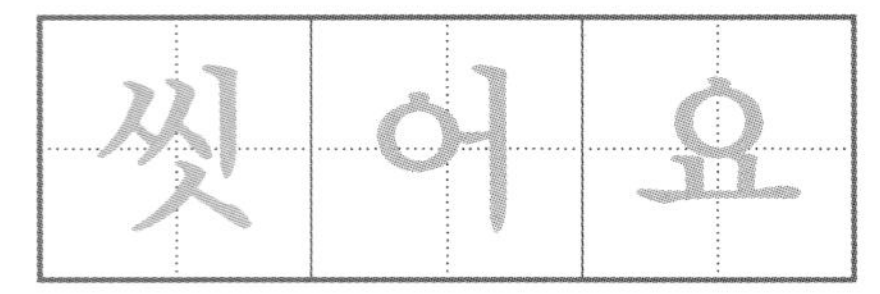

달맞이 [달마지]

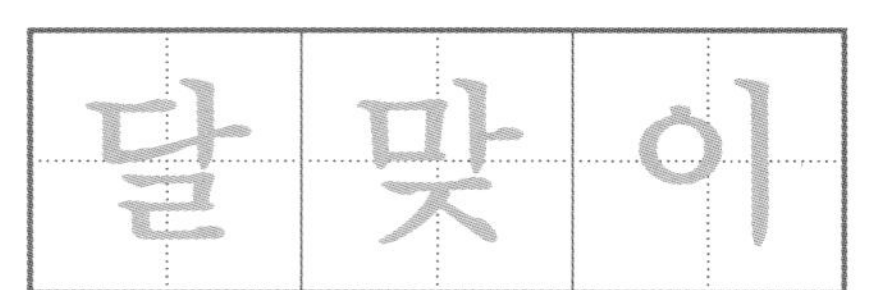

책꽂이 [책꼬지]

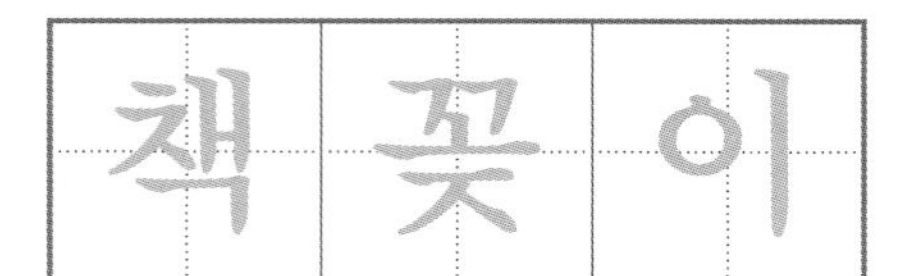

꽃이 [꼬치]

꽃 이

확인하기

문장을 읽고, 낱말을 바르게 쓴 문장에 ✓표 하세요.

1

☐ 꼬치 활짝 피었어요.

☐ 꽃이 활짝 피었어요.

2

☐ 달맞이를 하며 소원을 빌어요.

☐ 달마지를 하며 소원을 빌어요.

3

☐ 웃음 가득한 우리 집이 좋아요.

☐ 우슴 가득한 우리 집이 좋아요.

받아쓰기

불러 주는 문장을 듣고, 빈칸에 들어갈 낱말을 받아쓰세요.

4

포도를 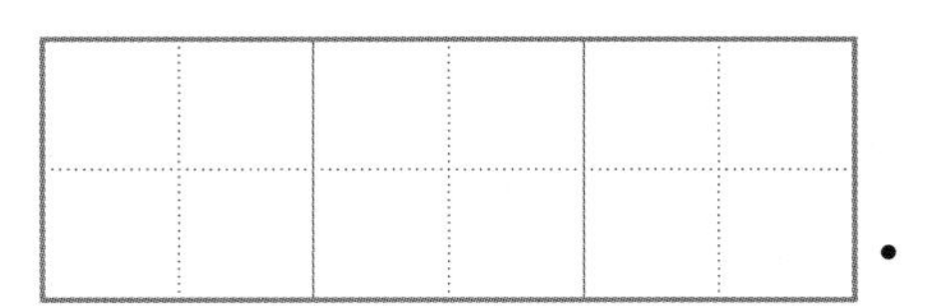 .

5

책을 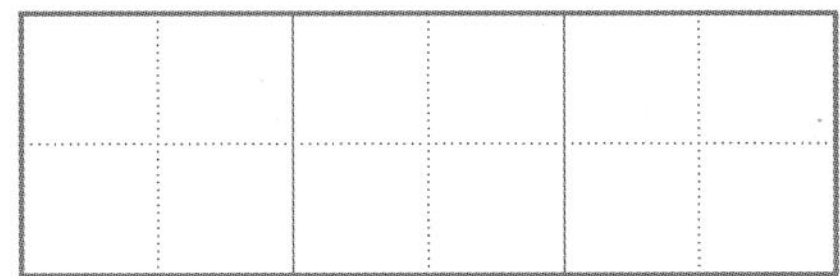 에 꽂아요.

3일 ㅋ, ㅌ, ㅍ 받침이 뒤로 넘어가서 소리 나는 말

높이 (ㅍ)

소리: [노피]

쓰기:

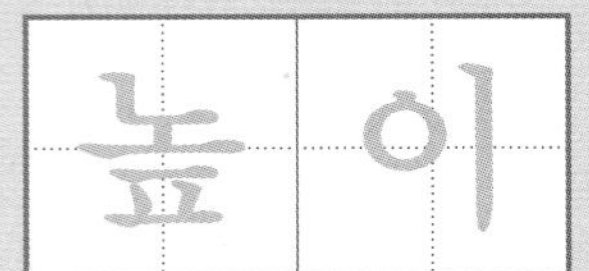

ㅋ, ㅌ, ㅍ 받침이 모음을 만나면 뒤로 넘어가서 소리 나요. 하지만 쓸 때에는 ㅋ, ㅌ, ㅍ 받침을 살려서 써야 해요.

따라쓰기

낱말을 소리 내어 읽고, 바르게 따라 쓰세요.

	낱말	소리	쓰기
	부엌에	[부어케]	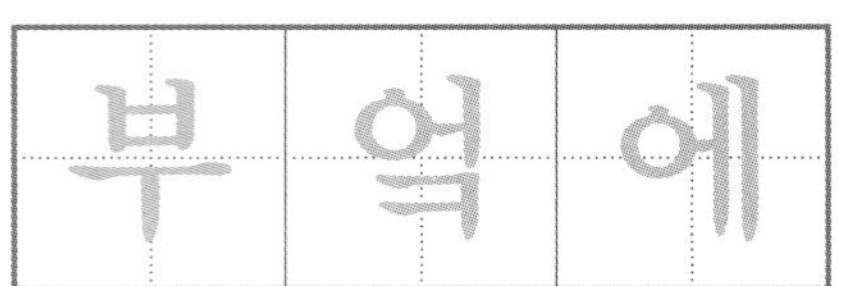
	밑으로	[미트로]	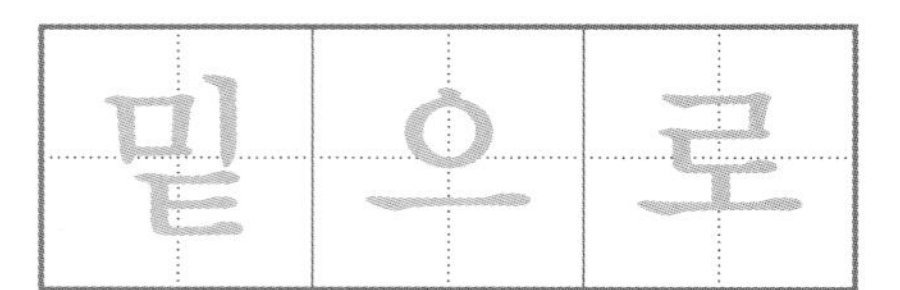
	밭을	[바틀]	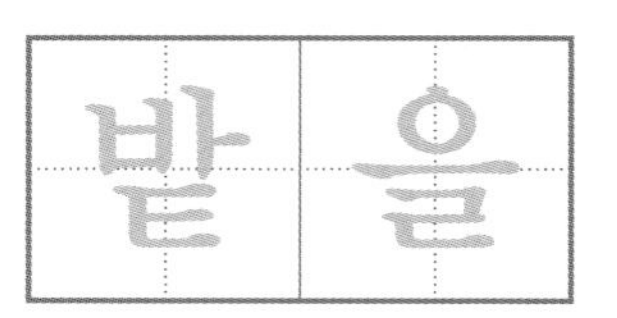
	숲에서	[수페서]	숲 에 서

확인하기

문장을 읽고, 빈칸에 들어갈 바른 낱말을 찾아 선으로 이으세요.

1

농부가 □ *갈아요.

*****갈아요** 농기구로 땅을 파서 뒤집어요.

· 바틀

· 밭을

2

새가 하늘 □ 날아요.

· 높이

· 노피

3

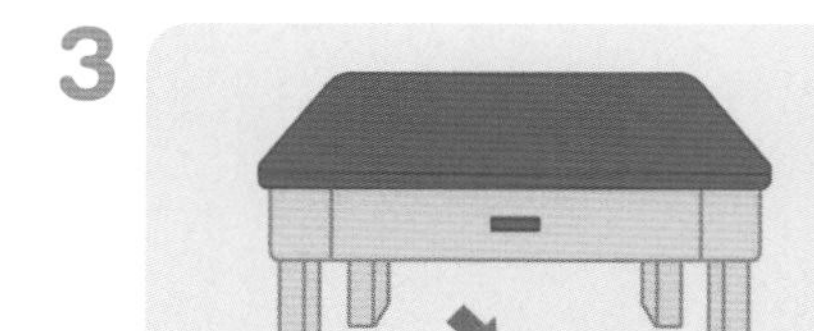

책상 □ 떨어졌어요.

· 밑으로

· 미트로

4주

받아쓰기

불러 주는 문장을 듣고, 빈칸에 들어갈 낱말을 받아쓰세요.

4

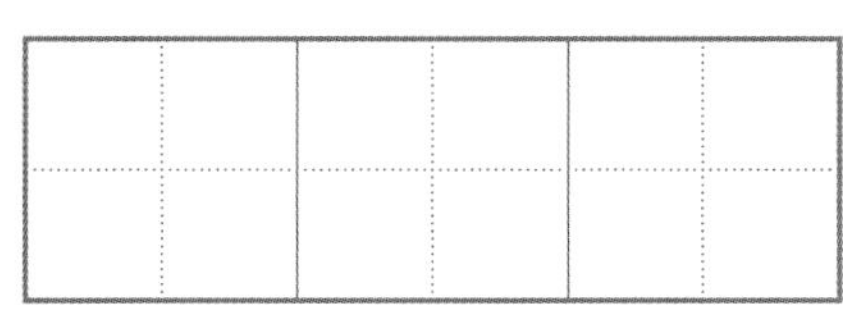

매미가 울어요.

5

아빠께서 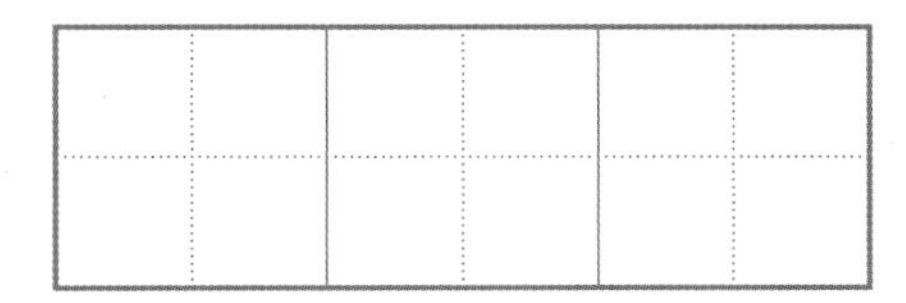 계세요.

ㄲ, ㅆ 받침이 뒤로 넘어가서 소리 나는 말

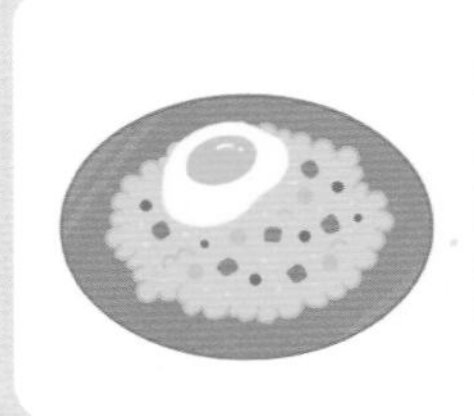

볶음밥 | 소리: [보끔밥] | 쓰기: 볶 음 밥

ㄲ, ㅆ 받침이 모음을 만나면 뒤로 넘어가서 소리 나요. 하지만 쓸 때에는 ㄲ, ㅆ 받침을 살려서 써야 해요.

따라쓰기

낱말을 소리 내어 읽고, 바르게 따라 쓰세요.

닦아요 | 소리: [다까요] | 쓰기:

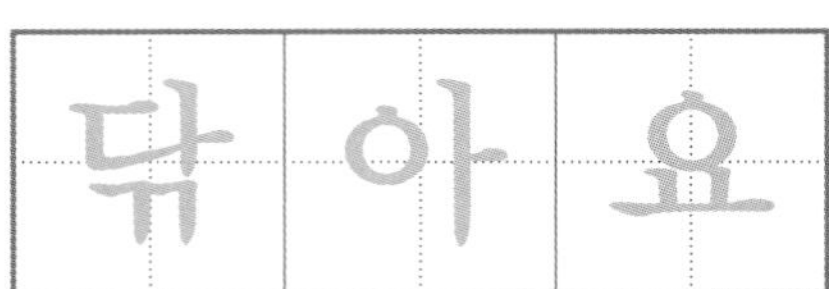

묶음 | 소리: [무끔] | 쓰기:

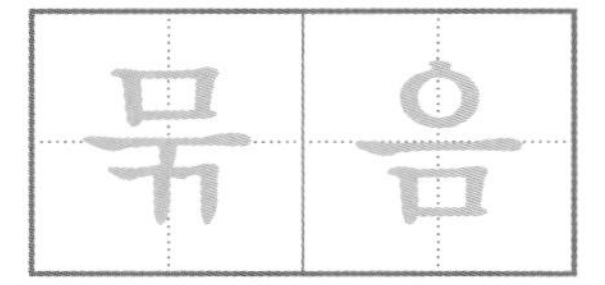

샀어요 | 소리: [사써요] | 쓰기:

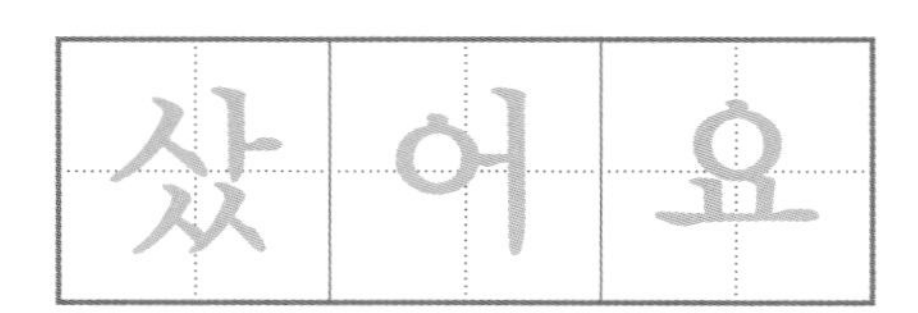

탔어요 | 소리: [타써요] | 쓰기: 탔 어 요

확인하기

문장을 읽고, 밑줄 친 낱말이 바르면 ○표, 틀리면 ×표 하세요.

1

2

받아쓰기

불러 주는 문장을 듣고, 빈칸에 들어갈 낱말을 받아쓰세요.

3

비행기에 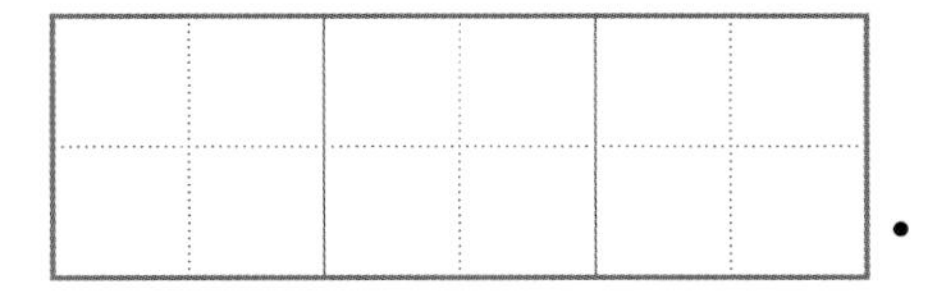 .

4

창문을 깨끗이 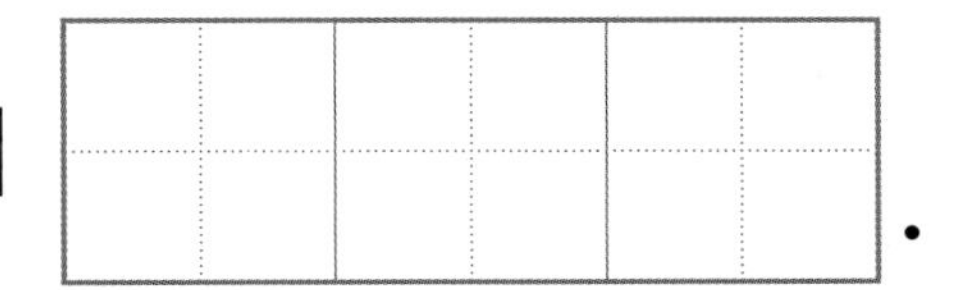 .

5일 실력 쑥쑥 마무리

확인하기
친구가 개구리를 만날 수 있도록 밑줄 친 낱말이 바르게 쓰인 돌다리에 모두 ○표 하세요.

1

확인하기
[ ]에 들어갈 바른 낱말을 찾아 선으로 이으세요.

2

[ ]에 비가 온대요. ・ ・ 그묘일 ・ 금요일

3

할아버지께 드릴 선물을 [ ]. ・ ・ 샀어요 ・ 사써요

받아쓰기

불러 주는 문장을 잘 듣고, 맞춤법에 주의하며 받아쓰세요.

4

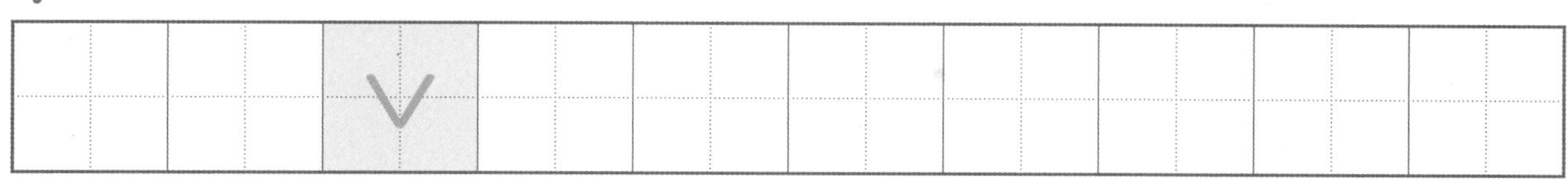

5

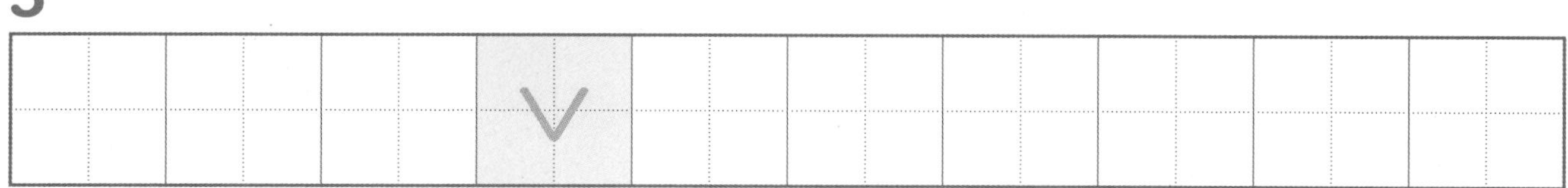

6

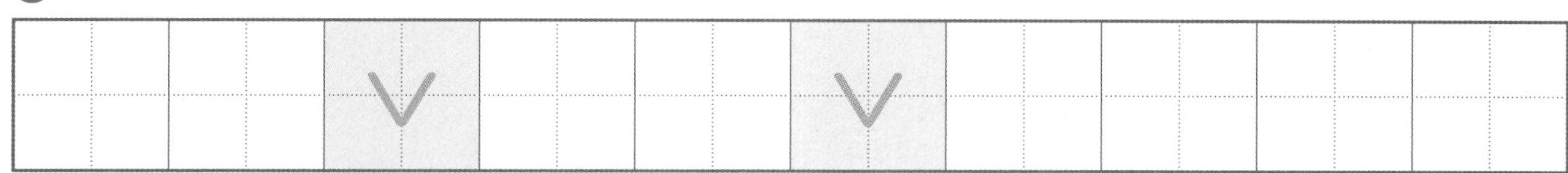

7

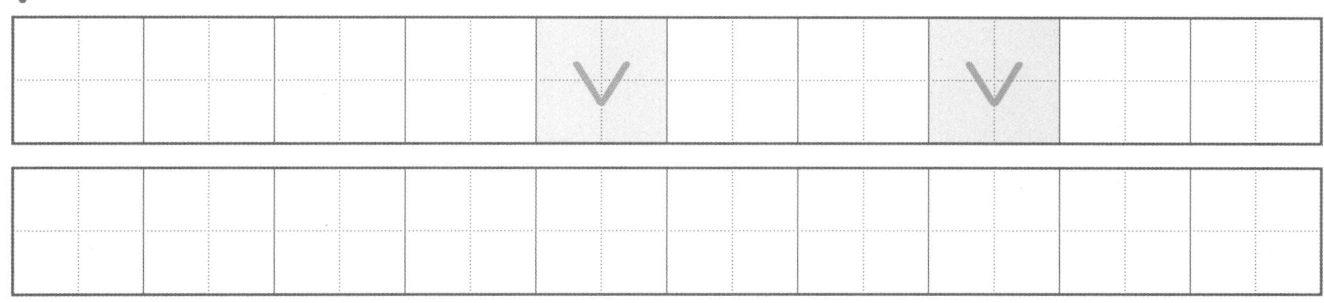

8

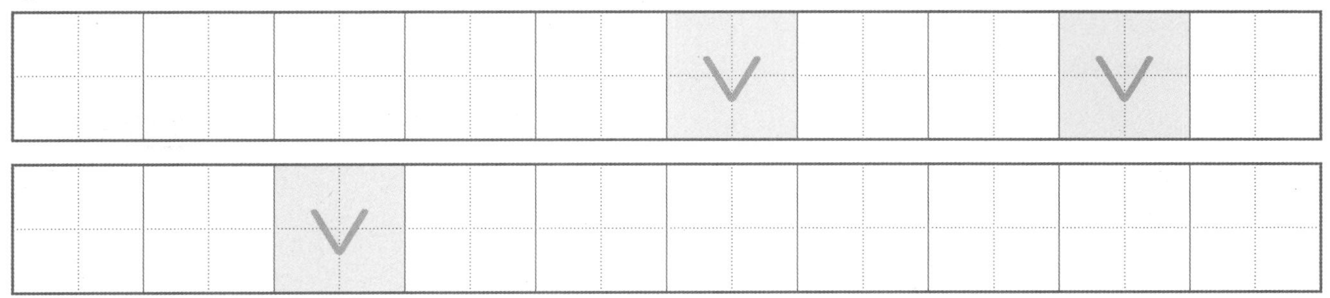

이렇게 띄어 쓰세요

'하늘∨높이'와 같이 각각의 뜻을 가진 낱말과 낱말 사이는 띄어 써요.

4주 어휘력 키우기

이번 주에 배운 낱말을 다시 읽고, 그 뜻을 익혀 보세요.

더듬이

뜻 곤충의 머리에 달린, 무엇을 더듬어 알아보는 부분.

돌잡이

뜻 돌을 맞은 아이에게 돌상 위의 물건을 골라잡게 하는 것.

달맞이

뜻 산이나 들에 나가 달이 뜨기를 기다려 맞이하는 일.

책꽂이

뜻 여러 책을 세워서 꽂아 둘 수 있게 만들어진 물건.

밑

뜻 물건의 아래나 아래쪽.

밭

뜻 농작물을 심고 가꾸는 땅.

닦다

뜻 더러운 것을 없애거나 윤기를 내려고 문지르다.

묶음

뜻 여럿을 한곳에 모아서 묶어 놓은 뭉치.

시작

1일 작다 / 적다

2일 크다 / 많다

3일 다르다 / 틀리다

4일 가르치다 / 가리키다

5일 실력 쑥쑥 마무리

1일 작다 / 적다

작다

적다

뜻 길이, 크기 따위가 보통보다 덜하다. 크지 않다.

예 아기의 발이 작다.

뜻 수나 양이 많지 않다.

예 밥이 적다.

길이나 크기는 '작다'로, 수나 양은 '적다'로 표현해요. '작다'는 '크다', '적다'는 '많다'와 반대되는 말임을 기억하면 두 낱말을 구별하기 쉬워요.

따라쓰기
문장을 소리 내어 읽고, 낱말을 바르게 따라 쓰세요.

키가 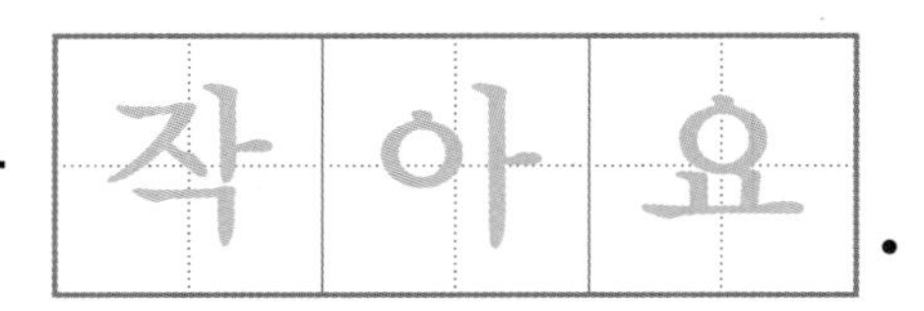 작아요.

국을 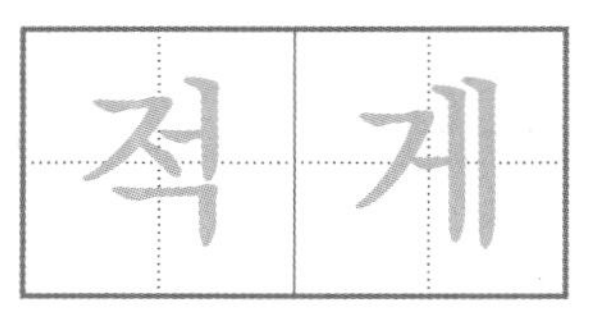 적게 담았어요.

사과가 귤보다 개수가 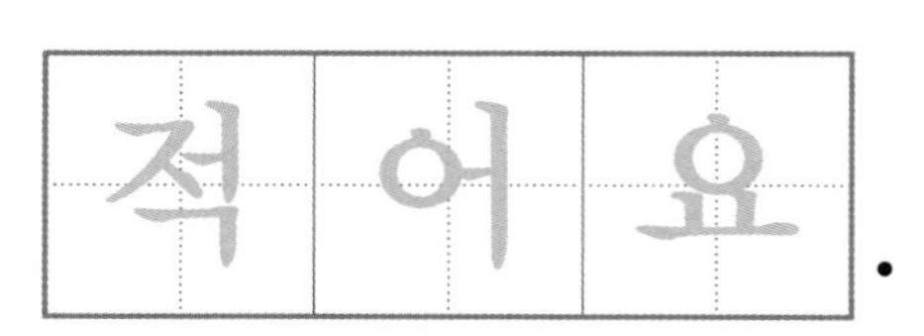 적어요.

확인하기

문장을 읽고, 알맞은 낱말을 사용한 문장에 ✓표 하세요.

1

☐ 비가 작게 내려요.

☐ 비가 적게 내려요.

2

☐ 강아지 집이 작아요.

☐ 강아지 집이 적어요.

3

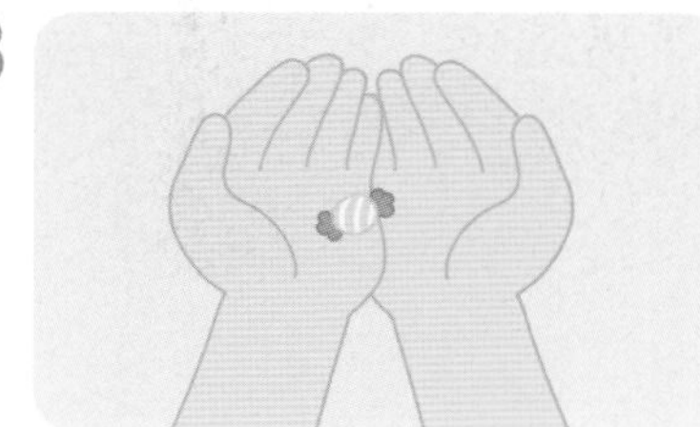

☐ 사탕 개수가 작아요.

☐ 사탕 개수가 적어요.

받아쓰기

불러 주는 문장을 듣고, 빈칸에 들어갈 낱말을 받아쓰세요.

4

쥐는 고양이보다 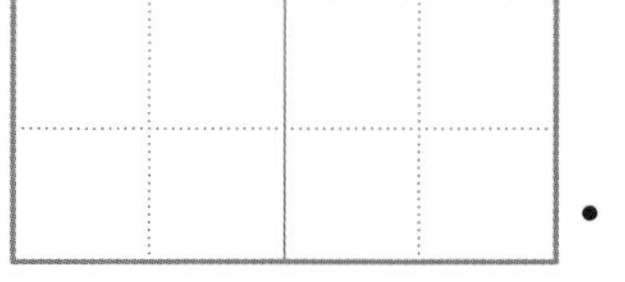.

5

빨간 풍선의 수가 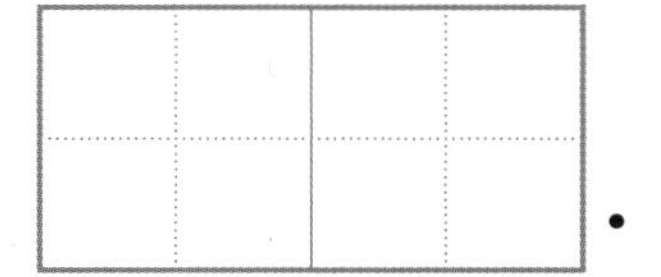.

2일 크다 / 많다

크다

많다

뜻 길이, 넓이 따위가 보통의 정도를 넘다. 작지 않다.

예 하마는 입이 크다.

뜻 수나 양이 적지 않다.

예 물의 양이 많다.

길이나 넓이는 '크다'로, 양이나 개수, 정도는 '많다'로 표현해요. '크다'는 '작다', '많다'는 '적다'와 뜻이 반대되는 말임을 기억하면 두 낱말을 구별하기 쉬워요.

따라쓰기

문장을 소리 내어 읽고, 낱말을 바르게 따라 쓰세요.

비행기는 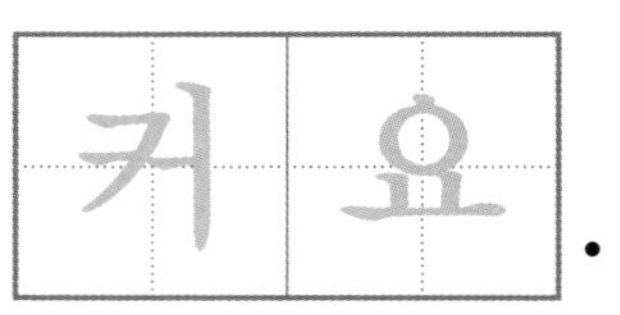

.

아빠 손은 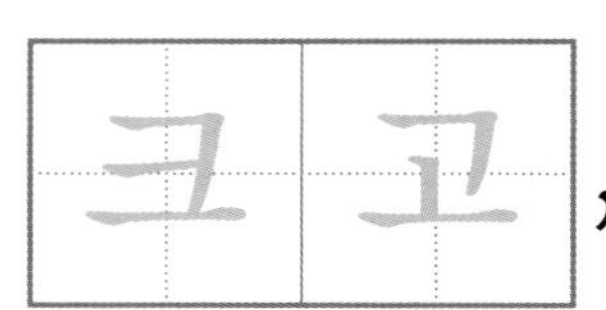

, 내 손은 작아요.

밥이 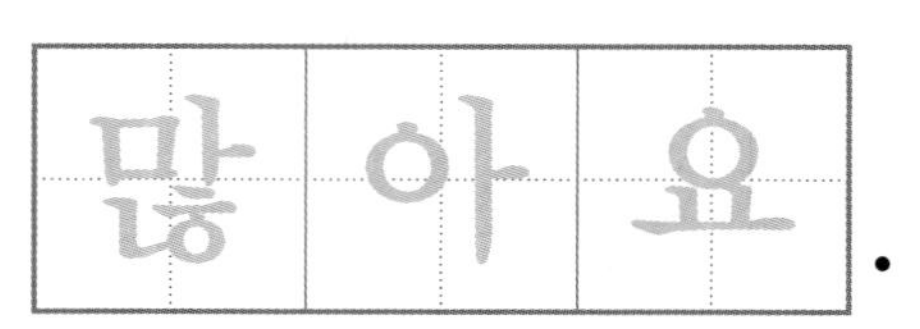

.

확인하기

문장을 읽고, 밑줄 친 낱말이 바르면 ○표, 틀리면 ×표 하세요.

1

형은 키가 많아요.

2

공원에 나무가 많아요.

3

수박은 크고, 딸기는 작아요.

받아쓰기

불러 주는 문장을 듣고, 빈칸에 들어갈 낱말을 받아쓰세요.

4

코끼리는 병아리보다  .

5

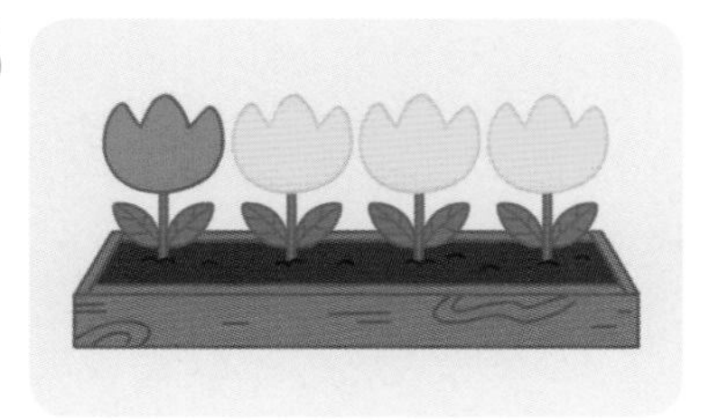

노란 꽃이 빨간 꽃보다 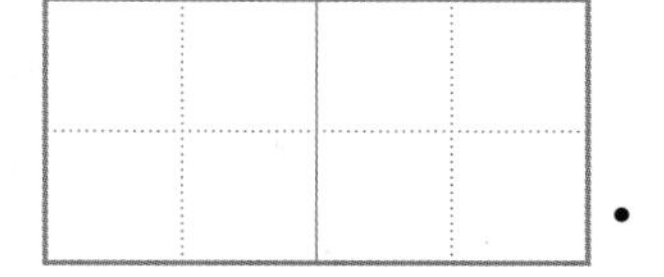 .

다르다 / 틀리다

다르다

뜻 어떤 것과 서로 같지 않다.

예 우리는 옷이 다르다.

틀리다

뜻 사실, 계산, 답 따위가 맞지 않다.

예 답이 틀리다.

'다르다'는 '같다', '틀리다'는 '맞다'와 뜻이 반대되는 말임을 기억하면 두 낱말을 구별하기 쉬워요.

따라쓰기

문장을 소리 내어 읽고, 낱말을 바르게 따라 쓰세요.

모양이 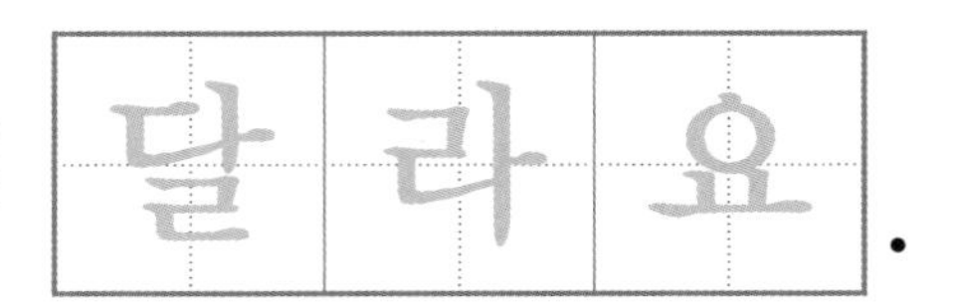 .

서로 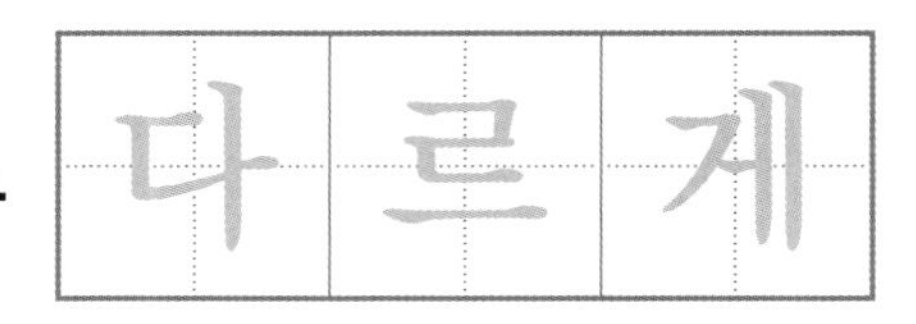 생각해요.

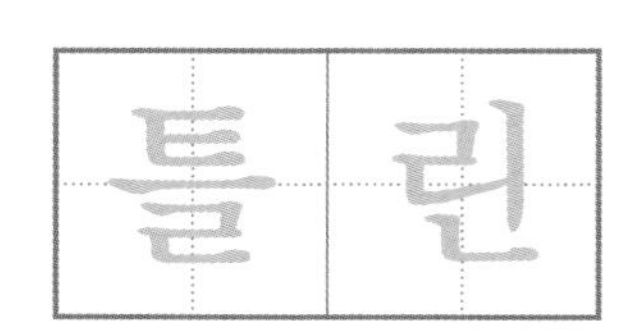

글자가 있어요.

확인하기

문장을 읽고, 알맞은 낱말에 ◯표 하세요.

1

좋아하는 음식이 (달라요. / 틀려요.)

2

얼굴이 (다르게 / 틀리게) 생겼어요.

3

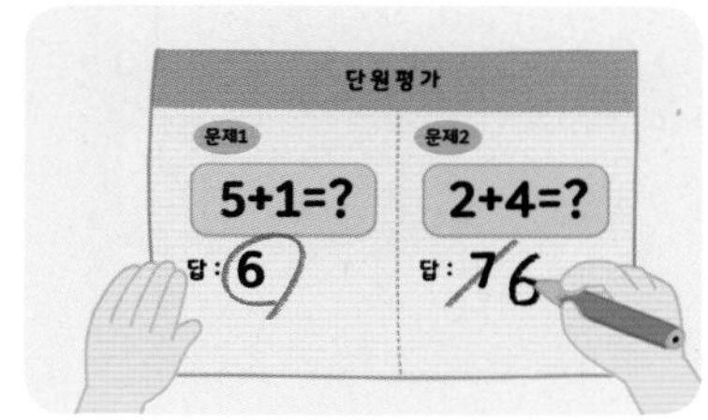

(다른 / 틀린) 답을 바르게 고쳐요.

받아쓰기

불러 주는 문장을 듣고, 빈칸에 들어갈 낱말을 받아쓰세요.

4

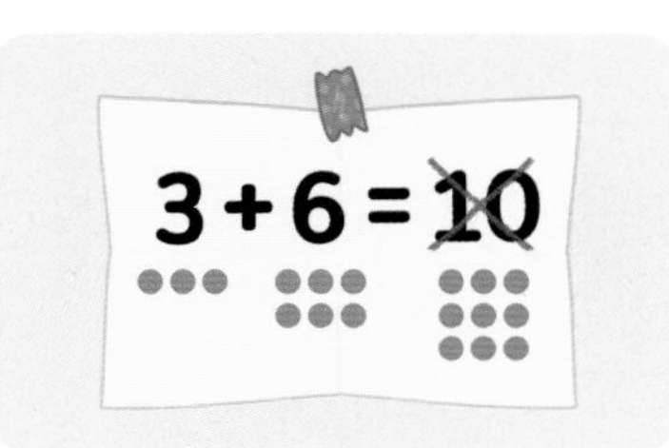

계산이 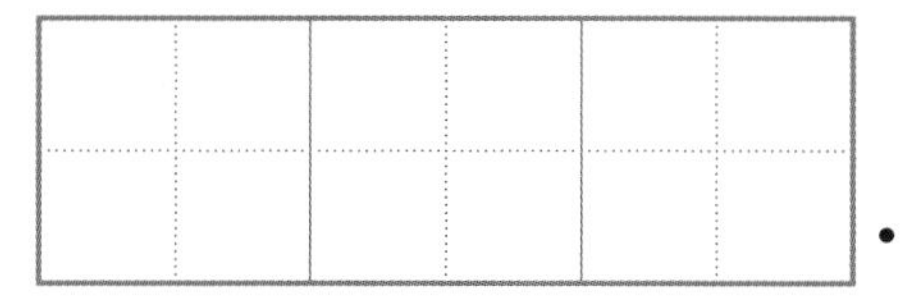.

5

딸기와 포도는 맛이 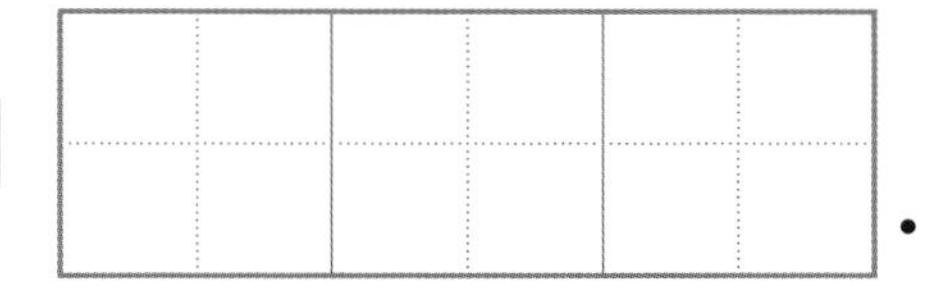.

가르치다 / 가리키다

가르치다

뜻 지식이나 기술을 알게 하거나 익히게 하다.

예 수학을 가르치다.

가리키다

뜻 손가락 따위로 무엇이 있는 쪽을 보게 하다.

예 달을 가리키다.

맞춤법 강의

'가르치다'와 '가리키다'는 글자의 모양이 비슷해서 헷갈리기 쉬워요. '가르치다'를 '가리치다'로, '가리키다'를 '가르키다'로 잘못 쓰지 않도록 주의해요.

따라쓰기

문장을 소리 내어 읽고, 낱말을 바르게 따라 쓰세요.

길을 가 르 쳐 주어요.

피아노를 가 르 쳐 요.

화살표가 오른쪽을 가 리 켜 요.

확인하기

문장을 읽고, 안의 낱말이 바르면 ○표, 틀리면 ×표 하세요.

1 숫자를 가르쳐요 . ( )

2 

이 문제를 가리켜 주세요. ( )

3 

날아가는 새를 가리켜요 . ( )

받아쓰기

불러 주는 문장을 듣고, 빈칸에 들어갈 낱말을 받아쓰세요. 

4 

수영을 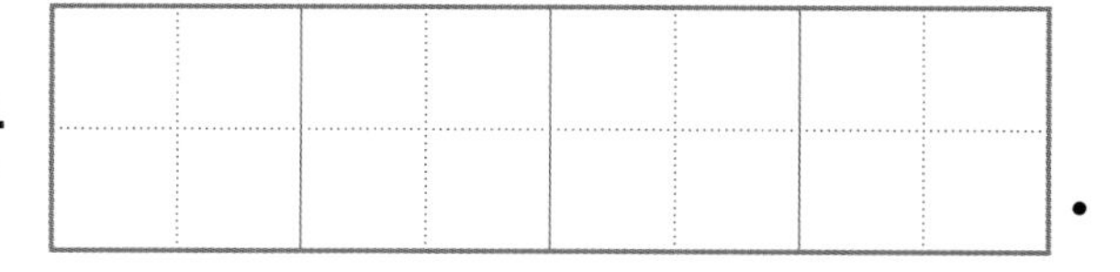 .

5 

세 시를 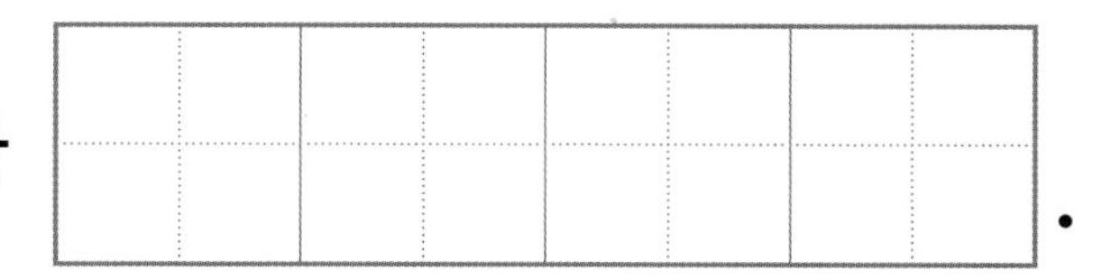 .

5일 실력 쑥쑥 마무리

확인하기

친구가 보물 상자를 찾을 수 있도록 밑줄 친 낱말이 바르게 쓰인 상자에 ○표 하세요.

1

확인하기

에 들어갈 알맞은 낱말을 찾아 선으로 이으세요.

2

( ) 글자를
고쳤어요.

· 틀린

· 다른

3

사고 싶은
물건을 ( ).

· 가르쳐요

· 가리켜요

받아쓰기

불러 주는 문장을 잘 듣고, 맞춤법에 주의하며 받아쓰세요.

4

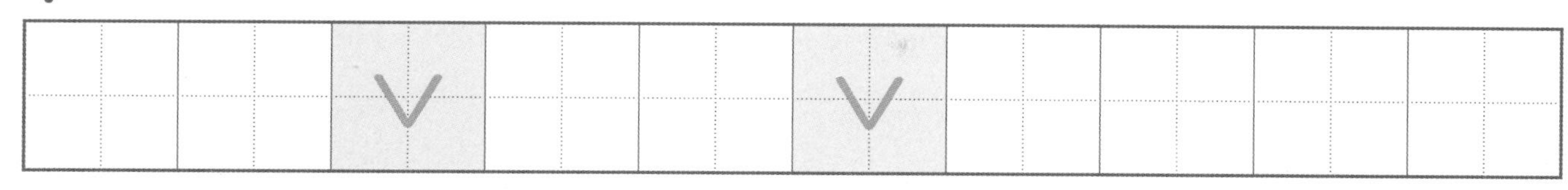

5

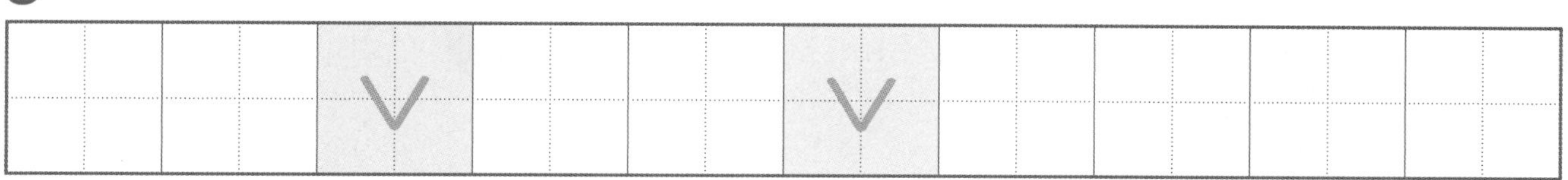

6

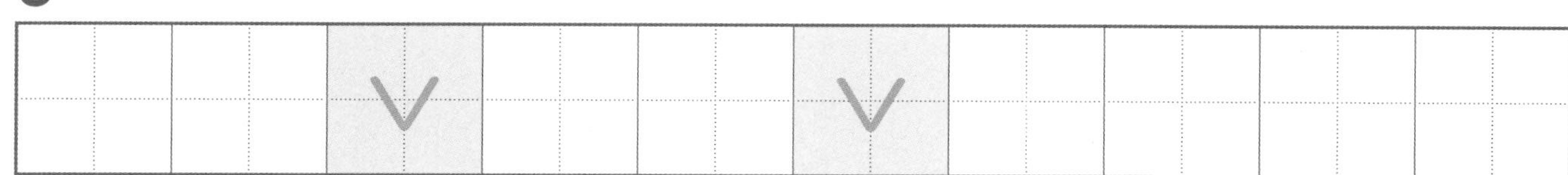

7

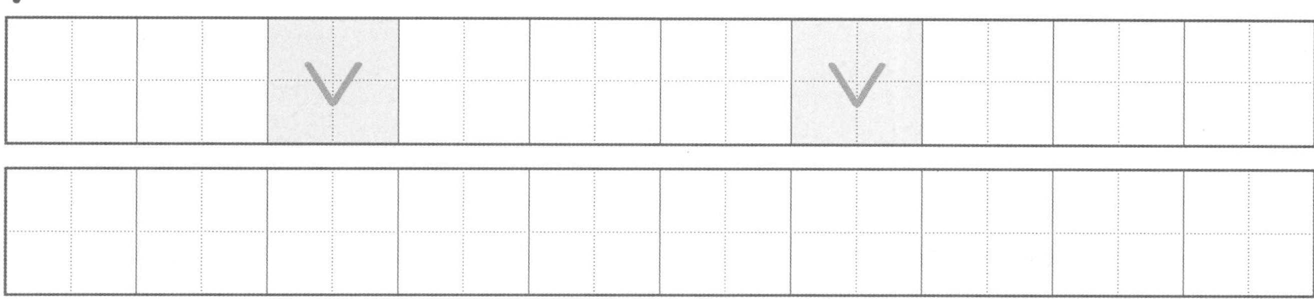

8

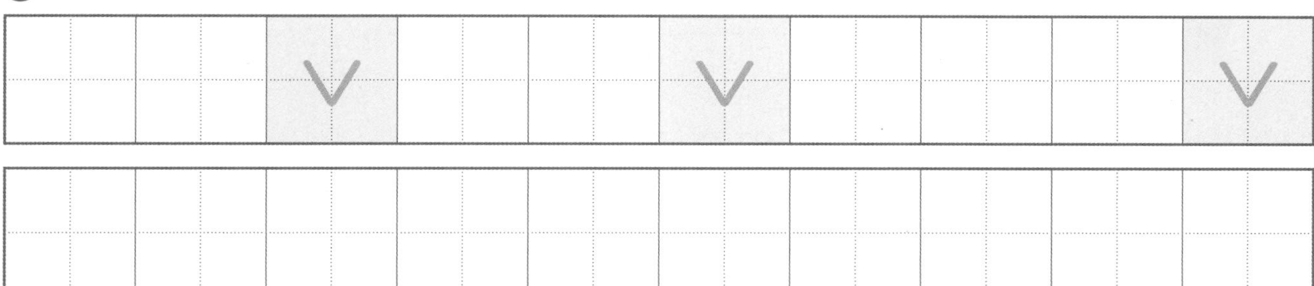

이렇게 띄어 쓰세요

'~의'와 같은 말은 앞말에 붙여 쓰고, 뒤에 오는 말과 띄어 써요.

5주

5주 어휘력 키우기

이번 주에 배운 낱말을 다시 읽고, 그 뜻을 익혀 보세요.

작다

뜻 길이, 크기 따위가 보통보다 덜하다. 크지 않다.

적다

뜻 수나 양이 많지 않다.

크다

뜻 길이, 넓이 따위가 보통의 정도를 넘다. 작지 않다.

많다

뜻 수나 양이 적지 않다.

다르다

뜻 어떤 것과 서로 같지 않다.

틀리다

뜻 사실, 계산, 답 따위가 맞지 않다.

가르치다

뜻 지식이나 기술을 알게 하거나 익히게 하다.

가리키다

뜻 손가락 따위로 무엇이 있는 쪽을 보게 하다.

시작

1일 바라다 / 바래다

2일 반드시 / 반듯이

3일 같다 / 갔다

4일 낳다 / 낫다

5일 실력 쑥쑥 마무리

1일 바라다 / 바래다

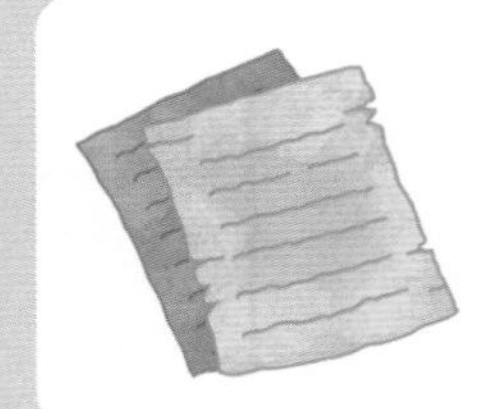

바라다

뜻 어떤 것이 이루어지거나 그렇게 되었으면 하고 생각하다.

예 소원이 이루어지기를 바라다.

바래다

뜻 색이 변하여 희미해지거나 누렇게 되다.

예 종이가 누렇게 바래다.

어떤 것이 이루어지기를 기대하는 마음을 표현할 때에는 '바라다', 색이 변한 것을 표현할 때에는 '바래다'로 구별해서 써야 해요.

따라쓰기

문장을 소리 내어 읽고, 낱말을 바르게 따라 쓰세요.

다시 만나기를 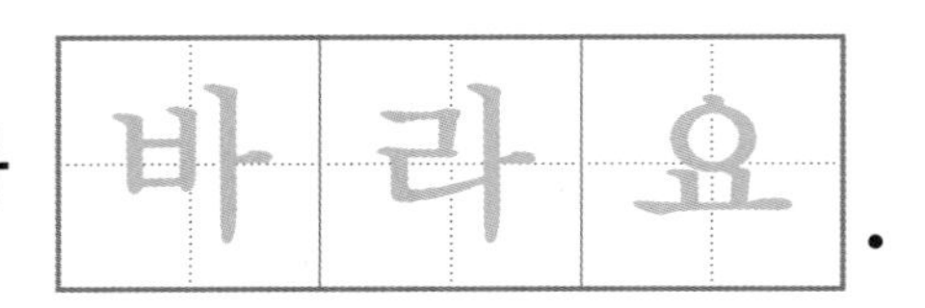 .

저의  은 의사가 되는 것이에요.

색이 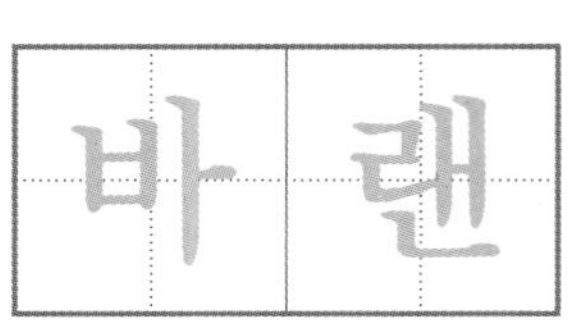 사진을 보아요.

확인하기

문장을 읽고, 알맞은 낱말에 ○표 하세요.

1

비가 오기를 바라요. / 바래요.

2

색이 바란 / 바랜 벽을 다시 칠해요.

3

저의 바람 / 바램 은 가족의 건강이에요.

받아쓰기

불러 주는 문장을 듣고, 빈칸에 들어갈 낱말을 받아쓰세요.

4

옷의 색이  .

5

생일이 빨리 오기를 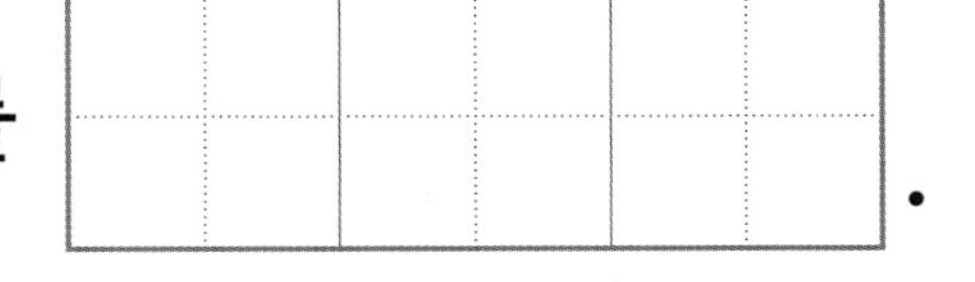 .

6주

2일 반드시 / 반듯이

반드시

뜻 틀림없이 꼭.

예 약속을 반드시 지키다.

반듯이

뜻 비뚤어지거나 기울거나 굽지 않고 바르게.

예 이불을 반듯이 개다.

'반드시'는 '꼭'과 바꾸어 쓸 수 있고, '반듯이'는 '비뚤지 않고 바르게'와 바꾸어 쓸 수 있는 말임을 기억하면 두 낱말을 구별하기 쉬워요.

따라쓰기

문장을 소리 내어 읽고, 낱말을 바르게 따라 쓰세요.

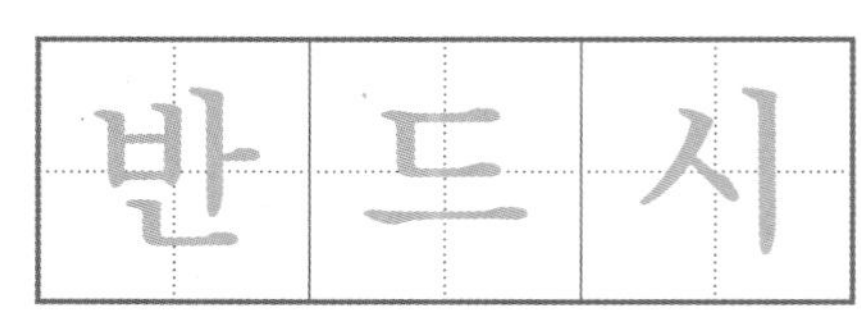

숙제를 해요.

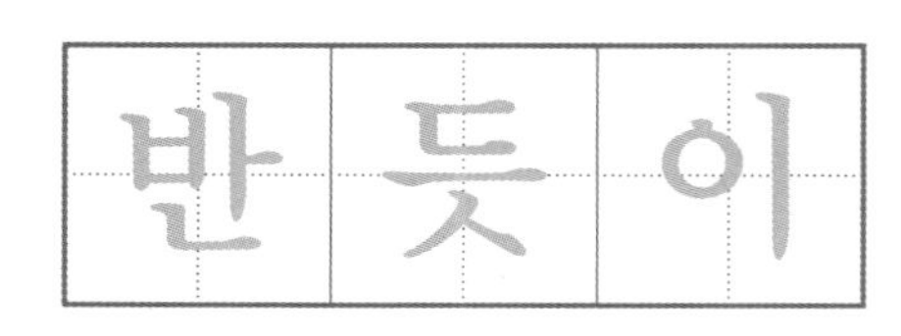

서요.

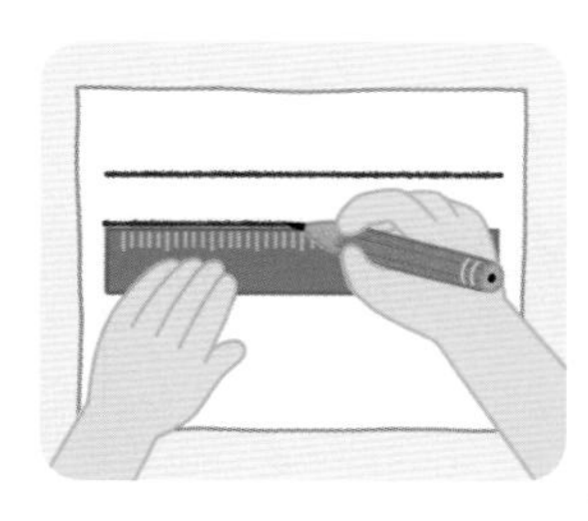

선을
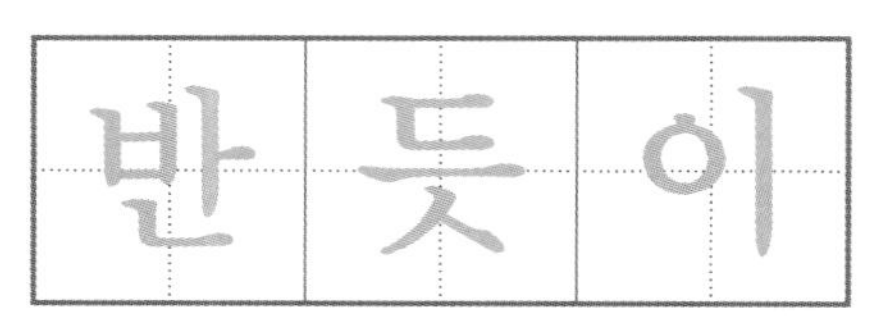

그어요.

확인하기

문장을 읽고, 빈칸에 들어갈 알맞은 낱말을 찾아 선으로 이으세요.

1 

의자에 [ ] 앉아요. ·

2  

집에 오면 [ ] 손을 씻어요. ·

3 

계산할 때는 [ ] 차례를 지켜요. ·

· 반드시

· 반듯이

받아쓰기

불러 주는 문장을 듣고, 빈칸에 들어갈 낱말을 받아쓰세요.

4 

모자를 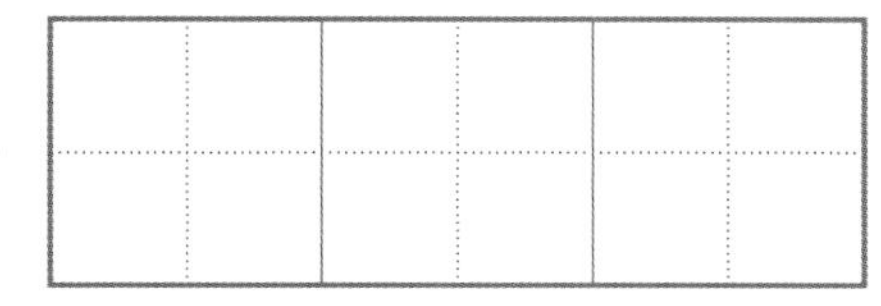 쓰다.

5 

[ ] *안전띠를 매자.

***안전띠** 차나 비행기 따위에서 안전을 위해 몸을 자리에 붙들어 매는 띠.

3일 같다 / 갔다

같다

갔다

뜻 서로 다르지 않다.

예 크기가 같다.

뜻 어느 한곳에서 다른 곳으로 움직였다.

예 학교에 갔다.

'같다'와 '갔다'는 [갇따]로 소리가 같아서 헷갈리기 쉬우므로 낱말의 뜻을 잘 구별해서 써야 해요.

따라쓰기

문장을 소리 내어 읽고, 낱말을 바르게 따라 쓰세요.

색깔이 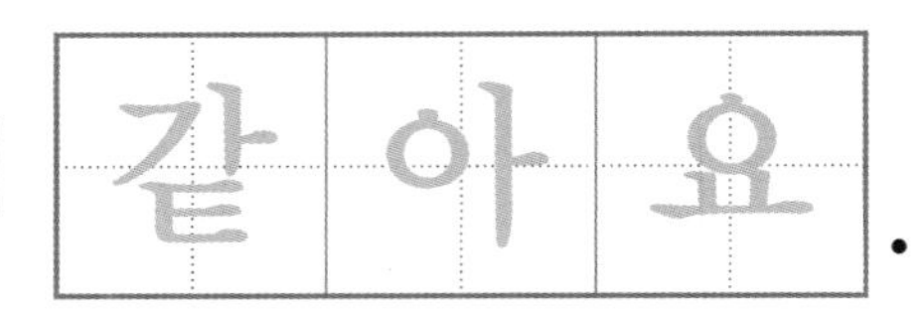

.

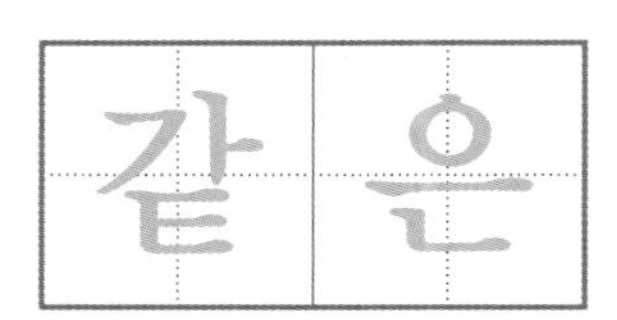

신발을 신었어요.

아빠와 시장에 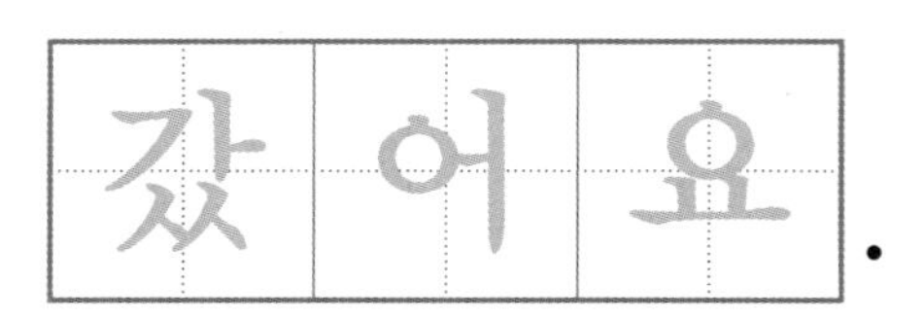

.

문장을 읽고, 바르게 쓴 낱말에 ○표 하세요.

1

어제 서점에 갔어요 / 같어요 .

2

우리는 이름이 갔아요 / 같아요 .

받아쓰기

불러 주는 문장을 듣고, 빈칸에 들어갈 낱말을 받아쓰세요.

3

나이가 [ ] .

4

친구와 놀이터에 [ ] .

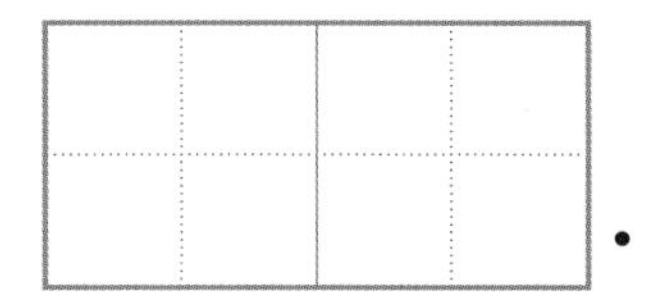

낳다 / 낫다

낳다

뜻 배 속의 아이, 새끼, 알을 몸 밖으로 내놓다.

예 알을 낳다.

낫다

뜻 몸의 상처나 병이 없어지다. 치료되다.

예 감기가 낫다.

'낳다'와 '낫다'는 읽을 때에 비슷하게 소리 나요. 하지만 뜻은 각각 다르므로 두 낱말을 잘 구별해서 쓰도록 해요.

따라쓰기

문장을 소리 내어 읽고, 낱말을 바르게 따라 쓰세요.

알을 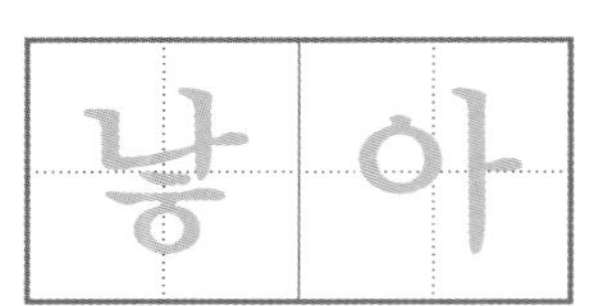 품어요.

아기를 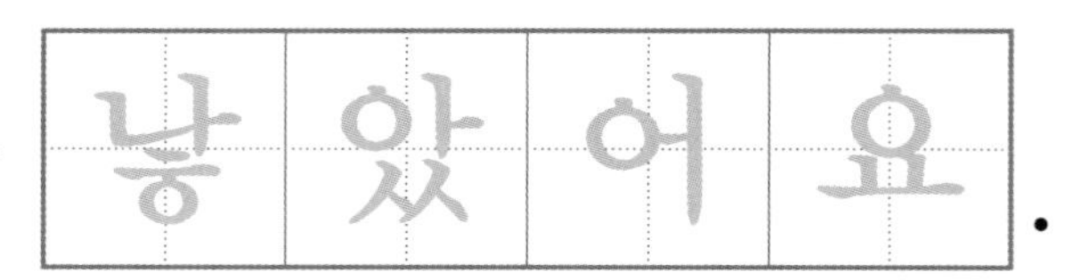.

상처가 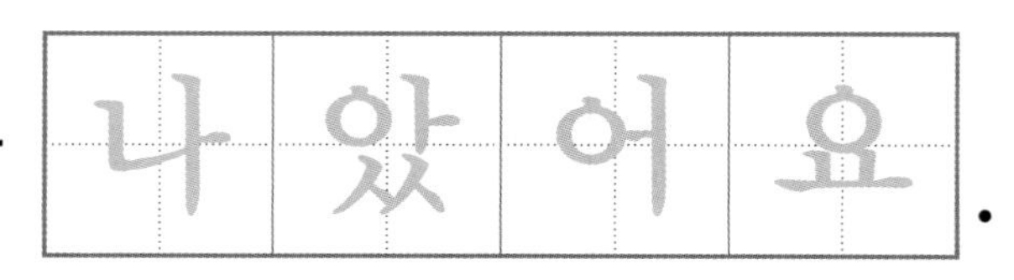.

확인하기

문장을 읽고, 안의 낱말이 바르면 ○표, 틀리면 ×표 하세요.

1 

우리를 낳아 기르셨어요. ( )

2 

부러진 다리가 낳았어요. ( )

3 

고양이가 새끼를 나았어요. ( )

받아쓰기

불러 주는 문장을 듣고, 빈칸에 들어갈 낱말을 받아쓰세요. 

4 

병이 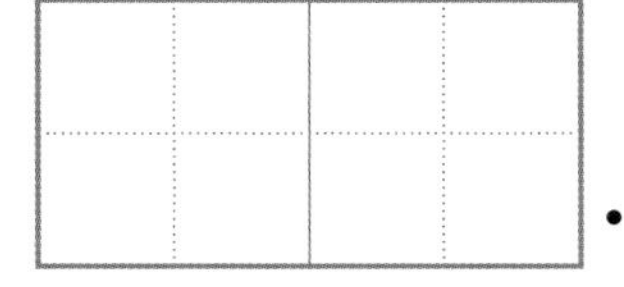 .

5 

*둥지에 알을 ________ .

***둥지** 새가 알을 낳거나 살기 위해 만든 곳.

5일 실력 쑥쑥 마무리

확인하기

밑줄 친 낱말이 바르게 쓰인 물고기에 모두 색칠하세요.

1

확인하기

[ ]에 들어갈 알맞은 낱말을 찾아 선으로 이으세요.

2

사이좋게 지내기를 [ ].

3

공책에 글씨를 [ ] 써요.

· 바라요

· 바래요

· 반드시

· 반듯이

받아쓰기

불러 주는 문장을 잘 듣고, 맞춤법에 주의하며 받아쓰세요.

4

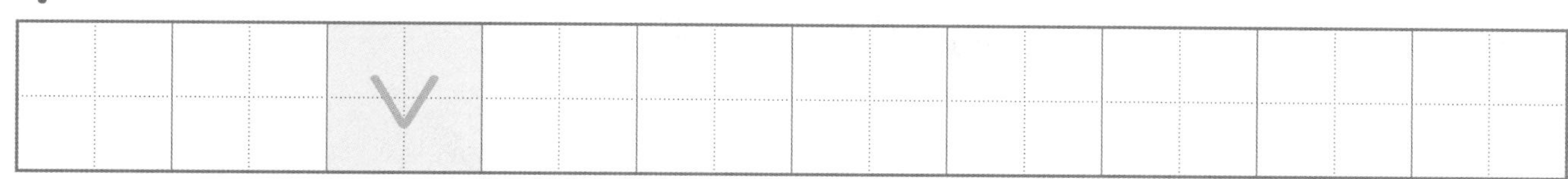

5

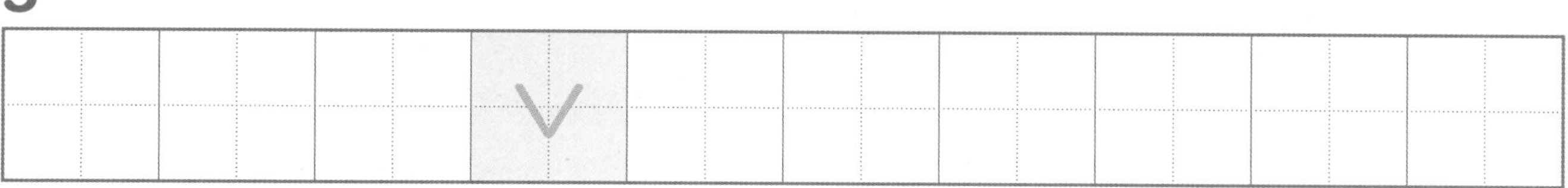

6

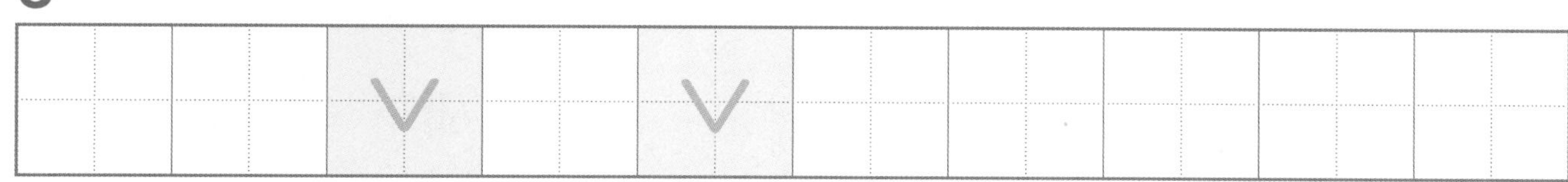

7

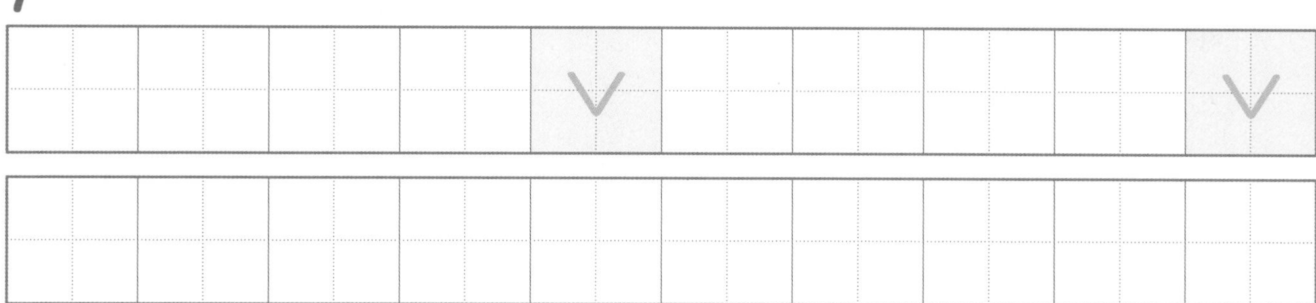

8

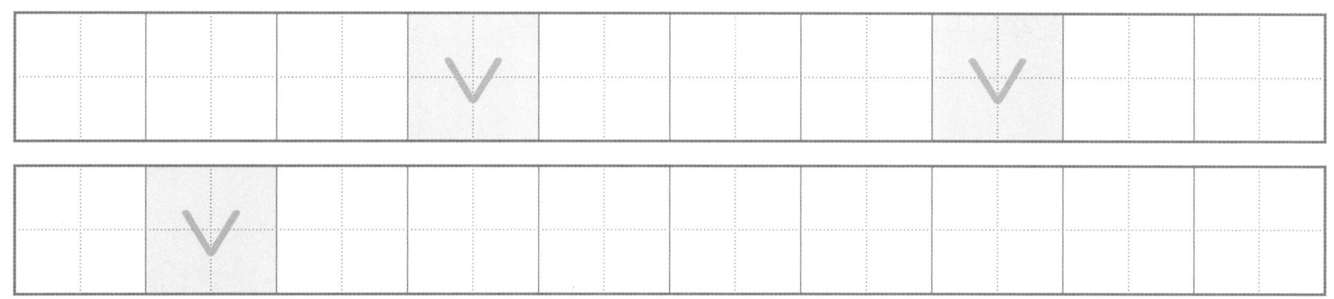

이렇게 띄어 쓰세요

'~이/가'와 같은 말은 앞말에 붙여 쓰고, 뒤에 오는 말과 띄어 써요.

이번 주에 배운 낱말을 다시 읽고, 그 뜻을 익혀 보세요.

바라다

뜻 어떤 것이 이루어지거나 그렇게 되었으면 하고 생각하다.

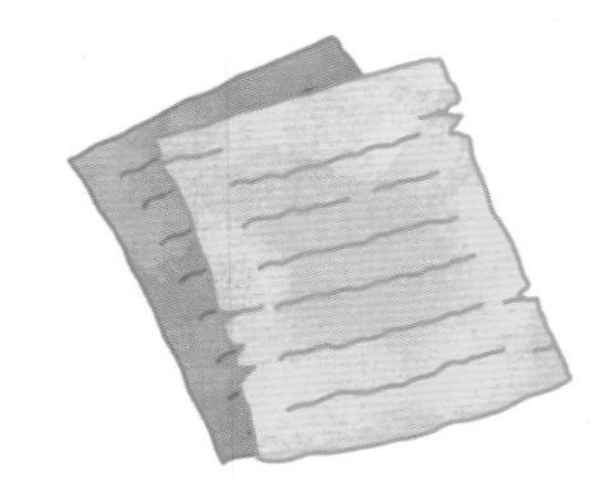

바래다

뜻 색이 변하여 희미해지거나 누렇게 되다.

반드시

뜻 틀림없이 꼭.

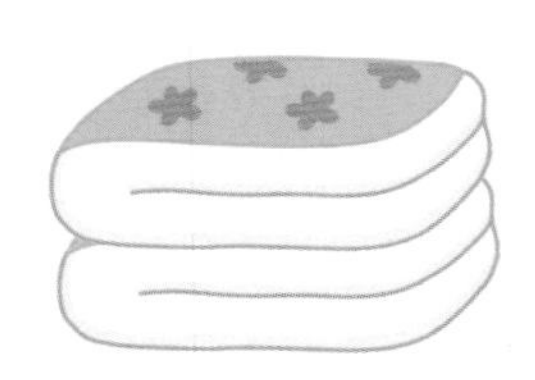

반듯이

뜻 비뚤어지거나 기울거나 굽지 않고 바르게.

같다

뜻 서로 다르지 않다.

갔다

뜻 어느 한곳에서 다른 곳으로 움직였다.

낳다

뜻 배 속의 아이, 새끼, 알을 몸 밖으로 내놓다.

낫다

뜻 몸의 상처나 병이 없어지다. 치료되다.

시작

1일
거름 / 걸음

2일
잊어버리다 / 잃어버리다

3일
맞다 / 맡다

4일
엎다 / 업다

5일
실력 쑥쑥 마무리

1일 거름 / 걸음

거름

뜻 식물이 잘 자라도록 땅에 뿌리거나 섞는 것.

예 상추밭에 거름을 주다.

걸음

뜻 두 다리를 번갈아 떼어 움직여서 자리를 옮기는 것.

예 걸음을 멈추다.

'거름'과 '걸음'은 모두 [거름]으로 소리 나요. 하지만 뜻은 다르므로 두 낱말을 잘 구별해서 쓰도록 해요.

따라쓰기 문장을 소리 내어 읽고, 낱말을 바르게 따라 쓰세요.

밭에 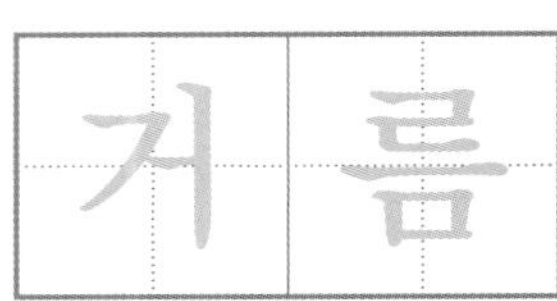 을 주어요.

형은 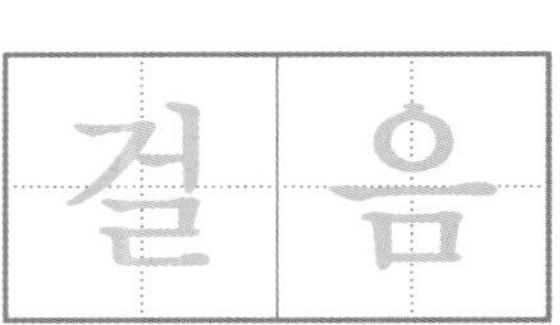 이 빨라요.

씩씩한 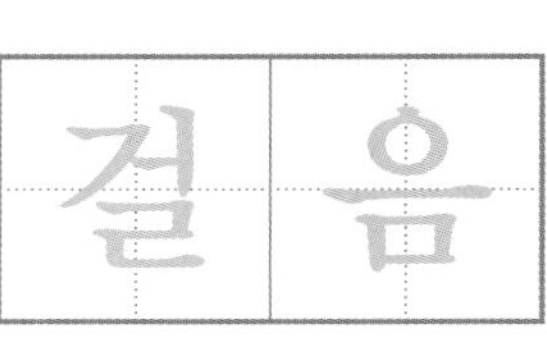 으로 가요.

확인하기

문장을 읽고, 빈칸에 들어갈 알맞은 낱말을 찾아 선으로 이으세요.

1

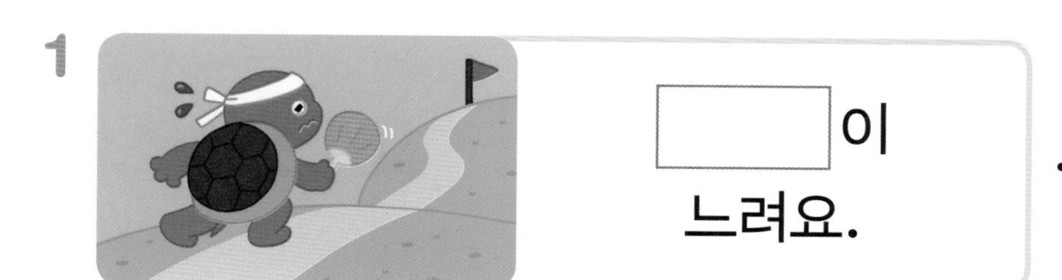

☐이 느려요.

2

☐ 냄새가 나요.

3

한 ☐ 다가가요.

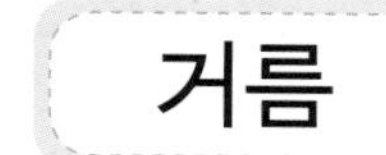

7주

받아쓰기

불러 주는 문장을 듣고, 빈칸에 들어갈 낱말을 받아쓰세요.

4

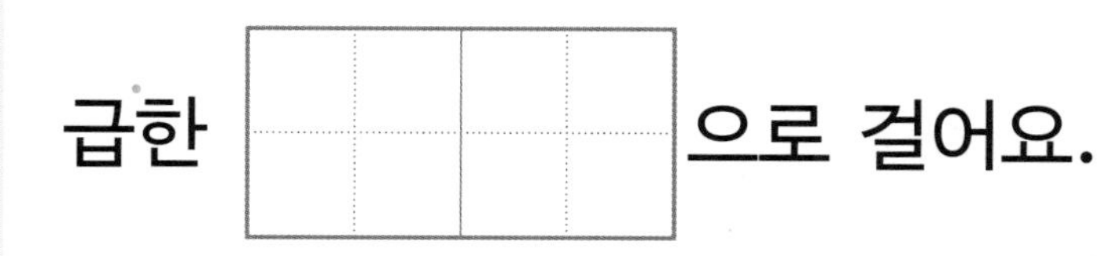

급한 ☐☐ 으로 걸어요.

5

나무 아래에 ☐☐ 을 주어요.

잊어버리다 / 잃어버리다

잊어버리다

잃어버리다

뜻 기억하지 못하다. 완전히 잊다.

예 약속을 잊어버리다.

뜻 가졌던 물건이 자기도 모르게 없어져 더 이상 갖지 않게 되다.

예 연필을 잃어버리다.

'생각'이나 '기억'에 대해서는 '잊어버리다'라고 쓰고, '물건'에 대해서는 '잃어버리다'라고 뜻을 구별해서 써야 해요.

따라쓰기 문장을 소리 내어 읽고, 낱말을 바르게 따라 쓰세요.

제목을 잊어버렸어요.

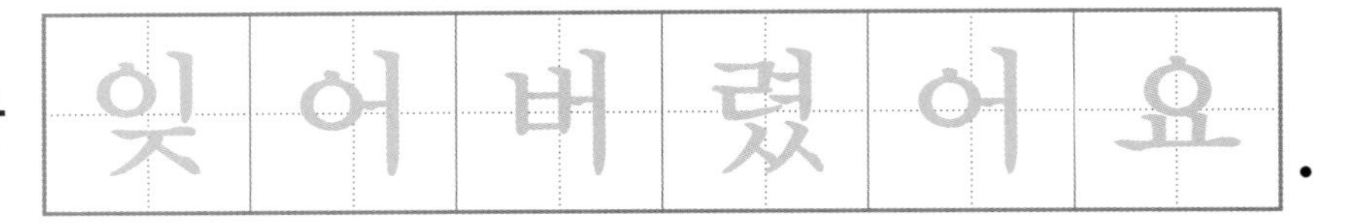

잃어버렸던 지갑이에요.

장갑을 잃어버렸어요.

확인하기

문장을 읽고, 밑줄 친 낱말이 바르면 ◯표, 틀리면 ╳표 하세요.

1

전화번호를 잃어버렸어요. [ ]

2

잃어버렸던 물건을 찾았어요. [ ]

3

우산을 챙기는 것을 잊어버렸어요. [ ]

7주

받아쓰기

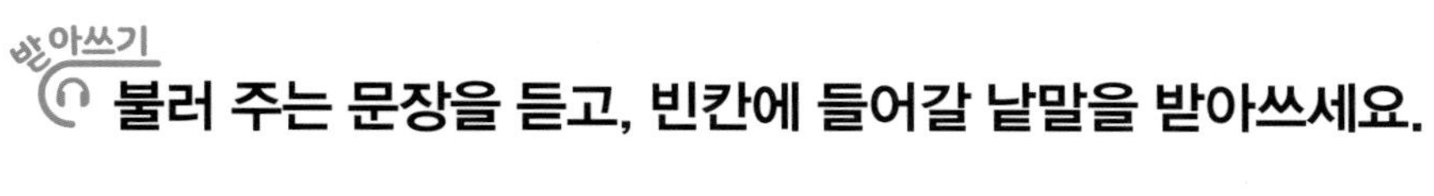

불러 주는 문장을 듣고, 빈칸에 들어갈 낱말을 받아쓰세요.

4

모자를 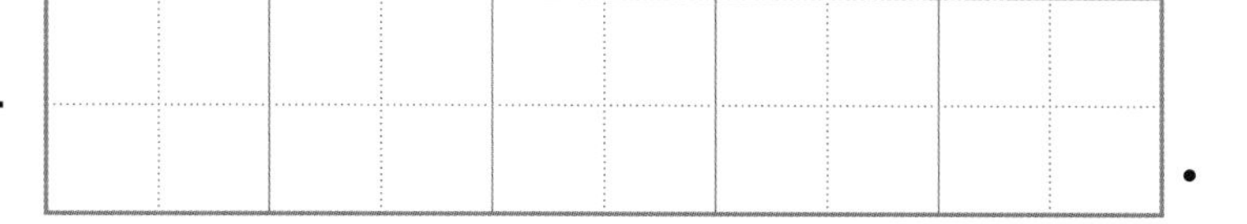 .

5

주소를 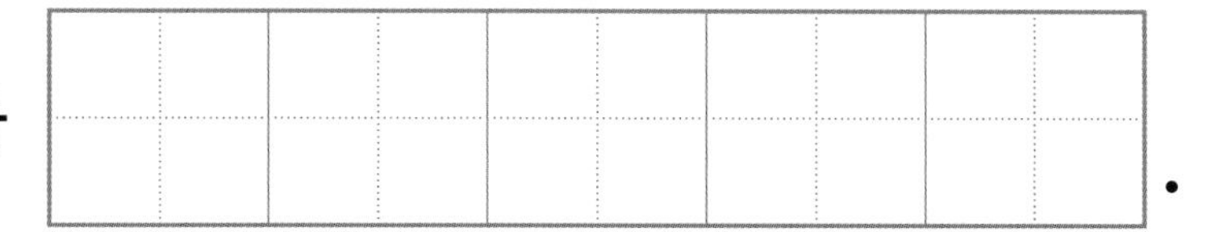 .

3일 맞다 / 맡다

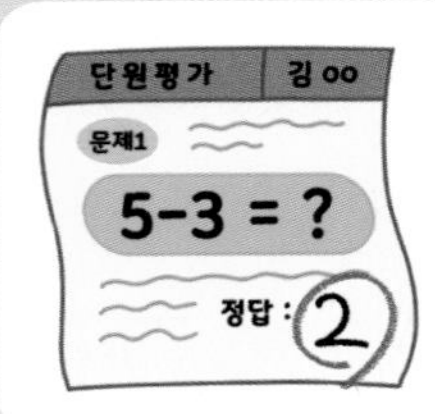

맞다

맡다

뜻 틀리지 않다.

예 답이 맞다.

뜻 코를 통해 냄새를 알아차리다.

예 꽃향기를 맡다.

'맞다'와 '맡다'는 모두 [맏따]로 읽을 때 소리가 같아요. 하지만 뜻은 각각 다르므로 두 낱말을 잘 구별해서 쓰도록 해요.

따라쓰기

문장을 소리 내어 읽고, 낱말을 바르게 따라 쓰세요.

친구의 말이 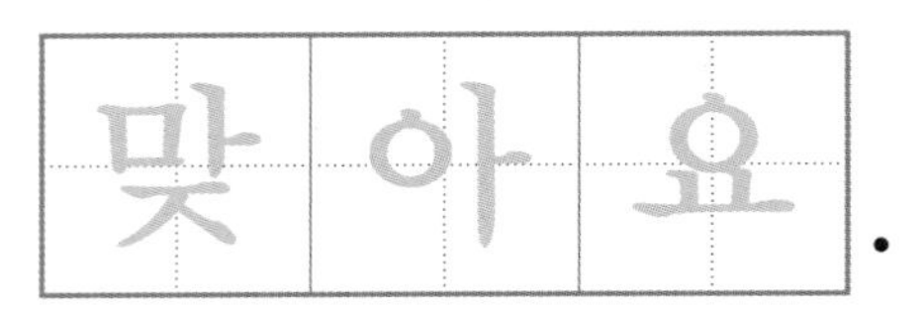.

답이 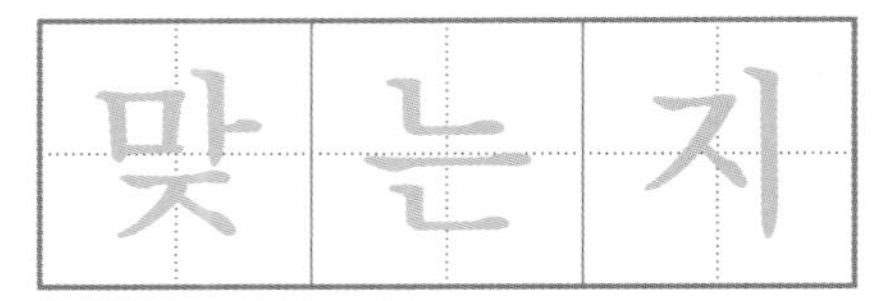 살펴보아요.

강아지가 냄새를 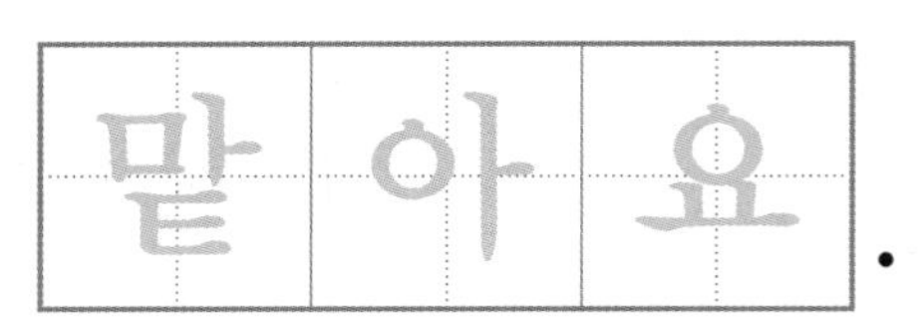.

확인하기

문장을 읽고, 알맞은 낱말을 사용한 문장에 ✓표 하세요.

1

☐ 둘 다 맞아요.

☐ 둘 다 맏아요.

2

☐ *계산이 맞는지 확인해요.

☐ 계산이 맏는지 확인해요.

***계산** 수를 세거나 더하기, 빼기 등의 셈을 함.

3

☐ 고양이가 생선 냄새를 맞아요.

☐ 고양이가 생선 냄새를 맏아요.

7주

받아쓰기

불러 주는 문장을 듣고, 빈칸에 들어갈 낱말을 받아쓰세요.

4

빵 냄새를 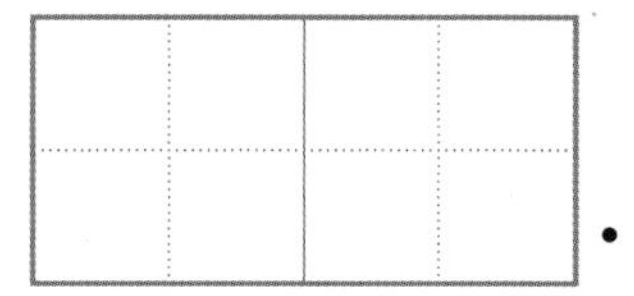.

5

엄마 말씀이 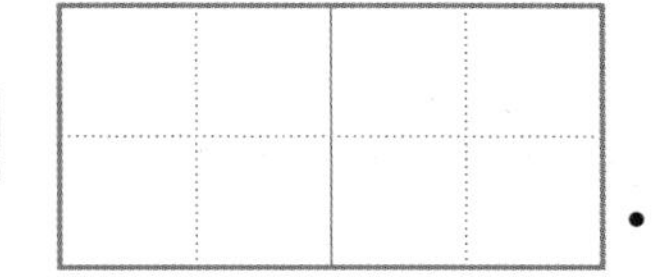.

엎다 / 업다

엎다

뜻 물건 따위를 거꾸로 돌려 위가 밑을 향하게 하다.

예 컵을 엎다.

업다

뜻 사람이나 동물 따위를 등에 대고 붙어 있게 하다.

예 아기를 업다.

'엎다'와 '업다'는 모두 [업따]로 소리 나요. 하지만 뜻은 다르므로 두 낱말을 잘 구별해서 쓰도록 해요.

따라쓰기

문장을 소리 내어 읽고, 낱말을 바르게 따라 쓰세요.

책을 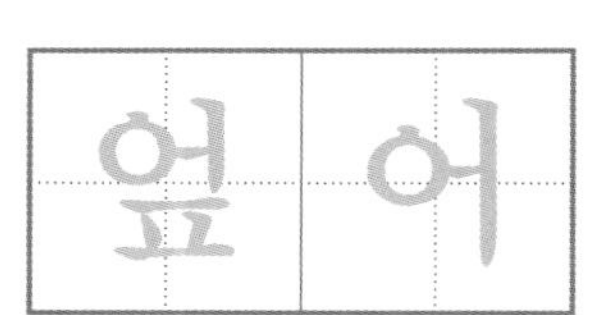 두어요.

그릇을 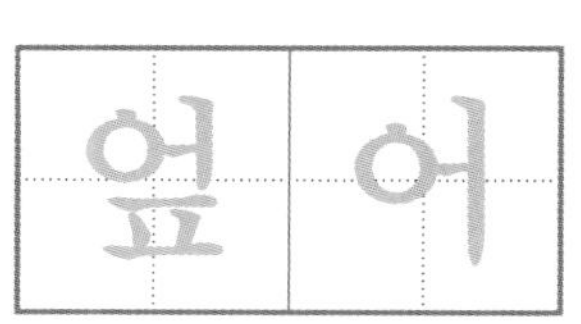 놓았어요.

할아버지께서 동생을 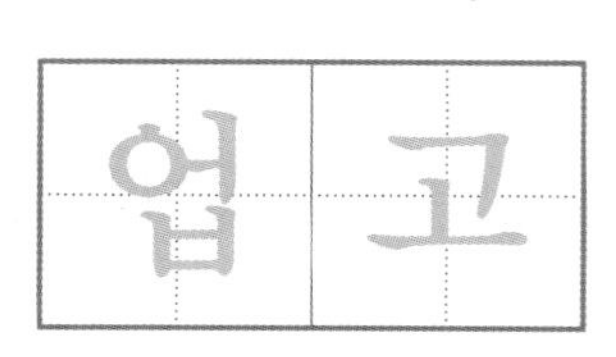 계세요.

확인하기

문장을 읽고, 알맞은 낱말에 ○표 하세요.

1

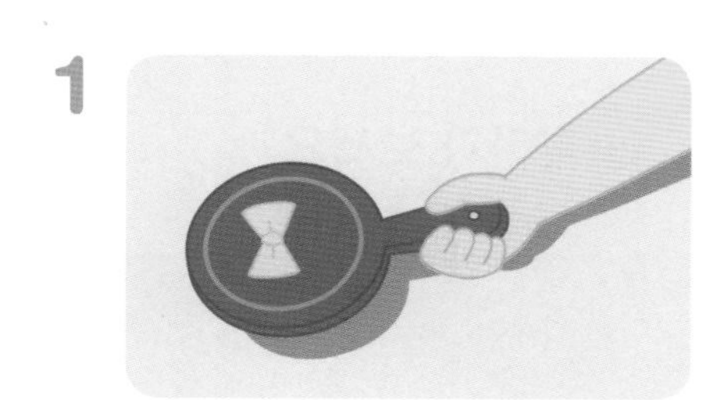

손거울을 [엎어 / 업어] 두었어요.

2

가방을 [엎어 / 업어] 물건을 찾아요.

3

아이가 인형을 [엎고 / 업고] 있어요.

받아쓰기

불러 주는 문장을 듣고, 빈칸에 들어갈 낱말을 받아쓰세요.

4

*바가지를 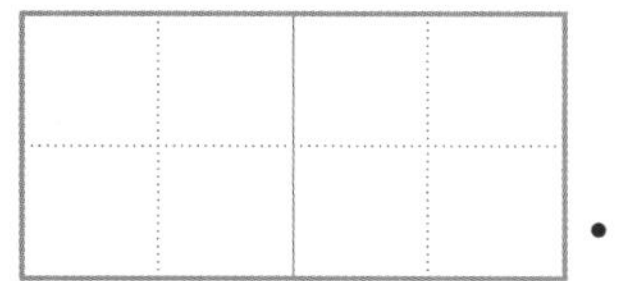 .

*바가지 물을 푸거나 물건을 담는 데 쓰는 둥글고 오목한 그릇.

5

우는 아이를 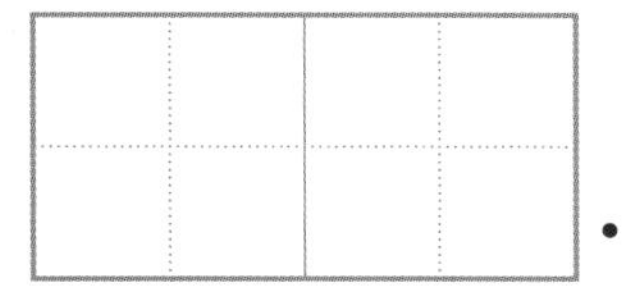 .

5일 실력 쑥쑥 마무리

확인하기

나비가 꽃밭에 갈 수 있도록 빈칸에 들어갈 알맞은 낱말을 따라 길을 찾아가 보세요.

1

확인하기

에 들어갈 알맞은 낱말을 찾아 선으로 이으세요.

2

고소한 냄새를 .

· 맞아요

· 맡아요

3

배추밭에 을 주어요.

· 거름

· 걸음

받아쓰기 불러 주는 문장을 잘 듣고, 맞춤법에 주의하며 받아쓰세요.

4

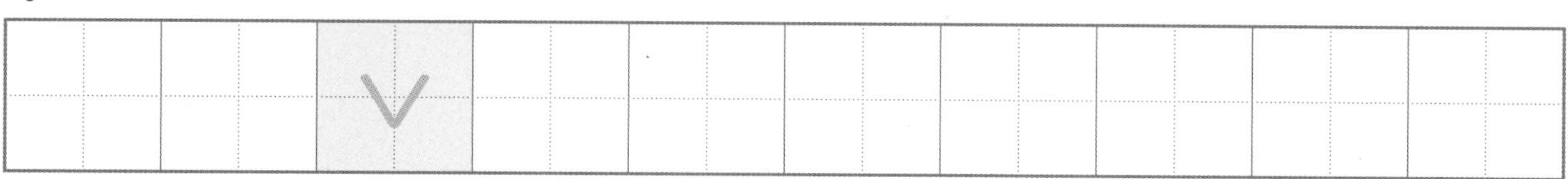

5

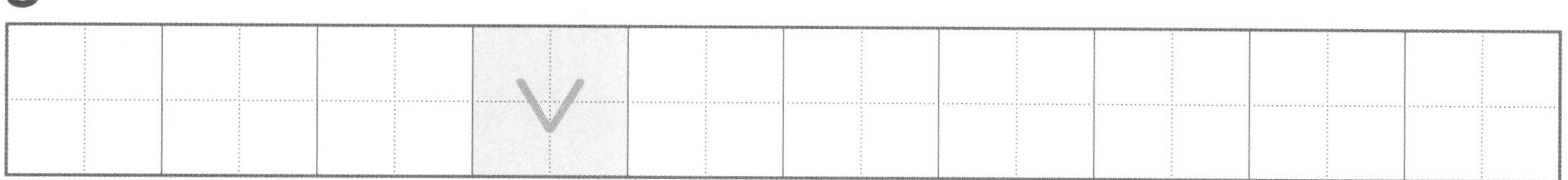

6

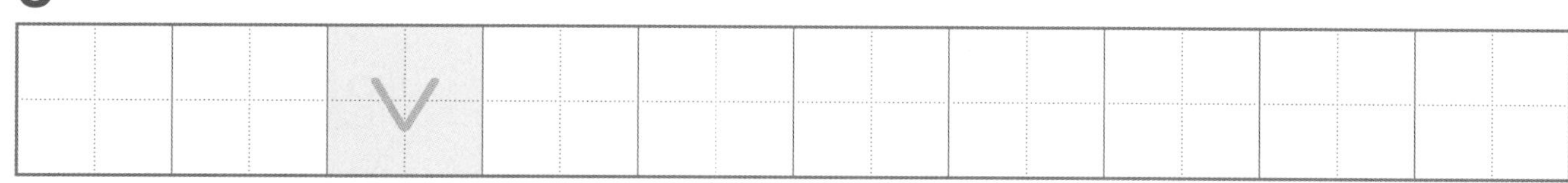

7

8

이렇게 띄어 쓰세요

'잊어버리다'와 '잃어버리다'를 쓸 때, '잊어∨버리다', '잃어∨버리다'로 띄어 쓰지 않도록 주의해요.

7주 어휘력 키우기

이번 주에 배운 낱말을 다시 읽고, 그 뜻을 익혀 보세요.

거름

뜻 식물이 잘 자라도록 땅에 뿌리거나 섞는 것.

걸음

뜻 두 다리를 번갈아 떼어 움직여서 자리를 옮기는 것.

잊어버리다

뜻 기억하지 못하다. 완전히 잊다.

잃어버리다

뜻 가지고 있던 물건이 없어져 더 이상 갖지 않게 되다.

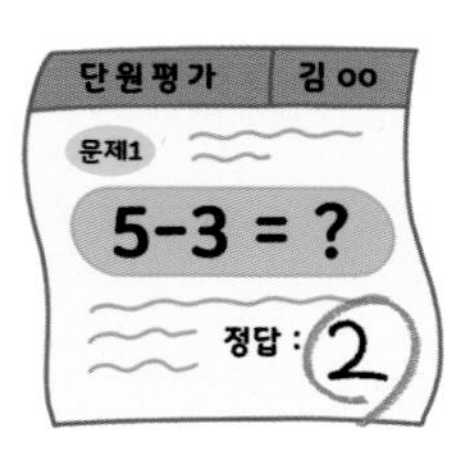

맞다

뜻 틀리지 않다.

맡다

뜻 코를 통해 냄새를 알아차리다.

엎다

뜻 물건 따위를 거꾸로 돌려 위가 밑을 향하게 하다.

업다

뜻 사람이나 동물 따위를 등에 대고 붙어 있게 하다.

시작

1일
우리 / 저희

2일
햇빛 / 햇볕

3일
~이에요 / ~예요

4일
~이었다 / ~였다

5일
실력 쑥쑥 마무리

1일 우리 / 저희

우리

뜻 자신과 듣는 사람을 포함한 여러 사람을 가리키는 말.

예 우리가 도와줄게.

저희

뜻 듣는 사람을 높이려고 '우리'를 낮추어 부르는 말.

예 저희가 도와드릴게요.

'우리'와 '저희'는 모두 '자신과 듣는 사람을 포함한 여러 사람을 가리키는 말.'이라는 뜻을 가지고 있지만, 듣는 사람을 높이고 싶을 때는 '저희'라고 써야 해요.

따라쓰기 문장을 소리 내어 읽고, 낱말을 바르게 따라 쓰세요.

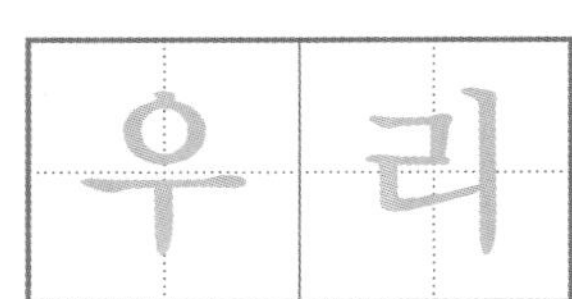

랑 같이 놀자.

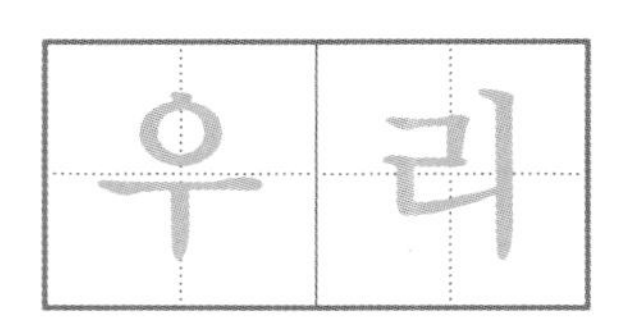

집에 초대할게.

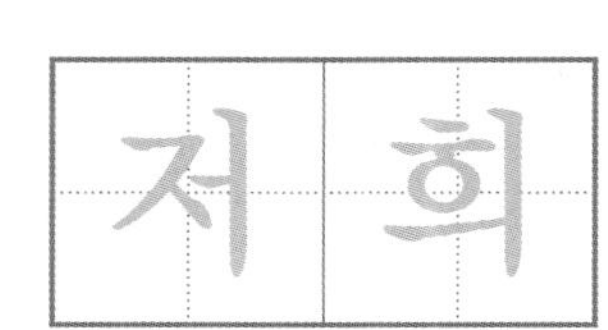

가 쓴 편지예요.

확인하기

문장을 읽고, 밑줄 친 낱말이 바르면 ○표 , 틀리면 ×표 하세요.

1

<ins>우리</ins> 반에 새로 온 친구야. 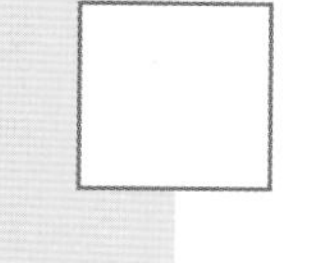

2

<ins>저희</ins> 가족은 모두 세 명이야. 

3

선생님, <ins>저희가</ins> 그린 그림이에요. ☐

받아쓰기

불러 주는 문장을 듣고, 빈칸에 들어갈 낱말을 받아쓰세요.

4

한글은  나라 글자예요.

5

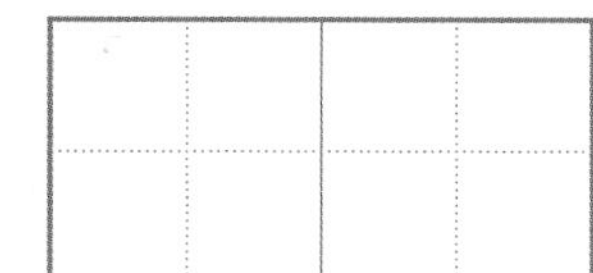 는 놀이공원에 갈래요.

햇빛 / 햇볕

햇빛

햇볕

뜻 해가 비치는 빛을 뜻하는 말.

예 햇빛이 환하다.

뜻 해가 내리쬐는 뜨거운 기운을 뜻하는 말.

예 햇볕이 따뜻하다.

'햇빛'은 눈에 보이는 빛, '햇볕'은 피부로 느낄 수 있는 뜨거운 기운임을 기억하면 구별하기 쉬워요.

따라쓰기

문장을 소리 내어 읽고, 낱말을 바르게 따라 쓰세요.

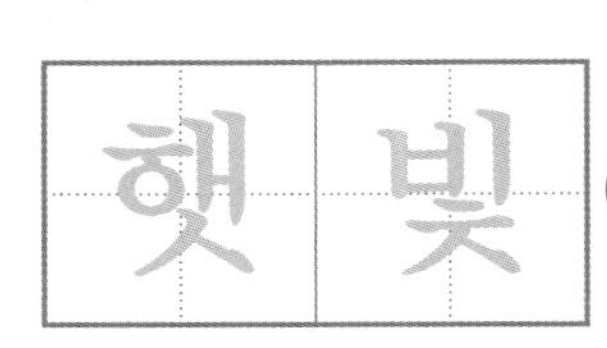

이 눈부셔요.

손으로 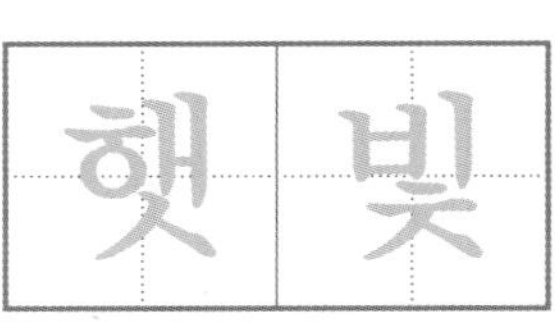

을 가려요.

여름 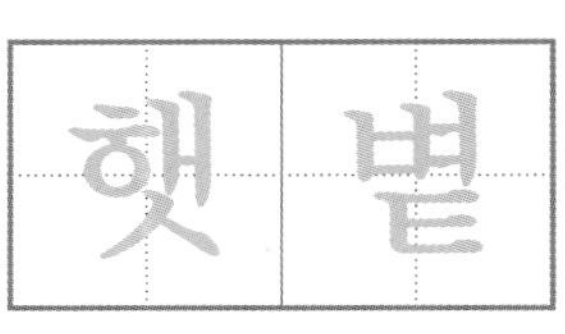

이 따가워요.

확인하기

문장을 읽고, 안의 낱말이 바르면 ○표, 틀리면 ×표 하세요.

1 햇빛이 밝아요. ( )

2 

햇볕에 살이 탔어요. ( )

3 

구름 사이로 햇볕이 보여요. ( )

받아쓰기

불러 주는 문장을 듣고, 빈칸에 들어갈 낱말을 받아쓰세요.

4 

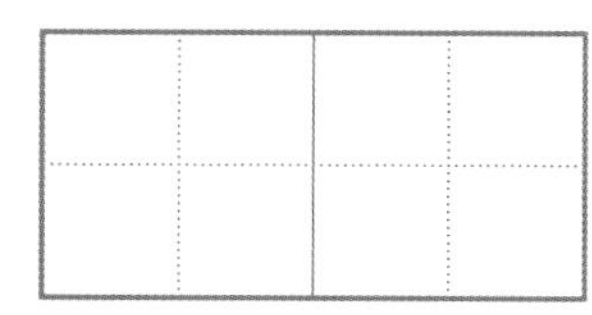에 빨래를 말려요.

5 

바닷물이 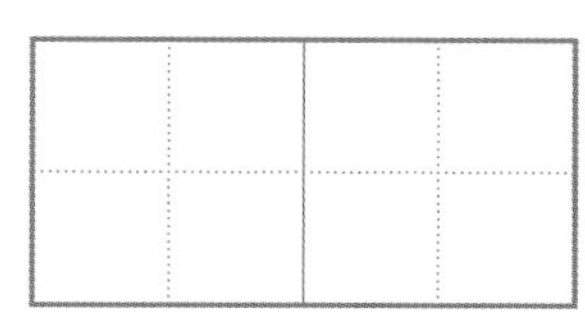에 반짝여요.

~이에요 / ~예요

~이에요

뜻 무엇이 무엇과 같거나 무엇에 속하여 있음을 나타내는 말.

예 저는 1학년이에요.

~예요

뜻 '~이에요'를 줄인 말.

예 우리는 친구예요.

'-예요'는 '-이에요'를 줄인 말로 받침이 있는 말 뒤에는 '-이에요', 받침이 없는 말 뒤에는 '-예요'를 써요. '-이에요'는 '-이예요'로 잘못 쓰지 않도록 주의해야 해요.

따라쓰기

문장을 소리 내어 읽고, 낱말을 바르게 따라 쓰세요.

저는 초등학생 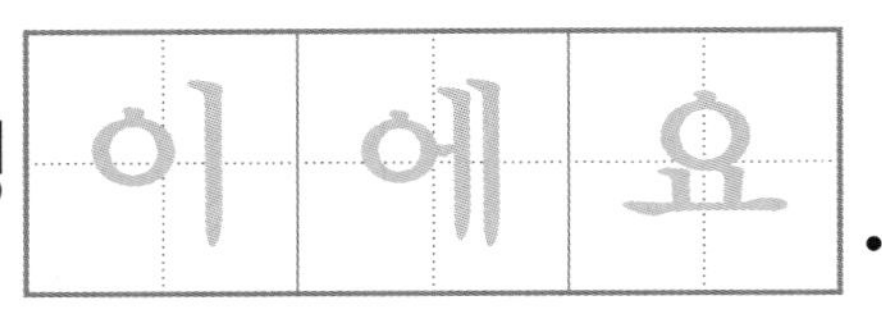

.

오늘은 월요일 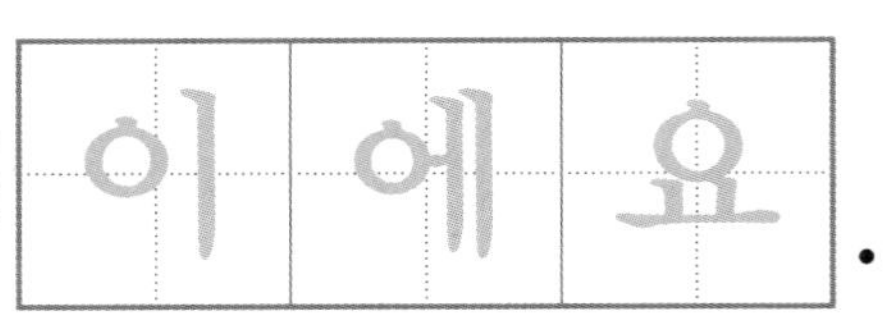

.

이 꽃은 해바라기 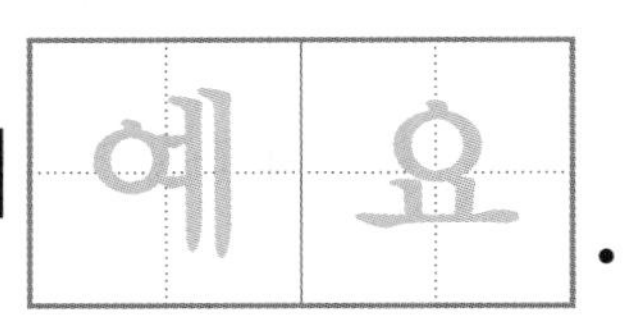

.

확인하기

문장을 읽고, 바르게 쓴 낱말에 ○표 하세요.

1 잘하는 운동은 축구 (에요 / 예요).

2 키우는 동물은 강아지 (에요 / 예요).

3 좋아하는 음식은 떡 (이에요 / 이예요).

받아쓰기

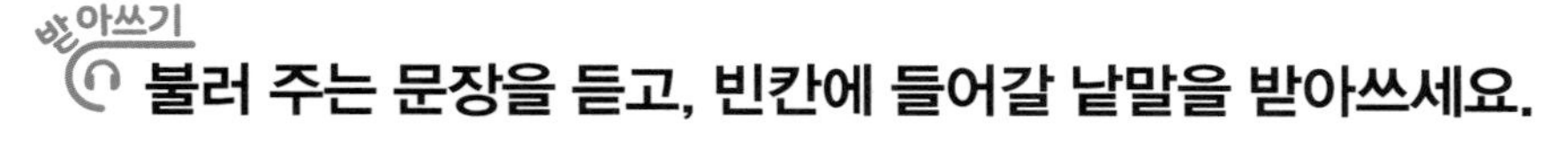

4

동생은 잠꾸러기 □□□□.

5

잠자리는 곤충 □□□□□□.

8주

~이었다 / ~였다

~이었다

~였다

뜻 '~이다'에 지난 일을 나타내는 '-었-'을 붙인 말.

예 내가 본 것은 사슴이었다.

뜻 '~이었다'를 줄인 말.

예 동생이 본 것은 다람쥐였다.

'~였다'는 '~이었다'를 줄인 말로 받침이 있는 말 뒤에는 '~이었다', 받침이 없는 말 뒤에는 '~였다'를 써요. '~이었다'는 '~이였다'로 잘못 쓰지 않도록 주의해야 해요.

따라쓰기

문장을 소리 내어 읽고, 낱말을 바르게 따라 쓰세요.

그것은 새 발자국 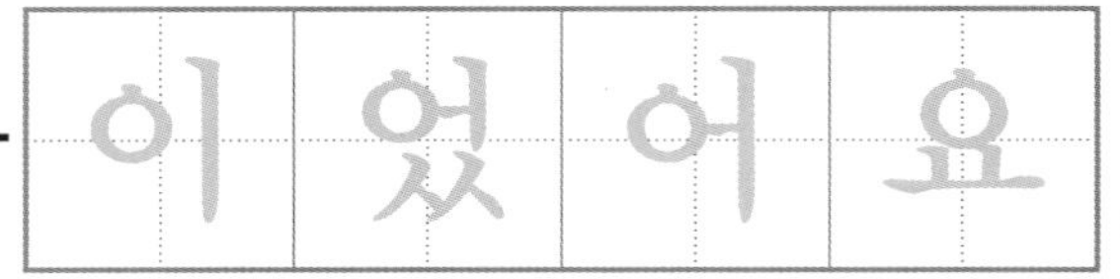

.

어제는 누나 생일 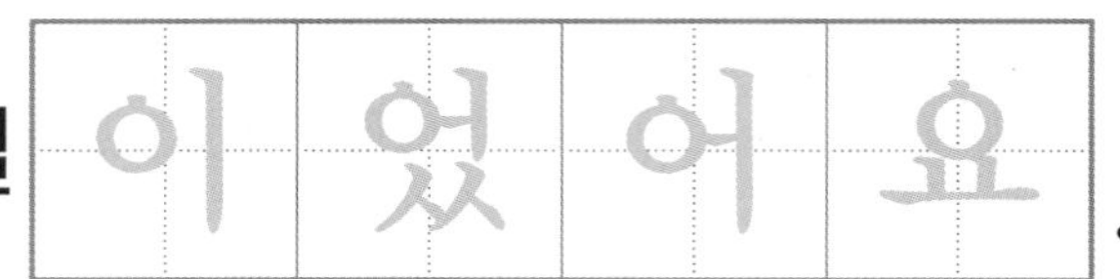

.

즐거운 나들이 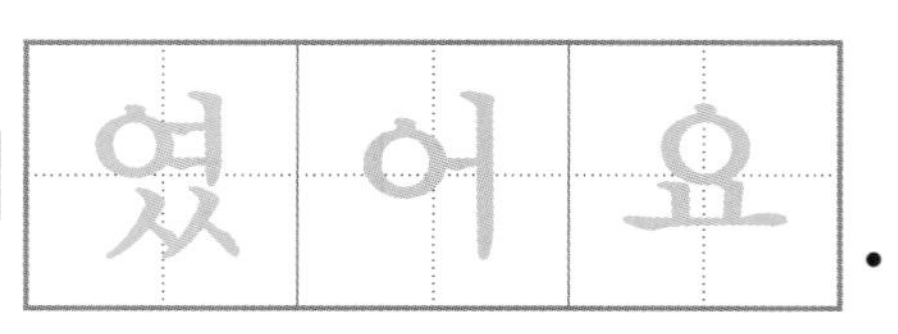

.

확인하기
문장을 읽고, 밑줄 친 낱말이 바르면 ○표, 틀리면 ×표 하세요.

1 가족과 갔던 곳은 바다었어요. (   )

2 내가 본 것은 커다란 배였어요. (   )

3 그 배는 하얀색이었어요. (   )

받아쓰기
불러 주는 문장을 듣고, 빈칸에 들어갈 낱말을 받아쓰세요.

4

여기는 옛날에 바다 [ ].

5

어제 그린 것은 공룡 [ ].

5일 실력 쑥쑥 마무리

확인하기
친구가 잃어버린 조각을 찾고 있어요. 밑줄 친 낱말이 바르게 쓰인 것을 모두 골라 ○표 하세요.

1

확인하기
(　　)에 들어갈 알맞은 낱말을 찾아 선으로 이으세요.

2

(　　) 모두 힘을 합치자. ·

· 우리
· 저희

3

(　　)가 집안일을 도울게요. ·

· 우리
· 저희

받아쓰기 불러 주는 문장을 잘 듣고, 맞춤법에 주의하며 받아쓰세요.

4

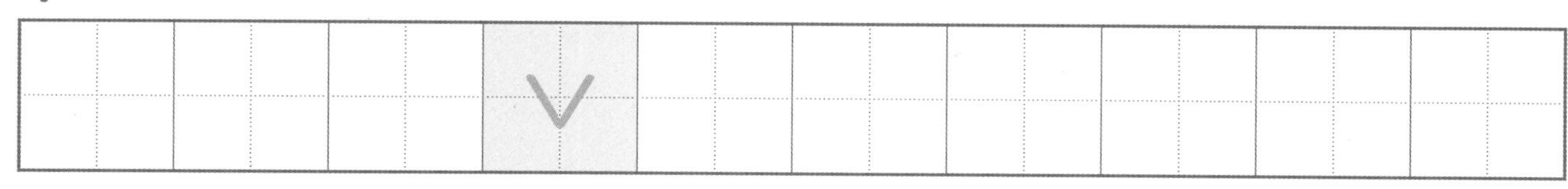

5

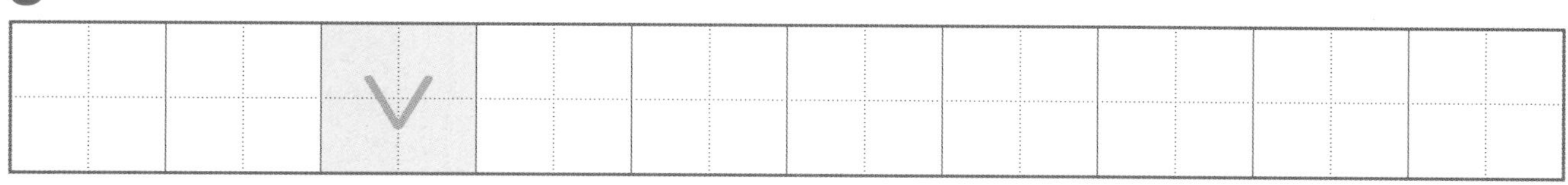

6

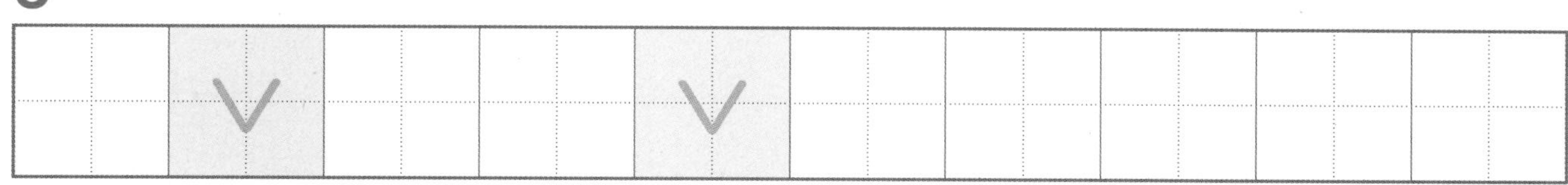

7

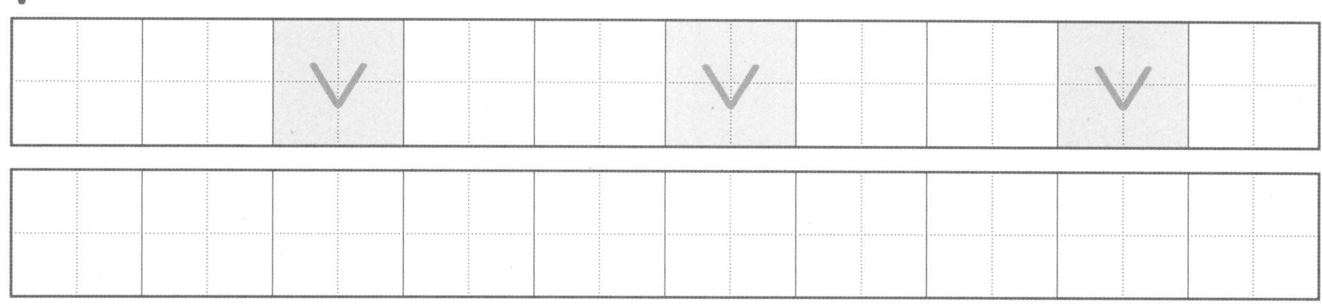

8

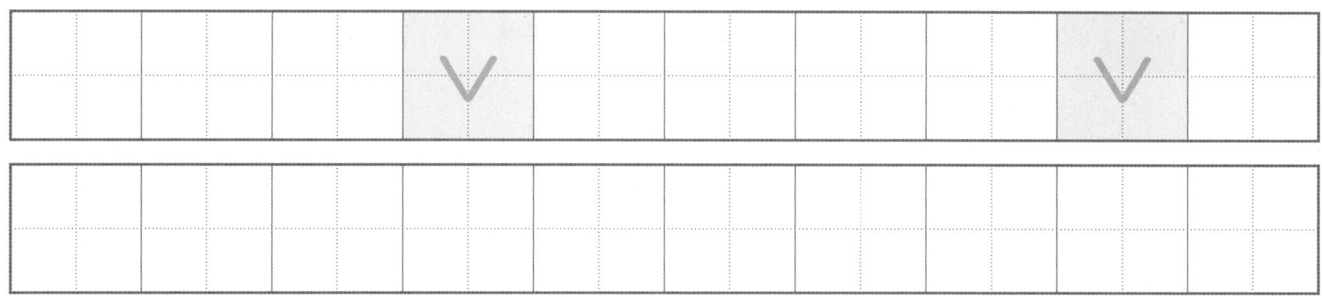

'~이에요/~예요'나 '~이었어요/~였어요'와 같은 말은 앞말에 붙여 써요.

이번 주에 배운 낱말을 다시 읽고, 그 뜻을 익혀 보세요.

우리

뜻 자신과 듣는 사람을 포함한 여러 사람을 가리키는 말.

저희

뜻 듣는 사람을 높이려고 '우리'를 낮추어 부르는 말.

햇빛

뜻 해가 비치는 빛을 뜻하는 말.

햇볕

뜻 해가 내리쬐는 뜨거운 기운을 뜻하는 말.

~이에요

뜻 무엇이 무엇과 같거나 무엇에 속하여 있음을 나타내는 말.

~예요

뜻 '~이에요'를 줄인 말.

~이었다

뜻 '~이다'에 지난 일을 나타내는 '-었-'을 붙인 말.

~였다

뜻 '~이었다'를 줄인 말.

맞춤법 실력 쑥쑥 상

이름 ____________________

위 어린이는 훌륭하게

초능력 맞춤법+받아쓰기 1-1을 마치고

우수한 맞춤법 실력을 쌓았기에

이 상장을 드립니다.

년 월 일

차례

16쪽 | 17쪽

1일 모음자 ㅏ, ㅑ, ㅓ, ㅕ, ㅣ가 쓰인 말

나비 — 나 비

기차 — 기 차

모음자 ㅏ, ㅑ, ㅓ, ㅕ, ㅣ가 어떤 자음자를 만나는지에 따라 글자의 모양과 읽을 때의 소리가 달라져요.

모음자 ㅏ, ㅑ, ㅓ, ㅕ, ㅣ는 자음자의 오른쪽에 씁니다.

따라쓰기 낱말을 소리 내어 읽고, 바르게 따라 쓰세요.

다리 — 다 리

이야기 — 이 야 기

거미 — 거 미

여자 — 여 자

모음자 ㅑ와 ㅕ는 모음자 ㅏ와 ㅓ에 선을 더하여 씁니다.

16

월 일 정답과 풀이 1쪽

확인하기 문장을 읽고, 빈칸에 들어갈 바른 낱말을 찾아 선으로 이으세요.

1 나는 [ ] 예요. — 야자 / 여자 (여자)

2 [ ] 가 달려요. — 기차 (기차) / 거차

3 [ ] 가 날아요. — 나비 (나비) / 너비

모음자 ㅓ와 ㅣ의 모양과 소리를 생각하며 낱말을 씁니다.

받아쓰기 불러 주는 문장을 듣고, 빈칸에 들어갈 낱말을 받아쓰세요.

4 거 미 가 줄을 타요.

5 이 야 기 를 들어요.

모음자 ㅑ와 ㅣ의 모양과 소리를 생각하며 낱말을 씁니다.

17

18쪽 | 19쪽

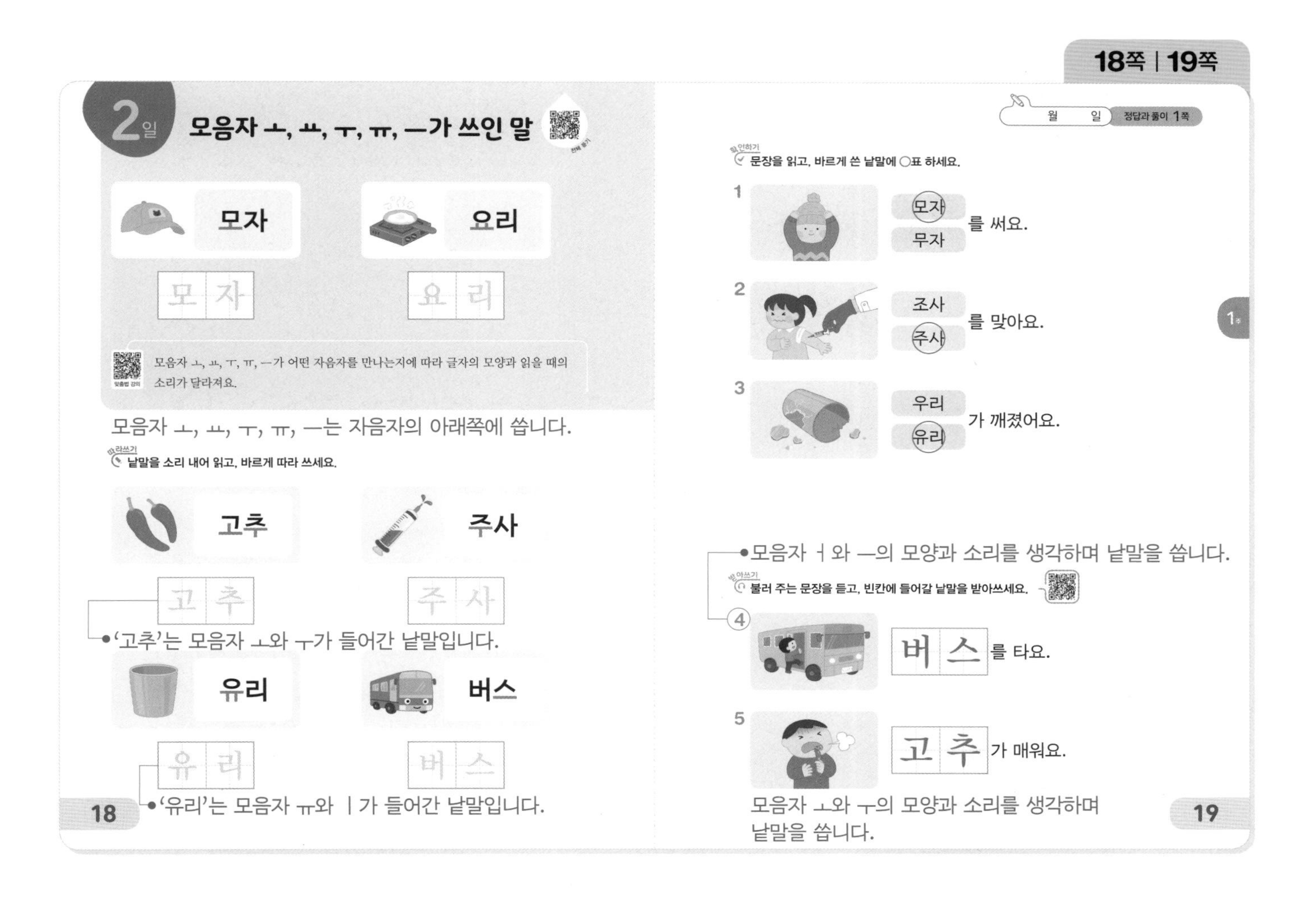

2일 모음자 ㅗ, ㅛ, ㅜ, ㅠ, ㅡ가 쓰인 말

모자 — 모 자

요리 — 요 리

모음자 ㅗ, ㅛ, ㅜ, ㅠ, ㅡ가 어떤 자음자를 만나는지에 따라 글자의 모양과 읽을 때의 소리가 달라져요.

모음자 ㅗ, ㅛ, ㅜ, ㅠ, ㅡ는 자음자의 아래쪽에 씁니다.

따라쓰기 낱말을 소리 내어 읽고, 바르게 따라 쓰세요.

고추 — 고 추

주사 — 주 사

'고추'는 모음자 ㅗ와 ㅜ가 들어간 낱말입니다.

유리 — 유 리

버스 — 버 스

'유리'는 모음자 ㅠ와 ㅣ가 들어간 낱말입니다.

18

월 일 정답과 풀이 1쪽

확인하기 문장을 읽고, 바르게 쓴 낱말에 ○표 하세요.

1 (모자) / 무자 를 써요.

2 조사 / (주사) 를 맞아요.

3 우리 / (유리) 가 깨졌어요.

모음자 ㅓ와 ㅡ의 모양과 소리를 생각하며 낱말을 씁니다.

받아쓰기 불러 주는 문장을 듣고, 빈칸에 들어갈 낱말을 받아쓰세요.

4 버 스 를 타요.

5 고 추 가 매워요.

모음자 ㅗ와 ㅜ의 모양과 소리를 생각하며 낱말을 씁니다.

19

20쪽 | 21쪽

3일 쌍자음자와 기본 모음자

토끼 — 토 끼

짜요 — 짜 요

ㄲ, ㄸ, ㅃ, ㅆ, ㅉ은 같은 자음자 두 개를 나란히 붙여 쓰는 쌍자음자예요. 읽을 때는 ㄱ, ㄷ, ㅂ, ㅅ, ㅈ보다 더 강하게 소리 나요.

ㄲ, ㄸ, ㅃ, ㅆ, ㅉ이 들어간 낱말과 ㄱ, ㄷ, ㅂ, ㅅ, ㅈ이 들어간 낱말의 모양과 소리를 비교해 봅니다. 예 꼬리-고리

따라쓰기 낱말을 소리 내어 읽고, 바르게 따라 쓰세요.

꼬리 — 꼬 리

허리띠 — 허 리 띠

뿌리 — 뿌 리

아저씨 — 아 저 씨

20

월 일 정답과 풀이 2쪽

확인하기 문장을 읽고, 밑줄 친 낱말이 바르면 ○표, 틀리면 ×표 하세요.

1 꼬리가 길어요. ○

2 허리띠를 매요. ○

3 아저시께 인사해요. ×

'아저씨'가 알맞습니다.

쌍자음자 ㄲ의 모양과 소리를 생각하며 낱말을 씁니다.

받아쓰기 불러 주는 문장을 듣고, 빈칸에 들어갈 낱말을 받아쓰세요.

4 토 끼 가 뛰어요.

5 뿌 리 가 길게 자랐어요.

쌍자음자 ㅃ의 모양과 소리를 생각하며 낱말을 씁니다.

21

22쪽 | 23쪽

4일 받침과 기본 모음자

기린 — 기 린

호랑이 — 호 랑 이

자음자와 모음자를 합하여 만든 글자의 아래에 자음자를 더하면 받침이 있는 글자가 돼요.

따라쓰기 낱말을 소리 내어 읽고, 바르게 따라 쓰세요.

'거울'의 '울'은 '우' 아래에 ㄹ 받침을 씁니다.

낙타 — 낙 타

거울 — 거 울

구름 — 구 름

지갑 — 지 갑

'구름'의 '름'은 '르' 아래에 ㅁ 받침을 씁니다.

22

월 일 정답과 풀이 2쪽

확인하기 문장을 읽고, 바르게 쓴 낱말에 ○표 하세요.

1 기링 / (기린) 이 잎을 먹어요.

2 (호랑이) / 호람이 가 자고 있어요.

3 하늘에 (구름) / 구릉 이 떠 있어요.

받아쓰기 불러 주는 문장을 듣고, 빈칸에 들어갈 낱말을 받아쓰세요.

4 지 갑 에서 동전을 꺼내요.

ㅂ 받침에 주의하여 씁니다.

5 낙 타 가 *사막을 걸어가요.

*사막 물의 양이 모자라서 식물이 거의 자라지 않는, 모래와 돌로 뒤덮인 땅.

ㄱ 받침에 주의하여 씁니다.

23

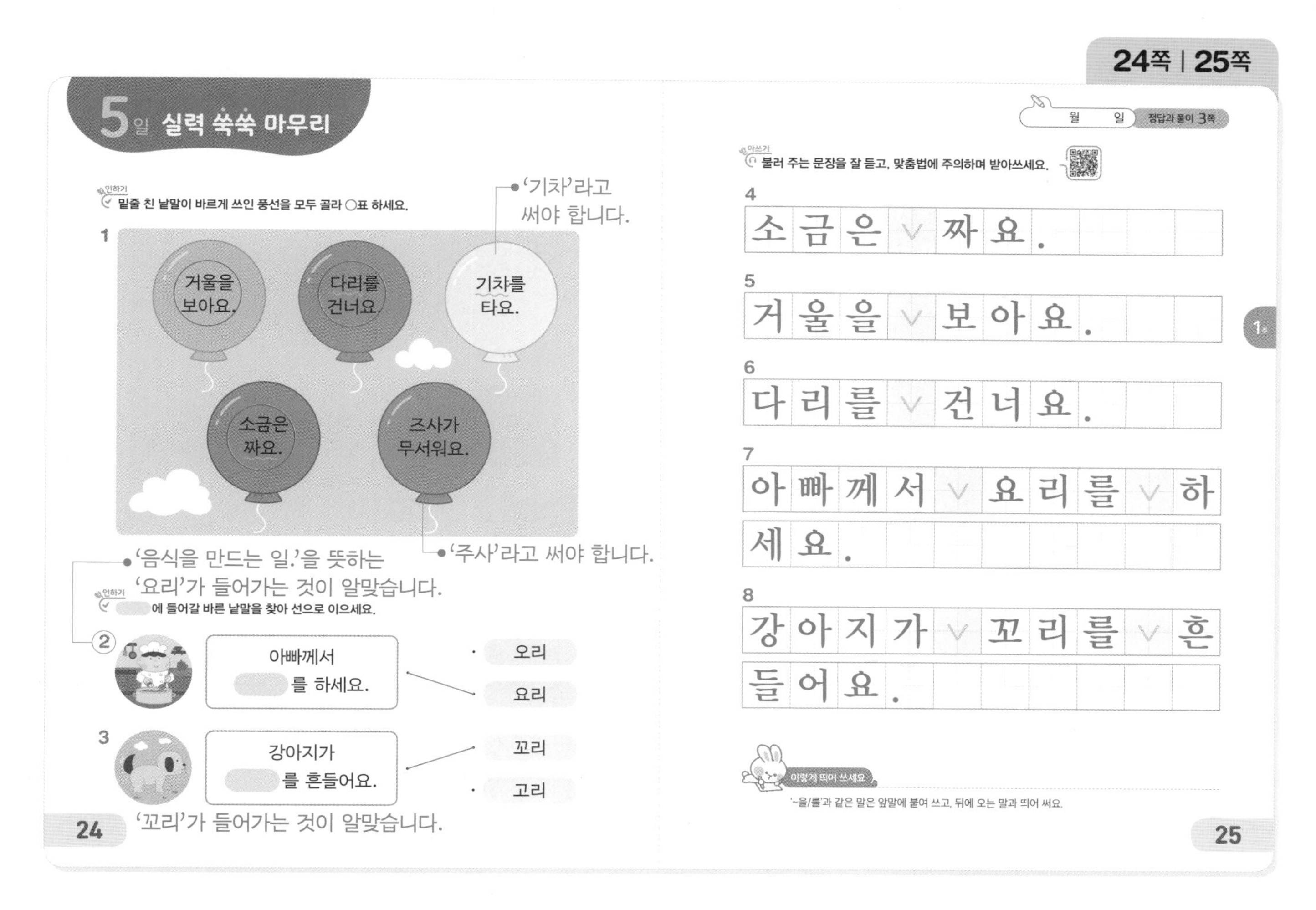

24쪽 | 25쪽

5일 실력 쑥쑥 마무리

확인하기 밑줄 친 낱말이 바르게 쓰인 풍선을 모두 골라 ○표 하세요.

1

거울을 보아요. / 다리를 건너요. / 기챠를 타요. / 소금은 짜요. / 즈사가 무서워요.

'기차'라고 써야 합니다.

'주사'라고 써야 합니다.

확인하기 ( ) 에 들어갈 바른 낱말을 찾아 선으로 이으세요.

'음식을 만드는 일.'을 뜻하는 '요리'가 들어가는 것이 알맞습니다.

2 아빠께서 ( )를 하세요. — 오리 / 요리

3 강아지가 ( )를 흔들어요. — 꼬리 / 고리

'꼬리'가 들어가는 것이 알맞습니다.

24

월 일 정답과 풀이 3쪽

받아쓰기 불러 주는 문장을 잘 듣고, 맞춤법에 주의하며 받아쓰세요.

4 소금은 짜요.

5 거울을 보아요.

6 다리를 건너요.

7 아빠께서 요리를 하세요.

8 강아지가 꼬리를 흔들어요.

이렇게 띄어 쓰세요

'~을/를'과 같은 말은 앞말에 붙여 쓰고, 뒤에 오는 말과 띄어 써요.

25

28쪽 | 29쪽

1일 모음자 ㅘ가 쓰인 말

사과 / 장화

사과 / 장화

모음자 ㅘ는 모음자 ㅏ로 잘못 쓰기 쉬워요. 모음자 ㅘ의 모양과 소리에 주의하며 쓰도록 해요.

모음자 ㅘ는 모음자 ㅗ에 ㅏ를 더하여 씁니다.

따라쓰기 낱말을 소리 내어 읽고, 바르게 따라 쓰세요.

과일 / 화가 / 과자 / 화살

28

월 일 정답과 풀이 3쪽

확인하기 문장을 읽고, ( ) 안의 낱말이 바르면 ○표, 틀리면 ×표 하세요.

1 사가 를 깎아요. (×)
'사과'가 알맞습니다.

2 화살 을 쏘아요. (○)

3 장하 를 신고 있어요. (×)
'장화'가 알맞습니다.

받아쓰기 불러 주는 문장을 듣고, 빈칸에 들어갈 낱말을 받아쓰세요.

'가자'라고 쓰지 않도록 주의합니다.

4 과자 를 먹어요.

5 나는 화가 가 되고 싶어요.

'하가'라고 쓰지 않도록 주의합니다.

29

30쪽 | 31쪽

32쪽 | 33쪽

34쪽 | 35쪽

4일 모음자 ㅐ, ㅔ가 쓰인 말

재 / 계단

재 / 계 단

모음자 ㅐ는 ㅏ와, 모음자 ㅔ는 ㅓ와 소리와 모양이 비슷해서 헷갈리기 쉬우므로 주의해서 써야 해요.

모음자 ㅐ는 모음자 ㅏ에 ㅣ를, 모음자 ㅔ는 모음자 ㅓ에 ㅣ를 더하여 씁니다.

따라쓰기 낱말을 소리 내어 읽고, 바르게 따라 쓰세요.

애기 / 시계 / 차례 / 예뻐요

애 기 / 시 계 / 차 례 / 예 뻐 요

34

월 일 정답과 풀이 5쪽

확인하기 문장을 읽고, 바르게 쓴 낱말에 ○표 하세요.

1 신발이 에뻐요. / (예뻐요.)

2 시게 / (시계) 를 보아요.

3 (차례) / 차레 를 지켜요.

'게단'이라고 쓰지 않도록 주의합니다.

받아쓰기 불러 주는 문장을 듣고, 빈칸에 들어갈 낱말을 받아쓰세요.

4 계 단 을 올라가요.

5 친구와 얘 기 해요.

'애기'라고 쓰지 않도록 주의합니다.

35

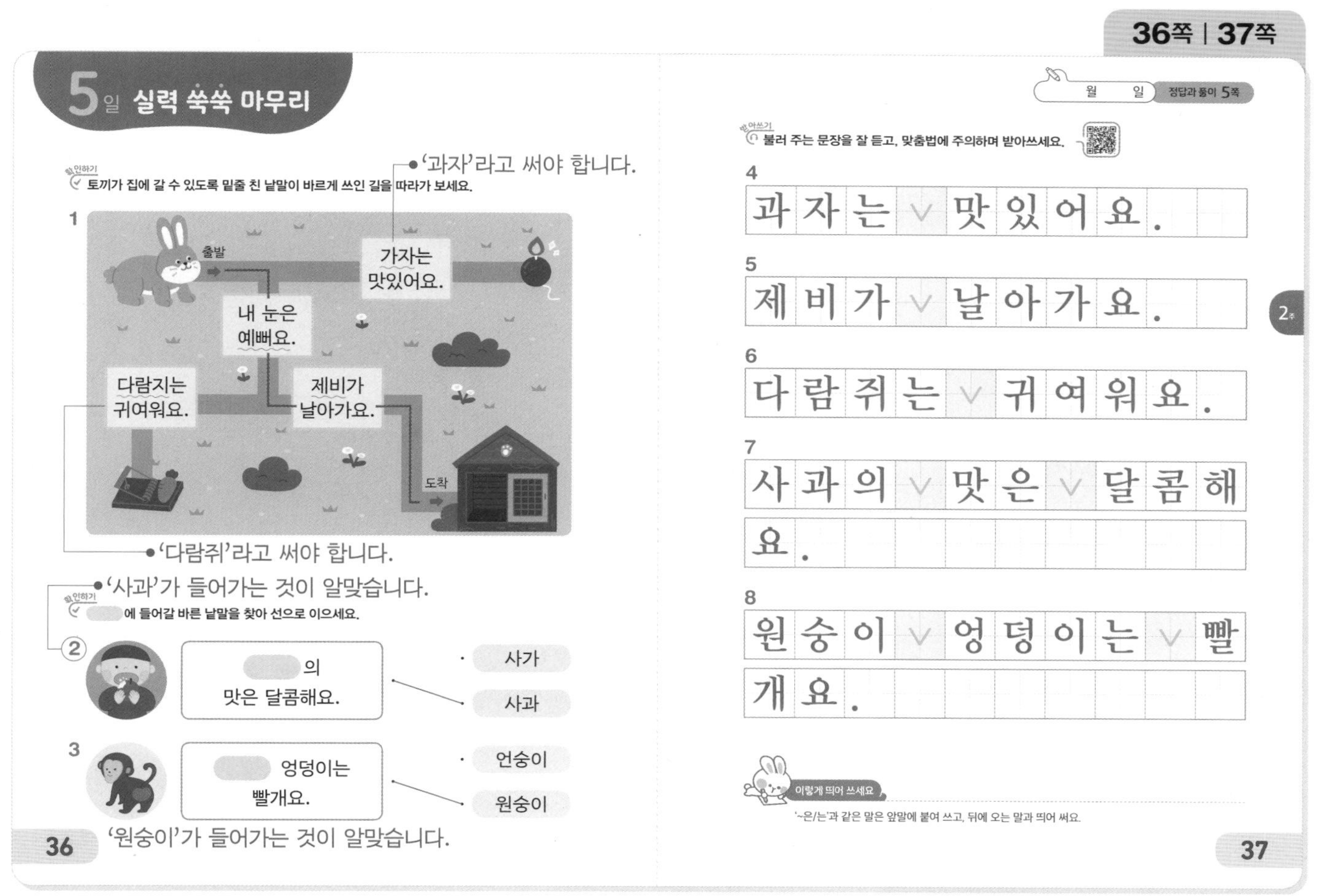

36쪽 | 37쪽

5일 실력 쑥쑥 마무리

확인하기 토끼가 집에 갈 수 있도록 밑줄 친 낱말이 바르게 쓰인 길을 따라가 보세요.

'과자'라고 써야 합니다.

1

'다람쥐'라고 써야 합니다.

'사과'가 들어가는 것이 알맞습니다.

확인하기 ▢에 들어갈 바른 낱말을 찾아 선으로 이으세요.

2 ▢의 맛은 달콤해요. — 사가 / 사과

3 ▢ 엉덩이는 빨개요. — 언숭이 / 원숭이

'원숭이'가 들어가는 것이 알맞습니다.

36

월 일 정답과 풀이 5쪽

받아쓰기 불러 주는 문장을 잘 듣고, 맞춤법에 주의하며 받아쓰세요.

4 과자는 ∨ 맛있어요.

5 제비가 ∨ 날아가요.

6 다람쥐는 ∨ 귀여워요.

7 사과의 ∨ 맛은 ∨ 달콤해요.

8 원숭이 ∨ 엉덩이는 ∨ 빨개요.

이렇게 띄어 쓰세요

'~은/는'과 같은 말은 앞말에 붙여 쓰고, 뒤에 오는 말과 띄어 써요.

37

40쪽 | 41쪽

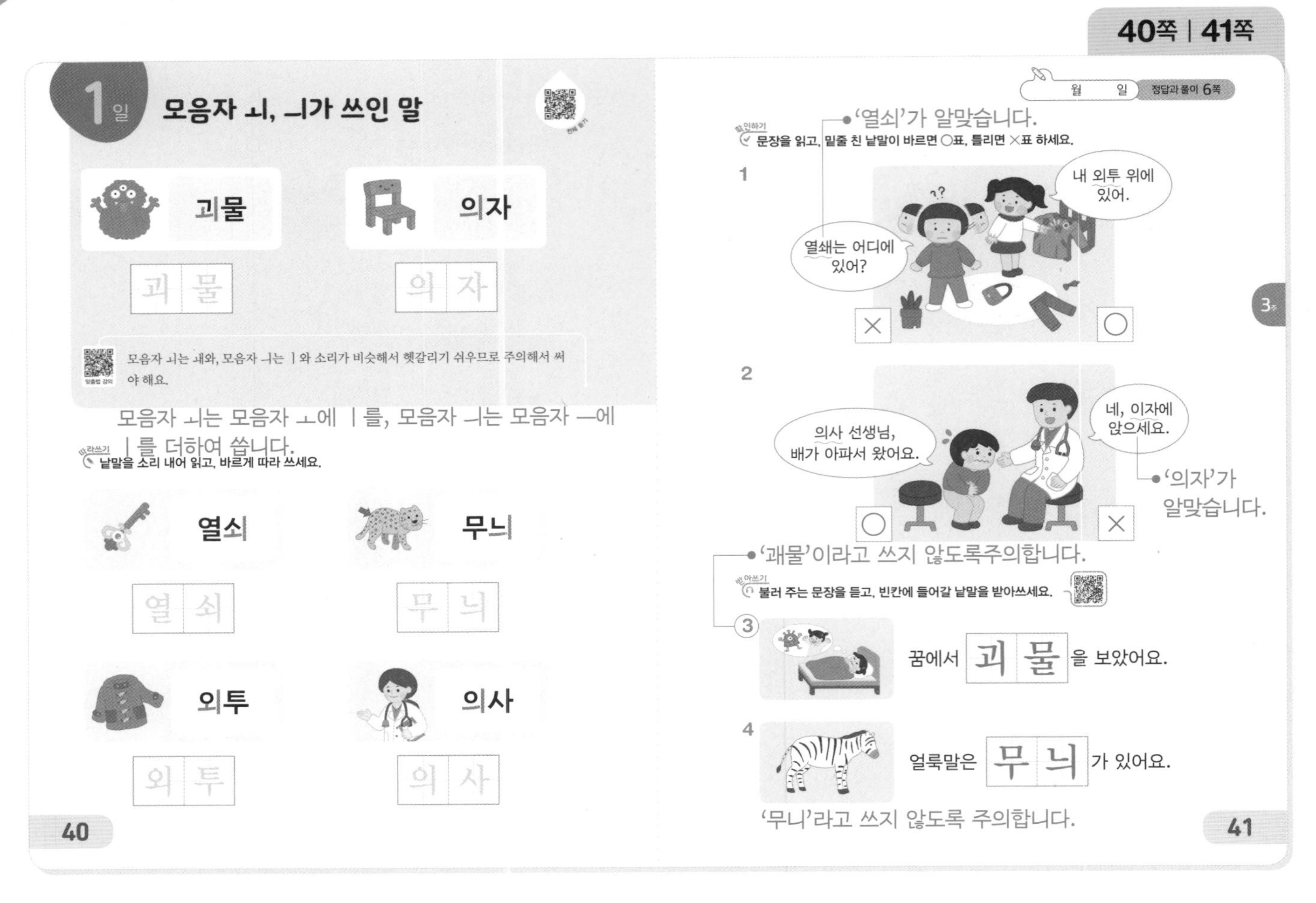

1일 모음자 ㅚ, ㅢ가 쓰인 말

괴물 / 의자

모음자 ㅚ는 ㅙ와, 모음자 ㅢ는 ㅣ와 소리가 비슷해서 헷갈리기 쉬우므로 주의해서 써야 해요.

모음자 ㅚ는 모음자 ㅗ에 ㅣ를, 모음자 ㅢ는 모음자 ㅡ에 ㅣ를 더하여 씁니다.

따라쓰기 낱말을 소리 내어 읽고, 바르게 따라 쓰세요.

열쇠 / 무늬 / 외투 / 의사

확인하기 문장을 읽고, 밑줄 친 낱말이 바르면 ○표, 틀리면 ×표 하세요.

'열쇠'가 알맞습니다.

1 열쇄는 어디에 있어? × 내 외투 위에 있어. ○

2 의사 선생님, 배가 아파서 왔어요. ○ 네, 이자에 앉으세요. ×

'의자'가 알맞습니다.

받아쓰기 불러 주는 문장을 듣고, 빈칸에 들어갈 낱말을 받아쓰세요.

'괘물'이라고 쓰지 않도록 주의합니다.

3 꿈에서 괴물을 보았어요.

4 얼룩말은 무늬가 있어요.

'무니'라고 쓰지 않도록 주의합니다.

40 41

42쪽 | 43쪽

2일 모음자 ㅙ, ㅞ가 쓰인 말

왜 / 스웨터

모음자 ㅙ와 ㅞ는 소리가 비슷해서 헷갈리기 쉬우므로, 어떤 낱말에 어떤 모음자를 써야 하는지 잘 기억해야 해요.

모음자 ㅙ는 모음자 ㅗ에 ㅐ를, 모음자 ㅞ는 모음자 ㅜ에 ㅔ를 더하여 씁니다.

따라쓰기 낱말을 소리 내어 읽고, 바르게 따라 쓰세요.

돼지 / 상쾌 / 횃불 / 궤짝

확인하기 문장을 읽고, 낱말을 바르게 쓴 문장에 ✓표 하세요.

1 ☑ 친구야, 왜 우니? ☐ 친구야, 웨 우니?

2 ☑ 기분이 상쾌해요. ☐ 기분이 상퀘해요.

3 ☐ 괘짝 안에 사과가 있어요. ☑ 궤짝 안에 사과가 있어요.

'뒈지' 또는 '되지'라고 쓰지 않도록 주의합니다.

받아쓰기 불러 주는 문장을 듣고, 빈칸에 들어갈 낱말을 받아쓰세요.

4 돼지를 길러요.

5 추워서 스웨터를 입었어요.

'스왜터' 또는 '스외터'라고 쓰지 않도록 주의합니다.

42 43

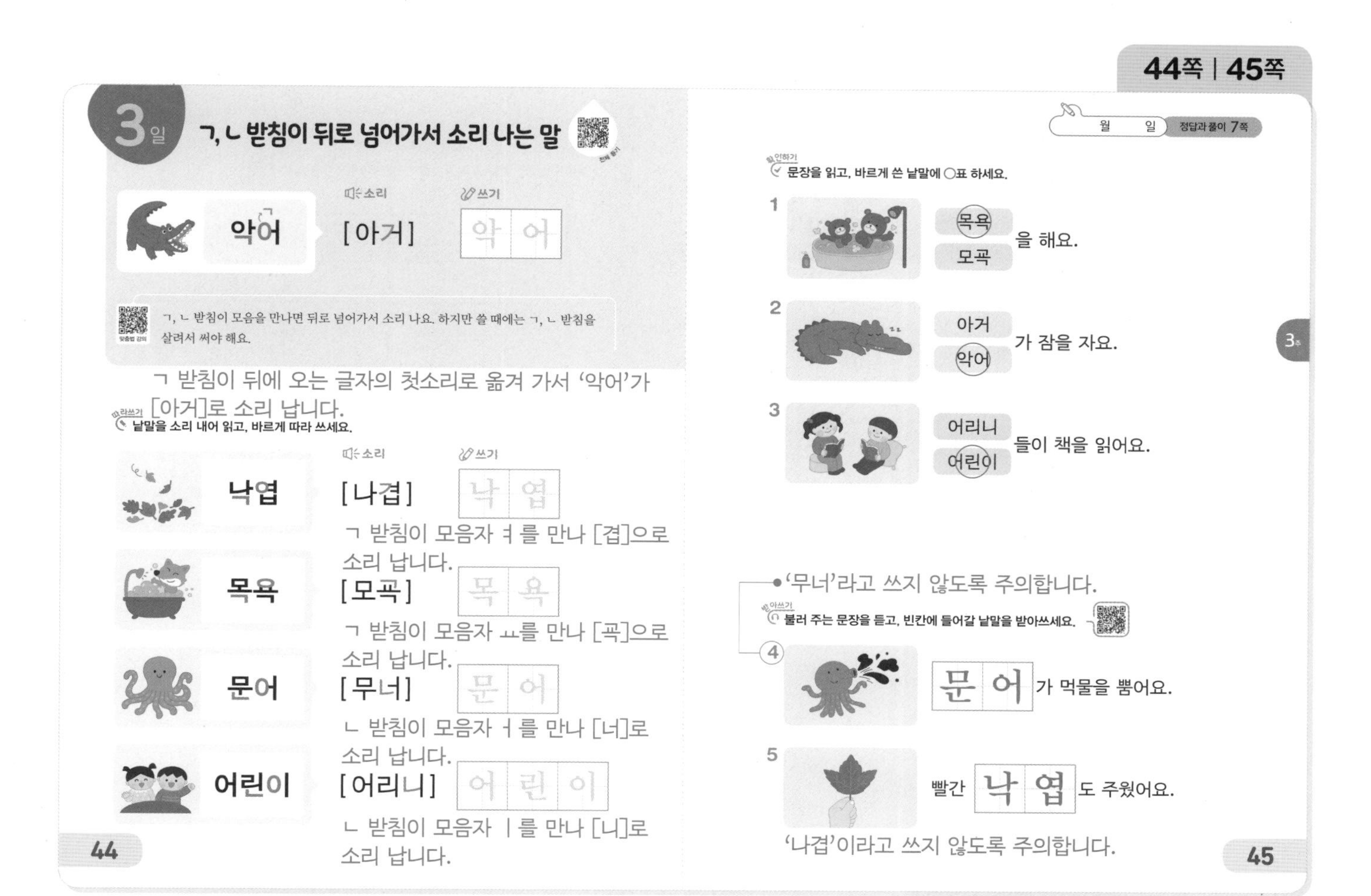

44쪽 | 45쪽

3일 ㄱ, ㄴ 받침이 뒤로 넘어가서 소리 나는 말

	소리	쓰기
악어	[아거]	악 어

ㄱ, ㄴ 받침이 모음을 만나면 뒤로 넘어가서 소리 나요. 하지만 쓸 때에는 ㄱ, ㄴ 받침을 살려서 써야 해요.

ㄱ 받침이 뒤에 오는 글자의 첫소리로 옮겨 가서 '악어'가 [아거]로 소리 납니다.

따라쓰기 낱말을 소리 내어 읽고, 바르게 따라 쓰세요.

	소리	쓰기
낙엽	[나겹]	낙 엽
목욕	[모곡]	목 욕
문어	[무너]	문 어
어린이	[어리니]	어 린 이

낙엽: ㄱ 받침이 모음자 ㅕ를 만나 [겹]으로 소리 납니다.

목욕: ㄱ 받침이 모음자 ㅛ를 만나 [곡]으로 소리 납니다.

문어: ㄴ 받침이 모음자 ㅓ를 만나 [너]로 소리 납니다.

어린이: ㄴ 받침이 모음자 ㅣ를 만나 [니]로 소리 납니다.

44

월 일 정답과 풀이 7쪽

확인하기 문장을 읽고, 바르게 쓴 낱말에 ○표 하세요.

1. (목욕) / 모곡 을 해요.
2. 아거 / (악어) 가 잠을 자요.
3. 어리니 / (어린이) 들이 책을 읽어요.

받아쓰기 불러 주는 문장을 듣고, 빈칸에 들어갈 낱말을 받아쓰세요.

4. 문어 가 먹물을 뿜어요.

'무너'라고 쓰지 않도록 주의합니다.

5. 빨간 낙엽 도 주웠어요.

'나겹'이라고 쓰지 않도록 주의합니다.

45

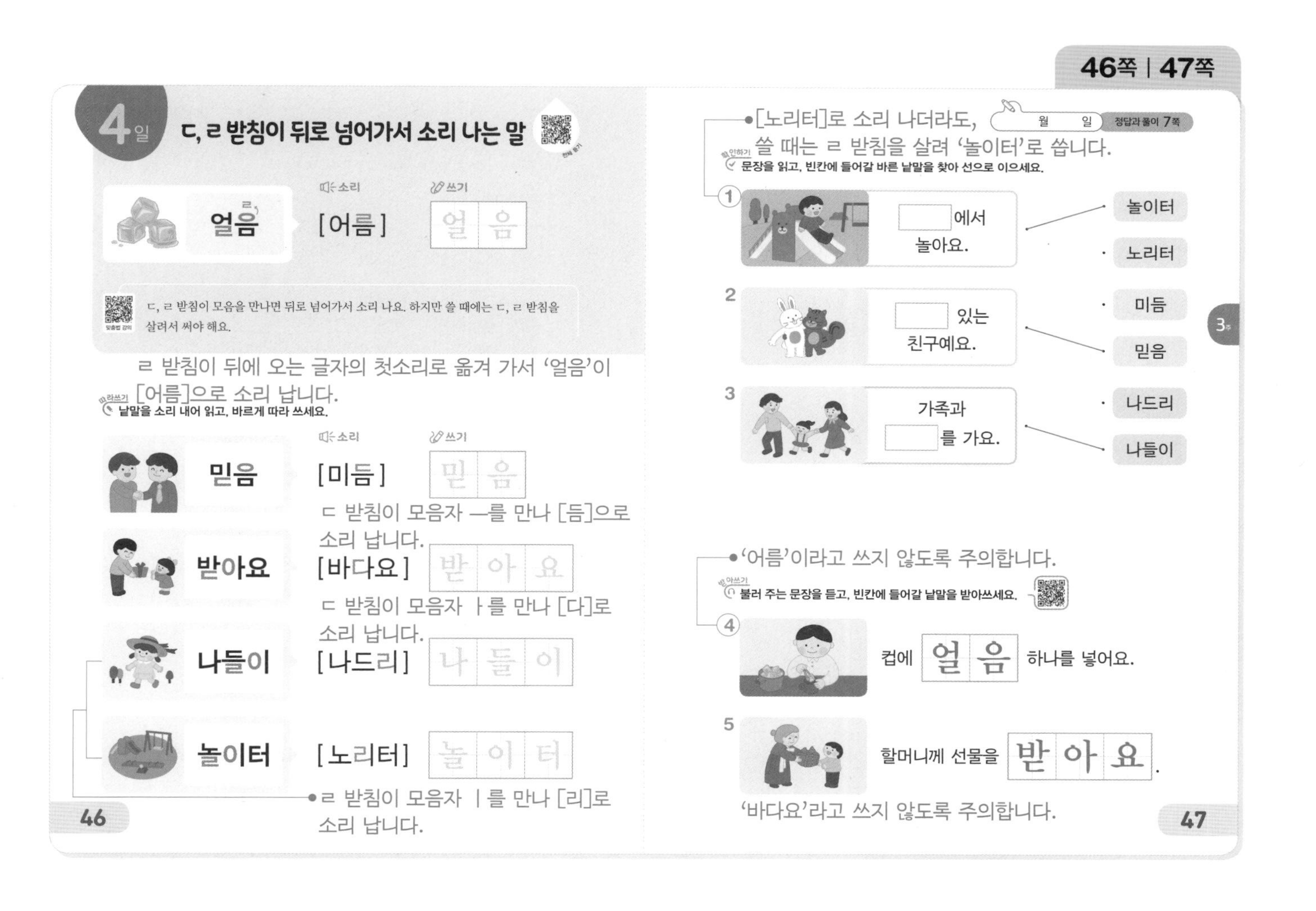

46쪽 | 47쪽

4일 ㄷ, ㄹ 받침이 뒤로 넘어가서 소리 나는 말

	소리	쓰기
얼음	[어름]	얼 음

ㄷ, ㄹ 받침이 모음을 만나면 뒤로 넘어가서 소리 나요. 하지만 쓸 때에는 ㄷ, ㄹ 받침을 살려서 써야 해요.

ㄹ 받침이 뒤에 오는 글자의 첫소리로 옮겨 가서 '얼음'이 [어름]으로 소리 납니다.

따라쓰기 낱말을 소리 내어 읽고, 바르게 따라 쓰세요.

	소리	쓰기
믿음	[미듬]	믿 음
받아요	[바다요]	받 아 요
나들이	[나드리]	나 들 이
놀이터	[노리터]	놀 이 터

믿음: ㄷ 받침이 모음자 ㅡ를 만나 [듬]으로 소리 납니다.

받아요: ㄷ 받침이 모음자 ㅏ를 만나 [다]로 소리 납니다.

나들이, 놀이터: ㄹ 받침이 모음자 ㅣ를 만나 [리]로 소리 납니다.

46

월 일 정답과 풀이 7쪽

[노리터]로 소리 나더라도, 쓸 때는 ㄹ 받침을 살려 '놀이터'로 씁니다.

확인하기 문장을 읽고, 빈칸에 들어갈 바른 낱말을 찾아 선으로 이으세요.

1. ☐에서 놀아요. — 놀이터 (노리터)
2. ☐ 있는 친구예요. — 믿음 (미듬)
3. 가족과 ☐를 가요. — 나들이 (나드리)

받아쓰기 불러 주는 문장을 듣고, 빈칸에 들어갈 낱말을 받아쓰세요.

4. 컵에 얼음 하나를 넣어요.

'어름'이라고 쓰지 않도록 주의합니다.

5. 할머니께 선물을 받아요.

'바다요'라고 쓰지 않도록 주의합니다.

47

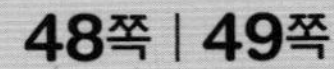
48쪽 | 49쪽

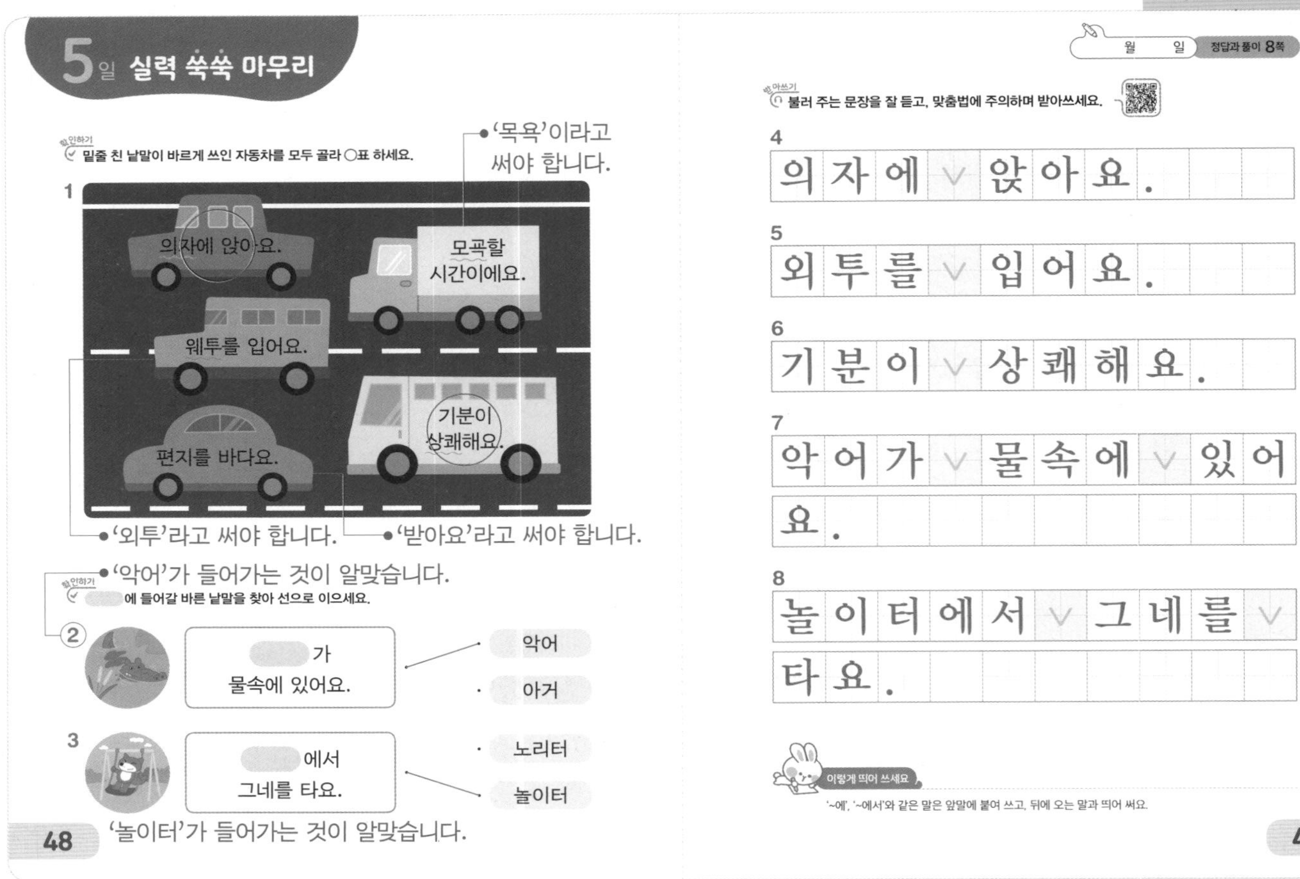
5일 실력 쑥쑥 마무리

인하기 밑줄 친 낱말이 바르게 쓰인 자동차를 모두 골라 ○표 하세요.

1

- '목욕'이라고 써야 합니다.
- '외투'라고 써야 합니다.
- '받아요'라고 써야 합니다.

인하기 ▭에 들어갈 바른 낱말을 찾아 선으로 이으세요.

- '악어'가 들어가는 것이 알맞습니다.

2 ▭가 물속에 있어요. — 악어 / 아거

3 ▭에서 그네를 타요. — 노리터 / 놀이터

'놀이터'가 들어가는 것이 알맞습니다.

48

월 일 정답과 풀이 8쪽

받아쓰기 불러 주는 문장을 잘 듣고, 맞춤법에 주의하며 받아쓰세요.

4 의자에 앉아요.

5 외투를 입어요.

6 기분이 상쾌해요.

7 악어가 물속에 있어요.

8 놀이터에서 그네를 타요.

이렇게 띄어 쓰세요
'~에', '~에서'와 같은 말은 앞말에 붙여 쓰고, 뒤에 오는 말과 띄어 써요.

49

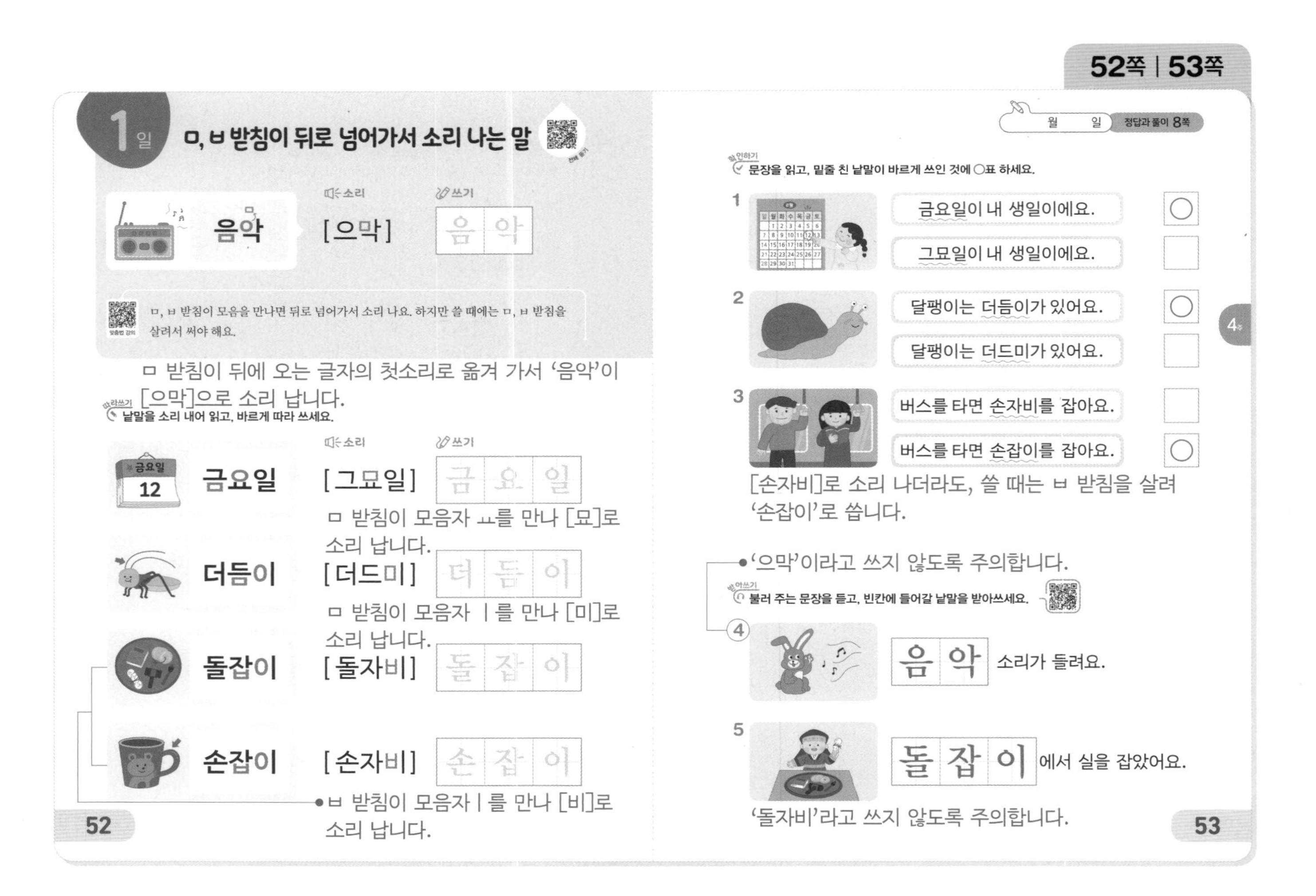
52쪽 | 53쪽

1일 ㅁ, ㅂ 받침이 뒤로 넘어가서 소리 나는 말

음악 [으막] 쓰기: 음악

ㅁ, ㅂ 받침이 모음을 만나면 뒤로 넘어가서 소리 나요. 하지만 쓸 때에는 ㅁ, ㅂ 받침을 살려서 써야 해요.

ㅁ 받침이 뒤에 오는 글자의 첫소리로 옮겨 가서 '음악'이 [으막]으로 소리 납니다.

따라쓰기 낱말을 소리 내어 읽고, 바르게 따라 쓰세요.

낱말	소리	쓰기
금요일	[그묘일]	금요일
더듬이	[더드미]	더듬이
돌잡이	[돌자비]	돌잡이
손잡이	[손자비]	손잡이

- 금요일: ㅁ 받침이 모음자 ㅛ를 만나 [묘]로 소리 납니다.
- 더듬이: ㅁ 받침이 모음자 ㅣ를 만나 [미]로 소리 납니다.
- 돌잡이, 손잡이: ㅂ 받침이 모음자 ㅣ를 만나 [비]로 소리 납니다.

52

월 일 정답과 풀이 8쪽

인하기 문장을 읽고, 밑줄 친 낱말이 바르게 쓰인 것에 ○표 하세요.

1 금요일이 내 생일이에요. (○) / 그묘일이 내 생일이에요. ( )

2 달팽이는 더듬이가 있어요. (○) / 달팽이는 더드미가 있어요. ( )

3 버스를 타면 손자비를 잡아요. ( ) / 버스를 타면 손잡이를 잡아요. (○)

[손자비]로 소리 나더라도, 쓸 때는 ㅂ 받침을 살려 '손잡이'로 씁니다.

- '으막'이라고 쓰지 않도록 주의합니다.

받아쓰기 불러 주는 문장을 듣고, 빈칸에 들어갈 낱말을 받아쓰세요.

4 음악 소리가 들려요.

5 돌잡이에서 실을 잡았어요.

'돌자비'라고 쓰지 않도록 주의합니다.

53

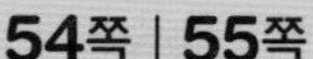

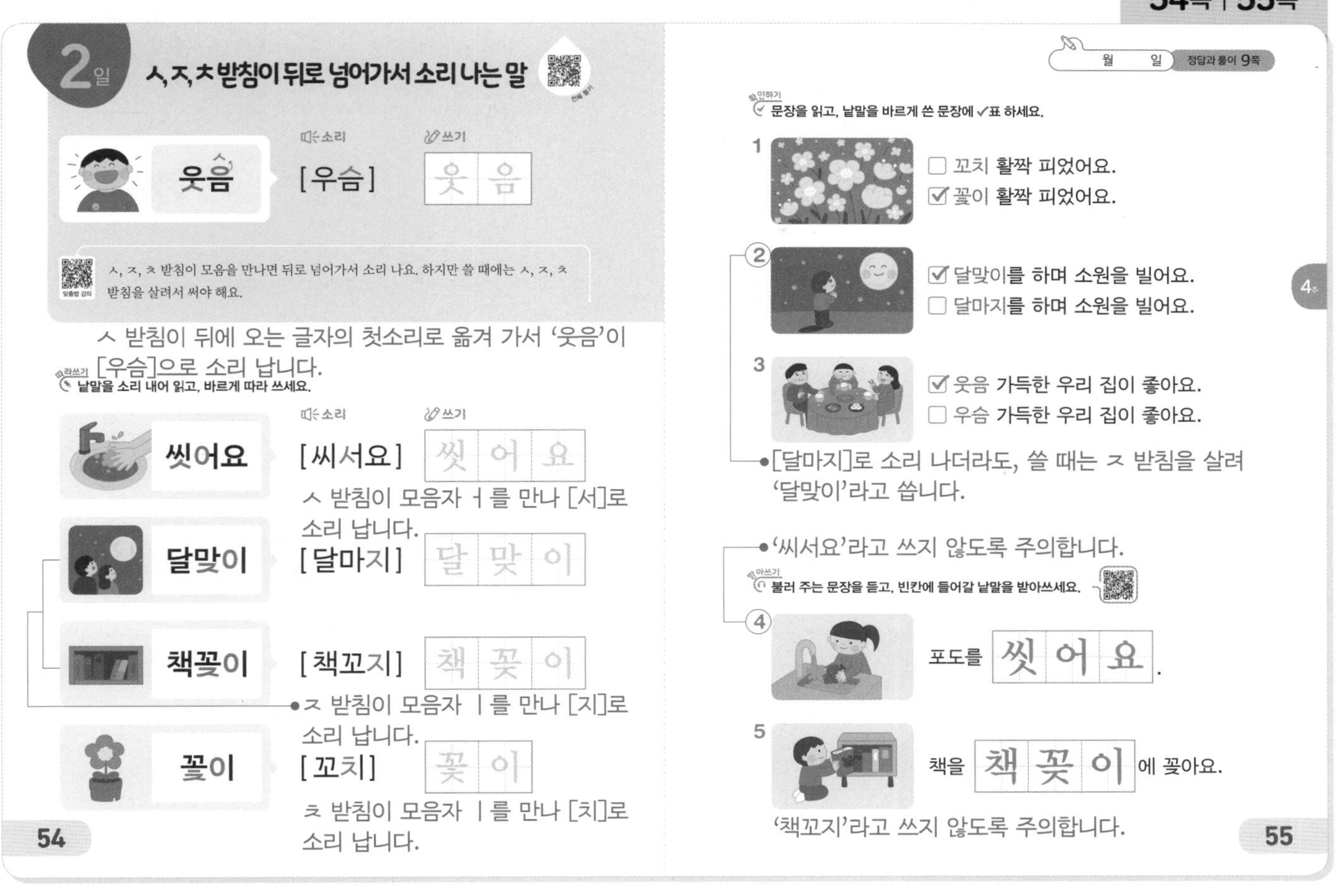

2일 ㅅ, ㅈ, ㅊ 받침이 뒤로 넘어가서 소리 나는 말

	소리	쓰기
웃음	[우슴]	웃 음

ㅅ, ㅈ, ㅊ 받침이 모음을 만나면 뒤로 넘어가서 소리 나요. 하지만 쓸 때에는 ㅅ, ㅈ, ㅊ 받침을 살려서 써야 해요.

ㅅ 받침이 뒤에 오는 글자의 첫소리로 옮겨 가서 '웃음'이 [우슴]으로 소리 납니다.

따라쓰기 낱말을 소리 내어 읽고, 바르게 따라 쓰세요.

	소리	쓰기
씻어요	[씨서요]	씻 어 요
달맞이	[달마지]	달 맞 이
책꽂이	[책꼬지]	책 꽂 이
꽃이	[꼬치]	꽃 이

ㅅ 받침이 모음자 ㅓ를 만나 [서]로 소리 납니다.

ㅈ 받침이 모음자 ㅣ를 만나 [지]로 소리 납니다.

ㅊ 받침이 모음자 ㅣ를 만나 [치]로 소리 납니다.

54

월 일 정답과 풀이 9쪽

확인하기 문장을 읽고, 낱말을 바르게 쓴 문장에 ✓표 하세요.

1
- ☐ 꼬치 활짝 피었어요.
- ☑ 꽃이 활짝 피었어요.

2
- ☑ 달맞이를 하며 소원을 빌어요.
- ☐ 달마지를 하며 소원을 빌어요.

3
- ☑ 웃음 가득한 우리 집이 좋아요.
- ☐ 우슴 가득한 우리 집이 좋아요.

[달마지]로 소리 나더라도, 쓸 때는 ㅈ 받침을 살려 '달맞이'라고 씁니다.

'씨서요'라고 쓰지 않도록 주의합니다.

받아쓰기 불러 주는 문장을 듣고, 빈칸에 들어갈 낱말을 받아쓰세요.

4 포도를 씻 어 요.

5 책을 책 꽂 이 에 꽂아요.

'책꼬지'라고 쓰지 않도록 주의합니다.

55

56쪽 | 57쪽

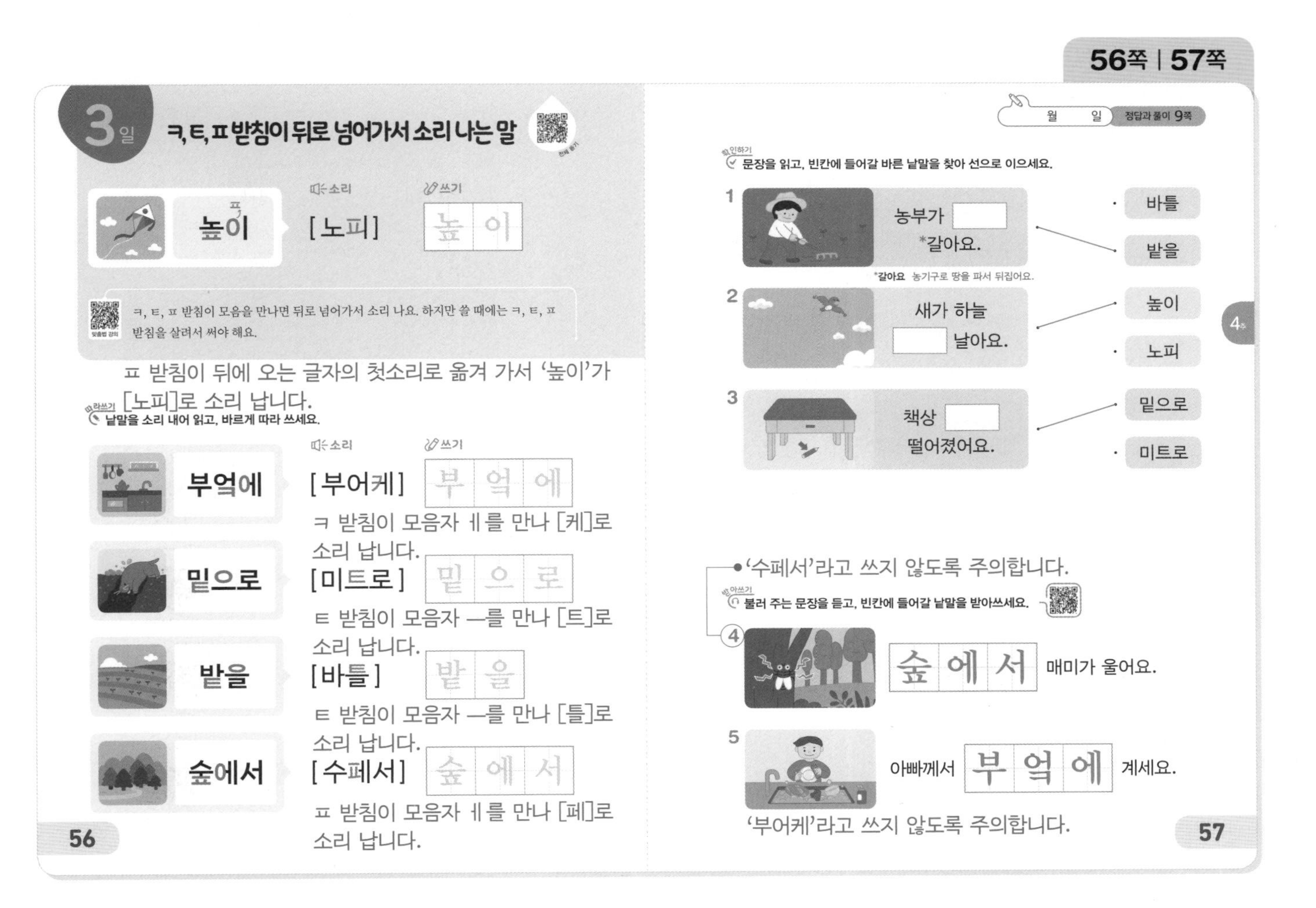

3일 ㅋ, ㅌ, ㅍ 받침이 뒤로 넘어가서 소리 나는 말

	소리	쓰기
높이	[노피]	높 이

ㅋ, ㅌ, ㅍ 받침이 모음을 만나면 뒤로 넘어가서 소리 나요. 하지만 쓸 때에는 ㅋ, ㅌ, ㅍ 받침을 살려서 써야 해요.

ㅍ 받침이 뒤에 오는 글자의 첫소리로 옮겨 가서 '높이'가 [노피]로 소리 납니다.

따라쓰기 낱말을 소리 내어 읽고, 바르게 따라 쓰세요.

	소리	쓰기
부엌에	[부어케]	부 엌 에
밑으로	[미트로]	밑 으 로
밭을	[바틀]	밭 을
숲에서	[수페서]	숲 에 서

ㅋ 받침이 모음자 ㅔ를 만나 [케]로 소리 납니다.

ㅌ 받침이 모음자 ㅡ를 만나 [트]로 소리 납니다.

ㅌ 받침이 모음자 ㅡ를 만나 [틀]로 소리 납니다.

ㅍ 받침이 모음자 ㅔ를 만나 [페]로 소리 납니다.

56

월 일 정답과 풀이 9쪽

확인하기 문장을 읽고, 빈칸에 들어갈 바른 낱말을 찾아 선으로 이으세요.

1 농부가 ☐ *갈아요. — 밭을 (바틀)

*갈아요 농기구로 땅을 파서 뒤집어요.

2 새가 하늘 ☐ 날아요. — 높이 (노피)

3 책상 ☐ 떨어졌어요. — 밑으로 (미트로)

'수페서'라고 쓰지 않도록 주의합니다.

받아쓰기 불러 주는 문장을 듣고, 빈칸에 들어갈 낱말을 받아쓰세요.

4 숲 에 서 매미가 울어요.

5 아빠께서 부 엌 에 계세요.

'부어케'라고 쓰지 않도록 주의합니다.

57

58쪽 | 59쪽

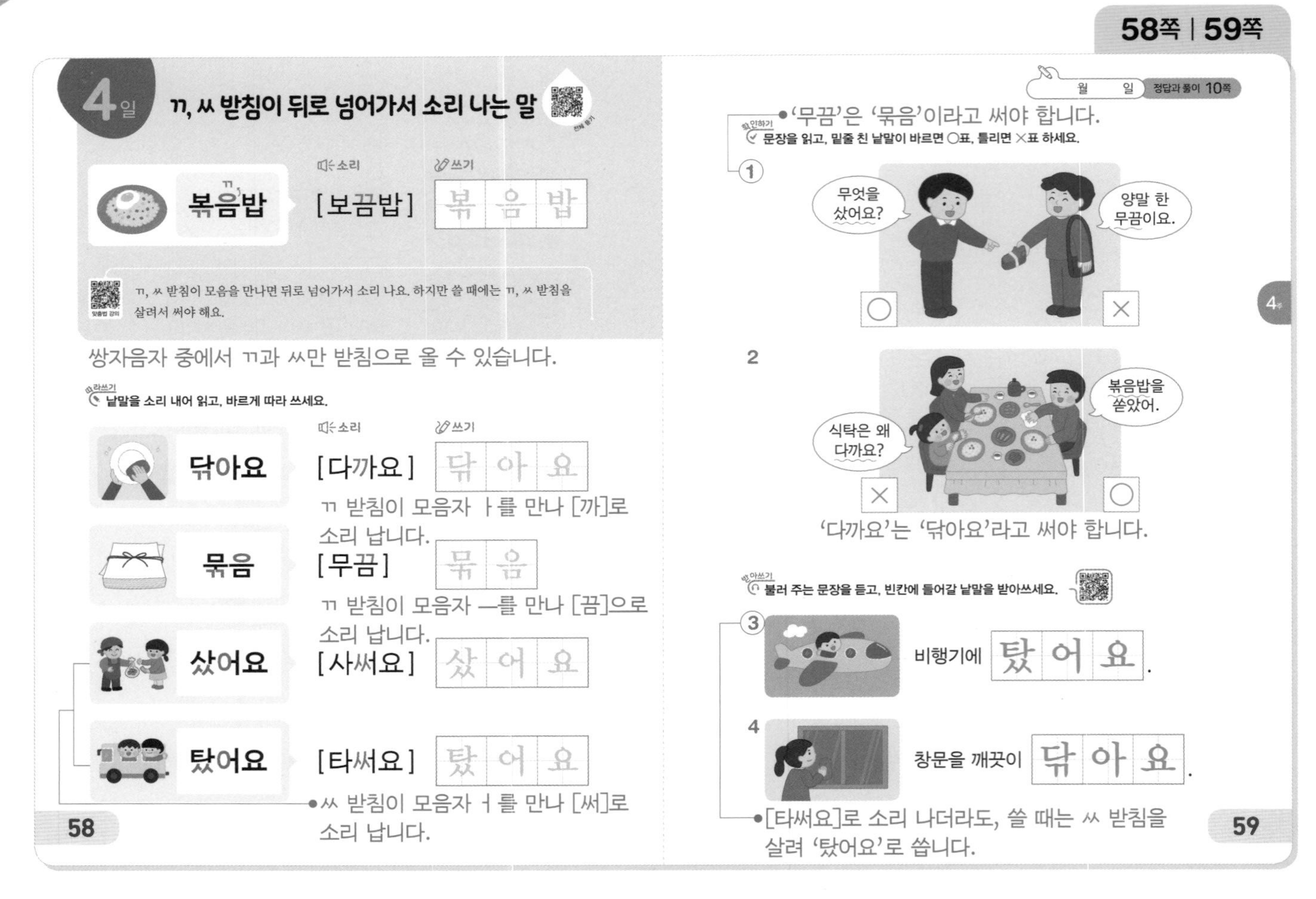

4일 ㄲ, ㅆ 받침이 뒤로 넘어가서 소리 나는 말

볶음밥 [보끔밥] 볶 음 밥

ㄲ, ㅆ 받침이 모음을 만나면 뒤로 넘어가서 소리 나요. 하지만 쓸 때에는 ㄲ, ㅆ 받침을 살려서 써야 해요.

쌍자음자 중에서 ㄲ과 ㅆ만 받침으로 올 수 있습니다.

따라쓰기 낱말을 소리 내어 읽고, 바르게 따라 쓰세요.

닦아요 [다까요] 닦 아 요

ㄲ 받침이 모음자 ㅏ를 만나 [까]로 소리 납니다.

묶음 [무끔] 묶 음

ㄲ 받침이 모음자 ㅡ를 만나 [끔]으로 소리 납니다.

샀어요 [사써요] 샀 어 요

탔어요 [타써요] 탔 어 요

ㅆ 받침이 모음자 ㅓ를 만나 [써]로 소리 납니다.

월 일 정답과 풀이 10쪽

확인하기 문장을 읽고, 밑줄 친 낱말이 바르면 ○표, 틀리면 ×표 하세요.

'무끔'은 '묶음'이라고 써야 합니다.

1 무엇을 샀어요? ○ / 양말 한 무끔이요. ×

2 식탁은 왜 다까요? × / 볶음밥을 쏟았어. ○

'다까요'는 '닦아요'라고 써야 합니다.

받아쓰기 불러 주는 문장을 듣고, 빈칸에 들어갈 낱말을 받아쓰세요.

3 비행기에 탔어요.

4 창문을 깨끗이 닦아요.

[타써요]로 소리 나더라도, 쓸 때는 ㅆ 받침을 살려 '탔어요'로 씁니다.

60쪽 | 61쪽

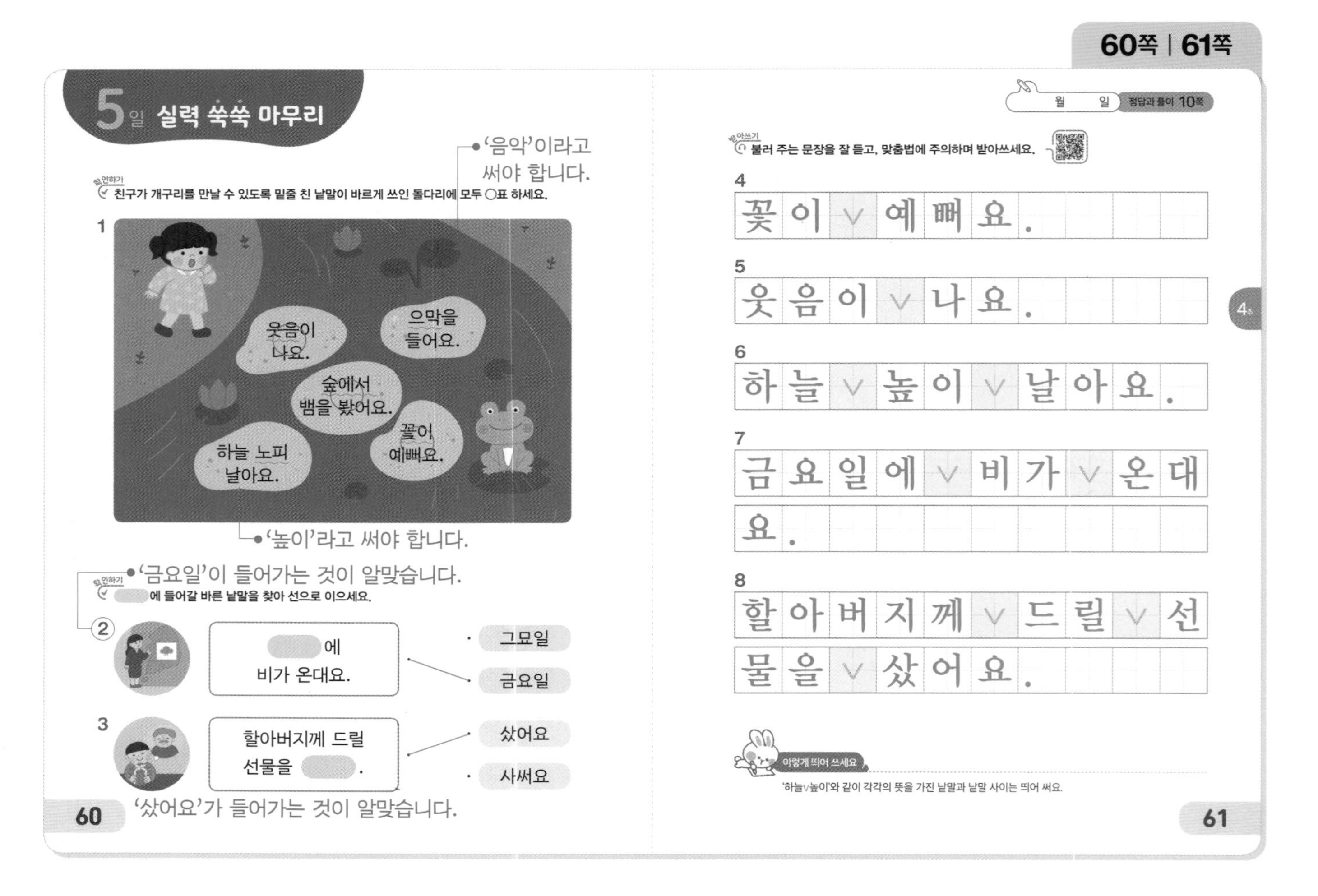

5일 실력 쑥쑥 마무리

확인하기 친구가 개구리를 만날 수 있도록 밑줄 친 낱말이 바르게 쓰인 돌다리에 모두 ○표 하세요.

'음악'이라고 써야 합니다.

1

'높이'라고 써야 합니다.

확인하기 ( )에 들어갈 바른 낱말을 찾아 선으로 이으세요.

'금요일'이 들어가는 것이 알맞습니다.

2 ( )에 비가 온대요. — 그묘일 / 금요일

3 할아버지께 드릴 선물을 ( ). — 샀어요 / 사써요

'샀어요'가 들어가는 것이 알맞습니다.

월 일 정답과 풀이 10쪽

받아쓰기 불러 주는 문장을 잘 듣고, 맞춤법에 주의하며 받아쓰세요.

4 꽃이 ∨ 예뻐요.

5 웃음이 ∨ 나요.

6 하늘 ∨ 높이 ∨ 날아요.

7 금요일에 ∨ 비가 ∨ 온대요.

8 할아버지께 ∨ 드릴 ∨ 선물을 ∨ 샀어요.

이렇게 띄어 쓰세요 '하늘∨높이'와 같이 각각의 뜻을 가진 낱말과 낱말 사이는 띄어 써요.

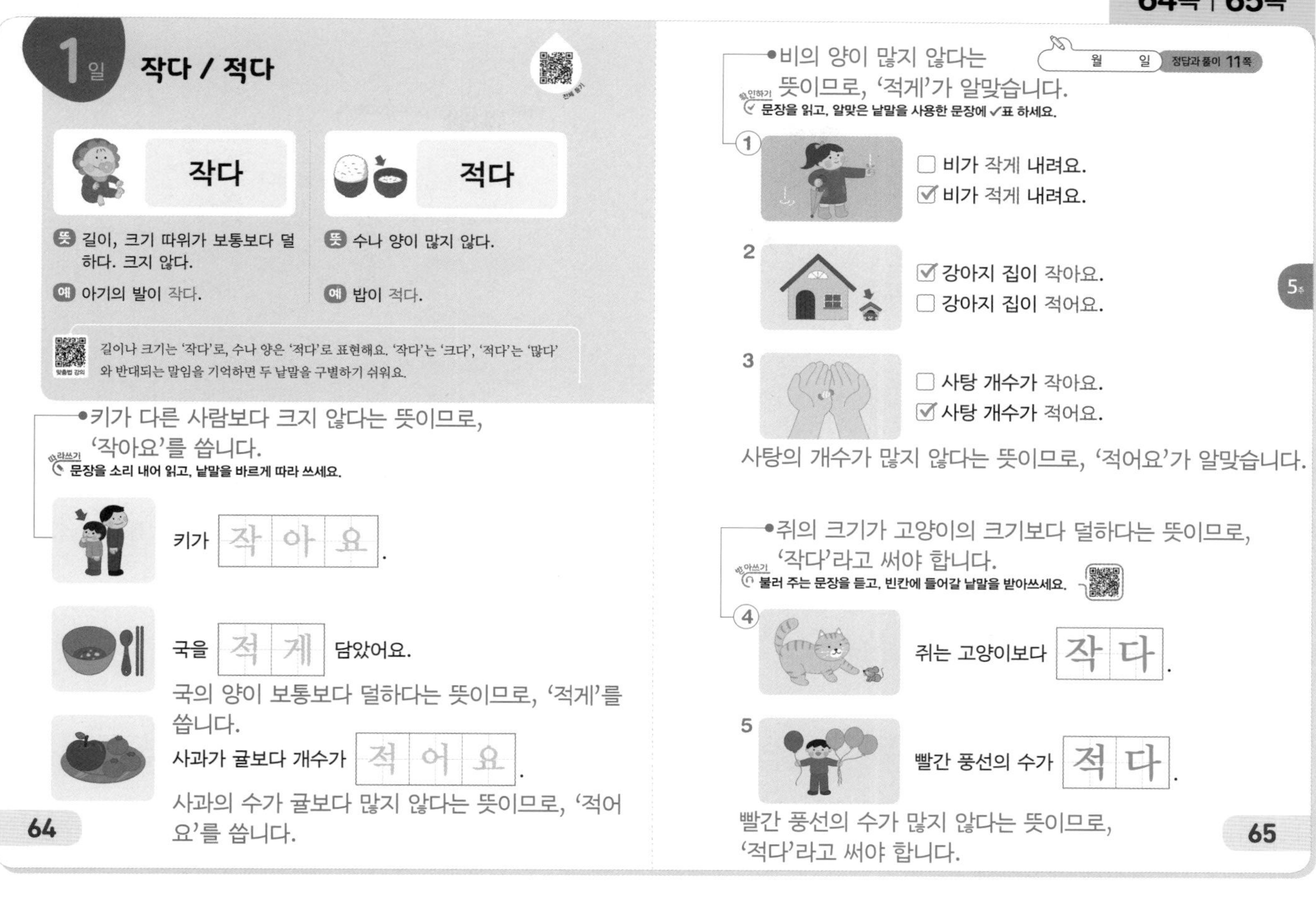

1일 작다 / 적다

작다

적다

뜻 길이, 크기 따위가 보통보다 덜하다. 크지 않다.

예 아기의 발이 작다.

뜻 수나 양이 많지 않다.

예 밥이 적다.

길이나 크기는 '작다'로, 수나 양은 '적다'로 표현해요. '작다'는 '크다', '적다'는 '많다'와 반대되는 말임을 기억하면 두 낱말을 구별하기 쉬워요.

키가 다른 사람보다 크지 않다는 뜻이므로, '작아요'를 씁니다.

따라쓰기 문장을 소리 내어 읽고, 낱말을 바르게 따라 쓰세요.

키가 작아요.

국을 적게 담았어요.

국의 양이 보통보다 덜하다는 뜻이므로, '적게'를 씁니다.

사과가 귤보다 개수가 적어요.

사과의 수가 귤보다 많지 않다는 뜻이므로, '적어요'를 씁니다.

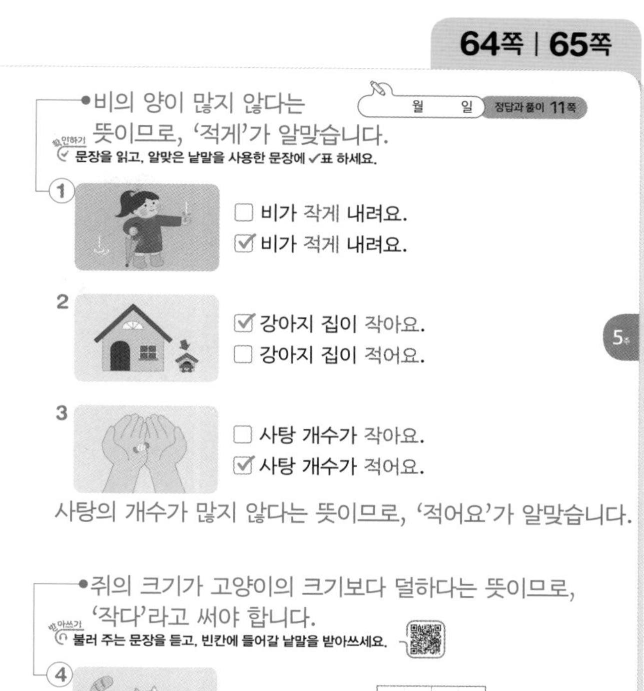

비의 양이 많지 않다는 뜻이므로, '적게'가 알맞습니다.

월 일 정답과 풀이 11쪽

확인하기 문장을 읽고, 알맞은 낱말을 사용한 문장에 ✓표 하세요.

1
- ☐ 비가 작게 내려요.
- ☑ 비가 적게 내려요.

2
- ☑ 강아지 집이 작아요.
- ☐ 강아지 집이 적어요.

3
- ☐ 사탕 개수가 작아요.
- ☑ 사탕 개수가 적어요.

사탕의 개수가 많지 않다는 뜻이므로, '적어요'가 알맞습니다.

쥐의 크기가 고양이의 크기보다 덜하다는 뜻이므로, '작다'라고 써야 합니다.

받아쓰기 불러 주는 문장을 듣고, 빈칸에 들어갈 낱말을 받아쓰세요.

4 쥐는 고양이보다 작다.

5 빨간 풍선의 수가 적다.

빨간 풍선의 수가 많지 않다는 뜻이므로, '적다'라고 써야 합니다.

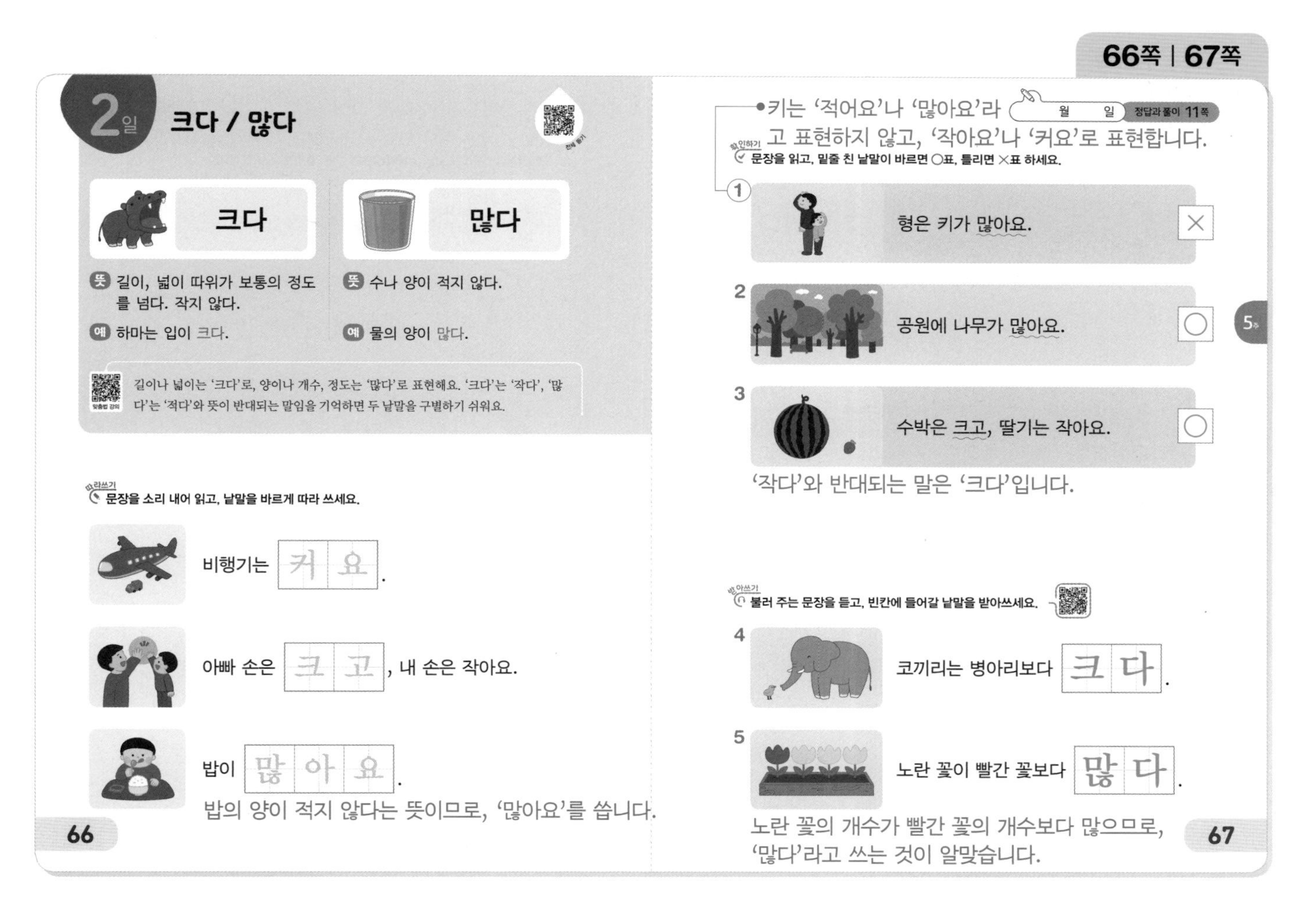

2일 크다 / 많다

크다

많다

뜻 길이, 넓이 따위가 보통의 정도를 넘다. 작지 않다.

예 하마는 입이 크다.

뜻 수나 양이 적지 않다.

예 물의 양이 많다.

길이나 넓이는 '크다'로, 양이나 개수, 정도는 '많다'로 표현해요. '크다'는 '작다', '많다'는 '적다'와 뜻이 반대되는 말임을 기억하면 두 낱말을 구별하기 쉬워요.

따라쓰기 문장을 소리 내어 읽고, 낱말을 바르게 따라 쓰세요.

비행기는 커요.

아빠 손은 크고, 내 손은 작아요.

밥이 많아요.

밥의 양이 적지 않다는 뜻이므로, '많아요'를 씁니다.

키는 '적어요'나 '많아요'라고 표현하지 않고, '작아요'나 '커요'로 표현합니다.

월 일 정답과 풀이 11쪽

확인하기 문장을 읽고, 밑줄 친 낱말이 바르면 ○표, 틀리면 ×표 하세요.

1 형은 키가 많아요. ×

2 공원에 나무가 많아요. ○

3 수박은 크고, 딸기는 작아요. ○

'작다'와 반대되는 말은 '크다'입니다.

받아쓰기 불러 주는 문장을 듣고, 빈칸에 들어갈 낱말을 받아쓰세요.

4 코끼리는 병아리보다 크다.

5 노란 꽃이 빨간 꽃보다 많다.

노란 꽃의 개수가 빨간 꽃의 개수보다 많으므로, '많다'라고 쓰는 것이 알맞습니다.

68쪽 | 69쪽

3일 다르다 / 틀리다

다르다

뜻 어떤 것과 서로 같지 않다.

예 우리는 옷이 다르다.

틀리다

뜻 사실, 계산, 답 따위가 맞지 않다.

예 답이 틀리다.

'다르다'는 '같다', '틀리다'는 '맞다'와 뜻이 반대되는 말임을 기억하면 두 낱말을 구별하기 쉬워요.

'다르다'는 '같지 않다.', '틀리다'는 '맞지 않다.'라는 뜻입니다.

따라쓰기 문장을 소리 내어 읽고, 낱말을 바르게 따라 쓰세요.

모양이 달라요.

서로 다르게 생각해요.

생각하는 것이 서로 같지 않다는 뜻이므로, '다르게'를 씁니다.

틀린 글자가 있어요.

맞지 않는 글자가 있다는 뜻이므로, '틀린'을 씁니다.

68

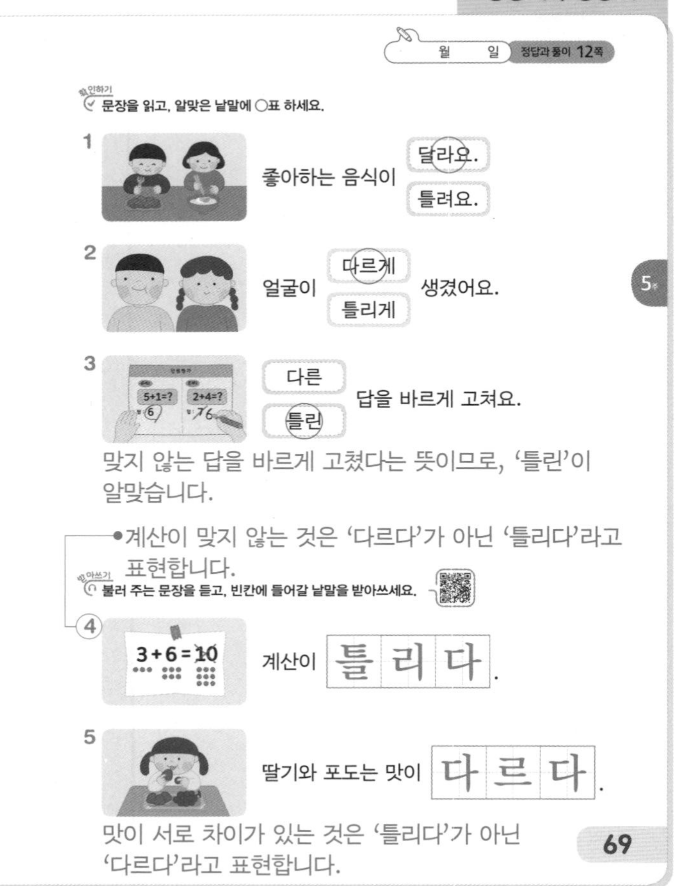

월 일 정답과 풀이 12쪽

확인하기 문장을 읽고, 알맞은 낱말에 ○표 하세요.

1 좋아하는 음식이 (달라요. / 틀려요.) — 달라요.

2 얼굴이 (다르게 / 틀리게) 생겼어요. — 다르게

3 (다른 / 틀린) 답을 바르게 고쳐요. — 틀린

맞지 않는 답을 바르게 고쳤다는 뜻이므로, '틀린'이 알맞습니다.

받아쓰기 불러 주는 문장을 듣고, 빈칸에 들어갈 낱말을 받아쓰세요.

4 계산이 틀리다.

계산이 맞지 않는 것은 '다르다'가 아닌 '틀리다'라고 표현합니다.

5 딸기와 포도는 맛이 다르다.

맛이 서로 차이가 있는 것은 '틀리다'가 아닌 '다르다'라고 표현합니다.

69

70쪽 | 71쪽

4일 가르치다 / 가리키다

가르치다

뜻 지식이나 기술을 알게 하거나 익히게 하다.

예 수학을 가르치다.

가리키다

뜻 손가락 따위로 무엇이 있는 쪽을 보게 하다.

예 달을 가리키다.

'가르치다'와 '가리키다'는 글자의 모양이 비슷해서 헷갈리기 쉬워요. '가르치다'를 '가리치다'로, '가리키다'를 '가르키다'로 잘못 쓰지 않도록 주의해요.

'가르치다'는 '알려 주다.', '가리키다'는 '보게 하다.'라는 뜻입니다.

따라쓰기 문장을 소리 내어 읽고, 낱말을 바르게 따라 쓰세요.

길을 가르쳐 주어요.

길을 알게 해 주었다는 뜻이므로, '가르쳐'를 씁니다.

피아노를 가르쳐요.

화살표가 오른쪽을 가리켜요.

화살표가 오른쪽을 보게 한다는 뜻이므로, '가리켜요'를 씁니다.

70

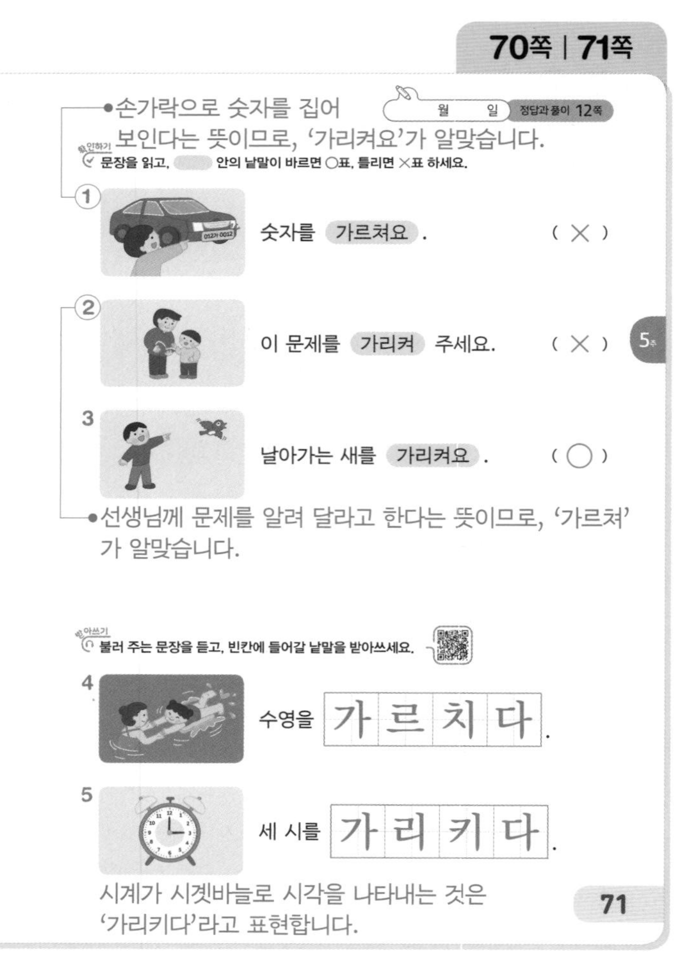

월 일 정답과 풀이 12쪽

확인하기 문장을 읽고, 안의 낱말이 바르면 ○표, 틀리면 ×표 하세요.

1 숫자를 가르쳐요. (×)

손가락으로 숫자를 집어 보인다는 뜻이므로, '가리켜요'가 알맞습니다.

2 이 문제를 가리켜 주세요. (×)

선생님께 문제를 알려 달라고 한다는 뜻이므로, '가르쳐'가 알맞습니다.

3 날아가는 새를 가리켜요. (○)

받아쓰기 불러 주는 문장을 듣고, 빈칸에 들어갈 낱말을 받아쓰세요.

4 수영을 가르치다.

5 세 시를 가리키다.

시계가 시곗바늘로 시각을 나타내는 것은 '가리키다'라고 표현합니다.

71

72쪽 | 73쪽

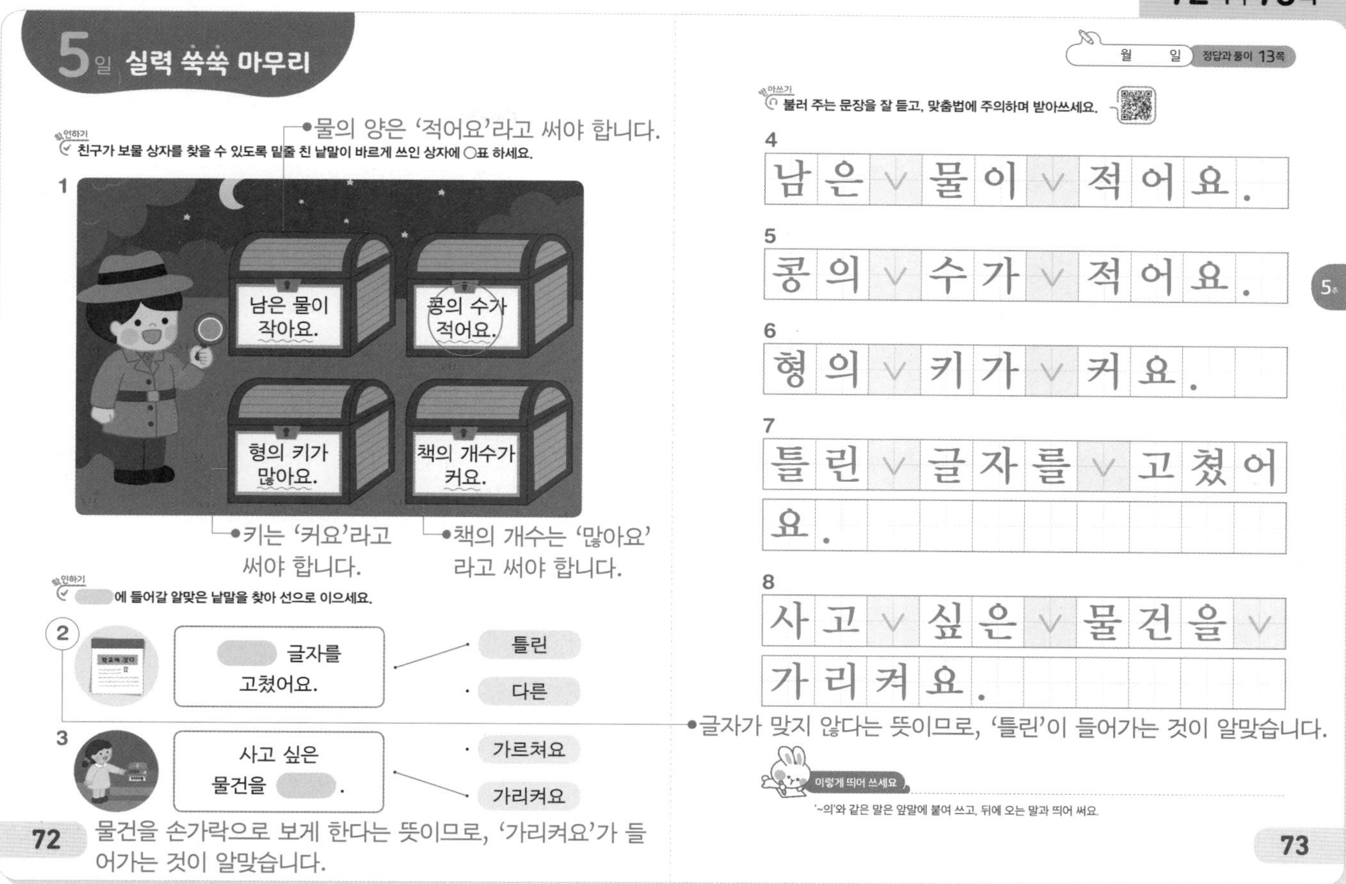

물의 양은 '적어요'라고 써야 합니다.

키는 '커요'라고 써야 합니다.

책의 개수는 '많아요'라고 써야 합니다.

물건을 손가락으로 보게 한다는 뜻이므로, '가리켜요'가 들어가는 것이 알맞습니다.

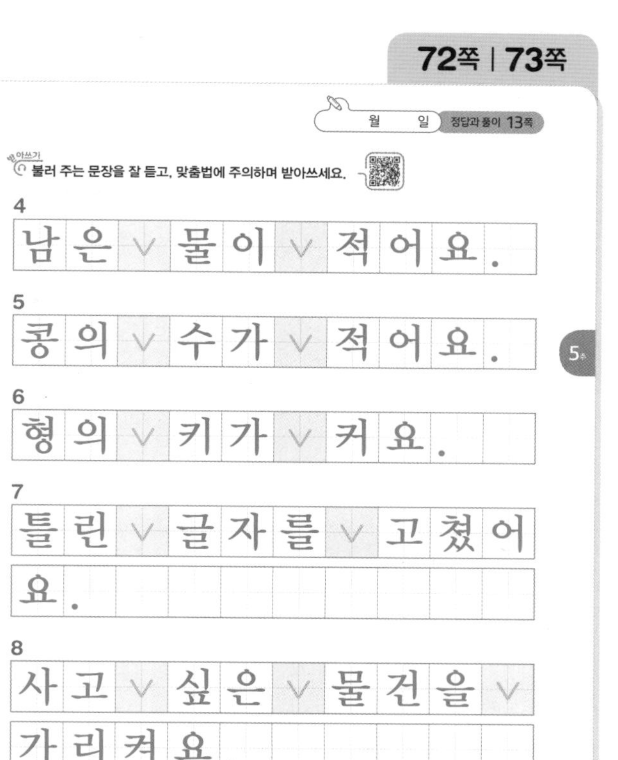

글자가 맞지 않다는 뜻이므로, '틀린'이 들어가는 것이 알맞습니다.

이렇게 띄어 쓰세요

'~의'와 같은 말은 앞말에 붙여 쓰고, 뒤에 오는 말과 띄어 써요.

72 73

76쪽 | 77쪽

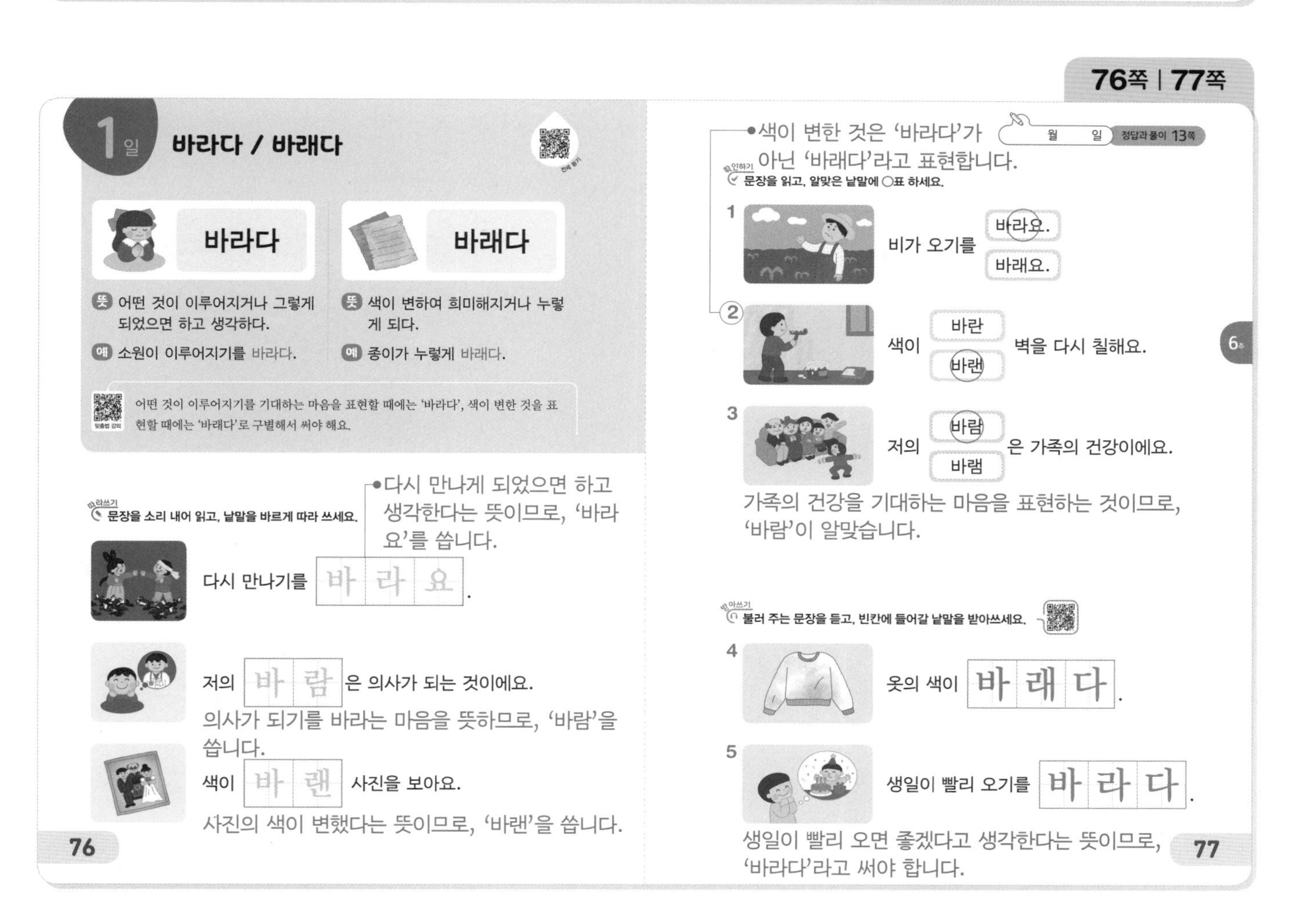

다시 만나게 되었으면 하고 생각한다는 뜻이므로, '바라요'를 씁니다.

의사가 되기를 바라는 마음을 뜻하므로, '바람'을 씁니다.

사진의 색이 변했다는 뜻이므로, '바랜'을 씁니다.

색이 변한 것은 '바라다'가 아닌 '바래다'라고 표현합니다.

가족의 건강을 기대하는 마음을 표현하는 것이므로, '바람'이 알맞습니다.

생일이 빨리 오면 좋겠다고 생각한다는 뜻이므로, '바라다'라고 써야 합니다.

76 77

78쪽 | 79쪽

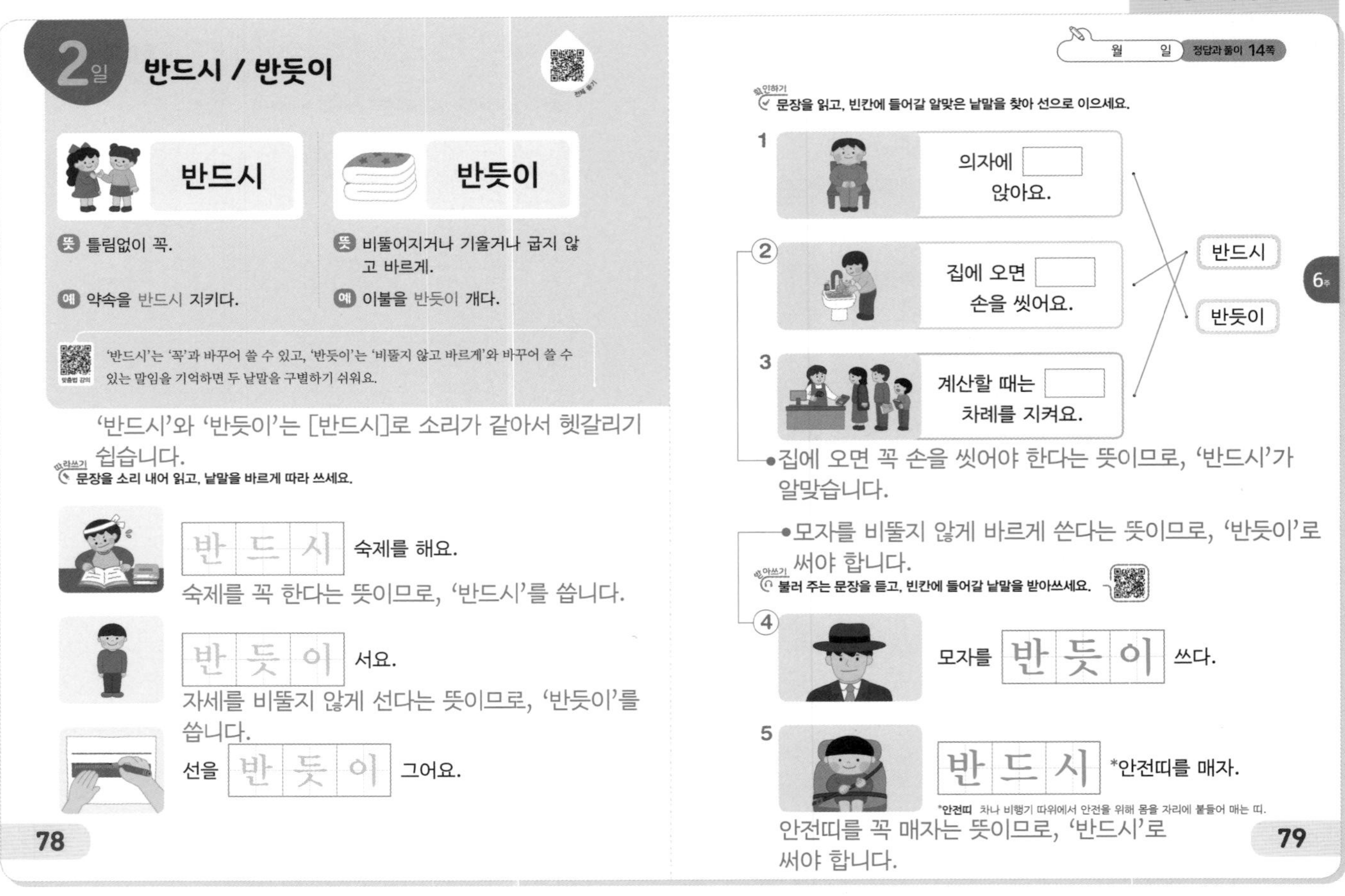

2일 반드시 / 반듯이

반드시

뜻 틀림없이 꼭.

예 약속을 반드시 지키다.

반듯이

뜻 비뚤어지거나 기울거나 굽지 않고 바르게.

예 이불을 반듯이 개다.

'반드시'는 '꼭'과 바꾸어 쓸 수 있고, '반듯이'는 '비뚤지 않고 바르게'와 바꾸어 쓸 수 있는 말임을 기억하면 두 낱말을 구별하기 쉬워요.

'반드시'와 '반듯이'는 [반드시]로 소리가 같아서 헷갈리기 쉽습니다.

따라쓰기 문장을 소리 내어 읽고, 낱말을 바르게 따라 쓰세요.

반드시 숙제를 해요.

숙제를 꼭 한다는 뜻이므로, '반드시'를 씁니다.

반듯이 서요.

자세를 비뚤지 않게 선다는 뜻이므로, '반듯이'를 씁니다.

선을 반듯이 그어요.

78

월 일 정답과 풀이 14쪽

확인하기 문장을 읽고, 빈칸에 들어갈 알맞은 낱말을 찾아 선으로 이으세요.

1 의자에 ☐ 앉아요.

2 집에 오면 ☐ 손을 씻어요.

3 계산할 때는 ☐ 차례를 지켜요.

반드시

반듯이

집에 오면 꼭 손을 씻어야 한다는 뜻이므로, '반드시'가 알맞습니다.

모자를 비뚤지 않게 바르게 쓴다는 뜻이므로, '반듯이'로 써야 합니다.

받아쓰기 불러 주는 문장을 듣고, 빈칸에 들어갈 낱말을 받아쓰세요.

4 모자를 반듯이 쓰다.

5 반드시 *안전띠를 매자.

*안전띠 차나 비행기 따위에서 안전을 위해 몸을 자리에 붙들어 매는 띠.

안전띠를 꼭 매자는 뜻이므로, '반드시'로 써야 합니다.

79

80쪽 | 81쪽

3일 같다 / 갔다

같다

뜻 서로 다르지 않다.

예 크기가 같다.

갔다

뜻 어느 한곳에서 다른 곳으로 움직였다.

예 학교에 갔다.

'같다'와 '갔다'는 [갇따]로 소리가 같아서 헷갈리기 쉬우므로 낱말의 뜻을 잘 구별해서 써야 해요.

'같다'와 '갔다'는 글자의 받침이 달라서 뜻이 완전히 다른 낱말이므로, 받침을 잘 구별해서 써야 합니다.

따라쓰기 문장을 소리 내어 읽고, 낱말을 바르게 따라 쓰세요.

색깔이 같아요.

같은 신발을 신었어요.

신발이 서로 다르지 않다는 뜻이므로, '같은'을 씁니다.

아빠와 시장에 갔어요.

시장으로 장소를 옮겼다는 뜻이므로, '갔어요'를 씁니다.

80

월 일 정답과 풀이 14쪽

확인하기 문장을 읽고, 바르게 쓴 낱말에 ○표 하세요.

1 어제 서점에 (갔어요) / 같어요 .

2 우리는 이름이 갔아요 / (같아요) .

받아쓰기 불러 주는 문장을 듣고, 빈칸에 들어갈 낱말을 받아쓰세요.

3 나이가 같다.

'갔다'라고 쓰지 않도록 주의합니다.

4 친구와 놀이터에 갔다.

'같다'라고 쓰지 않도록 주의합니다.

81

82쪽 | 83쪽

4일 낳다 / 낫다

낳다

뜻 배 속의 아이, 새끼, 알을 몸 밖으로 내놓다.

예 알을 낳다.

낫다

뜻 몸의 상처나 병이 없어지다. 치료되다.

예 감기가 낫다.

'낳다'와 '낫다'는 읽을 때에 비슷하게 소리 나요. 하지만 뜻은 각각 다르므로 두 낱말을 잘 구별해서 쓰도록 해요.

'낳다'는 [나:타], '낫다'는 [낟:따]로 소리 납니다.

따라쓰기 문장을 소리 내어 읽고, 낱말을 바르게 따라 쓰세요.

알을 낳아 품어요.

아기를 낳았어요.

아기를 몸 밖으로 내놓았다는 뜻이므로, '낳았어요'를 씁니다.

상처가 나았어요.

상처가 없어져 치료되었다는 뜻이므로, '나았어요'를 씁니다.

82

월 일 정답과 풀이 15쪽

부러진 다리가 치료되었다는 뜻이므로, '나았어요'가 알맞습니다.

확인하기 문장을 읽고, 안의 낱말이 바르면 ○표, 틀리면 ×표 하세요.

1 우리를 낳아 기르셨어요. (○)

2 부러진 다리가 낳았어요. (×)

3 고양이가 새끼를 나았어요. (×)

고양이가 새끼를 몸 밖으로 내놓았다는 뜻이므로, '낳았어요'가 알맞습니다.

병이나 상처는 '낫다'라고 표현합니다.

받아쓰기 불러 주는 문장을 듣고, 빈칸에 들어갈 낱말을 받아쓰세요.

4 병이 낫다.

5 *둥지에 알을 낳다.

*둥지 새가 알을 낳거나 살기 위해 만든 곳.

알은 '낳다'라고 표현합니다.

83

84쪽 | 85쪽

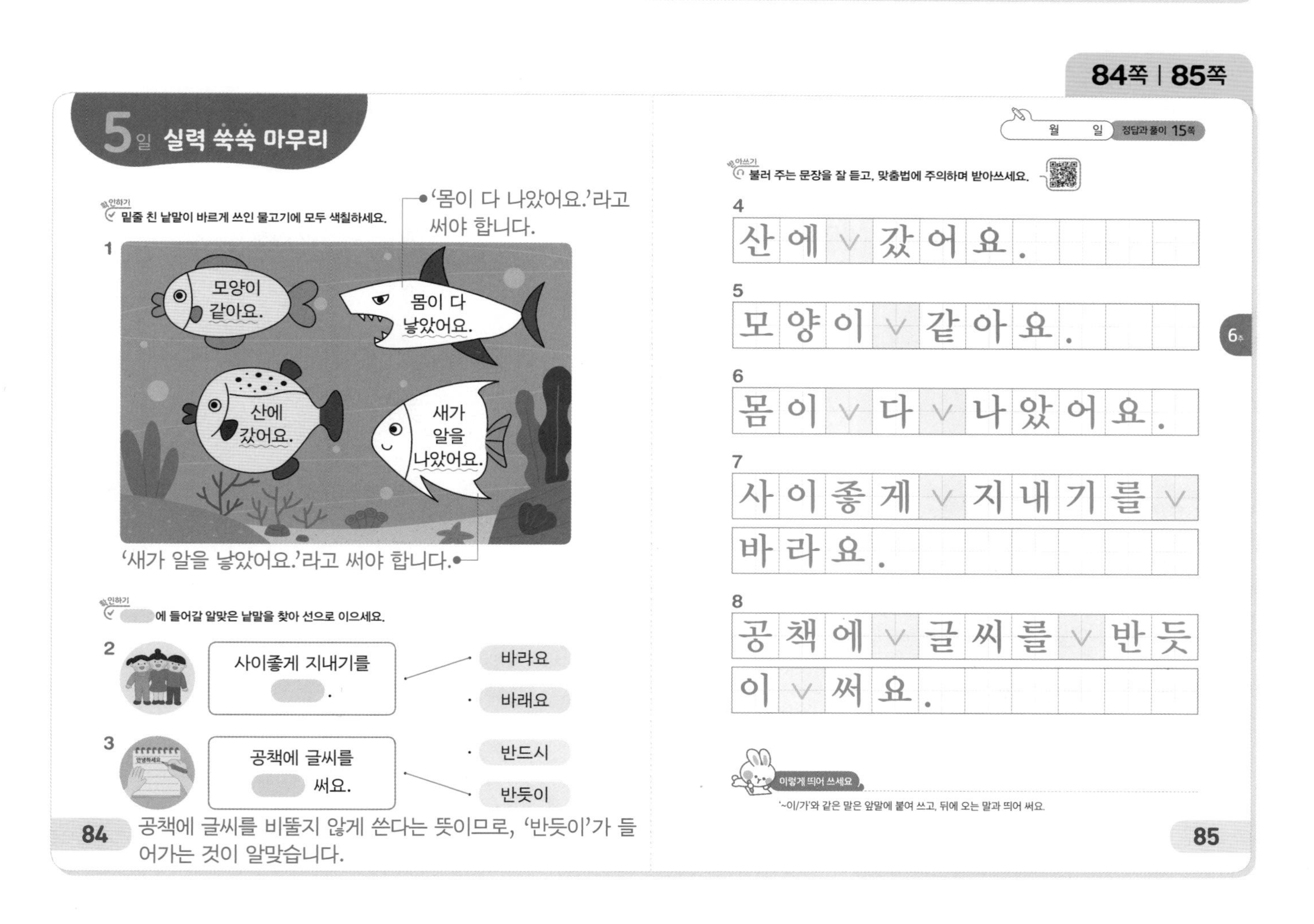

5일 실력 쑥쑥 마무리

확인하기 밑줄 친 낱말이 바르게 쓰인 물고기에 모두 색칠하세요.

'몸이 다 나았어요.'라고 써야 합니다.

1

'새가 알을 낳았어요.'라고 써야 합니다.

확인하기 에 들어갈 알맞은 낱말을 찾아 선으로 이으세요.

2 사이좋게 지내기를 . — 바라요 / 바래요

3 공책에 글씨를 써요. — 반드시 / 반듯이

공책에 글씨를 비뚤지 않게 쓴다는 뜻이므로, '반듯이'가 들어가는 것이 알맞습니다.

84

월 일 정답과 풀이 15쪽

받아쓰기 불러 주는 문장을 잘 듣고, 맞춤법에 주의하며 받아쓰세요.

4 산에 ∨ 갔어요.

5 모양이 ∨ 같아요.

6 몸이 ∨ 다 ∨ 나았어요.

7 사이좋게 ∨ 지내기를 ∨ 바라요.

8 공책에 ∨ 글씨를 ∨ 반듯이 ∨ 써요.

이렇게 띄어 쓰세요

'~이/가'와 같은 말은 앞말에 붙여 쓰고, 뒤에 오는 말과 띄어 써요.

85

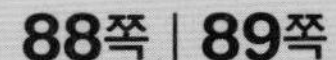

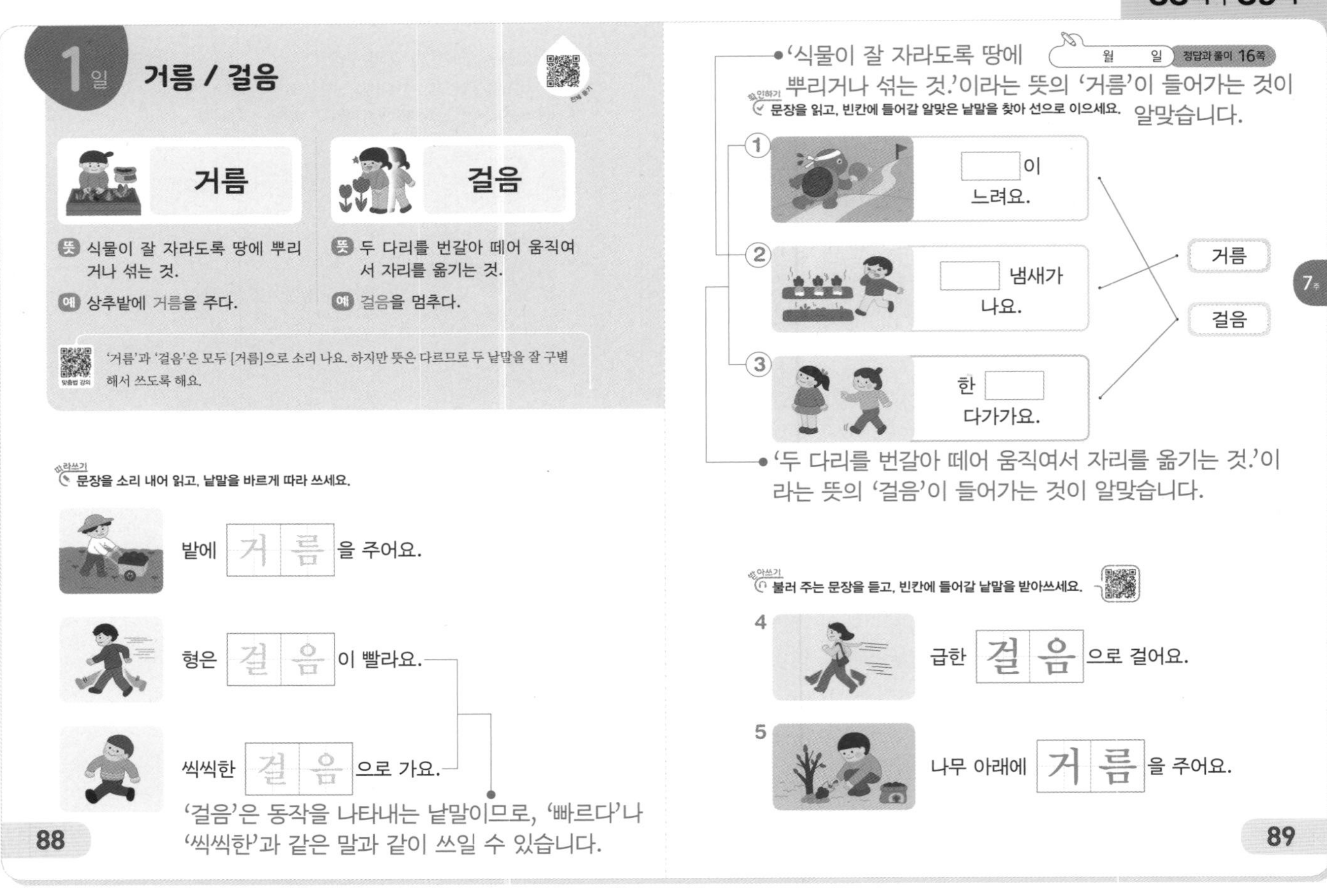

1일 거름 / 걸음

거름
뜻 식물이 잘 자라도록 땅에 뿌리거나 섞는 것.
예 상추밭에 거름을 주다.

걸음
뜻 두 다리를 번갈아 떼어 움직여서 자리를 옮기는 것.
예 걸음을 멈추다.

'거름'과 '걸음'은 모두 [거름]으로 소리 나요. 하지만 뜻은 다르므로 두 낱말을 잘 구별해서 쓰도록 해요.

따라쓰기 문장을 소리 내어 읽고, 낱말을 바르게 따라 쓰세요.

밭에 거름을 주어요.

형은 걸음이 빨라요.

씩씩한 걸음으로 가요.

'걸음'은 동작을 나타내는 낱말이므로, '빠르다'나 '씩씩한'과 같은 말과 같이 쓰일 수 있습니다.

월 일 정답과 풀이 16쪽

확인하기 문장을 읽고, 빈칸에 들어갈 알맞은 낱말을 찾아 선으로 이으세요.

1. ☐이 느려요. — 걸음
2. ☐ 냄새가 나요. — 거름
3. 한 ☐ 다가가요. — 걸음

• '식물이 잘 자라도록 땅에 뿌리거나 섞는 것.'이라는 뜻의 '거름'이 들어가는 것이 알맞습니다.

• '두 다리를 번갈아 떼어 움직여서 자리를 옮기는 것.'이라는 뜻의 '걸음'이 들어가는 것이 알맞습니다.

받아쓰기 불러 주는 문장을 듣고, 빈칸에 들어갈 낱말을 받아쓰세요.

4. 급한 걸음으로 걸어요.
5. 나무 아래에 거름을 주어요.

90쪽 | 91쪽

2일 잊어버리다 / 잃어버리다

잊어버리다
뜻 기억하지 못하다. 완전히 잊다.
예 약속을 잊어버리다.

잃어버리다
뜻 가졌던 물건이 자기도 모르게 없어져 더 이상 갖지 않게 되다.
예 연필을 잃어버리다.

'생각'이나 '기억'에 대해서는 '잊어버리다'라고 쓰고, '물건'에 대해서는 '잃어버리다'라고 뜻을 구별해서 써야 해요.

낱말의 앞뒤에 오는 말을 잘 살펴보면서 뜻을 구별해야 합니다.

따라쓰기 문장을 소리 내어 읽고, 낱말을 바르게 따라 쓰세요.

제목을 잊어버렸어요.
책 제목을 기억하지 못했다는 뜻이므로, '잊어버렸어요'를 씁니다.

잃어버렸던 지갑이에요.
지갑이 없어졌었다는 뜻이므로, '잃어버렸던'을 씁니다.

장갑을 잃어버렸어요.

월 일 정답과 풀이 16쪽

확인하기 문장을 읽고, 밑줄 친 낱말이 바르면 ○표, 틀리면 ×표 하세요.

1. 전화번호를 잃어버렸어요. (×)
2. 잃어버렸던 물건을 찾았어요. (○)
3. 우산을 챙기는 것을 잊어버렸어요. (○)

• 전화번호를 기억하지 못했다는 뜻이므로, '잊어버렸어요'가 알맞습니다.

받아쓰기 불러 주는 문장을 듣고, 빈칸에 들어갈 낱말을 받아쓰세요.

4. 모자를 잃어버리다.
• 모자가 없어져 더 이상 갖지 않게 되었으므로, '잃어버리다'라고 써야 합니다.

5. 주소를 잊어버리다.
주소를 기억하지 못하고 있으므로 '잊어버리다'라고 써야 합니다.

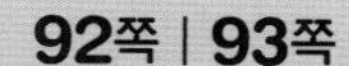
92쪽 | 93쪽

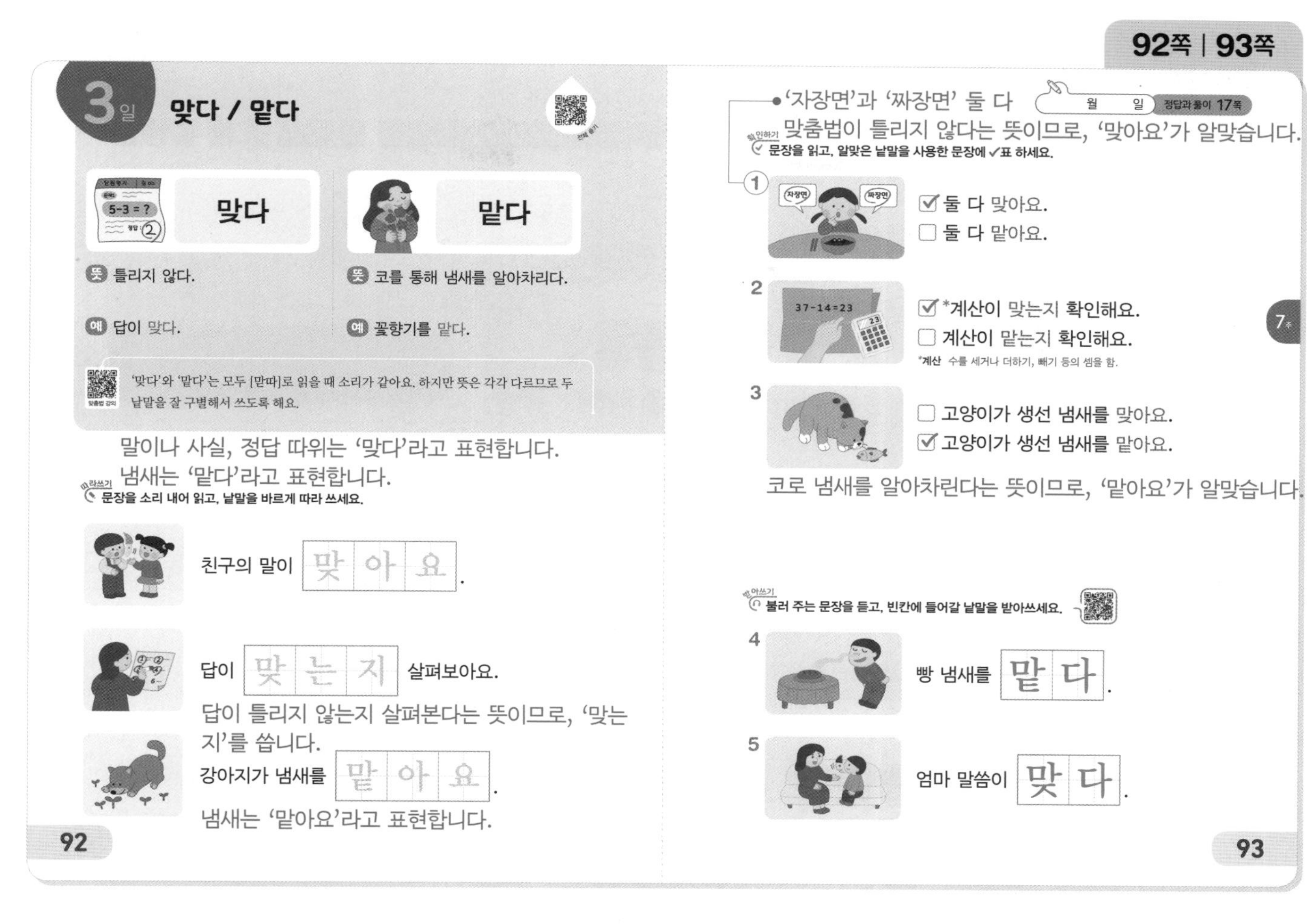

3일 맞다 / 맡다

맞다

뜻 틀리지 않다.

예 답이 맞다.

맡다

뜻 코를 통해 냄새를 알아차리다.

예 꽃향기를 맡다.

'맞다'와 '맡다'는 모두 [맏따]로 읽을 때 소리가 같아요. 하지만 뜻은 각각 다르므로 두 낱말을 잘 구별해서 쓰도록 해요.

말이나 사실, 정답 따위는 '맞다'라고 표현합니다. 냄새는 '맡다'라고 표현합니다.

따라쓰기 문장을 소리 내어 읽고, 낱말을 바르게 따라 쓰세요.

친구의 말이 맞아요.

답이 맞는지 살펴보아요.

답이 틀리지 않는지 살펴본다는 뜻이므로, '맞는지'를 씁니다.

강아지가 냄새를 맡아요.

냄새는 '맡아요'라고 표현합니다.

92

월 일 정답과 풀이 17쪽

확인하기 문장을 읽고, 알맞은 낱말을 사용한 문장에 ✓표 하세요.

'자장면'과 '짜장면' 둘 다 맞춤법이 틀리지 않다는 뜻이므로, '맞아요'가 알맞습니다.

1 ☑ 둘 다 맞아요.
 ☐ 둘 다 맡아요.

2 ☑ *계산이 맞는지 확인해요.
 ☐ 계산이 맡는지 확인해요.

*계산 수를 세거나 더하기, 빼기 등의 셈을 함.

3 ☐ 고양이가 생선 냄새를 맞아요.
 ☑ 고양이가 생선 냄새를 맡아요.

코로 냄새를 알아차린다는 뜻이므로, '맡아요'가 알맞습니다.

받아쓰기 불러 주는 문장을 듣고, 빈칸에 들어갈 낱말을 받아쓰세요.

4 빵 냄새를 맡다.

5 엄마 말씀이 맞다.

93

94쪽 | 95쪽

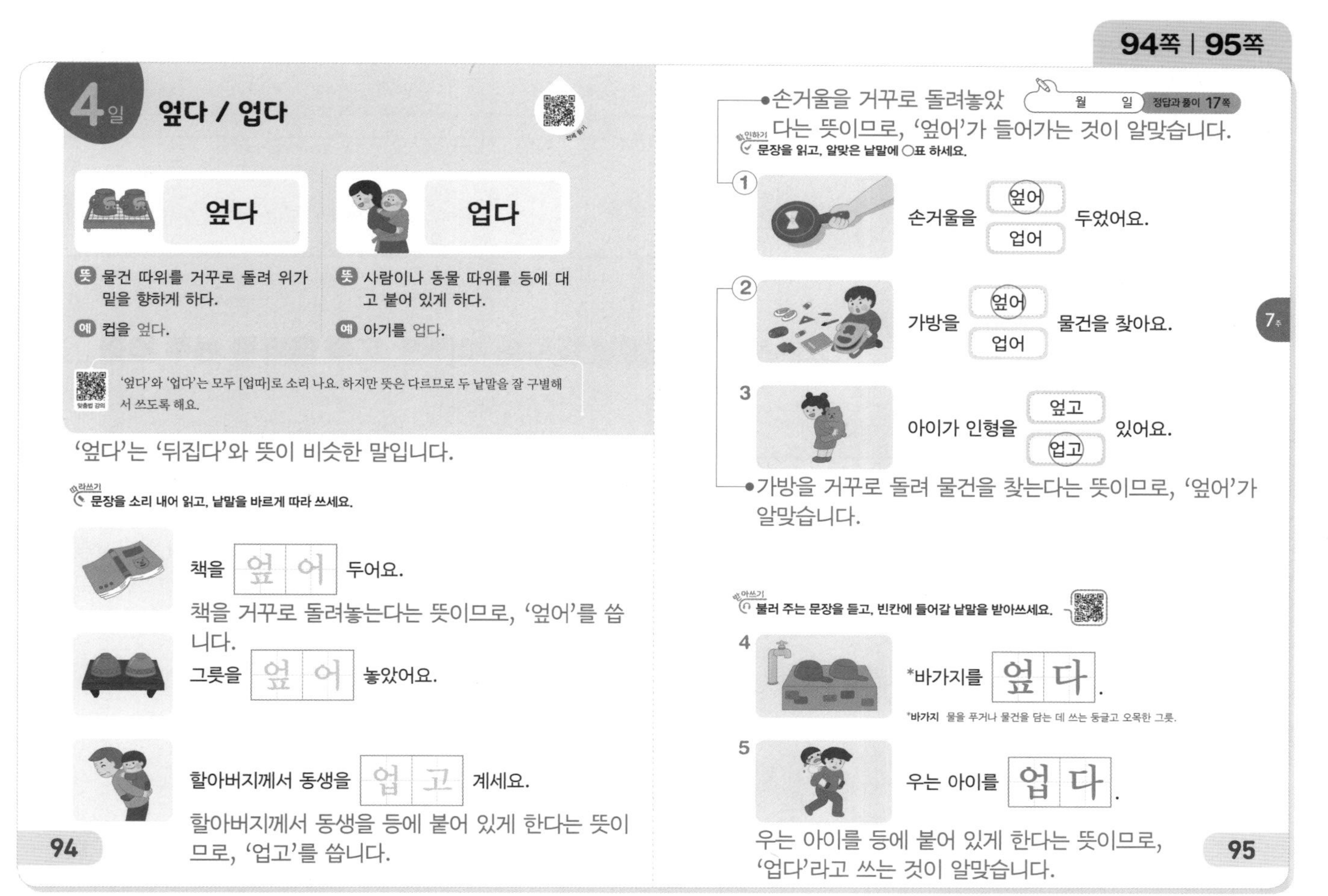

4일 엎다 / 업다

엎다

뜻 물건 따위를 거꾸로 돌려 위가 밑을 향하게 하다.

예 컵을 엎다.

업다

뜻 사람이나 동물 따위를 등에 대고 붙어 있게 하다.

예 아기를 업다.

'엎다'와 '업다'는 모두 [업따]로 소리 나요. 하지만 뜻은 다르므로 두 낱말을 잘 구별해 서 쓰도록 해요.

'엎다'는 '뒤집다'와 뜻이 비슷한 말입니다.

따라쓰기 문장을 소리 내어 읽고, 낱말을 바르게 따라 쓰세요.

책을 엎어 두어요.

책을 거꾸로 돌려놓는다는 뜻이므로, '엎어'를 씁니다.

그릇을 엎어 놓았어요.

할아버지께서 동생을 업고 계세요.

할아버지께서 동생을 등에 붙어 있게 한다는 뜻이므로, '업고'를 씁니다.

94

월 일 정답과 풀이 17쪽

확인하기 문장을 읽고, 알맞은 낱말에 ○표 하세요.

손거울을 거꾸로 돌려놓았다는 뜻이므로, '엎어'가 들어가는 것이 알맞습니다.

1 손거울을 (엎어 ○ / 업어) 두었어요.

2 가방을 (엎어 ○ / 업어) 물건을 찾아요.

3 아이가 인형을 (엎고 / 업고 ○) 있어요.

가방을 거꾸로 돌려 물건을 찾는다는 뜻이므로, '엎어'가 알맞습니다.

받아쓰기 불러 주는 문장을 듣고, 빈칸에 들어갈 낱말을 받아쓰세요.

4 *바가지를 엎다.

*바가지 물을 푸거나 물건을 담는 데 쓰는 둥글고 오목한 그릇.

5 우는 아이를 업다.

우는 아이를 등에 붙어 있게 한다는 뜻이므로, '업다'라고 쓰는 것이 알맞습니다.

95

96쪽 | 97쪽

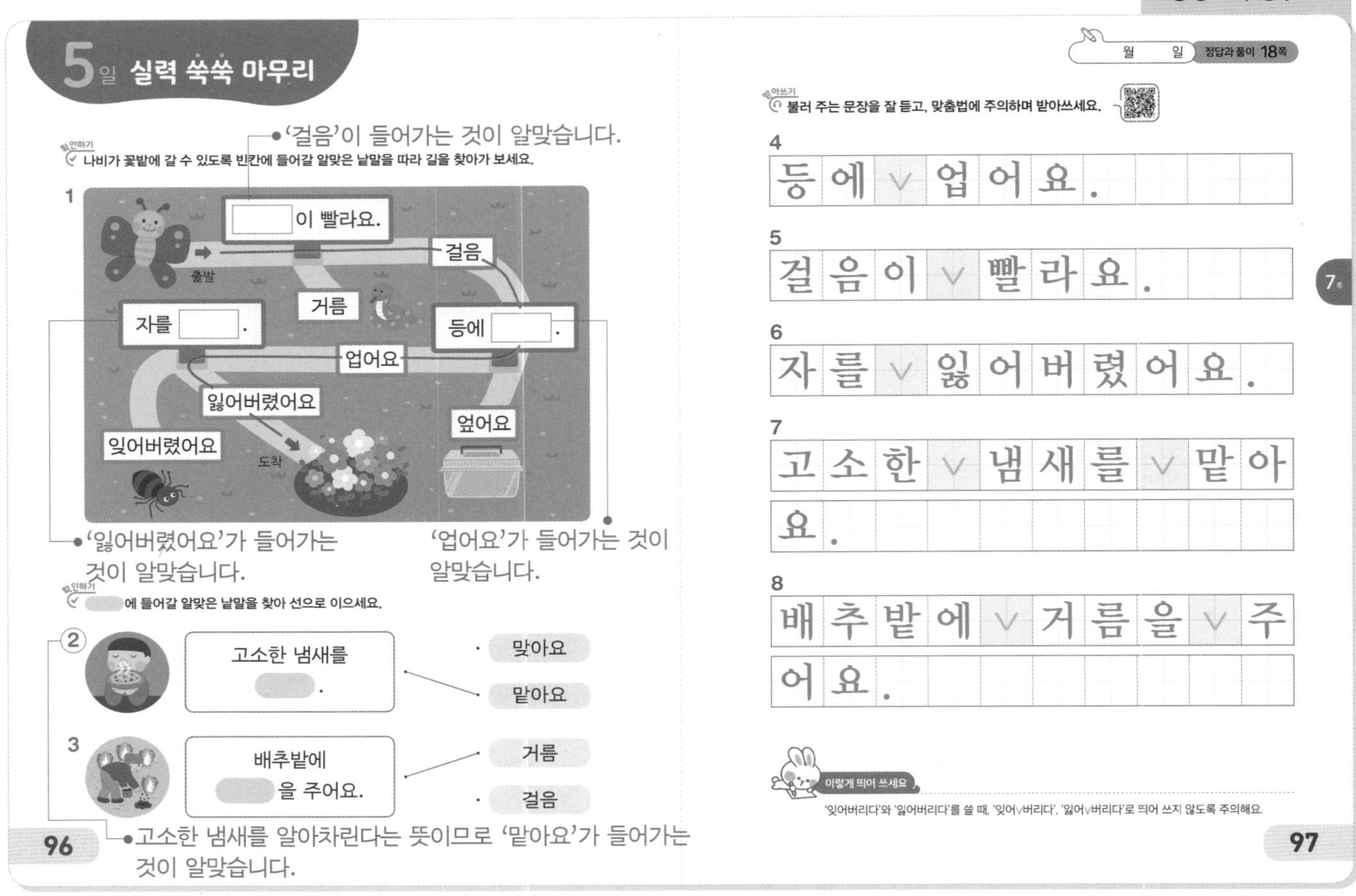

'걸음'이 들어가는 것이 알맞습니다.

'잃어버렸어요'가 들어가는 것이 알맞습니다.

'업어요'가 들어가는 것이 알맞습니다.

고소한 냄새를 알아차린다는 뜻이므로 '맡아요'가 들어가는 것이 알맞습니다.

100쪽 | 101쪽

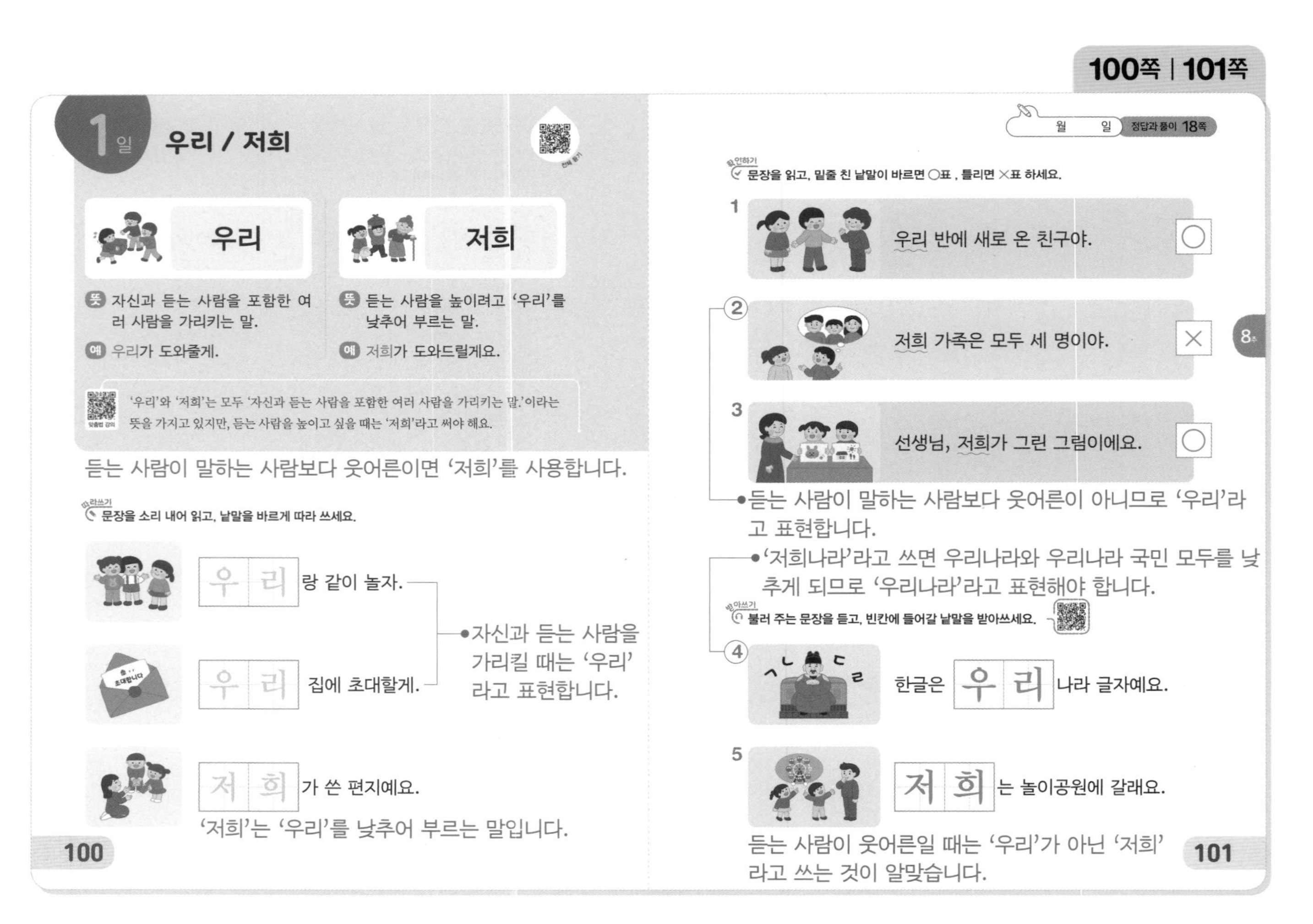

듣는 사람이 말하는 사람보다 웃어른이면 '저희'를 사용합니다.

자신과 듣는 사람을 가리킬 때는 '우리'라고 표현합니다.

'저희'는 '우리'를 낮추어 부르는 말입니다.

듣는 사람이 말하는 사람보다 웃어른이 아니므로 '우리'라고 표현합니다.

'저희나라'라고 쓰면 우리나라와 우리나라 국민 모두를 낮추게 되므로 '우리나라'라고 표현해야 합니다.

듣는 사람이 웃어른일 때는 '우리'가 아닌 '저희'라고 쓰는 것이 알맞습니다.

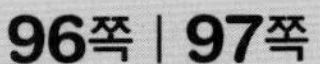

102쪽 | 103쪽

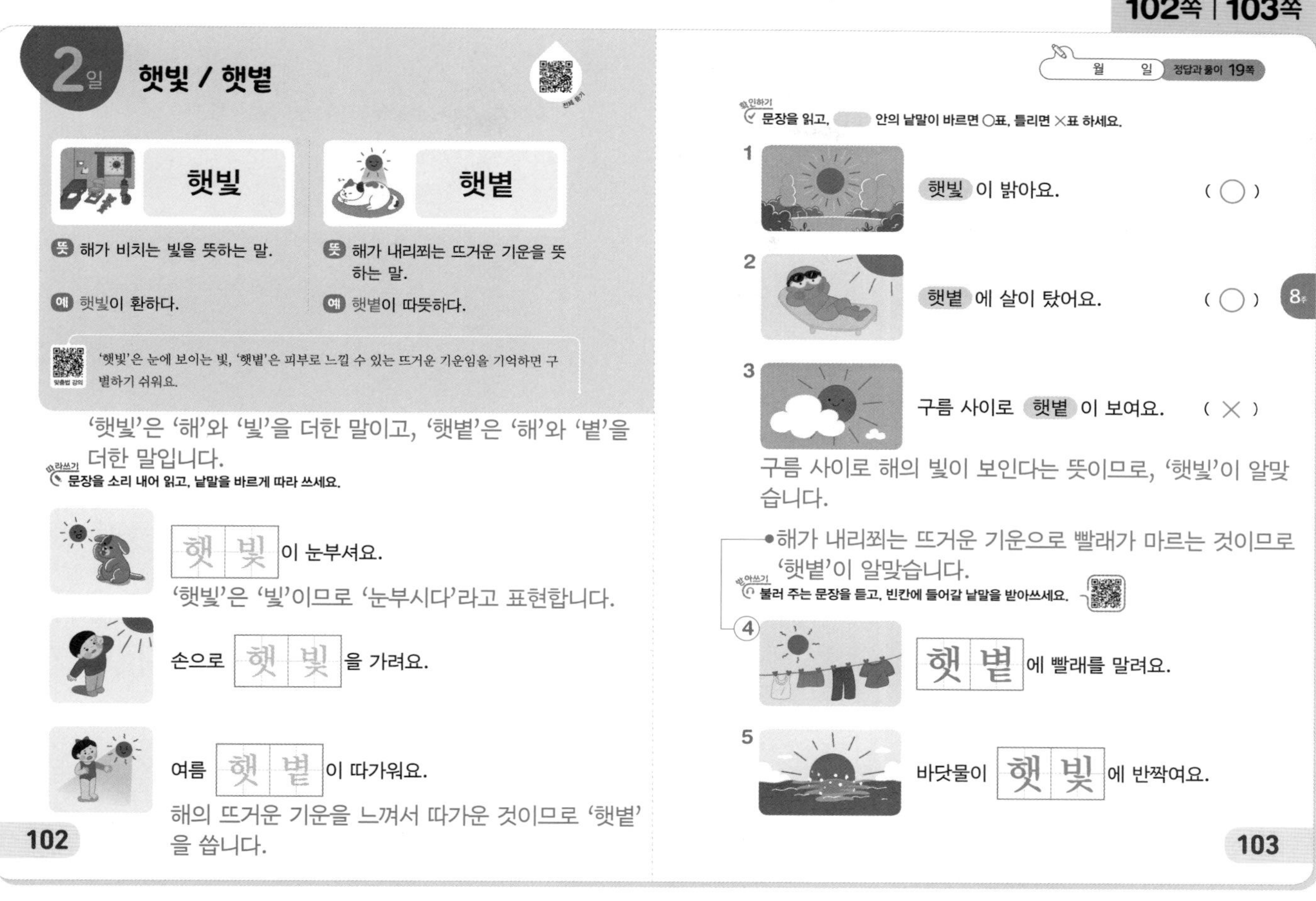

2일 햇빛 / 햇볕

햇빛

뜻 해가 비치는 빛을 뜻하는 말.

예 햇빛이 환하다.

햇볕

뜻 해가 내리쬐는 뜨거운 기운을 뜻하는 말.

예 햇볕이 따뜻하다.

'햇빛'은 눈에 보이는 빛, '햇볕'은 피부로 느낄 수 있는 뜨거운 기운임을 기억하면 구별하기 쉬워요.

'햇빛'은 '해'와 '빛'을 더한 말이고, '햇볕'은 '해'와 '볕'을 더한 말입니다.

따라쓰기 문장을 소리 내어 읽고, 낱말을 바르게 따라 쓰세요.

- 햇빛 이 눈부셔요.
  '햇빛'은 '빛'이므로 '눈부시다'라고 표현합니다.
- 손으로 햇빛 을 가려요.
- 여름 햇볕 이 따가워요.
  해의 뜨거운 기운을 느껴서 따가운 것이므로 '햇볕'을 씁니다.

102

월 일 정답과 풀이 19쪽

확인하기 문장을 읽고, 안의 낱말이 바르면 ○표, 틀리면 ×표 하세요.

1. 햇빛 이 밝아요. (○)
2. 햇볕 에 살이 탔어요. (○)
3. 구름 사이로 햇볕 이 보여요. (×)

구름 사이로 해의 빛이 보인다는 뜻이므로, '햇빛'이 알맞습니다.

해가 내리쬐는 뜨거운 기운으로 빨래가 마르는 것이므로 '햇볕'이 알맞습니다.

받아쓰기 불러 주는 문장을 듣고, 빈칸에 들어갈 낱말을 받아쓰세요.

4. 햇볕 에 빨래를 말려요.
5. 바닷물이 햇빛 에 반짝여요.

103

104쪽 | 105쪽

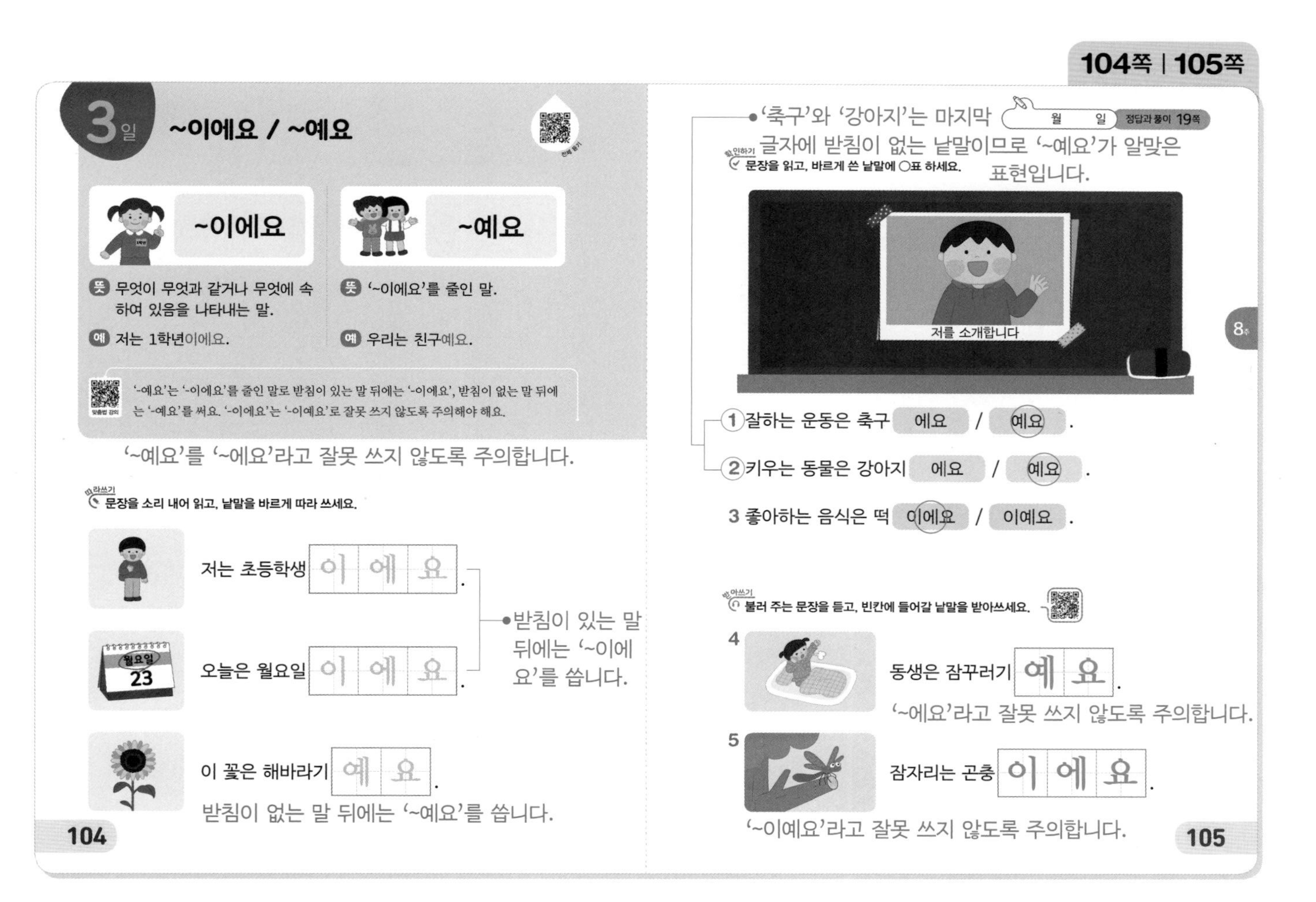

3일 ~이에요 / ~예요

~이에요

뜻 무엇이 무엇과 같거나 무엇에 속하여 있음을 나타내는 말.

예 저는 1학년이에요.

~예요

뜻 '~이에요'를 줄인 말.

예 우리는 친구예요.

'-예요'는 '-이에요'를 줄인 말로 받침이 있는 말 뒤에는 '-이에요', 받침이 없는 말 뒤에는 '-예요'를 써요. '-이에요'는 '-이예요'로 잘못 쓰지 않도록 주의해야 해요.

'~예요'를 '~에요'라고 잘못 쓰지 않도록 주의합니다.

따라쓰기 문장을 소리 내어 읽고, 낱말을 바르게 따라 쓰세요.

- 저는 초등학생 이에요 .
- 오늘은 월요일 이에요 .
  받침이 있는 말 뒤에는 '~이에요'를 씁니다.
- 이 꽃은 해바라기 예요 .
  받침이 없는 말 뒤에는 '~예요'를 씁니다.

104

월 일 정답과 풀이 19쪽

확인하기 문장을 읽고, 바르게 쓴 낱말에 ○표 하세요.

'축구'와 '강아지'는 마지막 글자에 받침이 없는 낱말이므로 '~예요'가 알맞은 표현입니다.

1. 잘하는 운동은 축구 에요 / (예요) .
2. 키우는 동물은 강아지 에요 / (예요) .
3. 좋아하는 음식은 떡 (이에요) / 이예요 .

받아쓰기 불러 주는 문장을 듣고, 빈칸에 들어갈 낱말을 받아쓰세요.

4. 동생은 잠꾸러기 예요 .
   '~에요'라고 잘못 쓰지 않도록 주의합니다.
5. 잠자리는 곤충 이에요 .
   '~이예요'라고 잘못 쓰지 않도록 주의합니다.

105

106쪽 | 107쪽

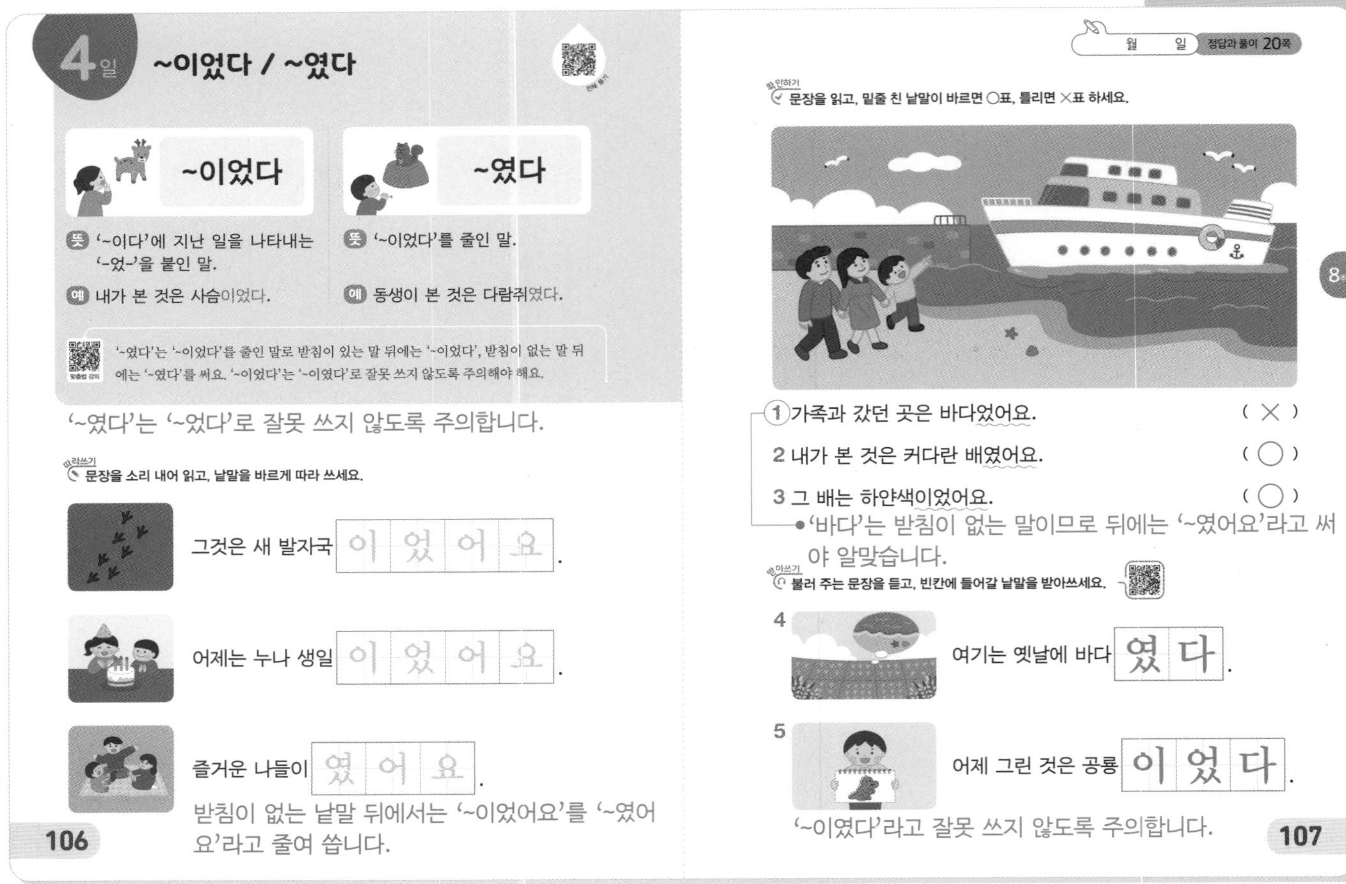

4일 ~이었다 / ~였다

~이었다	~였다
뜻 '~이다'에 지난 일을 나타내는 '-었-'을 붙인 말.	뜻 '~이었다'를 줄인 말.
예 내가 본 것은 사슴이었다.	예 동생이 본 것은 다람쥐였다.

'~였다'는 '~이었다'를 줄인 말로 받침이 있는 말 뒤에는 '~이었다', 받침이 없는 말 뒤에는 '~였다'를 써요. '~이었다'는 '~이였다'로 잘못 쓰지 않도록 주의해야 해요.

'~였다'는 '~었다'로 잘못 쓰지 않도록 주의합니다.

따라쓰기 문장을 소리 내어 읽고, 낱말을 바르게 따라 쓰세요.

그것은 새 발자국 이었어요.

어제는 누나 생일 이었어요.

즐거운 나들이 였어요.

받침이 없는 낱말 뒤에서는 '~이었어요'를 '~였어요'라고 줄여 씁니다.

월 일 정답과 풀이 20쪽

확인하기 문장을 읽고, 밑줄 친 낱말이 바르면 ○표, 틀리면 ×표 하세요.

1 가족과 갔던 곳은 바다었어요. (×)

2 내가 본 것은 커다란 배였어요. (○)

3 그 배는 하얀색이었어요. (○)

• '바다'는 받침이 없는 말이므로 뒤에는 '~였어요'라고 써야 알맞습니다.

받아쓰기 불러 주는 문장을 듣고, 빈칸에 들어갈 낱말을 받아쓰세요.

4 여기는 옛날에 바다 였다.

5 어제 그린 것은 공룡 이었다.

'~이였다'라고 잘못 쓰지 않도록 주의합니다.

108쪽 | 109쪽

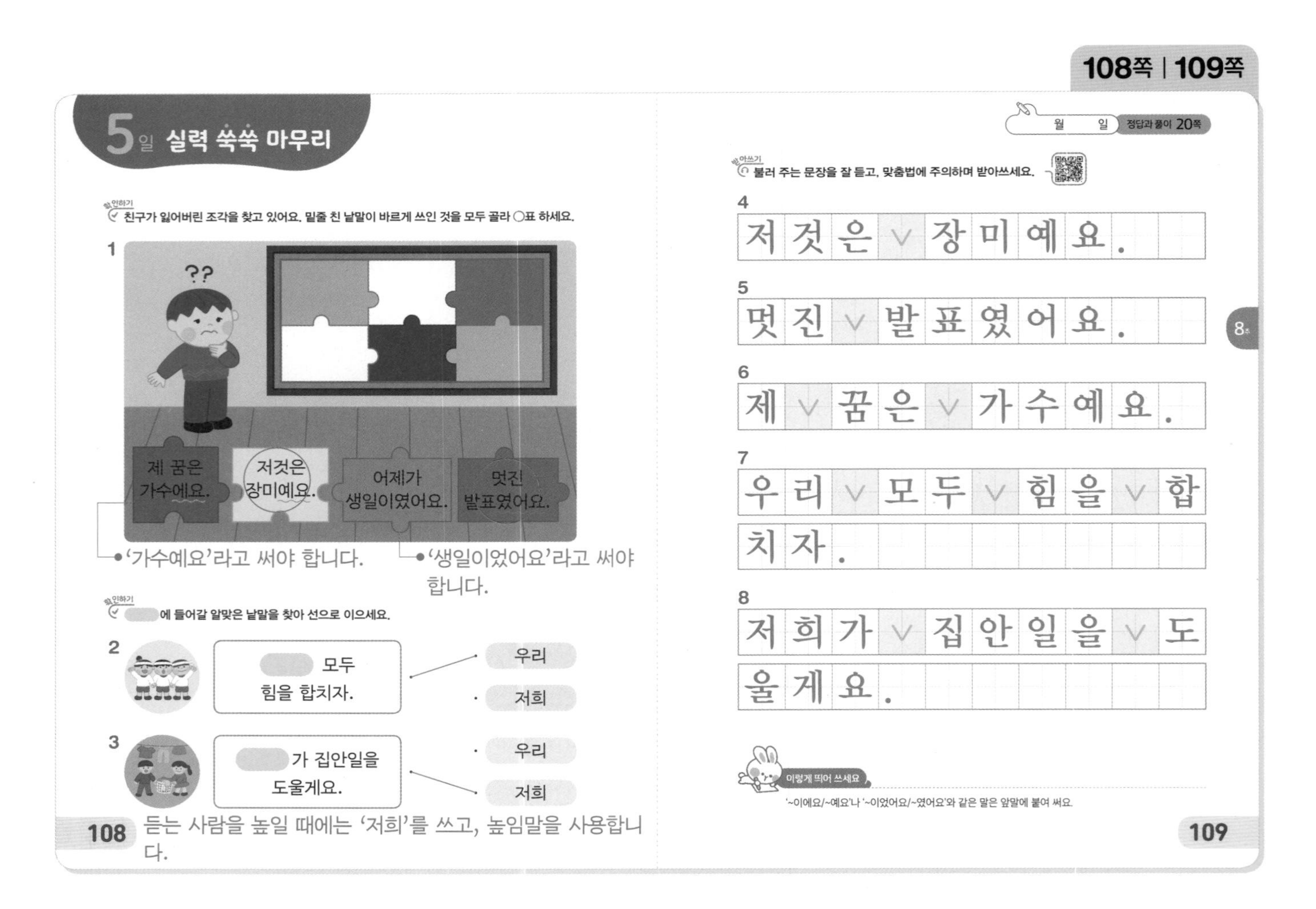

5일 실력 쑥쑥 마무리

확인하기 친구가 잃어버린 조각을 찾고 있어요. 밑줄 친 낱말이 바르게 쓰인 것을 모두 골라 ○표 하세요.

1

• '가수예요'라고 써야 합니다.

• '생일이었어요'라고 써야 합니다.

확인하기 ▭에 들어갈 알맞은 낱말을 찾아 선으로 이으세요.

2 ▭ 모두 힘을 합치자. — 우리 / 저희

3 ▭가 집안일을 도울게요. — 우리 / 저희

듣는 사람을 높일 때에는 '저희'를 쓰고, 높임말을 사용합니다.

월 일 정답과 풀이 20쪽

받아쓰기 불러 주는 문장을 잘 듣고, 맞춤법에 주의하며 받아쓰세요.

4 저것은 ∨ 장미예요.

5 멋진 ∨ 발표였어요.

6 제 ∨ 꿈은 ∨ 가수예요.

7 우리 ∨ 모두 ∨ 힘을 ∨ 합치자.

8 저희가 ∨ 집안일을 ∨ 도울게요.

이렇게 띄어 쓰세요
'~이에요/~예요'나 '~이었어요/~였어요'와 같은 말은 앞말에 붙여 써요.

부모님이 불러 주는

받아쓰기 대본

띄어쓰기를 생각하며 정확한 발음으로 읽어 주세요. 문장 부호도 함께 읽어 주세요.
받아쓰기 문제의 QR코드를 통해서도 내용을 들으실 수 있습니다.

1주

17쪽

4 거미가 줄을 타요.

5 이야기를 들어요.

19쪽

4 버스를 타요.

5 고추가 매워요.

21쪽

4 토끼가 뛰어요.

5 뿌리가 길게 자랐어요.

23쪽

4 지갑에서 동전을 꺼내요.

5 낙타가 사막을 걸어가요.

25쪽

4 소금은∨짜요.

5 거울을∨보아요.

6 다리를∨건너요.

7 아빠께서∨요리를∨하세요.

8 강아지가∨꼬리를∨흔들어요.

2주

29쪽

4 과자를 먹어요.

5 나는 화가가 되고 싶어요.

31쪽

4 제비가 집을 지어요.

5 배추로 김치를 담가요.

33쪽

4 가위로 종이를 잘라요.

5 원숭이가 바나나를 먹어요.

35쪽

4 계단을 올라가요.

5 친구와 얘기해요.

37쪽

4 과자는∨맛있어요.

5 제비가∨날아가요.

6 다람쥐는∨귀여워요.

7 사과의∨맛은∨달콤해요.

8 원숭이∨엉덩이는∨빨개요.

부모님이 불러 주는
받아쓰기 대본

3주

41쪽

3 꿈에서 괴물을 보았어요.

4 얼룩말은 무늬가 있어요.

43쪽

4 돼지를 길러요.

5 추워서 스웨터를 입었어요.

45쪽

4 문어가 먹물을 뿜어요.

5 빨간 낙엽도 주웠어요.

47쪽

4 컵에 얼음 하나를 넣어요.

5 할머니께 선물을 받아요.

49쪽

4 의자에∨앉아요.

5 외투를∨입어요.

6 기분이∨상쾌해요.

7 악어가∨물속에∨있어요.

8 놀이터에서∨그네를∨타요.

4주

53쪽

4 음악 소리가 들려요.

5 돌잡이에서 실을 잡았어요.

55쪽

4 포도를 씻어요.

5 책을 책꽂이에 꽂아요.

57쪽

4 숲에서 매미가 울어요.

5 아빠께서 부엌에 계세요.

59쪽

3 비행기에 탔어요.

4 창문을 깨끗이 닦아요.

61쪽

4 꽃이∨예뻐요.

5 웃음이∨나요.

6 하늘∨높이∨날아요.

7 금요일에∨비가∨온대요.

8 할아버지께∨드릴∨선물을∨샀어요.

5주

65쪽

4 쥐는 고양이보다 작다.

5 빨간 풍선의 수가 더 적다.

67쪽

4 코끼리는 병아리보다 크다.

5 노란 꽃이 빨간 꽃보다 많다.

69쪽

4 계산이 틀리다.

5 딸기와 포도는 맛이 다르다.

71쪽

4 수영을 가르치다.

5 세 시를 가리키다.

73쪽

4 남은∨물이∨적어요.

5 콩의∨수가∨적어요.

6 형의∨키가∨커요.

7 틀린∨글자를∨고쳤어요.

8 사고∨싶은∨물건을∨가리켜요.

6주

77쪽

4 옷의 색이 바래다.

5 생일이 빨리 오기를 바라다.

79쪽

4 모자를 반듯이 쓰다.

5 반드시 안전띠를 매자.

81쪽

3 나이가 같다.

4 친구와 놀이터에 갔다.

83쪽

4 병이 낫다.

5 둥지에 알을 낳다.

85쪽

4 산에∨갔어요.

5 모양이∨같아요.

6 몸이∨다∨나았어요.

7 사이좋게∨지내기를∨바라요.

8 공책에∨글씨를∨반듯이∨써요.

부모님이 불러 주는
받아쓰기 대본

7주

89쪽

4 급한 걸음으로 걸어요.

5 나무 아래에 거름을 주어요.

91쪽

4 모자를 잃어버리다.

5 주소를 잊어버리다.

93쪽

4 빵 냄새를 맡다.

5 엄마 말씀이 맞다.

95쪽

4 바가지를 엎다.

5 우는 아이를 업다.

97쪽

4 등에 ∨ 업어요.

5 걸음이 ∨ 빨라요.

6 자를 ∨ 잃어버렸어요.

7 고소한 ∨ 냄새를 ∨ 맡아요.

8 배추밭에 ∨ 거름을 ∨ 주어요.

8주

101쪽

4 한글은 우리나라 글자예요.

5 저희는 놀이공원에 갈래요.

103쪽

4 햇볕에 빨래를 말려요.

5 바닷물이 햇빛에 반짝여요.

105쪽

4 동생은 잠꾸러기예요.

5 잠자리는 곤충이에요.

107쪽

4 여기는 옛날에 바다였다.

5 어제 그린 것은 공룡이었다.

109쪽

4 저것은 ∨ 장미예요.

5 멋진 ∨ 발표였어요.

6 제 ∨ 꿈은 ∨ 가수예요.

7 우리 ∨ 모두 ∨ 힘을 ∨ 합치자.

8 저희가 ∨ 집안일을 ∨ 도울게요.

맞춤법 + 받아쓰기
정답과 풀이